八月狂想曲 Bayue Kuangxiang Qu

时代出版传媒股份有限公司
安 徽 文 艺 出 版 社

徐坤，1965年3月出生。《人民文学》杂志副主编，北京作家协会副主席，中国社会科学院文学博士，中国作家协会全国委员会委员，北京市政协委员，享受国务院特殊津贴专家。

1993年开始发表小说，已出版小说、散文、评论作品500多万字，获得国家及省部级奖项及各期刊大奖30余项（次）。代表作有小说《白话》《先锋》《厨房》《狗日的足球》《午夜广场最后的探戈》《八月狂想曲》《春天的二十二个夜晚》等。话剧《青狐》改编自王蒙同名长篇小说，话剧《性情男女》2006年由北京人民艺术剧院上演。长篇小说《八月狂想曲》获中宣部“五个一工程”优秀图书奖，短篇小说《厨房》获第二届鲁迅文学奖。长篇小说《野草根》被香港《亚洲周刊》评为“2007年中文十大好书”。部分作品被翻译成英、德、法、俄、西班牙、日语等出版。

徐坤文集

Xu Kun Wenji

八月狂想曲

Bayue Kuangxiang Qu

徐坤 / 著

时代出版传媒股份有限公司
安徽文艺出版社

图书在版编目（CIP）数据

八月狂想曲/徐坤著. —合肥：安徽文艺出版社，2015.1(2021.10 重印)
（徐坤文集）
ISBN 978-7-5396-5228-3

Ⅰ. ①八… Ⅱ. ①徐… Ⅲ. ①长篇小说—中国—当代
Ⅳ. ①I247.5

中国版本图书馆 CIP 数据核字(2014)第 281193 号

出 版 人：姚　巍　　　　丛书统筹：朱寒冬　刘姗姗
责任编辑：姜婧婧　　　　装帧设计：丁　明

出版发行：时代出版传媒股份有限公司　www.press-mart.com
安徽文艺出版社　www.awpub.com
地　　址：合肥市翡翠路 1118 号　邮政编码：230071
营 销 部：(0551)63533889
印　　制：安徽新华印刷股份有限公司　(0551)65859551

开本：880×1230　1/32　印张：19.125　字数：500 千字
版次：2015 年 1 月第 1 版　2021 年 10 月第 3 次印刷
定价：68.00 元(精装)

2008年7月15日中国作协召开《八月狂想曲》研讨会。金炳华书记出席并讲话，陈建功、聂震宁、吴雨初、李青、陈建文等领导出席。

与北京十月文艺出版社年轻团队合影（从左至右依次为李欣、李亚梓、顾建平、徐坤、韩敬群、王洪先）。

2006年7月30日，与北京作家协会领导李青、同事曾哲共同采访奥运鸟巢工地。

采访国家体育场项目部常务副总经理兼总工程师吴之昕。

2006年10月26日，采访鸟巢设计师、中国建筑设计院总建筑师李兴钢。

2007年1月12日，采访奥组委，听北京奥组委执行副主席蒋效愚介绍情况。

2014年1月4日，与顾建平再次相遇于浙江临海。倏忽五年已过，当年的责编和作者竟又走进同一座出版大楼里效力。真乃是“小春秋,大般若”。

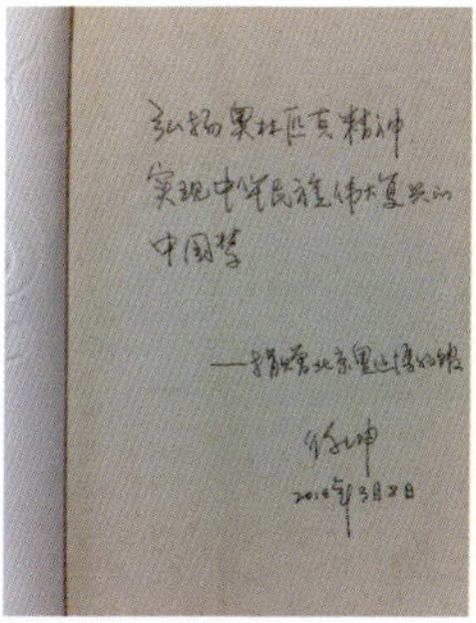

2014年3月8日向奥运博物馆捐赠《八月狂想曲》

《八月狂想曲》书影(2008年)

2014年9月1日北京奥运博物馆颁发的证书

谨以此书

献给一个时代

献给青春中国

——作者题记

自序

向现在，向未来

“《八月狂想曲》，徐坤写得意气风发，写得波澜壮阔；她有澎湃的叙事激情，滔滔五十万字，她纵情歌唱——站在空旷的、华丽如天上宫阙的体育场，向着即将到来的日子、向着那时的欢腾万众。”

这是批评家李敬泽2008年6月评论我的新著《八月狂想曲》的文章开头。我觉得他的标题“向现在，向未来”极好！到现在，六年时间过去，当一个新的实现中国梦的历史时间段到来时，这样的题目，仍然显得美好，令人振奋，并有无限希望催生。故而我借用这个标题来作为今天我的文集自序的题目。

从1993年发表第一部中篇小说《白话》至今，已经有二十多年时间过去。不知不觉，就从青年写到了中年。二十世纪九十年代初，我刚毕业进入中国社会科学院工作，一身学生气，带着年轻人成长过程中普遍存在的叛逆和冲撞精神。八十年代的结束和九十年代的开始，对于中国的改革开放进程来说，是一段非常特殊的历史时期。刚参加工作不久，我就随社科院的八十几位博士、硕士一起到河北农村下放锻炼一年。远离城市，客居乡间，忧思无限，前程渺茫。在乡下的日子里，我们这群共同承继着八十年代文化精神资源的二十来岁的青年学子，经历浅，想法多，闲暇时喜欢聚在一起喝酒清谈，读费孝通的《乡土中国》，看昆德拉的《生命中不能承受之轻》，播放从中关村淘回来的各种国外艺术片。在高粱玉米深夜拔节声中，在骤雨初歇乡村小道咕吱咕吱的泥泞声里，凌虚蹈空探讨国家前途和知识分子命运，虽难有结论却兴味盎然。回城以后，这个小团体就自动解散。然而，在乡下探讨的问题以及与底层乡村民众打交道时的种种冲突和遭际却一直萦绕我心，挥之不去。终有一天，对世道的焦虑以及对前程的思索，催使我拿起笔来，做起了小说——相比起"板凳要坐十年冷"的做学问方式，激情与义愤喷发的小说更能迅捷地表达作者的情绪。

在1993—1994两年间，我以《白话》《先锋》《热狗》《斯人》《呓语》《乌粪》《梵歌》等一系列描写知识分子的小说登上文坛，文化批判的锋芒毕现，引起了读者和批评家的广泛关注。我的第一部小说集《热狗》由王蒙先生亲自作序，王蒙文中称"（徐坤）虽为女流，堪称大'侃'；虽然年轻，实为老辣；虽为学人，直把学问玩弄于股掌之上；虽为新秀，写起来满不论（读吝），抡起来云山雾罩、天昏地暗，如入无人之境"。

年轻时的写作，十分峻急，仿佛有无数力量催迫，有青春热情鼓荡，所有的明天都是光荣和梦想。仿佛可以乘着文字飞翔，向着歌德《浮士德》中"灵的境界"疾驰。几年以后，做够了知识分子的题目，我又开始尝试女性主义议题。《厨房》《狗日的足球》《遭遇爱情》《女娲》《小青是一条鱼》等等都是这一时期的作品。它们借助于互联网的兴起迅速被盗版疯传。看到网上有评论说，到今天为止，足球小说写得最好的仍然是我在1996年写的以女性为主角的《狗日的足球》。

十几年后，我从社科院出来到北京作家协会当了专业作家，这一干，又是一个十年。作为一名职业作家，对自己的要求与从前自然有所不同，写作的战车开始提速。这期间，有《春天的二十二个夜晚》《爱你两周半》《野草根》《八月狂想曲》几部长篇问世，还写了三部话剧《性情男女》《青狐》（根据王蒙同名长篇小说改编）《金融街》，并有多部中短篇小说集以及散文集出版。短篇小说《厨房》在2002年获得第二届鲁迅文学奖，话剧《性情男女》2006年1月由北京人民艺术剧院上演，由副院长任鸣亲自导演，谷智鑫等几个年轻人主演，在北京和上海演过五十多场，深得年轻观众喜爱。长篇小说《野草根》被香港《亚洲周刊》评为"2007年十大中文小说"，长篇小说《八月狂想曲》2009年获得中宣部"五个一工程"优秀图书奖。

"文章合为时而著，歌诗合为事而作"，这是千古文人必须承担的道义和使命。写到此，不能不回到开头，说说收录到文集里的第一卷《八月狂想曲》。这是我到北京作协当专业作家后的一次奉命之作，写出了全国唯一一部表现中国举办奥运的长篇小说。应该说交上了合格答卷。六年过后，今天再看，仍然可读，本世纪开初那几年、一个时代中国人的集体记忆和情绪，字里行间仍历历可见。这是我写得最艰苦的一部作品，经过四年多的跟踪采访和写作，终于在奥运会开幕前将五十万字的小说完成。

在采访中，给我留下印象最深的是奥运建筑设计和施工团队，从总设计师到工程助理，主力几乎清一色由年轻人组成，基本上是出生于六十、七十年代的一群人。他们有着良好的教育背景，专业技术上过得硬，有吃苦耐劳精神，有跟世界平等交流对话的良好心态和技术资本。他们是如此自信、坚定、昂扬、勇往直前、无所畏惧，遇到困难绝不会绕道走，阐述自己的理想绝不闪烁其词。正是在这一代年轻人的手中，经过几年时间的艰苦打造，一座座奥运场馆拔地而起，老北京的新地标正威严地耸立！

从这些同龄人身上，我感受到了青春，感受到了力量，感受到了蓬勃的朝气，感受到了百多年前，梁启超等仁人志士所憧憬、筹划的少年中国的伟大梦想——“红日初开，其道大光；河出伏流，一泻汪洋；潜龙腾渊，鳞爪飞扬；乳虎啸谷，百兽震惶；鹰隼试翼，风尘翕张”——那些令人心潮澎湃、血脉贲张的伟大想象，如今正在这一代年轻人的手里一一变为现实。

于是，我找到了“青春中国”这个突破口，以建筑设计鸟巢、水立方的60后、70后年轻建筑设计团队为主角展开故事，真实记录当下中国社会的芸芸众生。在《八月狂想曲》一书的卷首语里我这样写道：谨以此书，献给一个时代，献给青春中国。书里有为民请命的年轻有抱负的新一代决策者，也有意志脆弱的受贿下马官员；

有年轻建筑师壮志凌云欲打造出世界顶尖级建筑场馆的豪情，也有民工的辛苦劳作牺牲奉献。有兄弟情谊的砥砺，有爱人的背叛误解，有利益的巨大诱惑，有美色的无端沉迷，有沉痛，有欢笑，有泪水，有无奈……更多的是中华大地上的人民被这一历史机遇给迸发出来的无限激情。

青春中国是令人振奋的。六年以后，2014 年 11 月的北京 APEC 会议上，洋红色的“鸟巢”和宝蓝色的“水立方”又被装点一新重新亮相，梦幻般的色彩重又照亮了北京这座城市的夜空。作为曾经亲历这两座建筑从无到有，曾看着它们的每一根钢筋落地、每一个气泡贴膜的人，此时该是多么感慨！夜风习习，秋叶飒飒。站在这些已被叫作“奥运文化遗产”的巨大建筑前，才能深刻感受到，一个实现中国梦的历史时间段又灼灼闪亮了！

在将《八月狂想曲》收入文集时，我也将当年北京十月文艺出版社出版团队的照片，以及它后续获得的各种荣誉的照片一并收录进来，为我们曾经共同的努力立此存照。也为中国百年不遇的举办奥运会的壮举立此存照。

光阴荏苒，人到中年，便会将脚步贴近大地，内敛与凝重，不断思量文学对社会的担当，思考文字如何才能得以不朽。同时亦想驻足，对着毕生所从事的事业，对大地山川、天空和海洋如浮士德般深情呼唤：“你真美啊，请停留一下！”

最后，我要感谢安徽文艺出版社，几年来他们以磅礴的气势、高端的战略、诚恳的用心，将诸多名家的作品文集收入旗下，其精美的装帧与精益的质量，都十分令人称道。忝列出版名单之中，令我深感荣幸！我还要感谢社长朱寒冬先生，没有他的极富激情和责任心的邀约和敦促，便不能使我除却慵懒与怠惰尽快编成此书。同时我要感谢责任编辑刘姗姗和姜婧婧两位小友，她们为这套文集的付梓做出了很大努力，付出许多辛劳。我感谢她们。

徐坤

2014 年 11 月 28 日于北京以北

目录

第一章　风生水起

1. 台北亲戚

飞机缓缓地在台北桃园机场降落。从空中俯视，台北像一只巨大的碗，一圈一圈从外延向中心逐级沉降。淫雨霏霏，灯火迷蒙。这里是冬季台北的夜晚，冷暗，潮湿，乌沉沉棋盘似的格局，隐没在绵绵不绝的烟雨里，自有一种说不出的惆怅意味在里边。他们这些初次到台湾的北方来客，一时有点儿适应不了这种潮湿天气。台北机场，多少跟想象中的样子有点儿距离。比起一个多小时前香港机场的灿烂恢弘，这里的暗淡陈旧灰蒙蒙的样子，似乎跟书上介绍的它当年初建成时的八面威风不太匹配。

众人的困倦都挂在脸孔上，冷冷昏昏提着行李往外走。唯有市台办秘书小温，依然沉浸在机上播放的乐曲的台北冬季眼泪情人阴雨意境中，一边四下打量，一边还不由自主哼唱：台北的机场，是一个分手的老地方，你的心情也和我一样，难过却无法去抵挡……

走在他前边的淞州市常务副市长，也是此行招商团团长旷乃兴听罢，忍不住回头道：行啊，小子，到什么山上唱什么歌。现编的？

小温讪笑道：嘿嘿嘿，旷市长，我哪有这么大本事！这可是人家硬面小生温兆伦演唱的，《台北的机场》，地球人都知道。

旷乃兴道：地球人都知道，我咋不知道？

小温说：旷市长您德高望重，听说您最拿手的 K 歌就是《我爱五指山我爱万泉河》，哪能听说过这个！

旷乃兴说：你小子，甭给我来这套！听谁说的？是不是说我已经老了？

小温道:瞧您说的！我哪敢呢！温兆伦,就是演《义不容情》的那个,您在电视里头看过吧？听这首歌的时候我正跟我女朋友闹恋爱,听得五迷三道的……

旷乃兴装作饶有兴致地问:喔？后来怎样？唱成了？

小温说:咳！成什么成！后来呢,果然就分手了。不过不是在台北机场,是在首都机场。

旷乃兴说:你看,我就说吧,这歌就是不能乱唱,年轻人谈恋爱就应该唱点儿热闹的,总唱这些哭哭啼啼要死要活的,那还有个好？

小温说:旷市长您不知道,失恋歌曲能打动人。

旷乃兴说:把媳妇都打动没了,还打动呢！你小子,悠着点儿唱吧。

说罢一行人都跟在后边嘻嘻哈哈地笑。

旅行出差的最大好处,就是可以缩短官民之间的距离。平常在家里,像小温这样的年轻公务员,跟市长隔着好几层官阶,很难直接说上话。这一出门,扎在一块堆儿的就这么几个,想不近乎也难。整个感觉就完全不一样了。

说着话,不知不觉,到了出关口。直到第一眼看到那面飘着的青天白日满地红旗帜时,他们才确切认知这是到了台北,是个不一样的地方。第一次来台湾的大陆人,见到这面旗,没有谁心里不涌起些山河感叹别样情怀。

前来接机的台湾恒元集团总经理万宏耀等人已经候在那里。见招商团一行出来,忙上来握手,寒暄。万宏耀握住走在前面的旷乃兴的手道:旷市长,辛苦辛苦！

旷乃兴道:万先生久等了。

万宏耀说:哪里哪里！去年我们到贵市考察时有劳旷市长亲自出面款待,万某心存感激。这回得以有机会效劳,是万某的荣幸。

接着他又跟同来的其他人——淞州市政府副秘书长、市政协副主席兼海外华商投资促进会会长、主管招商和三产的副市长、市人大副主任、市台办副主任、市台办秘书等一一握手。

台湾人万宏耀南人北相，宽脸盘，大眼睛，身量不高，却显得富贵敦厚，很有气质。凇州招商团团长旷乃兴身材高大，凤眼豹腰，英俊挺拔，典型的东北汉子。二人往那里一站，就是一道风景。所有随同人员全都自觉往后站，一下子被比下去了。

寒暄过后，众人上了一辆奔驰轿车。司机和随同来的恒元集团秘书阿瑟帮助众人提行李上车落座。

说起这个集团老总万宏耀能够亲自前来接机，那可真是待遇不一般，完全是看在旷乃兴的面子上。旷乃兴这个常务副市长掌握着他们在凇州投资项目的生杀大权，他们要小心伺候着这不假，但在这背后其实还有另一层惺惺相惜的由头，那却是平常人所不能领会的。

这个台湾恒元集团相当不简单，主要生产电脑、通讯、汽车电子元件以及制造高端纳米级信号传输线缆及转接器等设备，荣列台湾十大桂冠企业之首，并已进入世界财富五百强，老板也已连续两年蝉联台湾首富。他们即将成为凇州的大客户，要斥资 15 个亿建设凇州会展中心。对于凇州这么个地级市来说，这已经是一个相当巨额的数字，等于是请来一个大财神爷。总经理万宏耀祖上是台湾高山族人，据说是二十世纪初曾回到福建莆田落户，后又返回台湾，几代人都有经商天才。这个万宏耀没几年工夫，就将家族公司打理出恢宏的业绩。

说起来，万宏耀当初的凇州之行，是属于误打误撞，就是由凇州市常务副市长旷乃兴一手设局促成的。早听到中央有振兴东北老工业基地的风声，文件指示精神还没有最后下达，一些熟悉大陆情况的投资商就闻风而动，从盘踞在江浙和广州东莞一带的据点里起身，踅摸着商机一路向北挺进。而身居北方工业重镇的新州省也已提早动手热身，开始了大规模的招商引资工作。当时以万宏耀为团长率领的台商一行 30 多人的考察团，应新州省政府邀请，前去考察打造北方工业长廊项目。原计划的考察清单上只有省会城市祁阳和沿海港口城市渤城、怀洲岛等几个地方。凇州市这个十几年前才成为省辖市之一的地级市，还没有资格列入清单。

听到有台商大规模集体北上的消息，两年前才从省财政厅副厅长位置上外派到凇州当常务副市长的旷乃兴坐不住了。他立即使尽浑身解数，上下活动，找到省里的熟人朋友引荐、说合，利用个人在省城的关系，采取中途撬行、打劫诱拐等方式，硬是从人家事先设定好的行程里给挤出一小块时间来，把万宏耀一行人拐到凇州地界上。滞留的时间也不长，也就走马观花一半天工夫。你还别看就这么一半天，却是成效显著。在他们东北那疙瘩有一句俗语，说是"人怕见面猪怕壮"。那猪一壮了，是什么命运自不待言；而人一见面，那命运也就跟着不一样了，只要见了面，不熟悉的会熟悉，已经熟悉的，说不定就会成为亲戚。当然，这些都是讹传的，类似于赵本山小品里的俏皮话，不能当真。但是，在凇州考察过后，临走时，台湾恒元集团总经理万宏耀有了在凇州投资的想法，这个成效，却是实打实的，成了验证那句俗语的最好注解。

台湾商人万宏耀老谋深算，看不准行市，是绝不会轻易下手的。恒元集团不但在台湾榜上有名，他们也是最早进驻大陆投资的几家大台商之一，在南方的连锁企业就有十几家，在中国大陆的员工号称有五十几万。十几年下来，沧海桑田，他什么大陆人没见过，什么官方场面没瞧见过？跟大陆人打交道，万宏耀是老油条，他揣摩大陆人的心理，比大陆人掂量他的心思更得力、更准确，一猜一个准儿。在凇州一天多的时间里，台商们一路走来一路看，吃吃喝喝，坐坐谈谈，快到晚宴结束时，关于投资的意向仍没有什么实质性进展。

其实，通过这两天的摸排，万宏耀心中早有底了。但他轻易不言语，绝不会贸然吐口。他看中了凇州这块地方，底子不错，在辽冀两省交界位置，处在北方工业长廊的边上，是北方的湟河入海口，有建设高新企业园区和打造良港的资源。投资环境也相当不错，无论是它的科技园区建设，还是城郊一体化目标的实施，从各方面来看，将来的整体发展前景也许会大大超过南方。

尤其是，凇州刚刚申请下 2008 年北京奥运会协办城市，这无疑是重大利好消息！听一直陪同参观介绍的市台办秘书小温说，全国只有上海、天津、香港等六个城市是奥运协办城市。淞州能成为六个之一，足以说明它的上升空间和发展潜力。就凭这个判断，淞州这只股票就是一只绩优股。

万宏耀作为一个有经验的商人，一眼就瞄出了淞州招商引资方面普遍的急躁冒进情绪，同时也在心里约略算出在淞州投资的利润好处。这广大的黑油油的处女地！只要垦荒，就会有收成。

他的心里虽然已经在暗暗打鼓，但是，表面仍然不动声色。他在寻找时机，总觉得此时下手，尚还差点什么。还差点儿什么呢？对了，是人脉。在人脉方面还不牢固，还有点儿欠缺。

这么多年的大陆投资经验告诉他，在中国大陆做事情，有时候信任人比信任政策更有效。政策经常没有连续性，朝令夕改，新任领导上任，上一任的规则就紧跟着废止。而跟定一个领导，只要他不腐败不出事，都会顺阶往上升，把关系搞好了，就永远能得到保护，背靠大树好乘凉。

当然这只是他一己的臆想和野狐禅经验之谈，算不得数。生意人讲风水讲人脉，淞州这块地方，风水自不必说，依山傍水，这么多年没发展起来，不光是因为他们自己的原因，也是因为东北老工业基地整体落后，没有管理层整体政策的促动和支持。现在，利好消息终于要出台，借助于振兴东北的计划，当地招商引资的一系列优惠政策都勇于下达，其平均优惠率远远高出南方。这对台商来说是十分有吸引力的地方。可是这人脉关系又到哪里去寻呢？万宏耀也不过是通过普通的官方渠道来到这里的，对北方并不熟悉，也没有太深的联络。

是旷乃兴的一句话，拉近了他们彼此的距离。

席间旷乃兴偶然说起他是清华大学毕业的。万宏耀当时眼睛一亮，不由自豪地开口道："巧了！家父当年也是清华学子，万某本人也曾就读于台湾清华。"

旷乃兴一听，忙起身敬茶，连说"幸会"，然后一口一个"学兄"地叫,叫得年过半百的万宏耀满面春风。

万宏耀说:万某不才,着实不敢担当。敢问兄台贵庚?是哪一年毕业?学的什么专业?

旷乃兴一一如实回答。自己年方36。毕业于清华大学建筑系。

一旁的小温生怕领导自谦说低了学历,猴急地拍马屁补充说:“我们旷市长现在是博士,是北方大学经济管理系博士毕业。”

旷乃兴白了他一眼,心说到底是没上过好大学,不懂得行市。一说起大陆的学校和文凭,地球上的华人都只认北大清华,其他的学校学位都是扯淡。尤其领导干部,一说自己有博士学位,都要遭人暗笑。那东西是怎么来的任人都清楚。

那万宏耀果然不理会小温的补充,而单就“清华”二字感慨道:清华学子,一代天骄!中央的高层领导人也都是清华出身。旷市长年轻有为,前途不可限量啊!

旷乃兴忙说:不敢不敢!在下惭愧,一介芝麻官而已,不像学兄,名满天下!一提起恒元集团,海内外尽人皆知。尤其东南亚和港澳一带商界,没人不知学兄大名。学兄才叫学以致用、事业有成啊!

万宏耀道:哪里哪里!万某已年过半百,日薄西山,如古人言,“眼见红日又西斜,如同下坡车”。比不得旷市长,年富力强,如旭日东升。旷市长年纪轻轻,就在淞州这么重要的一个地方主政,佩服佩服!万某自愧弗如!

旷乃兴说:学兄不必过谦!在下本也书生一个,原本喜欢在机关里做些理论研究工作。组织上派我来淞州锻炼,用我们这边的话说,便是牢记当官一任,造福一方。我也是想努力为淞州老百姓多办点儿实事。在下才疏学浅,还望学兄多多提携!

万宏耀说:哪里哪里!

话一至此,好像就已交浅情深,缘分已然结下。

要说缘分这东西也怪,有时候真就很难说就从哪里撞上了。

有了“清华”这样一份校友情谊做担保,万宏耀和旷乃兴之间关系迅速亲近。万宏耀对旷乃兴的信任度不断增加。在接下来的单独谈话中，万宏耀接受了旷乃兴提出的在凇州兴建大型会展中心的动议。两人就一些基本问题达成了共识并签订了投资意向书。

回台北后，经过几个回合的细节磨合，恒元集团的投资计划正式签订。这一下可不得了，这一笔大单的签订，不光是在凇州，在整个新州省都造成了很大的轰动！恒元集团与凇州市政府正式签订投资协议的仪式上，新州省委书记、省长都亲自出席前来祝贺。凇州就此成了工业长廊计划的发展龙头。万宏耀旷乃兴携手并肩风光无限。

今年是凇州市的招商引资开放年，每位副市长以上的领导干部都有任务，每人要有一个月时间外出招商引资。旷乃兴一行人这次是在上海开完了招商会，又应万宏耀之邀经香港抵达台北。一是回访，对恒元集团表达感谢之意，二来也是在当地台商中顺势宣传扩大凇州的影响，看能不能搂草打兔子，再顺便引进些什么项目来。

一行人坐在奔驰轿车上，直奔下榻处的台北君悦大饭店。这里冬季的淫雨，有些像他们北方秋天萧瑟的冷雨，有一种说不出来的惆怅的寒意。夜色里的冬季台北，虽然四处闪亮橘黄的灯火，但在人们的倦眼中，总显得有几分诡谲。加之夜雨给灯光罩出蒙蒙光晕，更显出空空落落的滋味。一路上夜行的人不多，偶尔见疾驰的摩托车，溅起一地的水花呼啸而过。高架桥上的隔离栏、绿底白字的交通提示牌、路两旁样式陈旧的老式楼房，不知怎的，都让他们觉得这里跟上海极其相似，甚至就连温度湿度也都差别不大。再看道两旁那些熟悉的店家招牌，SOGO、永和豆浆等等，如果不是偶尔的繁体字跟大陆有所区别，这里跟上海没什么两样。

他们简直怀疑这究竟是在上海，还是在台北？同时又疑惑是不是自己又犯了北方人的老毛病？像他们这种北方人，分辨不清南方，以为出了山海关以外的地方都是南方，南方的什么地方都是一个样儿，江浙、两湖、两广……谁跟谁都分不出个区别来，反正只要一听到有人不说北方普通话，而是用那种又甜又糯、又拐又嗲的声音说话，他们就都叫人家“南蛮”。但是，能把台北跟上海整混，这也有点太离谱了吧？这中间差着多远一大段距离呢！

但事实上，还真就是那么回事，台北跟上海，在某些方面还真就挺像。他们这群北方佬稍微能感受出一点儿差别的是，比起上海那个“南方”来，台北这个“南方”更旧，更沉静内敛，更隐隐退向夜的深处；而上海却一切皆已外露，豪奢、张扬，已经剑拔弩张，用放眼皆是的摩天大楼在直逼纽约。

车上当即有人把自己这种想法随口说出。万宏耀表示认同。万宏耀说现在你们走的是台北旧城区，看上去比较旧一点，低层建筑会比较多一点点。这是因为这里正处于地震带上，不适于建高层建筑。待会儿到了诸位下榻的君悦大饭店，就会有所不同的啦！那里是台北新城区，新光三越啊、台北 101 啊等大厦都建在那里。

从他的口气里，淞州人能听出他提到台北 101 时的自豪之情，也能听出他对人们这半天总在车上毫无顾忌地大声议论说台北这儿破那儿不好的隐隐不快。

车里的人们有所察觉，就都闭口不言了。他们方才觉出，自己坐在人家台北的车子里，却总说上海这好那好、台北这不好那也落后的，有点不够仗义。再说上海跟他们有什么关系？上海又不是淞州，总替它说好话干什么？只不过是他们刚从上海那里过来，印象还留在脑子里而已。

他们就在心里暗自检讨，心说俺们东北人，在礼仪上就是有点欠缺、有点太不讲究了，总拿自己不当外人。这的确是有点不对。虽然都穿着西服打着领带，一副官员出行的派头，但是地级市乡巴佬的缺点暴露无遗，爱褒贬人，说话嗓门大，不分场合大声喧哗。

意识到这一点，他们感到惭愧。于是就都闭口不再吱声。

万宏耀似乎感觉出车里气氛的沉闷，又主动开口言说：上海好啦！上海人都去东京，而台北人都去上海，整个世界都在大移民啦！

仍然没有人接茬。万宏耀意识到他们是凇州人，而不是上海人。于是把话题往东北扯着说：台湾人之所以去上海发展，就因为地缘气候上的亲切熟悉。台湾人简直不敢去你们东北，都说你们冬天刮白毛风，下鹅毛大雪，会活活冻死人的啦！

旷乃兴笑着接口说：哪里会呢！越冷，人活得越结实，你看我们凇州小城，到了冬天，山里边气温能达到零下 40 摄氏度，够冷的吧？还没听说有谁冻死的呢。人口呢这些年倒是发展得快，没出几年，已经达到 300 多万，快赶上你们台北了。

万宏耀笑说：是的啦是的啦，去了以后才看见，你们北方人都帅气，人高马大，一表人才，有抗冷基因，都像北欧冰岛人和北极爱斯基摩人。

旷乃兴说：有那么壮实吗？皮下脂肪储存还是不够厚啊！我们倒是愿意凇州像台北，到了冬天还下雨，四季只穿单衣，棉袄棉裤都不用穿，省了不少布料。

众人这才都跟着一笑。

万宏耀的心情也似乎疏朗了，哈哈笑着，转而道：诸位都是头一次来台湾吧？有没有什么亲戚朋友要会面的？我们在台北的行程只有两天，然后就将去往台中和台南。谁在这里要办什么事情，请提前跟阿瑟打招呼，我们会尽力安排。

阿瑟就是刚才忙着跟大家招呼帮助提行李那小伙子，小不点个儿，小脸儿白白的，穿着办公室的黑西装，头发用摩丝打得根根竖起，装扮好像凇州地界随处可见的韩国发廊的小老板，显得精明利落。他朝大家一鞠躬说：嗨！大家好！我叫阿瑟。愿意为诸位效劳！

本来万宏耀也就是顺应人情，顺嘴那么一问而已，并不真的指望这些大陆来客有什么杂七杂八太多私事来给他平添麻烦。座下一时无声，没人应答。倒是旷乃兴，听他这么一说，也就随意接口道：万先生这么一说，我还真想起来，临出门时家父交代我一件事情，让我有空时顺便寻找一下我爷爷在台湾失踪多年的弟弟。

万宏耀一听，说：哦，你爷爷的弟弟？那就应该是你的爷叔啰？

旷乃兴似乎也有些吃不准的样子，说：应该……是吧。

万宏耀说：哦？万里寻亲，那倒是好事情哦！那他都有些什么资料给你带来？

旷乃兴说：具体细节，我也不怎么太熟悉，只知他是爷爷的堂弟，叫旷承宗，新中国成立前夕跟国民党到台湾来。太多资料也没有，部队番号也已记不清，只有年轻时他们合照的一张照片。

旁边阿瑟听了，接口说：姓旷？旷先生找的不会是歌星旷莉莉家吧？

众人一听，都笑，以为这是小孩子家的童言无忌。旷莉莉？谁不知道，台湾歌星，正大红大紫！这两年刚刚打进大陆市场，一首代表作《女人都要原谅女人》，唱出了广大怨妇的心声，一时间爆得大名，被命名为“闺怨歌手”。此时给他们开车司机的唱机里，播放着的正是这首叫人筋松骨软的哼哼唧唧歌曲，声线介乎于邓丽君和王菲之间，长长的鼻腔拖音在海豚音和叫床声之间滑行。

万宏耀说：还真别笑，台湾姓旷的少，没准儿还真就是旷市长要找的亲戚。

旷乃兴说：开玩笑！怎么可能呢！

说着，他拿出一张发黄的老照片递给万宏耀。万宏耀看了看，又递给坐在前排导游椅上的阿瑟：你回去马上查。一定要替旷市长打听到。

阿瑟说：总经理放心，我一定尽快去办。

说着，阿瑟接过照片，使劲看了几看，好像要从那里看出歌星旷莉莉的影子来，然后才收起，小心翼翼揣好。

远远一座独塔式的建筑层叠而上，透过雨夜映入他们眼帘。那就是著名的台北最高建筑101大厦。太高了，有点鹤立鸡群，很突兀的样子，耸立于周遭的一群楼中间，越发增加了一点独意。它的下边，马路上人来车往，街灯和霓虹灯交相闪烁，不停刷新着雨夜，处处呈现一片夜生活的欢乐景象。看来这里才真正是城市里的繁华地段。忽然，小温用手一指，大叫道：大家快看！那就是旷莉莉！

众人放眼一瞧，只见一座大厦上的广告灯正激情闪烁，当红歌星旷莉莉，长发飘飘，大嘴迷人，裸露大半个背部，扭腰回眸，挤咕挤咕她那睫毛黑黑的大眼儿，冲众人做出一个调情的巧笑。在她的头顶，用灯光打出一排字：我洗，我健康！

原来是一款女用卫生洗液的广告。

一夜无话。第二天上午，旷乃兴由万宏耀陪同，带上礼品和三百万凇州人民的亲切问候，先去拜见了万宏耀的父亲、恒元集团董事会主席万振儒老先生，完成了礼节性的会见后，又驱车来到恒元公司总部，双方高层互见。10 点半钟，他们邀请的当地台商纷纷到达。一行人借恒元的宝地，举行小规模的联谊座谈。这些议程也都是事先安排联络好的。当地台商来了有十几个，其中有几位是去年在凇州见过的，客场再次见面，就有了几分亲切感。众人寒暄后分宾主落座圆桌周围，旷乃兴一行介绍凇州情况，把材料一一赠送给大家。

旷乃兴首先代表市委、市政府对各位的到来表示欢迎，对大家对凇州市政府工作的支持表示感谢。他简要介绍了凇州市的情况和招商引资情况。他说凇州物产丰富、区位优势突出，盛产能源，是国家粮食和煤炭生产基地，煤炭和煤层储量丰富，同时也有丰富的土地资源、劳动力资源、水利资源和旅游资源。凇州是盛产欢乐的地方，是二人转和足球之乡，二人转已被评为国家非物质文化遗产，中国国家足球队队员有四分之一以上是凇州输送的。还有五位长跑和竞走的世界冠军出自凇州。目前凇州又成为北京 2008 年奥运会协办城市，是足球比赛分赛场。凇州为台商投资提供了新的机遇，对于到凇州投资规模大的项目，政府实行政策跟着项目走，提供最优质的环境和服务，凇州是全国地市级城市中行政项目审批最快捷的城市之一。

凇州市政协主席也接着发言，介绍了凇州海外华商投资促进会的情况。他说，凇州愿意为台湾客人投资提供优质服务，双方互利双赢。凇州交通便捷、环境优美、资源富饶、文化底蕴深厚，曹操的《观沧海》写的“东临碣石，以观沧海”景色，就是在凇州境内。“树木丛生，百草丰茂。星汉灿烂，若出其里。”凇州是文人志士抒怀的地方，也是“老骥伏枥，志在千里”成就一番事业之地。希望大家多了解、多考察，寻找到合作的切入点，实现共同发展。

恒元集团总经理万宏耀则代表台湾商人表示，他们对凇州丰富的资源、优越的环境都产生了浓厚的兴趣，在进一步实地考察后，除了会展中心项目以外，他们对投资消费电子服务项目也已在考虑之中，有意打造恒元集团凇州科技园。座下台商们都随之应和，说有了恒元集团大老板牵头，我们对在凇州投资蛮有信心的啦。

众人正在跟招商团寒暄时，阿瑟进来，悄悄俯在旷乃兴耳边说：旷先生，你要找的亲戚我有找到。还真就是歌星旷莉莉的耙耙（爸爸）。

你说什么？

旷乃兴简直不敢相信自己的耳朵，说话的声调失准，不免大了一些。一旁的台办女副主任听到了，没大没小，咋咋呼呼跟着学舌一句：哎呀妈呀！旷市长要找的亲戚是旷莉莉的把把（爸爸）！

她这一惊叫不要紧，一时舆论大哗，举座皆惊！众人皆转过头来看。“爸爸”那个音发成“耙耙”从台湾当地人嘴里叫出，虽别扭，却也自然，属于他们发声的惯例。可一旦鹦鹉学舌般的从满嘴东北大糙子味的女副主任嘴里发出，就显得怪异，怪声怪调，像是北方人说小孩子拉屎的那个“屉屉”音。

倒是那个阿瑟，人很机灵，见众人皆瞩目，索性借机宣布道：“旷市长昨天让我找的亲戚，就是台北歌星旷莉莉家的！照片上那个人，就是旷莉莉的耙耙！”

哇！

众人一阵惊叫！什么？天下有这么巧的事情吗？

那还有错！

阿瑟看出众人惊疑的目光，忙补充说道：我先是通过海基会，后又通过台北社区大陆寻亲协会查的。他们拿出照片，按照户籍簿一对，果然就是这个人。

哇!

众人又是一阵哇! 世界真奇妙! 他们说。这世界太小了! 太小了。他们说。

接着就有招商团这边的淞州人,顺竿拍马屁说:嗳,你还别说,看咱们旷市长跟旷莉莉长得还真是有点像。像! 太像了! 依我看,真是有点儿……那什么……有点那个郎才女貌的意思哪!

台办秘书小温说:你们有没有搞错? 什么郎才女貌! 人家那叫……那叫……

说到这里,小温突然间也有点儿卡壳,有点儿排不上来辈分。挠了一下头,想了想,小温才说:人旷市长跟旷莉莉应该是,应该是……是姑侄俩嗳!

旷乃兴说:乱弹琴! 什么姑侄俩?

小温说:旷市长您看,您爷爷和旷承宗是兄弟,那么您就要叫他爷叔,而旷莉莉又是他的女儿,您不叫姑姑叫什么?

同行人又起哄说:哇! 这下好了,旷市长你要有个当歌星的姑姑啰。

旷乃兴说:什么姑姑! 乱弹琴!

嘴里这么说着,脸上却莫名其妙地红了一下。

真没想到,只是一次普通的寻亲,而且是拗不过父亲和爷爷的意愿,答应他们顺道帮着找一下,这一找,就找出这么一档子事儿来。

他记得小时候,听爷爷叨咕过几回说有这么一门新中国成立时就跑到台湾的亲戚,两岸同胞联络刚刚开禁那会儿,爷爷还让他爸爸帮助寻找过一次,但是,寻亲的信寄到本地台办部门后,就没了下文。去问,也说是找不到,没有下落,随随便便就把他们给打发了。他们小辈人也没再通过什么别的渠道去打听,这事就这么撂下。但是,爷爷心里一直放不下,一直对他这位堂弟还活着抱有念想。以后又自己通过别的渠道去打听过几次,也没人重视,没查出什么结果。这不,听说大孙子旷乃兴要到台湾来考察，爷爷就说什么也得让他帮着再找找，逼着他爸爸往淞州给他打电话，又把照片亲自交到旷乃兴手中。谁承想，一找就找到了当红歌星的家！

这个现年 36 岁的常务副市长，心里一时有股说不上来的滋味。喜悦？兴奋？都不是，就是觉得……有点儿奇怪，想不到。蹊跷。好笑。

按说他平常见过的阵势、主管的部门也多了去了，他负责分管的从市政府办公室、发展改革委、监察局、财政局、人事局、编委办等等一直到什么市志办、公共行政服务中心、接待办，该管的都管、该抓的都抓了，就是没管过意识形态，跟明星有瓜葛的事情不归他抓。再则说了，他们老旷家上下几代人也没冒出个会唱歌跳舞、拿大顶、套圈、盘杠子的娱乐明星式人物，怎么会在八竿子打不着的台北碰上一个？

旷乃兴心里同时也疑惑：那个旷承宗，要真是自己要找的亲戚，也该有七八十岁了，而那个旷莉莉才多大？他有那么小的女儿吗？是不是有点儿对不上号啊！

但是，也别说，二婚三婚的男人娶上几门小媳妇、生下一堆小孩崽子来，也不是不可能。

不光他有这个疑问，别人也有这个疑问，只不过没好意思说，把疑问藏在心里，嘴上光顾着起哄拍马屁。反正，这种事情，要是真的，就是传奇；要是假的，就是八卦。不管怎么说，一个大陆来的地级市常务副市长，跟一个台湾正当红的女歌星，忽然间就扯上了一层亲戚关系（虽然暂时还无法确认），无意间给此行平添了乐趣和欢快。

万宏耀不失时机恭维道：没想到没想到，真是意外收获的啦！年轻有为的旷市长，原来还是我们台湾的孙女婿！这下，我们就走得更近的啦！中午可要好好敬您一杯的啦！

旷乃兴听着郁闷：乱弹琴！怎么几分钟工夫，自己就变成了孙女婿。

就听万宏耀吩咐道：阿瑟，你马上去安排，晚上我在圆山大饭店设宴，要让旷市长尽快认亲。

旷乃兴忙摆手推辞道:不必了不必了。届时我自己联系就是。

心里却在说:我这都成了孙子了,还想来占我便宜。

万宏耀却不依不饶:那怎么可以的啦!这不光是您一个人的事情,是我们两岸同胞的大事情,岂可怠慢!人到了这里,您就是客,俗话说,客随主便。什么也别说了,就听我来安排啦。

一时搞得旷乃兴还不好说什么。

午宴过后回到房里,旷乃兴就令小温,迅速把旷莉莉所有资料调来给他看。说实话,在此之前,旷乃兴还真不太知道旷莉莉其人。那首《女人都要原谅女人》怨妇歌似乎听过,从来也没太往耳朵里去。这回突然间跟自己家有牵连了,多少还是要了解一些的。待了一会儿,小温将笔记本电脑送来,上面有他新从网上下载的旷莉莉资料。旷乃兴这才知道了旷莉莉的大概,了解了她走红的程度。

嘿!真是不看不知道,一看还真不得了呢!他的这位"旷姑姑"目前还真是在华人歌星圈里红得发紫。而他最关心的关于旷莉莉年龄家庭背景什么的却一概没有。看来,台湾这里的明星守护自己的老底儿捂得也够严的,比大陆还能遮能盖。

下午他们集体参观过台湾故宫后其他人仍回君悦用餐,万宏耀陪同旷乃兴去圆山大饭店赴家宴。小温被指派随行伺候,手里拎着他们从凇州带来的土特产礼品。

车行至圆山大饭店跟前。从远处望去,这个闻名遐迩的圆山大饭店果然气度不凡!它的样子并不陌生,就好比是把北京前门楼子或者是德胜门楼整体加高加长,把门脸抻长到十三层那么高的高度,然后七彩画栋,丹朱圆柱,飞檐斗拱,金碧辉煌,加之又位于圆山之上,整体建筑形态越发气势恢弘。

它的浓金重彩的重檐歇山顶,根本就是仿的北京天安门的浓彩大屋顶。

足以想见蒋宋美龄他们当初在"民国"四十一年(1952 年)创立它

时的良苦用心!

建成以后,这里一直是台湾贵族宴客的高级场所,台湾所谓的“国招”。

同行的小温兴奋不已,不住“哦哦呀呀”表示惊叹,应和着万宏耀炫耀式的介绍。而清华建筑系出身的旷乃兴,则眯起眼睛,用专业人士的刁钻目光,将这座恢宏的建筑打量,并努力跟以前大学教科书上的图样印证着。

小温看到的,是华丽发光的表面。在小温他们那些外行人肉眼触及不到的地方,旷乃兴却从教科书上熟读了它的每一部分细节,它那歇山顶垂脊飞檐上的蹲兽,正脊、垂脊间的陶制的鸱尾,屋角下方支撑的七彩精致的斗拱……这些老祖宗遗留下来的古代建筑功课,都在台湾这些人手里运用圆熟。让人不得不佩服!

圆山大饭店作为世界十大著名饭店之一 ,也是中国古典建筑在现代应用的典范,在当年的大学选修课上,旷乃兴他们就曾以此为范例,讨论过古典风格在现代遭遇的困境与尴尬。

传统中国建筑的大屋顶,无论歇山顶还是庑殿顶,都不是为现代摩天大楼式的高层建筑准备的。它们只有扣在像天安门、太和门、保和殿、乾清宫、体仁阁、弘义阁等殿阁身上,才有了那种对称、稳重、平衡之美感。而一旦把建筑物的单体结构拉长,并且向上无限延伸,延伸到十几层楼那样的高度,大屋顶的帽子就不适合戴了,不伦不类不说,还很不成比例,容易造成头轻脚重之感。

为了解决这种古典建筑加高之后视觉上产生变形的问题,圆山大饭店巨大的歇山顶已经与传统做法反其道而行之,没有用推山法加长主脊;相反,它却将垂脊向内收分,增加它的厚重程度,这样才勉强可以和十三层垂直楼体搭调,看上去舒展美观。

它的建成,得到建筑学界的充分肯定。同时,也提示出了高层新建筑采用中国古典式样后所带来的困境。专家同仁们都秉承这样一个敬告,同意古典建筑风格在当代社会里已不能够随便运用这一看法。

偏偏,每次旷乃兴到北京出差开会,总会见到遍地皆是、越来越多的大屋顶,而且还以绿帽子居多。不知北京人都是怎么想的。据说是某领导喜欢。他这个专业人员看了,也只是不由自主报以苦笑。

车子顺着酒店门前车道缓缓而上,眼前汉白玉的石阶和围栏,让他们以为是在过金水桥。在门童的侍应下,一行人下了车。未得进门,却见一个女人正在门口跟门卫交涉。从背面看不出年纪,看那侧影,倒是很苗条,也就从二三十岁到五六十岁不等的样子。她怀里抱着一只卷毛狗,正想与狗狗一同进去。门卫跟她说对不起,酒店不允许客人带宠物进门。

旷乃兴他们这一行人赶到时,正好听得那个女人高亢着嗓音说:我是旷莉莉的解结(姐姐),旷莉莉你们有知道吗?

酒店门卫仍不卑不亢,说:对不起,我们这里有规定,你是谁我们都不能让带宠物进去。

那个旷莉莉的姐姐感到很没面子的样子,用鼻子哼了一声,道:哼!什么也不知,真是没见过世面!去,叫你们大堂经理来!现在台湾还有几个人不知道旷莉莉?

酒店小门童仍然无动于衷,旷莉莉的姐姐有点儿气急败坏,伸出手欲推门,有点要强行闯入的意思。

一旁的万宏耀万总赶紧上前,躬身拦住问道:请问您是旷莉莉的姐姐?

旷莉莉姐姐回过头来,道:是哦。你们是绳墨(什么)人?

那眼神和口气都是凌厉的,趾高气扬,一副星姐借势的气派。

旷乃兴他们这才看清面前之人。虽然身材还好,可是一张脸已经没法看了,面皮虽然嫩,上面的褶子堆积如山,并且在地心吸引力的作用下严重下垂,估摸也有个五六十岁。涂着鲜红似血的嘴唇,颈上搭着一个银灰色狐狸毛围脖,怀里抱着一只卷毛小狗,短裙下面双腿裸露,光脚丫穿了一双鞋拖。是“鞋拖”而不是拖鞋,横襻两根细细的带子,两只脚全部裸露外面,一双老脚竟然没有一丝皱纹,圆润的后脚跟,肥肥的脚趾,胖胖的脚丫,每个指甲盖上都涂了鲜红的蔻丹,配着白嫩的脚趾肚,娇艳欲滴,又晶莹像宝石。星姐那肥嫩嫩的脚趾还随着话音不时地一动、一跷,活像一个个不安分的小鱼嘴。

旷乃兴看得心里不由得“别别”乱跳了几下,心说:这叫什么穿戴?这也太……太那个了吧?!大冷的天,还光着这么一双肥肥胖胖性感的脚模丫子。这要是不往上看,不看那张老脸而只端详这双脚的话,会有多少“恋足癖”的男人会被迷住啊!

别说别人看了受不了,就连他这个号称柳下惠坐怀不乱的男人,心里也很是“别别”地乱跳了几下。说不好是什么,有点别扭,又有点震惊。第一是没见过这么好看的活人脚;第二是没见过这么大岁数还敢光着脚的老太太,大冬天里还勇于把这种古代类似于女人性器的部位明晃晃展示在外。

她也肯定知道自己的脚是浑身上下最迷人的部分,所以才不嫌挨冻,悉数全部展现。

只是,她那脸上的褶皱群山,与脚下的鸡蛋清似的鲜嫩后脚跟,不像是同一个人身上长出来的肉。

足见,她是下够了一番保养工夫。

这等工夫,若是用在脸上,又该是什么效果?

……正走神间,只听得万宏耀已经在跟女人寒暄:旷莉莉姐姐!幸会幸会!谁不知道令妹的芳名!

听有人念起妹妹的名字,旷莉莉姐姐脸色似乎缓和些。警惕和高傲却越发摆得十足。

万宏耀赶紧自我介绍说,他们就是今天晚上要宴请旷家一家的人。又把来寻亲的旷乃兴给她做了介绍。她“哦”了一下,跟诸位简单握了握手,然后情绪又回到方才的愤怒里,发泄道:他们不让我家戴维进去,他们凭什么?难道我可以遗弃它吗?

戴维就是她怀里抱着的小狗狗。

万宏耀他们也不知怎么办好,但是今天他是做东的,必须要来圆这个场，于是比较俯就而客气地说：要不，您看，就把戴维留在我们的车子里，让我们找人帮您照看一下好不好？

旷莉莉姐姐说：那怎么行！我们家戴维不认陌生人。

一时间众人都有些尴尬。

万宏耀说：要不，让我们的司机送一趟，把狗狗安置到家里然后再来？

旷莉莉姐姐不置可否。场面再度尴尬。还好，恰巧她的手机铃声响了。见她一手抱狗，一手持机，咚咚锵锵说起一些旷乃兴听不懂的闽南话。合上电话，她的态度似乎好了一些，说：你们不要管了，我打电话让保姆来给带回去好了。

众人这才长出了一口气。

留下旷莉莉姐姐在门口等待，一行人进门。酒店大堂依旧是辉煌夺目，大红地毯，朱柱擎天，满眼动人心魄的中国红，浓厚的中国古典韵味充盈其间。他们到了麒麟厅的包间，阿瑟在这里早已把一切准备完毕，正陪着先到的几位在聊天。旷乃兴他们进去一看，还真来了不少人：一对老者，长相清癯的老头和富态的老太太，旁边有一对中年男女，宽眉大眼，体态丰厚，神情像是夫妻，再旁边，一个大学生模样的姑娘，二十出头。

不用问，为首那位老者定是旷承宗无疑。从他的清瘦却又棱角分明的沧桑脸上，旷乃兴一眼就看到了自己爷爷的影子。血浓于水，没错！尤其是那个坚毅的下巴，那是老旷家男人特有的、最富有魅力的下巴，刚毅、明朗，线条陡峭，一点儿没因为年纪老了而懈怠或平添一点赘肉。

基因这东西太神奇了！那是转基因的力量所无法比拟的。

老头老太太今天都特意穿了唐装，跟这个圆山饭店的风格倒很相配。老头是一件藏青色立领团花带襻绸衫，老太太是玫瑰红的纽襻大襟褂子，上面都绣着福禄吉祥图案。不等引见，一见旷乃兴进去，老人立刻站起身，颤颤巍巍迎过来，一上来就抓住旷乃兴的手，凑近了在他脸上从上到下仔细打量。旁边的人就见这一老一少:同样的眉眼,很大的单眼皮凤眼,同样刚毅的下巴,肌肉在两腮处很好地向上收起,同样的大高个儿,长到多么老都不会有肚腩和赘肉,同样的厚嘴唇,显示出为人的踏实和忠厚……没错,是一家人!

老头儿无限怜爱,上上下下打量端详旷乃兴,一边看,一边说:像!像啊!像你爷爷!是我们老旷家人!

说着,止不住老泪纵横。

旷乃兴也很激动,紧紧握住老人的手说:叔爷爷!我可找到你们了!

祖孙俩紧紧拥抱。

这等动人场面,感染了在座的每一个人。大家都感叹唏嘘。

旷乃兴把老人扶回就座。老人拿起湿巾擦了擦眼,让旷乃兴坐自己身边,然后才逐一给他介绍在座几位。果然刚才看见的就是他老伴和大儿子一家。那个小姑娘是他大儿子的女儿,他的小孙女,现在在北京中国音乐学院念书,学二胡,每年寒暑假才回台湾。旁边坐着那位,是曾经帮助牵线联络的台北社区寻亲处苏主任。

还有啊,老头说,你还有两个姑姑也答应能来。你大姑姑马上就到。你小姑姑,知道吧?就是那个著名歌星旷莉莉,忙。她说她有个应酬,要晚一点儿才能到。

旷乃兴忙答说刚才在门口见到了大姑姑。

老头又忙不迭地说:除了见到的,你还有两个叔叔,老三现在在美国,老二也就是你二叔啊,现在也在大陆那边开厂,在北镇老家附近,还说不定在你管辖区呢!

旷乃兴听得一愣一愣的。心说不寻亲不要紧,一寻亲嘛,寻出个当红歌星姑姑不说,还寻出个在大陆上学的妹妹,和什么北镇开厂的二叔!

不看不知道,世界真奇妙!

世界可真小!小得不得了!

旷乃兴这边又引见了一下万宏耀和小温。恒元集团名满台湾，台北亲戚们对万总表示久仰。

万宏耀主持仪式，先举杯，表示庆祝旷市长成功寻亲。用你们大陆官员的话讲，旷市长的这次寻亲成功，谱写了海峡两岸人民交流交往的新篇章。

众人皆笑。看得出这是位熟悉两岸情况的老同志，连官话都学得这么像。众人举杯干了第一杯。

接着就是叙旧，旷承宗说了自己来台后的情况。旷承宗的经历跟其他到台湾的国民党老兵差不多，先是在军队里服役，退役后拿着抚恤金开了饭店做小本生意，娶妻生子，把孩子们一个个培养成才。老大从美国学成归来，在台湾做生意，在基隆，正好昨天回台北来。老三还在美国。还有个老二在大陆做生意。大姐刚才已经在门口看到了。小妹就是歌星旷莉莉。

旷乃兴也大致说了自己爷爷这边的情况。爷爷有两个儿子，四个闺女。自己的父亲排行老二。奶奶去世后，爷爷就一直跟自己的父母一起生活。

大哥今年应该有 84 了吧？旷承宗问。

83 了。旷乃兴答。从小我就是爷爷奶奶给带大的，跟爷爷的感情非常深。爷爷老了，总念叨着北镇老家的亲人。我领他回去过一次，什么人也没有了。他还记得有个堂兄弟在台湾，一直在打听，但是没人知道下落，没有什么结果。这次听说我来台，才一定要我帮助问一问。

唉！我那老哥哥啊！

旷承宗长叹，又揩了揩眼角，说，自己也曾写信回老家北镇寻过亲，可什么人也没找到。他家那一支上在大陆已经没人了，他也就断了念想。没承想，不出五服的堂兄弟，也就是旷乃兴的爷爷旷承祖还健在，而且还枝繁叶茂，繁衍生息，培养出了这么一个当市长的孙子。

这都是老旷家祖上积德啊！那个苏主任这时也不失时机地举杯敬酒。

众人感慨唏嘘，说着一些你来我往的应酬话，一时其乐融融。

这时那个旷莉莉姐姐推门进来。老头儿再次给双方引见，旷乃兴赶紧将一句“姑姑”奉上。旷莉莉姐姐应了一声，眼里也并不瞅他，也不顾忌在座其他人，屁股一在座位上坐下，就又回到刚才的情绪中，继续开口痛骂门卫，说人不讲道理、没见过世面云云，很典型的更年期女人综合征。

老头儿好脾气地劝她消消气，说那门卫也是在干好他的那份工，这也不能全都怨他，有些地方的规矩还是要遵守的。

旷莉莉姐姐不满地说：守规矩是守规矩，我说我是旷莉莉的姐姐他竟然都假装不知道，你说我能不气吗？

当旷莉莉大姐巧妙地将自己发怒的原因转到旷莉莉身上后，老头老太太态度果然有点改变，连说这怎么可以呢？那个胖大嫂也出来打圆场说：作为一个台湾人，怎么能不知道旷莉莉呢？他们这简直是在胡说八道。

旷莉莉姐姐听了这话，仿佛终于得以申冤似的，连道：就是啊，就是的啦，所以我才有跟他们生气。

旷乃兴见这一家子如此认真的样子，强忍住笑，一本正经坐着，只当看西洋景。

接着旷家大哥的手机响，他接了电话，说：莉莉说马上就到。

老头儿马上有些兴奋地说：莉莉来啦？告诉她在麒麟厅。

旷乃兴这边的小温，也一副忠实粉丝的样子，面部表情兴奋起来，眼睛直勾勾地盯着门口。

先是一股香味进来，香精气味浓浓的，有点儿呛。雨天，阴湿，特别不适宜于喷洒像巴黎香水这种挥发性气体。旷乃兴在他们政府办公室里就严格规定，公务员上班不许洒香水，以免影响公共环境气氛。

随着这类似于阿拉伯香精似的气味飘散，只见门口袅袅出现一位女郎，比照片和广告牌上的显得更高挑。

老旷家人祖传的优点就是个儿高。

尽管在座的都是自己家人，旷莉莉仍职业性地先来了个亮相造型，倚在门框上，秋波荡漾，足足放了好几秒钟电，这才扭扭搭搭进门。

今晚她穿了一袭红色露背晚装，很短，不及膝，裸露出脖子以下肩头后背大部分区域，猩红，很醒目，跟圆山大饭店的中国红很协调。修长玉腿套上黑丝袜，外面罩长筒皮靴。大概是觉得自己后背和玉腿是最美部位吧，所以要时时展览出来。旷乃兴记得在多幅网上照片里，看见的都是她露这两个地方照相的镜头。网民有叫她“玉腿美人儿”的，有叫她“太平公主”的，大概是指她胸部不太丰满，故而很少有正面照，工夫都花在背面上。

这是一个熟女，保养得当，拥有如年轻美眉般白皙紧致的肌肤，看不出年龄。

（事后通过好事小温的火力侦察，跟网友串通调查摸底，才知她实际比旷乃兴还要大两岁，有过一次短暂不幸婚史。所以，才能把怨妇的幽怨表达得那么贴切。）

满座的老旷家人以及非老旷家人，一下子提起精神，将目光集中在旷莉莉这个女主角身上。仿佛今天这个宴会，才刚刚开始，宴会的主宾，也刚刚到场。

老爷子旷承宗把旷乃兴引见给旷莉莉。

旷莉莉软软地伸手给旷乃兴，让他拉了一拉。

冲其他人，只是点了点头而已，算是打过招呼。

然后她收回手，做了一个很不必要的转身姿势，展示了一下玉背，然后方才落座。

这方的追星族小温已经耳热心跳，脸颊绯红，恨不得就要冲上前去拉手了。这么近距离地看一个当红歌星偶像，别说小温，一般的粉丝都受不了。

看得出老头老太太对这个小女儿有些过分的娇纵和宠爱，老星妈星爸自豪之情时时溢于言表。这是他们家的镇宅之宝。逢演出要落幕时，恰到好处地拿出来炫耀显摆。

父母给她夹菜夹饭,她嗲嗲撒娇道:人家要保持身材啦！人家不能吃太多的啦!

台北亲戚们开始东一嘴,西一嘴,围绕着旷莉莉,不停地夸赞,说起当年她上艺校时的骄人成绩,说起台湾娱乐圈的八卦趣闻。有趣的是老头老太太爱屋及乌,都已经一把年纪,却因家里有了一个歌星,便对那些歌坛劲爆的大哥大姐们的底细如数家珍:李宗盛和林忆莲,蔡琴跟杨德昌……让旷乃兴感到吃惊又发噱。他们还提到哪个"哥哥"是旷莉莉的贵人,"哥哥"亲自给写歌,助旷莉莉一炮走红。没有"哥哥"就没有旷莉莉的今天云云。

旷乃兴起初听得云里雾里的,还以为说的是旷莉莉的大哥二哥三哥,后来才勉强听得出,好像说的是张国荣或者张雨生或者李宗盛什么的,说是谁谁谁曾经挖掘了她,给她写歌帮助捧红。旷莉莉这时说到自己是刚去看车回来,一个老板领着去的,跟车行认识,价格上面可以优惠。但是她拿不准主意买什么牌子的好。加长的劳斯莱斯,还是宾利?

她大姐接话说,余诗诗开的是一辆红色保时捷,童采儿开了一辆宝马,可不能让她们给比下去哦。他们一家人又唧唧喳喳讨论起旷莉莉应该买什么车来。

他们几乎把旷乃兴这个客人给忘了。

旷乃兴也明显感觉得出来,他们一家人,除了老头老太太以外,大哥大姐包括旷莉莉本人,既有身为台湾人面对他这大陆土老帽的倨傲,又囿于旷乃兴的身份及老人们的面子,对他又有点儿勉为其难相见、揣摩不透底细、不好过分轻慢的扭捏。

旷家子女们的态度,就一直在倨傲与轻微蔑视、试探与炫耀家底之中摇摆。

还是万宏耀有经验,跟海峡两方面的人打交道都摸熟了,见到了旷莉莉进来后形势的逆转、旷乃兴受冷落,忙不失时机插话打断说:买车的事情好说,像旷小姐这样的大牌歌星,肯定要买全台湾最好的车子。实在不行也可以到旷市长管辖的凇州那里去弄一辆哦！旷市长可是一市之长，威震八方，什么好车子弄不到！将来有机会还可以邀请旷小姐到凇州去开个人演唱会。凇州人热情好客，山美水美，是个祥瑞之地。旷市长又在一方主政，旷小姐去了，还不是大把钞票到手、被粉丝包围得水泄不通？

老头老太太倒挺当真的，说：真的可以吗？

万宏耀说：那有什么不可？不信你们问旷市长。

旷乃兴也只好顺竿爬说：当然欢迎。我们肯定拿出最高的规格来招待。

旷莉莉姐姐嘴一撇，说：莉莉在北京工体都唱过的，下一站准备去上海。你们凇州人也会听歌吗？那地方的歌迷环境不一定好吧？

万宏耀赶紧出来打圆场，说：旷小姐不要担心，俗话说朝中有人好做官嘛！有旷市长这个亲戚在，你们还怕赚不到盆满钵满的？你们家这个旷市长亲戚，可不简单，他并不是凇州当地人，出生在省城，又是清华大学毕业，到省里当了副厅长后，外派到凇州市当市长的。大陆的中央领导人都是清华毕业，你们家这个亲戚，年纪轻轻就高官厚禄，将来，那可是前途无量，那可就是中央第六代领导人啊！

一家子台湾亲戚恍然大悟，好像刚看见旷乃兴、刚明白过来旷乃兴是个什么人似的，目光一下子就变了。旷家子女们的目光顿时在他身上聚焦，不再散点透视把他的存在当成虚无。

那个大哥这时才第一次主动前来给他敬酒。

老头忙忙叨叨吩咐老太太拿出准备好的旷莉莉《女人都要原谅女人》CD 碟，要旷莉莉签名送给旷市长。

看那样子，如果不是有了万宏耀这一番连吹带捧的话，面对他这个大陆佬，他们是连一次主动敬酒、连一张 CD 都不舍得施与的。

旷莉莉龙飞凤舞签完了名，双手递过来时，恰好旷乃兴的手机响了。他接过唱碟，说声抱歉，然后放下碟片，走出包间来接听。从窗口放眼望去，圆山大饭店视野开阔，整个台北市仿佛就在脚下。雨已停了，冬夜的璀璨灯火中，似可听见基隆河水的夜波，望得见观音山峦的俪影。站在这里,的确可以让人产生君临天下的妄念。

他打开电话,听得市政府副秘书长黄一发张皇而急切的声音:旷市长,您快回来吧,家里出事了!

2. 球迷闹事

球迷们又闹事了!

淞州市东湟河体育场,此时已是雪花漫漫,人影僵直,气氛凝重。体育场南面正门处,几十个头扎白布条、身穿橙红色马甲的男性球迷,齐刷刷一起跪倒在地,围守在那块残破的国足出线纪念碑碑座旁。他们戴着白色劳保手套的手里还扯着一块红色巨大条幅,上边刷着白色醒目大字:誓与体育场共存亡!

整个就是一副敢死队的架势。

淞州盛产球星,也出产球迷。球迷动辄整点儿小事端,也实属正常,这是世界范围内的难题,哪里也避免不了。赢了闹事,输了也要闹事,不输不赢只因为主客场球迷谁看谁不顺眼,也要闹事,相互大打出手折腾那么一下子发泄发泄。就连英国那么个足球运动发达的国家,警察也得对足球以及由它衍生出的球迷和流氓提心吊胆,小心侍奉,就别说别的不发达国家了。球星、球迷、足球流氓三位一体,构成了一个生物链,哪个环节部位都有自己存在的理由和依据,对于繁荣发展世界足球运动来说,三者简直相互共生,不可或缺。

淞州的球迷们已经在这里僵持了一天一夜。

为首的,头缠白布条、身穿血红色马甲那两个,是市球迷协会会长普拉尼(本名崔大柱)和副会长小土豆。

他们身后,监守着的不光是警察,甚至还调来了荷枪实弹的武警。小武警战士们身形笔直,形同雕像,一动也不敢动,只是警惕地护卫着,看上去倒像是他们的保镖。

两千多公斤定时爆破的雷管炸药,早已填埋进体育场三十几个关键部位,只等届时一声令下按动电钮,这座能容纳四万多人的体育场主建筑就会轰隆隆倒下，登时化作一堆灰烬。

守着这样一堆炸药和这样一群活人，无论是谁，只要动一动，惹起骚乱，后果将难以预料！不堪设想！

气氛好像凝固了一般。

体育场外，戒备森严。五步一岗，十步一哨，早已拉起警戒线和红白相间的护栏，把那些前来声援围观的球迷和老百姓隔在外边。

不光是老百姓，更让人发憷和讨厌的，是众多省内省外大报小报大台小台的记者。那些娱记体记们都兴奋不已闻风而动，虽然冻得乱蹦乱跳，跺着脚哈着手，却仍然坚持不懈地持着长枪短炮聚焦对准闹事中心，期待着能捞到独家新闻。

僵持对峙时间越来越长，围拢来的人也越来越多。体育场周围已经汇集了成百上千的群众。人们放着暖烘烘的家里不待，放着该买的年货不买，却顶风冒雪，四面八方赶来这里声援凑热闹。

其实，这成百上千人算什么？想当年，中国足球队就在这个淞州东湟河体育场赢得世界杯出线权那一天，淞州曾有上百万球迷上街大游行，竟夜狂欢！

百万人大游行啊！谱写了淞州足球史也是中国足球史上最辉煌的一页！

中国足球队那帮小子，什么时候让人这么痛快、让人能这么尽情发飙发疯过？

淞州之所以能争上全国六个奥运协办城市之一，跟它的足球运动基础雄厚有关。

淞州虽然自然资源贫瘠，却盛产体育人才，历史上就是一个足球之乡。若干年前，新州省就将本省的足球比赛主场场地挪到了淞州市，在这里兴盖起了当时全省最大的淞州东湟河体育场。省足球队在淞州主场果然就连夺了10届全国足球联赛冠军！省足球队的三分之二、国家足球队的四分之一以上足球人才，也都是他们从这块土地上源源不断给输送上去的。

你说他们干吗不牛啊?!

那些业绩,就都发生在眼前的东湟河体育场。

如今,它马上要爆破拆迁,新的奥体中心足球比赛场馆将要挪到南湟河边上去兴建。淞州市的球迷不干了!他们首先起来发难,要保住这块有光荣历史的地盘。

淞州市的球迷队伍,不可小觑!他们的足球队厉害,球迷身价也跟着水涨船高。人们自发成立了球迷协会,实行会员制,有组织、有领导,有规模、有效益,有基金、有酒吧,有旗帜、有会歌。就差国家给任命为副局级机构了。四十多岁的协会会长普拉尼,作为一个铁杆球迷,把有限的生命和家产都投入到无限的为足球服务的事业当中去。他在单位辞了职,跟老婆离了婚,孩子也不管了,一心一意当球迷,组建协会,拉赞助,跑广告,兴建球迷酒吧和活动基地,私下里据说还偷偷参与一下足球博彩活动,获利之后再拿来填充球迷基地。他在广大球迷心中的地位,那就是淞州的布拉特,形同国际足联主席。

协会正副会长普拉尼和小土豆他们率人跪守在这里,要求跟市领导对话,要求谈判,反对爆破拆迁东湟河体育场,反对在别处新建奥体中心。

按说,从装炸药到喷泡沫已用了十余天,体育场四周围早已清场,严格保证施工安全。天知道普拉尼小土豆他们是如何事先得到消息,又通过什么渠道偷偷潜入进去的。

一看就是一次有组织、有计划、有内部连线的行动。

偏偏不巧,市委书记白宏臣这时远在美国招商,市委副书记、市长程之介偏偏也在这个时候住院,说是痔疮发作,刚做了手术。他们都在电话里下指示,不许轻举妄动,不许乱,保证安全要紧。

淞州市府副秘书长、也是本次第29届奥林匹克运动会组委会足球比赛淞州赛区办公室主任黄一发,出来接待普拉尼他们,跟他们谈判,跟他们讲道理。球迷们不理他的茬儿。普拉尼还很狂,说跟我们谈判,你还不够份儿!你去,让你们主管副市长旷乃兴出来跟我说话。

黄一发非常窝火，憋了一肚子气，心说一个破球迷协会的小流氓竟有这么大口气，这都是给惯的，这要不是背后有人给罩着，也是横人碰到屄人了。这次闹事，也指不定是谁撺掇的呢，否则，他们能有这么大的胆儿，敢在雷管炸药旁边生是非！

既然领导下令了不准动，不准发生冲突，他也只好贯彻执行，遵从书记市长的指示，一方面尽力安抚球迷、疏散群众，送上热水方便面饼干盒饭，昨儿晚上还求爷爷告奶奶好说歹说，请他们进了场馆里边的运动员更衣室睡了一晚。目的就是让他们吃饱喝足了好有力气继续闹，直等到旷乃兴从遥远的海峡那岸飞将回来。

一辆黑色奥迪疾驰在机场高速路上。旷乃兴眉头紧蹙，倚靠在后座。秘书严瑞杰在前，坐在副驾驶座上，市府副秘书长黄一发在后，跟他并排坐着，啰啰唆唆给旷乃兴汇报着情况。这个黄一发，伺候人出身，秘书当惯了，未免就挂了相，脸白而面，声细而柔，形体语言谦卑，说话时总是一副察言观色伺机而动的模样。旷乃兴身体微微往后仰，闭着眼听着。

北方的二月，天寒地冻，万物凋零。天空阴沉沉的，被很浓重的雾霾遮盖着。从省会机场通往凇州的高速公路两旁，一排排笔直的白杨树，光光秃秃，抖着枝丫，钻入尘嚣里。远处农田没有被雪封住的地方露出几许褐色，风刮得高压线在空中狂舞，突突乱颤。薄薄的雪花盘旋着在半空中打转，寻找着方向。看样子像有一场大雪即将降临。

旷乃兴用大拇指的指肚狠狠按住太阳穴。他感到头疼，越来越剧烈的疼。太阳穴里突突狂跳，仿佛有谁抻住他的一根脑神经，在那里使劲地抖来抖去当猴皮筋耍着玩儿。他的头不能动，一动，好像就要爆炸开来，血液和脑浆顷刻间都会从里边喷涌而出。《西游记》里那个孙悟空孙大圣被唐僧念了紧箍咒之后的疼痛，大概也就是这么个疼法了吧？旷乃兴疼得手足无措，也恨不能来个就地十八滚。本来，脑血管狭窄就是他们家族的遗传病，而从台北回来这一路转机的折腾、等待，从南方到北方气温的骤降，更加剧了他的疲惫、不适，头疼病犯了，并且还预感到了流感病毒的时时来袭。

更让他感到脑仁儿欲裂的是整个事件的蹊跷，来得猝不及防。

这是本不该发生的事情。

尤其是，书记副书记此时都很巧合地以正当理由回避，却大老远急遽招他回营，真是令他心肌紧缩，明白了这是一件非同寻常的事情。事件背后一定有着更大的玄机。

与事件有关的关键性人物在他血压升高的脑海里一一掠过，并随着脑血管的膨胀一一变形：一把手白宏臣的那张永远喜怒不形于色的小白脸，二把手程之介永远端正肤色微黑的国字脸。这是在凇州顶天的两张脸，罩住他也罩住众多人的命脉前程。白宏臣那张小白脸，象牙白而接近于肝炎黄，乍一看是书生模样，近里瞅，两条不大的眯缝眼后面，却是无限的运筹帷幄老谋深算的心机，与读书人的不谙世事狷介耿直并不搭界；二把手程之介肤色微黑的国字脸，厚嘴唇，大眼珠子，鼻梁挺括，面容风吹雨打沧桑，貌似忠厚与颟顸，实际上，那大眼皮子一抹搭，就是要人命的虎头铡。

与这样两位基层领导共事，旷乃兴这个从机关下来的后生不得不时时如临深渊，如履薄冰。

市府副秘书长黄一发的话又像小锤，在旷乃兴的太阳穴上咣当咣当地敲：旷市长，白书记电话里指示，让咱们要尽快解决球迷闹事，保证完成体育场的定时拆除爆破。同时还一再强调不能伤着群众，不能影响过节气氛。

旷乃兴嘴上没言语，心里却有些牢骚，心说，道理是谁都懂啊！要真是那么上嘴唇下嘴唇一碰就容易解决，你们自己解决一个我看看。还大老远找我回来干啥？

见旷乃兴没有搭茬儿，黄一发又小心翼翼观察他的脸色道：旷市长，你说咱们现在该怎么办？我去打发他们，还被呲儿回来了。球迷协会那帮小子们，太狂，不买别人的账，指名道姓非得要见您不可。

旷乃兴这才十分不满地道：他们指名道姓？他们指名道姓就好使吗？他们说要见我我就得见？还没王法了呢！拆除爆破的事儿，事先你们跟球迷协会不是已经协商好了吗？

黄一发说：是的，本来已经都达成协议，各方面也都已经安顿好。奥赛办同意他们提出的要求，新奥体中心场馆保留老场馆的名字，还叫作"凇州湟河体育中心"，新场馆也给他们预留出一间活动办公室。另外，他们立下的中国足球出线纪念碑，也挪到新场馆门前立起来。政府下拨的每年的活动经费、每场球票的分配数额，也都达成了协议，比以前有所增加。不知为什么，他们突然间变卦了，又不同意场馆拆迁和异地重建。

白书记呢？有没有什么具体意见？

没提。他只说赶紧让你回来处理。

程市长呢？

也没说。程市长刚犯了痔疮，在医院做手术，麻药劲儿还没过说是，下不了床，没法处理事情。

唔……旷乃兴若有所思唔了一声，又紧咬了一下腮帮子。他知道这是来者不善。这一定不是简单的球迷闹事。棘手的事都推给他了。等着吧。有他好瞧的。

黄一发看了看旷乃兴，揣摩着他的意思，顺着他的劲儿说：旷市长，其实我也不明白，一个破球迷协会，啥也算不上的一个民间组织，咱们干吗这么怕他们，时时处处都让着他们？要我看，趁早解散它算了，免得没事儿总滋事。

旷乃兴放下按在太阳穴上的手，眼睛瞅着窗外，看着那一排排"唰唰唰"往后倒伏下去的白杨树，沉吟着说：看来你是不懂球，不看球。你不知道，凇州的球迷，不一般哪！球迷的水平和素质，在全国那也是数一数二的。全国足球职业联赛，凇州的主场那是全国最好的主场，凇州体育在全国打出名气、能争上这个奥运协办城市，球迷的作用功不可没。跟球迷协会的关系还真不能弄僵，到时候，还要用得着他们。

黄一发道:用得着用不着,也犯不上把他们惯得太不像样儿,想怎么闹就怎么闹。

旷乃兴说:这不是他们自己的事。你想想凇州的足球是怎么起来的,这么些年来是谁在管体育、操控着赛事?你当了两届的市府副秘书长,连这点儿事还看不出来?

黄一发不说话了,若有所思地点了点头。他这个已经年届五十、对体育不太懂也不大感兴趣的老同志,属于临危受命,前不久,才兼任起了这个赛区办主任一职,全称叫"第29届奥林匹克运动会组委会足球比赛凇州赛区办公室主任"。那正是常务副市长旷乃兴下的命令。在黄一发接任之前,担任这一职务的,是三十九岁的市体育局局长康大光。旷乃兴这是属于阵前换帅,撤掉了康大光,宣布改由黄一发这个市府副秘书长兼任。

也许他黄一发不是最合适的人选。但就官阶大小以及这个临时奥赛办机构的组成级别来说,除了康大光,就是黄一发这个位置的人去了才合适。其他几个协办城市也都如此办理。凇州当然概莫能外。

关键是旷乃兴的中途换人,跟别的城市的干法有了区别。这一换,换出了不老少麻烦。

其实,麻烦并非从这里才开始,而是从旷乃兴来下边主事之际就没消停过。

自从旷乃兴来凇州当常务副市长,力主争取协办奥运会开始,就磕磕绊绊,一路风险。在他从省厅外派到凇州来赴任之前,凇州原来的市委常委、常务副市长,也就是现在的市委副书记、市长程之介一直在抓"国际二人转节"。他力主将二人转做强做大,二人转搭台,经济唱戏。但是雷声大雨点稀,根本没招来几个投资项目。新班子上任后,一把手白宏臣主张挖掘资源,扩大视野,搞了一个"满族人寻根"活动,要让全世界的满族人后裔都到凇州这个发源地来认祖寻宗。他们派人到北京,到欧洲,到日本,到韩国,呼唤全世界的满族后裔,都回凇州来找祖宗牌位,光宗耀祖投资建设,但是效果也不理想。虽然清朝努尔哈赤和皇太极是从这个关外杀到北京城里去的，但是，要说发迹和扩张都是到了北京以后的事情，大清朝那些格格贝勒徒子徒孙，要寻宗也只肯寻到北京，没人愿意寻到凇州这祖上茹毛饮血的荒蛮之地。白宏臣不气馁，仍在继续坚持，搞发布会，拉投资。这次去美国，就是到芝加哥等地的华人圈儿里继续呼唤。

学经济、搞建设出身的旷乃兴来凇州上任以后，除了抓高科技园区等经济项目外，他一眼就看中了凇州的体育资源。如果能将这个资源整合扩大，那将是一个很好的经济文化一体化发展策略。正在他思索着如何来进一步发掘利用好凇州这部分资源时，恰逢北京开始了又一轮申奥活动。旷乃兴瞅准时机，力主凇州争取当上奥运协办城市。根据程序，各地奥运协办城市必须事先提前向北京奥申委递交申请书及协办材料，力陈自己城市协办奥运的有利条件及殷殷拳拳之心。其中有两项重要内容必须保证：一要保证本地的奥运场馆建设，使比赛能如期进行；二要保证完成奥运接待任务，在比赛年度凇州不搞任何大型活动，一切为奥运比赛让路开绿灯。

凇州市按要求在 2000 年将材料递交上去。2001 年 7 月萨马兰奇在俄罗斯宣布，北京申奥成功，成为 2008 年奥运会主办城市。登时，举国沸腾，人民欢庆！之后，全国各协办城市的任务也随之下达，凇州的协办城市资格得到北京奥组委的批准，荣幸地成为全国六个协办城市之一。凇州市市民无不奔走相告拍手相庆！

当欢呼与庆祝的鼓点落下之后，具体的任务指标开始逐项落实。首要任务，就是修建奥林匹克体育竞赛场馆。

在讨论把新奥体中心场馆定在哪里时，凇州市委班子里起了争议。以市长程之介为首的一派力主改造升级老场馆，也就是修整老的凇州东湟河体育中心。那里也是程之介的最早发迹地，当年的东湟河场馆建设，就是那会儿的体育局长程之介主抓的，他对那里有感情；而以常务副市长旷乃兴为首的一派则不同意，他们认为应该借鉴国外城市举办赛事的经验，借机改造发展相对落后的南城，把新奥体中心场馆建在南湟河一带，拉动南部老城区的改造，让老城区的百姓多得一点儿实惠。

一时间，班子里的争论变得相当激烈，几乎达到白热化程度。几个亿的政府财政，不是个小数目，投在哪里，哪个区域方位就会得到实惠，大大受益。

最后的拍板，还是在一把手白宏臣的力主下，认为要以稳妥为主，以完成任务取得政绩为主，决定还是采取最简单省事的策略，原地改造升级旧场馆。而对旷乃兴提出的在南城修建新奥体中心的建议，则以没把握、牵扯面太大为由给否决了。的确，那一片老城区的改造，从选址、动迁到资金、技术、时间等等，都很麻烦，搞不好，就容易事与愿违前功尽弃。他们谁也不愿担这个责任。

在白宏臣程之介为首的保守一派的主张下，淞州市最后还是上报了改造老馆的动议。北京奥组委本着节俭办奥运精神，同意了淞州老馆改造的计划。随后，工程开始上马。没想到的是，不出半年，问题出来了。看起来十分简单的一个体育场的升级改造工程，却在开工没几个月的时间里，就频频遇到障碍。造价频频增高，预算不断追加，在翻修改造过程中，那座二十世纪八十年代建造的老场馆本身存在的危机也四处袒露：安全、消防存在隐患，照明线路老旧，空调系统失灵等等，一个用了将近二十年的老场馆，在没有一个整体精确的修缮改造计划的前提下，越改，冒出来的需要改的问题就越多，简直就是压下了葫芦浮起了瓢，施工过程产生了极大的混乱。施工队诉苦，城建局诉苦，财政局那边也开始到旷乃兴这里诉苦……事情才刚刚开始，整天上门来要钱诉苦的人就不断。这个情况，令具体负责人旷乃兴也没想到。

这时，又恰逢北京奥组委方面下到各个协办城市检查场馆设施筹建情况。他们在听取汇报并实地考察过后，在充分肯定淞州市委市政府所做努力的基础上，同时也指出了淞州东湟河体育场的质量和施工进度方面的问题。陪同考察的主管副市长旷乃兴只能一方面陈述困难，一方面表示一定按期按要求完成任务。北京奥组委方面临走还是留下话，责成凇州方面认真考虑，短时期内拿出一个切实可行的旧场馆改造计划来。随同而来的建筑专家断言，就目前这个状况和前景而言，凇州东湟河体育场根本不可能符合奥运赛事要求。如果超期不能履责，他们会考虑取消凇州协办资格，会将足球比赛分赛区挪往别处。

这等于是个最后通牒，让具体负责人旷乃兴感到紧张和责任重大。在凇州东湟河旧体育场改造建设中，他将任务分头下达之后，一开始并没有管得太细，问得太多。因为他太了解一项工程的复杂性，不是工程建设本身复杂，而是牵扯方方面面的复杂人际关系。囿于面子，也是因为自己才来不久，不了解凇州水深，所以在一些施工建设具体细节并没有太多介入，而是把它交给分管的体育局局长康大光具体负责，自己则把精力放在组建奥运协调领导小组，宣传奥运精神，整治交通、环境、卫生以及有关奥运的市场开发等等事情上。

现在，问题来了。他也亲眼见了场馆施工改造的糟糕状态，并且北京方面已经有了态度，不整肃肯定是不行。他先从财政局、城建局摸清了奥体场馆建设情况，然后才沉着脸，让秘书叫来了当时的凇州赛区办公室执行副主任康大光。

这个康大光原是竞走运动员出身，得过几次省里冠军和全国季军，退役后当了竞走队教练，接着又一步一步往上升，干到市体育局局长的位置，据说就是程之介的提拔。他来当这个执行副主任，从职务上说是对口，另一方面，也是程市长的力荐。康大光兼任，并没有太多异议，毕竟他是多年搞体育出身。但是管工程，就非他所长。康大光被叫来之后，旷乃兴让他将施工细节详细汇报。康大光这么个体育棒子，虽然文化不高，民间实用智慧却很强，多年的江湖游走，知道了跟谁贴得近跟得稳。有了程市长做后台，在凇州地界，他基本上就没谁可怕的，除了白宏臣，别人都不在话下，更别说面前旷乃兴这么个外来的副市长、一个小尕豆子。康大光难免就要欺生，倨傲，根本不把旷副市长放在眼里。他脸上的生肉四溢，仍是那种还没在官场里打磨熟的表情，愣，也有些横，仍像运动员而不是官员。只见他进了门，一屁股坐下来，跷起二郎腿，晃悠晃悠着，手指还不停击打着桌面，张口就开始骂骂咧咧，倒苦水，表功，什么他妈的钱不够、破活儿不好干、人也不听使唤等等，听那趾高气扬的语气，那等粗口，简直跟个农民包工头别无二致。

旷乃兴也不打断，绷着脸，仰靠在自己桌后椅子上，微微扬起下颌，抹搭下眼皮，听着，任由他说。待康大光叨叨完了，旷乃兴才抬起眼皮，看着他，道：说完了？

康大光说：完了。

旷乃兴说：好。我问你，你在工程招标以后故意流标，不进行第二次重新招标，却以时间紧来不及为由，擅自将工程交给所谓第一次招标中报价最低的铭良公司。那是一个资质和来路不清的公司，根本没资格没能力承接工程。你能不能回答我，这是怎么回事？

康大光一愣。就见旷乃兴的目光并不锐利，说话声调也不高，却直指他的五脏六腑。他的汗慢慢渗出来了。跷起的二郎腿“呱唧”掉了下来，手指倨傲的敲击也变成了轻微抖动。他费劲地咽了咽唾沫，粗大的喉结动了几动，嘴张了张，马上寻思着该怎么说。旷乃兴一摆手，止住他：开工不到三个月，就增加了两千万的工程造价，用途不清。还有一批标明是进口的机电设备，实际到货的生产厂家却是深圳一家公司。空调和消防器材的价格也跟实际有出入。你解释一下吧。

康大光的汗这时全下来了。他从茶几后面的沙发上站了起来，说：旷……旷市长……这……这些……都是有市领导签字同意批准的……

旷乃兴不容他多说，也不接康大光的思路，而是站起身来，倒背着手，踱到他身边，铁青着脸，继续说道：我们举办奥运，就是要举办一个透明、绿色的奥运。一个工程的主管者负有什么样的责任，我想你是清楚的。新州省这几年来发生的腐败大案，你也不是不知道，凡涉及工程，必有腐败，这几乎成了规律。但是，结果怎么样呢？莫伸手，伸手必被捉。康大光同志，我想这个简单的道理你也一定能懂。

康大光更急了，脸上的肌肉紧跟着痉挛，一着急，抬出后台来，出口道：这个工程的承包商是主管城建的副市长蒯广富招的，说是市长程之介给介绍来的。我不过是下面的执行人。上面怎么说,我就怎么做。

旷乃兴依然沉着脸,声调不高:上面说的?上面说让你虚增工程造价,套出工程款了吗?

康大光的脸上唰唰淌汗,他知道旷乃兴这是软硬不吃,跟他来真格的了。却不知道这小子凭什么敢跟他动真格的?是吃了豹子胆、不顾忌程市长的面子了?

也可能是自己太不讲究,在他面前没露出点尊敬之意,把这小子惹急了吧?

现在再往回找补,也来不及了。

康大光满脸冒汗,不知道该怎么着才好。

而旷乃兴之所以话说得这么重,这么不客气,不光是为康大光在他面前态度的倨傲而生气。个人间的那点儿鸡毛蒜皮小事不值得计较。他是感到痛心、气愤,为工程建设中的那些黑洞本身,为他们那些人明目张胆的腐败行径。

他已有了破釜沉舟之气,已做好准备,将奥体中心场馆建设推倒重来。要把他们这些蠹虫都剔除出去。

在看到东湟河体育场千疮百孔的漏洞之后,这些日子以来,他就没有闲着,一个人暗中频频跑省城,跑北京,跑其他几个协办城市,找高人指点,找国家发改委的朋友帮忙,暗中寻找新的契机,处心积虑,费尽周折,想着脱离险境、另辟蹊径的办法。

终于,机会来了!通过招商引资拉来了台湾万宏耀的恒元集团,由他们在原东湟河体育场地带开发以会展中心为主体的黄金商业圈,利用土地置换银行抵押的方式,以十五个亿的土地成交价格,将奥林匹克中心移往南湟河边上新建,包括主体育场、综合体育馆、游泳馆、网球馆和一座大型奥林匹克公园。同时启动南湟河原址五万平米连片棚户区的改造工程。

不久后,凇州市新奥体中心异地重建的规划,上报后得到了北京奥组委方面的批准。

淞州奥协办这边立即换掉原班人马，撤掉康大光的执行副主任职务，由市府副秘书长黄一发担任赛区办公室主任。

这一举措，虽说是市委常委会讨论通过、经市人大常委会批准的，但能不触怒某些人的利益吗？

至于康大光那一伙人，多行不义必自毙。他相信，有关部门自会做出决断。

所以，今天这一场球迷闹事，绝对不是偶然的。

外边的雪片子飘得大了。旷乃兴的头也越来越疼，像所有的血液一股脑压将上去、力图冲破血管奔涌而出。他真恨不能把脑子掀个盖，打开晾一晾。他摸出随身带的一片去痛片，用矿泉水送下，然后嘱咐司机，再快点。然后他眯上眼，等待药劲来临。

一排排雪松和小叶槐也从车窗两旁唰唰掠过。奥迪挟风带雪，呼啸疾驰。身后卷起片片雪屑。小雪松都是次生林，树干不到玻璃杯口粗的样子，却也腰身挺得笔直，齐刷刷奋力向上昂扬而长。

二十分钟后，那片镇痛药发挥作用，旷乃兴头部停止了疼痛，头脑思路变得异常清晰起来。他开始往市里一个个打电话，跟守在东湟河现场的副市长、市公安局局长耿立柱沟通情况，然后又往南湟河区里打电话，进行紧张的安排部署。

在高速路上走了一个小时后，车子已开出省城，进入淞州地界。速度之快，是当年想也不敢想的事情。别看当年九帝登临碣石山时，面对淞州大地，大发思古之幽情，但是，这依山傍海之地，千百年来却一直没有开发出来，根本是莽莽苍苍一片穷乡僻壤，向来只是发配之地，就连当年的省城知青上山下乡，都不愿到淞州来。从省城到淞州坐汽车要颠簸整整一天的行程，连火车都不通，下到淞州都像是落到地窖子里，是到了最不济的地方。在过去新州人们的眼里，这里几乎是新州省的西伯利亚。而淞州一步一步走出贫困，从县发展到市，再到地级市和省辖市，也就用了二十来年的时间。这二十多年，中国发展太快了。改革开放的步伐迈得太快了。凇州这块地方的起起伏伏也太多了。

车子经过市中心主干道上的市府大楼广场后，没有停，直接沿纵深线行驶，直开到东湟河体育场。老远的，就看见那座横卧着的巨大椭圆形灰白色建筑。所谓椭圆，只能从空中观望，他们从平地上肉眼只能见体育场馆的一个侧面，钢筋水泥建筑，1985 年撤县立市时，跟市府大楼和广场一同兴建而起。在当时，它可算是鹤立鸡群的庞然大物，在全省也是数一数二的体育场。现如今，它旁边一座座酒店、住宅楼、办公楼和商务写字楼鳞次栉比，每一幢看起来都要比它新颖豪华壮观。冬季里的凇州东湟河体育场就显得灰突突、矮趴趴，活像宽敞大道上趴卧着的一只水泥大乌龟。

旷乃兴见到眼前熟悉的一草一木，登时头脑清晰，思维敏捷。他坐正身姿，用手抹了几把脸，让头脑精神精神，然后，警惕地观察起窗外情形。

远远望去，警察三步一岗五步一哨，人群里三层外三层。尤其是媒体记者，摆开架势，长枪短炮围在警戒线周围。据纪委书记邹瑾允电话里讲，市委宣传部已经下令任何媒体不许报道。本地的报纸电台都给压下了，外地记者不听邪，闻风而动，聚拢了来，一直跟着瞄着，一副不抢到独家新闻不罢休的架势。还有一些狗仔队，钻入周围高层建筑往下鸟瞰、拍照，从昨天到今天，网上已经出现不少博客帖子。旷乃兴一听，感觉到事情可能比他想象的还要严重。

奥迪放慢速度，徐徐驶来。一听说旷市长来了，旁边有人让道，有人要往上拥。警察忙上来维持秩序，让旷乃兴的车子直驶进去。市委常委、纪委书记邹瑾允先迎了上来：乃兴，你可回来了！

旷乃兴下车，一出车门，一股西北风“呼”地卷了过来，打得他睁不开眼睛。他赶紧裹了一下风衣角，道：瑾允，你也来了？

邹瑾允道：你不在家，我替你看着点儿。

旷乃兴没说什么，感激地握了握他的手。在凇州这个班子里，只有瑾允跟他一见如故。瑾允比他大上几岁，对他多有担待，像个兄长。

这时,高大魁梧的公安局局长耿立柱也披着大衣,一身霜雪地迎上来,说:旷市长。

旷乃兴问:怎么回事?他们怎么进来的?

耿立柱说:不知道。这个,我们也奇怪。头一天又把场地彻底清一遍,就准备第二天引爆,可第二天天一亮,他们就已经跪在这里了。

哦。

旷乃兴又下意识地咬了咬牙,腮帮子肌肉不由自主抖了几抖。

耿立柱接着说:更麻烦的是,那个普拉尼,临来前,在博客上发了帖子,写了遗书,说他此去无回,誓与体育场共存亡!还号召广大球迷都来呼应。您刚才不是已经看到了,里面有二三十人,外面还有好几百人。本地的、外地的,都有。影响极坏,想捂都捂不住。

旷乃兴问:他要干什么?怎么个存亡法?

耿立柱说:还是那句话,反对东湟河体育场拆迁重建;反对把他们锻造的国足出线纪念碑挪走。

旷乃兴说:怪了!不是已经跟球迷协会商讨过,他们也同意了吗?已经到了实施阶段,怎么现在他们又出尔反尔?

瑾允说:旷市长,我总觉得他们后边还有人。就是在故意捣乱,给咱们难堪。

旷乃兴没再说什么。迎着呼啸的寒风,嘴里哈着白气,他们一行人走过一长溜把守的武警士兵,径直来到体育场大门里边,到了纪念碑碑座旁跪着的球迷面前。市府副秘书长黄一发在前边大声道:旷市长来了。你们有什么意见要求,跟旷市长提吧。

普拉尼和小土豆他们仍然跪着,用警惕戒备的眼神盯着旷乃兴。看得出,这帮人也冻得够呛,虽然都整了围脖和棉帽子戴着,众人的眉毛胡子上还是都结了白毛霜。

旷乃兴站在众人面前,说:我是旷乃兴。大家请起吧。有什么意见、要求,请到屋里提,咱们坐下来谈。这冰天雪地的,冻坏了身体,对大家不好,我们看着也过意不去。尤其是,眼看着快过年了,有个感冒发烧，你们的亲人会跟着遭罪伺候你们的。

为首的普拉尼，裹在厚厚的棉袄棉裤棉坎肩里，又是跪着，个头和岁数不好猜测。从露出来的脸庞上看，耷拉下来的三角眼，垂下来的腮帮肌肉，扫帚眉，颧骨上冻出的一坨子红，岁数像是不小了，是五十来岁人的肌肤状态。要真是五十来岁的人，却还有这么大劲头，那也真是不白给，也算是神人一个吧！旷乃兴正暗自思忖，只听普拉尼说：旷市长，你不答应我们提出的条件，我们就不起来。我们今天就是抱着一死的决心来的。

旷乃兴说：死？为什么要死？有什么事情需要你死？难道说，一座体育场的拆迁建设比凇州老百姓的生命还重要吗？那样的话，就是我们市政府的失职！就是我这个当副市长的失职！我先要向凇州三百多万老百姓负荆请罪！向凇州广大的球迷兄弟请罪！

小土豆听得激动，立刻跳起来。他这往起一跳，让人看清了，他那五短身材，的确是像个小土豆。土豆看样子年轻，很容易情绪化，给两句好话就受不了，立马起身欢跳着说：旷市长，听你这么一说，够意思！够哥们儿！我们也不是真想死，就是不愿意眼看着把东湟河体育场炸掉！这里是中国足球的福地，炸掉它简直比卸掉我胳膊腿还心疼啊！

周围的球迷也跟着应和道：是啊！是啊！我们对它有感情啊旷市长！东湟河体育场不能炸啊！

普拉尼又说：炸老馆，建新馆，那就是白费民脂民膏，劳民伤财！听说这块地炸完了以后要卖地皮给台湾人，建商业大楼，我们反对！出卖地皮获取暴利，国有土地流失，这是典型的腐败！

陪同来的副市长、市公安局局长耿立柱看不下去了，看那样子十分想上去踹人，厉声喝道：嚷嚷什么瞎嚷嚷什么你们？平时没看出你们有这么大文化，现买现卖，几句话都跟谁学的？什么腐败不腐败？你们懂个啥？别什么都不懂就跟着胡诌诌瞎搅和！

旷乃兴拦住他，说：诸位，大家的心情我能理解。你们对体育场的感情、你们对凇州市足球发展的贡献，凇州老百姓都铭记在心。没有你们的支持,凇州的体育事业不会取得这么大的成绩,凇州也争取不来今天的奥运协办城市资格,就不能成为奥运足球分赛场。大家不要着急,有什么问题,咱们可以继续商量解决。

然后他回头低声问了问耿立柱:要的车都到了吗?

耿立柱说:到了。

旷乃兴又高声对大家说:诸位,这样吧。咱们这样耗在这里解决不了问题。现在,咱们大家都上车,我领大家去看一个地方。看完之后,咱们再议一议这个地方该不该拆。

球迷又哄道:那不行!旷市长你不答应我们的条件,我们就不走!我们一走,就该把体育场给炸了!

旷乃兴挥挥手:诸位,既然大家指名道姓要找我谈,那就是信任我。我向大家保证,没我的命令、没取得大家一致意见以前,谁也不能下令爆破体育场!我以我凇州市常务副市长的身份担保。

球迷们听了,都拿眼瞅着为首的普拉尼和小土豆。

瑾允又跟上催说:还不快走?还犹豫什么?旷市长还能骗你们吗?

普拉尼和小土豆两个脑袋凑到一起,相互嘀咕几句什么,然后小土豆才扭转头,冲大伙嚷道:弟兄们,咱们跟他们走!谁要是说话不算数,谁就不是他妈养的!

耿立柱一听,冲过去抬脚就要奔小土豆踹,被黄一发一把拽住。耿立柱仍气哼哼地说:哼!都给我老实点!还反了你们了!

球迷们都吓得躲着他,闪着身跟普拉尼和小土豆往外走。

两辆公交大轿子车,早已停在门口等候。

等在门口的黄主任请示说:旷市长,外面的群众和媒体记者也想上,怎么办?

旷乃兴说:上吧。谁想上就都拉上。

瑾允问:乃兴,这是要去哪儿?

旷乃兴说:去城南。棚户区。

瑾允一听,心里明白了,说了一声:好!

随即他也钻进自己的车里，让司机跟上大轿子车。

已经到下午四点钟光景。天色阴暗得更厉害，风刮得紧，雪花被风扫得半空中乱转。

一列车队浩浩荡荡开向湟河南岸。一车球迷、一车媒体记者和看热闹群众，另外还有旷乃兴、邹瑾允、耿立柱他们的车，相跟着排成一列，蔚为壮观。公安局局长耿立柱的司机打开警灯开道，一路吱吱哇哇，红蓝光闪烁着，在这个冬季的幽暗黄昏里招摇过市，更增添了队伍的不凡。车队驶过市府大路，下了湟河大桥，转道向南拐，顺斜坡就势而下，一直往南开去。走不多远，就已经遥遥望见南湟河岸边大片大片的棚户区。

那是一种怎样的景象哟！一群群低矮破旧的油毡房、木板房挤挤擦擦坐落在整个区域。歪歪斜斜的电线杆，房前屋后一根根胡乱牵扯的电线，肮脏的下水井箅子上堵满了菜叶、头发，污水横流四溢，在周围冻成大区域硬硬的冰，人一走上去脚就打滑。巷口的木板搭起的简易公用厕所，里外满是污垢，一条条焦黄的尿液冻成了冰，粪便则在厕所外冻成了坨。简直让人不忍目睹。

众人都从车上下来，站在巷子口。南湟河区的区长老常早已带人等在这里。他们陪着众人默立。眼前情景，使这些车上来客不禁哑然。刚从那笔直繁华的市府中心大道上下来，眼前的景象，视觉反差太大，令人不适应。尤其外地来追风采访的媒体年轻人小记者，感到震惊和奇怪，他们悄悄问：这是哪里？怎么像电影里的旧社会?！还有人能在这里住吗?

旷乃兴面对那些球迷，声音沉重地开口道：诸位，我相信，这里，你们并不陌生。这块地方，就是你们当中有些人从小生活生长的土地，这里边住着的，也许还有你们的朋友亲戚。新中国都成立五十多年了，如今，还有人住在这种日伪时期的工棚、这种解放初期临时搭起的简易棚里，一住就是几代人！同志们，是我们的工作没做好，我们感到惭愧啊！

说到这里，他的声音有些哽咽。

众人也默不作声。

停了一会儿，旷乃兴又面对那些端枪扛炮的媒体记者道：当年，我自己第一次到这里来，见到这里的情景时，跟你们现在一样震惊！你们这些年轻人没看见过，想象不到，我也想象不到。现在，这一片区域，就是我们新的奥体中心将要建设的区域，这个地块里的老百姓马上就要拆迁，住进政府新建的楼房里去。这是一件利国利民的好事情啊！

见到有人又要提问，他摆了一摆手说：请大家再进去看一看，看完了，你们有什么意见，咱们再一块儿集中讨论。

南湟河区的区长老常在前边领路，领他们随意进入几户人家看看。也不用敲门，掀起门帘子就进。一间间黑黢黢的小屋，每间不超过十几平米，四处透风的墙壁，大棉门帘，洋铁皮炉子，残破的锅碗瓢勺，喉咙气喘的老人、身体破损的残障人士、下岗工人、城市低保户、农村进城打工人员……这些城市弱势群体，集中在这一片几乎被遗忘的区域里，野草根一般生存着。

老常一边跟属地居民打着招呼，一边跟众人解释：没办法，能照顾的我们都照顾了，但还是没法从根本上解决困难。

众人不说话，越看心里越沉甸甸的。

走到临河沿的那个胡同口上，忽然人群骚动起来。人还未见，只听一个声音先至：我打！我打！打死你这个不争气的东西！

众人愣神工夫，只见打一个小木板屋里蹿出一个大个老太太，手里高举一把长柄笤帚疙瘩，一双半大不小的民众脚，跑圆场般脚跟脚踩着点儿从屋里疾驰而出。老太太满头花白，满脸褶子跟个丝瓜瓤子似的，眼皮完全耷拉下遮住大半个眼睑，嘴唇往里瘪瘪着，没牙的嘴四处漏风，左手的中指和无名指各戴一枚金镏子和银镏子，右手的无名指上也戴一枚金镏子，反正是真是假也不知道。只见这金银相配黄白相间的老手挥动起笤帚疙瘩一点儿也不费劲，笤帚头照准普拉尼的脑袋瓜子噼里啪啦就打，一边打，一边数落：我打！我打！打死你这个不争气的东西！我让你闹，让你闹！人家市里这是给咱们办好事，让咱们拆迁住新房，你还带人去闹！你这没良心的！

普拉尼捂住脑袋躲闪，“哎哟哎哟”不敢还手。老常一边劝，一边对众人说，这是普拉尼八十多岁的老母亲。如今带着一个残疾的老闺女在这儿过呢。

老太太不依不饶，仍举着笤帚追着骂：你说你这作什么孽呀！我在这里生活了五六十年，打从乡下出来，跟你爹，到这里挖煤，生下你们哥几个，我就没挪过窝！谁不盼着住新房高楼大厦享福去？眼瞅着我这都搬家了，你说你这活兽啊，整天价不务正业，扔下你老娘不孝，扔下你媳妇孩子不管，自己当什么球迷，还到处穷捣乱！你还有点儿良心没有？还不感谢人家区长、市长！我打！打死你这混账东西！

众人赶紧拉。老太太使劲挣着，还大嗓门叫嚷：我说，市长、区长啊，你们别理他，不老实就枪崩了他，就当我没养这个孽子！

普拉尼给骂得臊眉耷眼的，紧着躲，紧着躲。这时，打屋里又追出一个声音，又尖锐又高亢：我说你们都不知道砢碜哪？都闹啥闹？闹啥闹？

接着，也像脚底下踩着风火轮似的，又一个高个儿女人扭搭扭搭，一步紧挨一步地追了出来。只见这女的，大眼睛，双眼皮，抹搭抹搭真撩人儿；狐狸脸儿，水蛇腰，头发油黑梳成髻；尖下颏，薄嘴唇，说出话来挺动人儿。她上身一件火红的羊毛衫，下身一条黑裤子，手上戴一双同样火红火红的尼龙手套，当街立定，一手掐腰，一手指着普拉尼：柱子你这个臭不要脸的玩意儿！天天作啥作呀你？放着正经事不做，整天让咱娘这么大岁数还为你操心，你说你是不是吃饱饭撑的你？

普拉尼一边躲着老太太的笤帚，一边对付着女人的骂，语无伦次地说：姐，不是，那什么，你看，姐……

姐啥姐耶？谁是你姐？你少叫我姐！我没你这个弟弟。犊子玩意儿！整天跟你操老了心了！

女人拿眼狠狠瞪普拉尼，只见那眼里黑是黑，白是白，真跟一汪鸡蛋清里漾着颗黑珍珠似的，顾盼生辉，灵活眨动，就连那发怒，也怒出个嗔来。她一边说着，一边又拉老太太往回走：走，娘，咱回家，不理他。让他作死去！爱咋折腾咋折腾，咱不跟他在这儿丢人现眼。

区长老常悄悄在旷乃兴耳旁道：这是老太太家的大闺女，崔英姿，原先是县二人转剧团的，现在不唱了，在五好街摆摊卖服装。

崔英姿这边骂着弟弟，那边拉着老娘，回过身来又冲看热闹的人群一扬手：看啥看都看啥看哪？没看过老娘教育儿子啊？都回家去回家去，都走啊！走！

老常走过去，跟她打招呼道：大丫头啊，家来了哈？这是咱们市里的旷市长，来咱这疙瘩检查一下工作。

崔英姿这才将眼光定焦在旷乃兴身上，恍然大悟的样子，惊诧说：哎呀！哎呀妈耶！旷市长啊?！见过，在电视上见过！这么大个市长，还亲自到咱这小破地方来？哎呀妈呀，刚才没看见，对不住，太对不住了啊。

说罢伸出手来。旷乃兴伸出手去礼节性地让她握，说声：你好。

崔英姿把戴红尼龙手套的手往市长手上一搭，赶紧落下来，说：对不起啊，市长，你瞅瞅我这一家人，净给市里添乱。咋整呢，没文化，愁死人了！旷市长您大人不记小人过，可千万别放在心上啊！

旷乃兴淡淡应一声：没关系。

老常招呼大家：行啦行啦，走吧走吧，走吧。

人群还是不散，呼啦啦地围着。那个大老太太，这时又凑旷乃兴跟前，满嘴漏风，搭讪道：我说，市长啊，今天这事儿，对不住啊，你可别跟那活兽一般见识。

旷乃兴也只好接她的话茬，道：老人家，您今年高寿啊？

他们这边说着话，那个崔英姿迅速揪着普拉尼袄领子把他硬扯到一旁，拽得普拉尼不住张嘴大叫：干哈？干哈？有话好好说，扯啥玩意啊扯？

崔英姿使劲一推搡他，推得他好悬没墩个屁蹲儿坐在地上。崔英姿也不管那套，瞅边上没人，用戴手套的红手遮住嘴，悄声骂道：你说你这鳖犊子！你闹啥玩令呀闹？出风头啊？好看是咋的？这边动迁讲价都快讲成了你知道不？咋地，你不想得钱了是不？

普拉尼正了正袄领子：我、我、我哪知道哇……

崔英姿急眼了：你说你咋能不知道？那还不都是你一手布置的……

这回轮到普拉尼急了，他噌地蹿起来，上来捂崔英姿的嘴：哎呀妈我的大姑奶奶！你可别说了！再往下说就露馅了！我这不也是听人之令……

崔英姿使劲扒拉开他的手：啥？听谁之令啊你又是？你到底有几个令啊？

普拉尼急得双手乱颤，四下胡瞅，说：姑奶奶你给我小点儿声！小点儿声啊你快给我！啥也别说了，等回家去再说。

崔英姿一甩手，不耐烦地说：滚！滚犊子！再瞎指挥，说话不算话，我们可不听你的了。等我把老底儿全给你捅出来！

普拉尼急得摆手：哎呀，算话，算话！谁说不算话了呢！等回去再说！回去再说啊！

一边说着，他一边赶紧离开崔英姿身边，装模作样凑到正拉呱话的他老娘和旷乃兴那里去，装出一副孝子的模样劝他娘回家。他娘也就坡下驴，叮叮当当跟着回去了。

这一家子的戏总算演完了，给沉重的气氛增添了一点诙谐和喜剧色彩。看热闹的人群散去了一些。从体育场赶来的球迷和记者们继续穿过憋憋屈屈的胡同往前走，又绕过几条街口，最后出来会集在区政府平房大会议室里。待到众人纷纷找地方分头落座，旷乃兴开口道：诸位，你们看到了吧？这里的老百姓住着什么样的房子？过着怎样的生活？新中国成立以来，五十多年里，凇州作为老的煤炭和粮食基地，底子薄，城市基础建设落后，积重难返。这次，我们就是要借着协办奥运的机会,改造城南,加快南湟河区发展。将奥体中心建设在南湟河区,也就是这个意思。

这时候,有球迷问:旷市长,最初不是说要把奥体中心建在城市东区,要升级改造东湟河体育场吗?怎么又要炸掉,改在城南新建?

旷乃兴说:这个问题我们已经多次解释过。最初我们决定改造升级东湟河体育场,是看中它的历史、人气以及交通便利等多种因素,能很快完成奥运足球赛事任务。但是,同志们,我们申办奥运以及其他种种国际国内重大项目,是为了啥?难道仅仅是展示一个形象工程,为了拿凇州表面上的光鲜在世人面前亮一下相、作一下秀吗?难道不应该把每一个项目都打造成利民工程、便民工程,真真正正为老百姓做实事、做好事吗?

把新奥体中心建在城东固然好,位置好,建设速度快,工期和质量有保证。但是,东城,已经是城市的繁华区域,不需要再锦上添花。而南城的老百姓,错过了这一次拆迁机会,就不知还要等上多少年!他们就将还在阴暗潮湿的棚户区里度日。像普拉尼母亲那样八十多岁的老人,她一生还有多少时日?难道我们这些做儿女的,不应该让她在有限之年过点儿好日子吗?

又有媒体记者问:那你们凇州政府的决策怎么能说变就变?既然建在南边有好处,当初为什么要把奥体中心建在老的东湟河体育场?

旷乃兴说:好,这个问题提得好。我在这里跟大家交一句实底:其实最初我们在决定是将东湟河体育场升级改造还是在南城重新建问题上就有争议。东湟河体育场的改造,相对简单,易行。而南城的重建,时间紧,任务重,工期长,程序复杂,涉及原有居民的拆迁、安置以及周边交通道路的重建改造问题。尤其是资金来源问题,非常困难。两相权衡,我们还是决定采纳东湟河体育场改造升级方案,上报给奥组委。北京奥组委也是本着节俭办奥运的原则,支持了我们的东湟河体育场改造方案。

有记者插话问:旷市长,你的意思,现在推倒重建,要改在城南建新奥体中心，是不是证明原来改造东湟河体育场的方案是错误的？

旷乃兴说：不是错了，而是时机和条件尚不成熟。在动工改造东湟河体育场的过程中，我们又发现了新的问题。由于使用过度、维修保养不当等原因，现在的东湟河体育场，外表风化，水泥地面开裂，线路严重老化，水泥座椅全部需要更换。电气、给排水、通风、空调、电梯、消防安全等都跟不上。改造它的费用，跟目前我们新建一个场馆的费用基本不差上下。

当然，这里也有我们应该检讨的地方：当初设计使用年限为五十年的一个体育场，为什么使用期还没有达到一半，就不行了呢？我们不能说它是豆腐渣工程，而只能说是由于当初建设材料和技术的限制，以及后期管理的不到位所造成的。这一点，在新建场馆时我们会吸取教训，避免此类事情的发生。

有球迷说：旷市长，不管怎么说，那么大一个体育场，好好的就炸掉了，我们心里舍不得，还是觉得有点儿败家。

旷乃兴说：我了解大家这一份感情。我也跟大家一样感到遗憾。但是，在这里，我可以给大家算这么一笔账：原先我们准备投资6个亿升级改造东湟河体育场，现在，通过土地置换银行抵押的方式，与台湾恒元集团以15个亿的土地成交价格，由他们在原体育场地带开发以会展中心为主体的黄金商业圈。在城南我们将新建一座奥林匹克中心，包括主体育场、综合体育馆、游泳馆、网球馆，总投资将近20亿元。炸掉以后的东湟河体育场的钢筋预计可以卖到600万。其余的建设用款，我们通过业主招标合建的方式取得，不用财政拿一分钱。同时，我们通过多种渠道筹资，解决周围5万平米连片棚户区居民的住房改造问题。我们通过向国家开发银行贷款、减免建设过程中的税费、政府财政支持以及百姓个人筹资等方式，保证棚户区改造的顺利进行。

诸位，你们拍拍胸脯想一想，把一座风烛残年严重疾病的体育场，推倒异地重建，既解决了场馆比赛问题，同时又能为民解忧，让普拉尼母亲这样的居民，都有新房可住，何乐而不为呢？

下面有人议论:这样说来,是一举多得啊!

旷乃兴肯定道:是的。至于有人提到要保留原址作为博物馆,我们也想过,但是,作为一个经济刚刚起步的凇州,就目前而言,我们的财力、物力、水平还远远达不到,也养不起。我也是个铁杆球迷,说句泄气话,也许不中听,中国球员,目前的水平和状态还远远不到该为他们树碑立传、保留遗址的程度。球员虽孬,球迷却是好的。大家原来给他们立的碑,仍完好保留着,届时也原封不动移到新场址。同时我们还辟出一间球迷活动室,归你们球迷协会使用,以感谢你们的贡献!凇州是以足球运动扬名的,凇州的主场气氛在全国是最好的!要发扬光大,有你们广大球迷的支持,中国足球肯定会再立辉煌!奥运会上中国足球若能取得好成绩,不光凇州300万老百姓记着你们,感谢你们,就连全国人民都会记着你们、感谢你们!

底下球迷呱呱呱鼓掌。还有球迷纷纷说:旷市长,你这样一说,我们就懂了。这样做,我们服气。

旷乃兴说:好了,时间也不早了,今天晚上给大家安排了盒饭。吃过饭,大家就各自回家歇息吧。

接着又拿眼瞟向普拉尼和小土豆:看看二位会长还有什么说的?

小土豆和普拉尼互相瞟了一眼,臊眉耷眼嘟囔着:都这样了,那还能有啥可说的。

旷乃兴说:好,没有了,那就散会。家远的,我们的车可以送送大家。

……

等到把所有的人都安顿完毕,打发走,已经晚上七点多了。西北风停止了呼啸,鹅毛大雪却软绵绵地开始飘起来,不一会儿就覆盖了整座城市,所有的丑陋都被遮掩,华灯下显得分外迷离、洁白又好看。

旷乃兴坐进车里,长出一口气。一阵头痛又猛袭上来,伴随着身体的阵阵寒意,冷得有点发抖。他意识到可能是真感冒了,有点发烧。忙到现在,他仍旧穿着台北回来时的单衣单裤。那件薄料风衣根本遮不住北方的风寒。

头痛一阵紧似一阵，脑壳仿佛要炸了。不，好像不是头痛，而是心痛，一种痛，直往心口深处去，自己的心脏里的某个部位在隐隐作痛。

真难啊！想真正为老百姓做一点事情，真是难啊！总有看得见看不见的阻梗在暗中发力、捣乱。说起来，还不是个人利益间的相争和博弈？究竟谁能真正把百姓利益放在首位？

作为一个实战经验不足的年轻干部，他时时感到胸中义愤难平。

3. 明修栈道

新州省建筑设计研究院里，这几天热闹非凡。快到过年，到处一片喜庆气氛，发完了年终奖，又按以往规矩，工会以实物形式发放福利，给全院职工从盘锦拉来大米、从承德运来豆油、从苏家屯运来酱猪手，一袋袋一箱箱发下去。虽然说建筑设计院正在改企转制，但是，再怎么改，那也是党统一领导下的国家单位，你横是不能把工会妇联共青团老干处这些机构给转没了吧？既然存在，那就得整点响动发挥作用。为了体现改革后的创收效益，工会还特地从大连采购来渤海湾冻带鱼，每人一坨发下去。带鱼成色不错，每条都有一指多宽，肉厚条长，在超市买起来要几十块钱一斤，价格正经不菲。

设计院的人们面对冻带鱼喜气洋洋，同时也发愁：这玩意儿可怎么往回拿？虽说工会关怀照我心，同时也增加了个人运输成本。冻鱼不能放，屋里暖气烧得贼热，放不了一会儿就化了，得赶紧把这冰冻的玩意儿带走。一时院里众人手忙脚乱，笑逐颜开的有，唉声叹气或假装唉声叹气的也有。那些有私家车的好办，把一干物什扔车后备厢就走人。苦了那些仍坐班车或骑自行车上班的平头百姓。他们一边捡了天大便宜似的，费劲又小心翼翼地把冻鱼重新用旧报纸、废纸盒捆扎好，弄得满手腥乎乎，一边嘴里还嘀咕：还不如直接发二百块钱算了，这你说，光打车的钱就比带鱼钱贵得多。旁边就有知事的人搭茬道：那怎么能行！发钱，发钱还怎么能体现组织关怀？怎么体现人家工会的工作成绩？

再则说了，买这些东西，中间都是有回扣的，指不定谁占了大便宜了呢！

端起饭碗吃肉，放下筷子骂娘，这是体制中人的通病。转型期的人们，依然享受着旧有体制带来的好处和实惠，同时也必定要体会新的陌生体制带来的阵痛和不适。人们就这样骂骂咧咧闹闹嚷嚷，稀里糊涂皆大欢喜，深一脚浅一脚共同跨入了公元2003年。鱼们肉们自然也跟随各自主人奔往城市各个角落，大摇大摆躺上各家各户厨房砧板。

就在这一片例行的节日欢乐中，却也嘁嘁喳喳暗地里响起另一小点儿不和谐音。有人听说，本省淞州市新奥体中心"2008体育场建筑概念设计方案竞赛"，最终决定书记陆文誉与副院长洪肖奇两人联合代表本院参赛。院里一时众声哗然。设计人员们立刻感觉到不服不忿。

若说洪肖奇参赛，倒也罢了，人家本身就是设计人员出身，年纪轻轻，现在已经熬到副院长也是总建筑师位置，也还有过若干专业设计得过奖，去参加个专业竞赛理所当然。而那个书记陆文誉，作为一名行政官员，有什么资格和必要也来参加一项专业竞赛？况且又是这样一项举世瞩目的竞赛活动？他们这两个人的这种联合想要达到什么目的？

本省的淞州市能够成为2008北京奥运会协办城市，对于他们这些身居省城的人来讲，除了报纸广播里说的那些属于全省人民的骄傲和光荣外，省建筑院的建筑设计人员们，并没有感到什么与切身利益密切相关的荣耀。直到淞州新奥体中心2008体育场建筑概念设计方案竞赛的消息一出，他们才轻微感觉到这事情跟自己有关，至少是在某种程度上与自己沾边。

位于省城祁阳的这座与新中国同龄的老资格建筑设计研究院，不能说人才济济，但也是豪杰辈出。全省最杰出的建筑设计师都积聚在这里，省里那些有点名气的建筑物也都出自于院里一代又一代建筑设计师之手。往下数，那些各市区或者私人独立的建筑设计事务所，无论从财力、人力、物力哪方面来说，跟他们院都无法相比。显然，按照他们通常的思考逻辑，淞州新奥体中心的场馆设计方案，最后肯定得由他们院里出。你想啊，奥运场馆是代表国家荣誉和形象的建筑，北京的2008

奥运国家体育场馆设计方案，首选全国最高的比方说中国建筑设计研究院或者北京建筑设计院来出，那么，位于本省的凇州新奥体中心体育场的设计方案，也就应该由本省最高的建筑设计单位也就是他们院里出。这不是明摆着的事儿嘛！难道还会有什么争议不成?!

这个项目能得到什么物质利益暂且不说，最后谁设计了它，谁就将跟中国这百年一遇的举办奥运一样名垂青史啊！谁能竞争上？咱就说这本院参赛的指标会落到谁的头上？这不能不成为众人瞩目的焦点问题。

新州省建筑设计院此时正处于改企转制的灰色地带、过渡时期，一切未免有点儿混乱。南方各省的建筑设计院早在二十世纪末就已经基本完成了院转企的改造，但是，他们这个北方大省的改造步伐，就像他们省的经济发展步伐一样，明显落后于全国同行业水平。这不单单是他们建筑设计院本身的事情，而是跟一地的整个经济改革发展大环境有关。大环境不好，发展速度慢，院里小环境也难有起色。从十几年前开始，院里就开始根据中央精神，深化改革，体制创新，走民营企业的发展之路。但是由于中间出现许多问题，诸如国有资产的重新评估、各项责权利的再分配问题等，使得这个改企转制过程显得十分漫长，遥遥无期，很难尘埃落定。在这样一个转型时期，老的事业单位那套机制仍然在发挥着巨大的效用。多数设计人员尤其是那些年龄大的仍按照被老机制给培养出的惯性在慵懒地往下滑着。刚开始听说要改企转制，他们还有一些担心和忧惧，后来见嚷嚷了这么多年也没改成什么东西，于是就放下心来。只要个人利益不被触动，就可以继续高枕无忧睡大觉。

院里的活吃不饱，利润低，一般人还抢不上。而那些年轻有能耐有本事的，在院里挂个名，偷偷去外面干，跟人搞联合设计、给外国人画图赚外快之类。项目如果能有个正当名义，跟本职本院工作挂钩，那当然好，但多数是一些去跟着人家赚点钱的私人活计，不好留名，也不便于声张。否则，就留下小辫子在人手里，遇到体制内的评选、评奖、提职之类事情，揽私活这一项就成了弱点，容易被人抓住做文章。那些没能耐的也能跟着混，拿着高出国家低保许多倍的级别工资和平均奖，优哉游哉过日子。只有等到院里每逢有一个大项目来临，死水微澜的生活才些许有了一个兴奋点，能抢上的人，自然高兴，抢不上的话，也跟着瞎嚷嚷，胡乱找兴奋点把自己激活一下子。

这次的淞州奥运体育场方案竞赛，又让设计人员们感到了兴奋，不管跟自己有没有瓜葛，能不能轮到自己去参赛，他们都在心里嘀嘀咕咕，然后在背后窃窃私语。在彼此互为竞争对手的情况下，谁也不把自己最真实的想法表达出来。表面上，设计人员们仍旧与那些办公室搞行政的主任副主任、年轻女出纳、龅牙女会计、工会副主席兼妇联主席等老爷们儿老娘们儿一起嘻嘻哈哈肩拉背扛、一起往家里运送冻鱼冻肉，实际上，他们内心清高，伺机而动，怀着高度的紧张和焦虑，密切注视着院里奥运体育场方案竞赛选拔参赛的动向。

但是，还没等到他们把这个消息完全消化，就从不同的渠道得知，代表本院参赛的，竟是院里高层的两个领导：书记一把手陆文誉和副院长洪肖奇，根本没有经过什么基层选举选拔这一说！

一时间有点乱了营、炸了锅！

他们凭什么？那些当官的，平时他们就利用职务之便，出国、加薪、提职种种好处都捞遍了，难道，这种专业选拔上的事情，他们也要占一腿、非要给自己脸上贴金不可？尤其是书记大人的挂名（难道他有能力亲自操刀吗？），有什么必要嘛，简直是不可理喻！

于是乎，趁着中午休息工夫，第一设计所的人蹿到第二设计所办公室，第三设计所的人跑到第四设计所屋里，摆开围棋阵，甩开扑克牌，借着说棋评棋观棋、催对方出牌的引子，嘴不停闲，磨磨叨叨，一边看似不经意说三道四，指桑骂槐，实际上是条分缕析，发泄不平，自我安慰。他们一会儿说到洪肖奇想要当下届院长，所以才拉着书记合作搞这个项目，紧着拍书记马屁；一会儿说到书记陆文誉想要点专业实绩，只会给同志们盖房解决职工生活困难还不够，还要努力向一个内行领导干部靠拢，内外兼修得胜之后，据说明年的省里换届选举，他还极有可能向副省长的位置上努一把力。

各种议论唧唧喳喳而起。但也都是关起门来背后嘀咕,没有一个勇于挺身而出,敢把问题摆到桌面上来。

他们的牢骚,很快就被化解。

一把手陆文誉多年来主管人事行政工作,从省建设厅党组副书记位置上下来,到院里当了一把手。他最擅长的就是破解人们的牢骚和哀怨,尤其知识分子的那点儿小牢骚,处理起来更是如庖丁解牛游刃有余。大家还没看见整个牛什么样,他就早已给解得只剩下一堆里脊、上脑、紫盖、牛皮和蹄筋。那些瞪着牛铃大眼发牢骚瞎埋怨的人被叫到办公室来一谈,再出去的时候,几乎个个是蔫头耷脑,心平气和,无妄无猜。

而年轻的副院长洪肖奇,人虽还不到四十,大概用心太过的缘故,却早已是秃顶,微胖,肤黑,乍一看像有五十来岁,早早修炼出一副老干部面相。这么些年来,他也是浪里水里,什么都蹚过什么都见过,能升到副院长的位置上,那也是几经历练和磨砺,在对付人、应用人、摆弄人的问题上也已自如娴熟。用当今时髦话讲,一个合格的职业经理人要具备的能力:经营决策能力、领导艺术、内部沟通协调能力、应变与处理危机事件的能力、人力资源管理能力、企业竞争能力、公共关系协调能力、市场开拓能力、理解他人的能力、财务运作能力等等若干项巨大的能力,他都具备。

在这种知识分子扎堆的地方,掌握了技术能力的小官僚,比起上一辈单纯的行政干部,在搞人搞事搞财方面,还要技高一筹,纯熟精湛,有过之而无不及。

洪肖奇用的一套法则是先斩后奏,见招拆招。针对每一个有竞争能力的对象,他在背后都事先设定了一套防范应对措施,先在参赛资格上就把众人都卡住,然后具体意见由书记出面个别谈话传达,他则躲在背后充好人。按照洪肖奇他自己事先设定的种种硬件软件指标来衡量的话,所有其他相关人员都不符合条件,只有副院长洪肖奇联合书记陆文誉代表院里参赛才最合适,才有把握能竞争得上。通过陆文誉书记的挨着个儿一番推心置腹谈话之后,每一个被谈的人,即便是还有谁心里暗怀不服和不满,也得偃旗息鼓,忍气吞声。条件在那儿摆着呢,不是人院里不选拔不让自己去,而是自己确实不符。理工科专业人员的线性思维方式,让他们搞不懂行政人事制度的复杂性和多义性。他们想不到去从根儿上深究也无法深究:这规则是谁制定的?凭什么制定?合不合理?经过院党组和院学术委员会讨论通过了吗?征求下边群众意见了没有?

一系列的问题他们都没有去问。经过一番谈心之后,他们果然也就认为,这么大的项目,竞争的人太多,根本轮不到自己。如果想争,也没用,万一争完了没有结果,竞争不上,面子上过不去不说,回头得罪了院领导,以后就有小鞋穿了。算了吧,不想那么多。劳那份神干啥!

多年来体制内豢养的知识分子的软弱性,让他们也只擅长于当面不说,背后乱说,无力抗争,得过且过。一通绥靖政策后,原先的牢骚阵营纷纷瓦解。人们放下围棋扑克打道回府,煎着带鱼数奖金,欢欢乐乐购年货。

院里年轻的副总设计师黎曙光是在接到老同学旷乃兴从凇州打来的电话后,才知道有这么回事的。他去南方打理一个本院跟别的省的联合项目,顺便回扬州老家看望了一下父母,一个多月后才回到省城祁阳。这期间院里发生的事情他一无所知。

副总设计师黎曙光长相俊美,他中等的个头,白皙的肌肤,浓密蓬松微微卷曲的头发,脸部线条柔和,薄薄的嘴唇,高耸的鼻梁上架着一副无框眼镜,一双明丽而生动的眼睛,长相有点儿像韩国影星裴勇俊,浑身上下处处显露出笃信和诚实,很有亲和力。尤其是他那一口柔软甜糯的南方普通话,在一大群北方硬汉当中,时时显露出南方才子的温柔本色来,很招人爱,尤其是有女人缘儿。他跟旷乃兴是清华大学建筑系同班同学,当年是为了爱情,毕业后才追随家住祁阳的媳妇分配到这山海关以北的新州省城建筑设计院来。凡见过他和他媳妇的人，没人觉得他们会是一家子。怎么说呢？他那个北大女生媳妇邵宝娟，身材高高壮壮，面部线条硬朗，一看就是“男人婆”的气质，两口子站在一起，整个乾坤颠倒，黎曙光倒显得温柔俊逸女里女气的。那些暗中喜欢他的女人就不由感叹：唉！可惜了！可惜了！

但是，话又说回来了，爱情这玩意儿，跟别的事情不同，不能照顾大多数，而只是从当事人一己之审美意愿和性取向出发，无非是各取所需，王八看绿豆——双方对眼儿就成。

这会儿，黎曙光出差刚到家，正在往外倒腾自己出差的箱子里的东西。他坐了一宿夜车回来，进了门，家里无人。媳妇邵宝娟虽然知道他今天回来，仍然不在家，早早上班去了。她那个电视台的工作，总是忙得脚不沾地，有头无尾。儿子放假，送去了他姥姥家。再进厨房四处看看，空锅冷灶，没有人烟。灶台上还留着方便面屑，地上也是乌乌涂涂的灰尘脚印。家里到处都落了一层土，卧室里的被子还没叠。翻翻冰箱，空空如也，没有找到任何吃食。黎曙光摇摇头，长叹一声。他不奇怪，这样的日子，他和邵宝娟已经摸爬滚打一起过了十来年了。平常他在家的时候，家里一应活计，都是他来干，老婆什么也不管。谁让他娶上了一个女强人媳妇呢！

他先烧上一壶热水，然后把窗子都开开透气，然后迅速叠被子、擦地板、抹灰尘，手快得像抢东西。他在一个作家的书里看到过形容女人干活勤快手脚利落时用的这个词儿，现在他的修长白皙的手也像用爪子抢东西似的，抓挠、舞动，不一会儿，水烧开时，一个整洁明亮的家就现出了轮廓。

这是一双伏案画图的手，小时候也是在钢琴黑白琴键上翻飞舞动过的手，没想到，成年以后，就天天守着一个乱糟糟的家干这么些日常琐碎的活计。他习惯了，已经接近于没感觉，无怨无悔。不光收拾家，甚至连儿子都是他一手带大的，儿子小时候的尿布都是他来洗，邵宝娟忙，没伸过手。他干着这些理应由女人干的活计，顺序不乱，非常有节奏感，好像乐在其中。他就是这么一个善感、勤勉之人，能从微小的事物中体会到生命和成长的大快乐。从本质上说，这种人，已经不止是建筑学家，而是一个艺术家并且接近于一个哲学家了。

黎曙光用热水泡上一包方便面，又从包里掏出在火车上买的两个卤蛋，放在灶台上，待会儿作为自己的早餐。方便面也是自己在车上买的，早就防着家里没饭这一手。电视台节前忙，邵宝娟没空给他预备吃的。这是司空见惯的事情。忙完这一切，等待方便面泡开的工夫，黎曙光这会儿才得空坐下来，往外掏自己的行李箱。拿开表层的自己的洗漱用品，他小心地捧出一个时装袋来，打开，一条桑蚕丝的玫瑰色吊带睡裙抖搂出来，柔软，光滑，在早晨晦暗的光线下放出灿烂而又柔和的光泽。将手掌伸进去，肌肤的颜色便隐约可见。这么精美柔和的丝织物，在这么个粗糙的北方并不常见。黎曙光忍不住用手摩挲着，体会着那种动人的质感。这是他为老婆大人精心挑选的一件过年礼物。

放下睡裙，他又去掏另一个时装袋子，拿出一条丝绸羊绒围巾，也是给老婆的。还没等展开来欣赏把玩，那边电话就响了。是旷乃兴，从凇州打来电话。旷乃兴在电话那边上来就问：

老同学，你怎么没有参加竞赛？是瞧不起我们凇州小城吧？

黎曙光说：啥事啊？我说大市长，这么一大早起来的，也不让平民百姓睡个囫囵觉？

旷乃兴说：还早？你看几点了？都八点了！你别跟我打岔啊。我可跟你说，你可以瞧不起凇州，但不能瞧不起奥运设计！一座奥运场馆意味着什么？意味着，它将是奥运会留给主办城市的文化遗产！奥林匹克精神将被固化入建筑！你一个建筑系出身的高才生，能不懂得这个？

黎曙光说：喂喂喂，我说旷大市长，你就别跟我打官腔了，越说我可是越糊涂。绕来绕去，到底是什么事情？

旷乃兴说：哦，怪了！凇州新奥体中心 2008 体育场建筑概念设计方案竞赛，你不知道吗？

黎曙光说:没听说啊！没人通知我。

旷乃兴说:老同学,我说你是个书呆子吧！报纸电视宣传那么厉害,你没看到?

黎曙光说:我平时很少看电视,连省台都不看,哪能看到你们淞州台?

旷乃兴说:瞧瞧,还是看不起淞州不是！我跟你说,这次新奥体中心建筑概念设计竞赛,我们采取的是国际招标方式,向全世界十几家著名的有大型体育设施设计经验的设计机构发出了邀请,目前反馈回执都回来了表示参赛,有些建筑事务所还送来了参赛方案。我满心期待地找你的名字,结果发现没有！嗳,我说,这可就是你的不对了！作为本省最高建筑设计院的著名年轻建筑设计师,不关心支持本地建设,也实在说不过去了吧?

黎曙光说:你这可是越说我越冤枉了。我的确是一无所知。你让谁通知邀请我了?

旷乃兴说:你真不知道?那不可能！我们责成淞州市规划委来组织这场竞赛,他们给相关建筑单位都发了邀请函,重点单位和部门还打电话邀请确认过。谁不知道你是业务骨干、尖子,未来的建筑设计大师,省城那几所著名的建筑都出自你手?不管怎么说,你至少都应该参与一下,表个态嘛！

黎曙光说:你这是把我越说越糊涂了。你邀请的是部门还是邀请的我个人?怎么我一点儿都没得到通知?

旷乃兴说:邀请的谁还不一样！谁不知道你是省院最拔尖的技术骨干,得过众多的奖项,也是为数不多的有过大型体育场馆设计经验的人?从打这一开始组织这竞赛起,我心里头惦记的就是你,恨不能把这第一名名额都给你留着呢。邀请你们部门实际也就是邀请你。

黎曙光说:那可不一样。哎,我说大市长,你可别在这儿忽悠我。要真那样,你们就直接委托我带人做这个项目不就得了。

旷乃兴说:是啊！我也这么想。但是,这次的规则就是这么定的,你也知道,定规则的权力不在我们地方政府官员手里。我的权限,就是要保证拿出世界一流的设计方案,建设出朝向二十一世纪的世界一流的奥运场馆!

黎曙光笑道:呵呵!雄心不小啊!这时候想起我来了,你去淞州赴任的那会儿怎么连招呼都不打、连个告别宴都不摆就溜了?害得我好一阵子心里空落落的。在你们北方这疙瘩,我除了媳妇孩子,啥亲人没有,也就你这么一个亲如手足的兄弟。

旷乃兴说:咳咳!过去的事儿,就别提了,当初到淞州来,也是迫不得已,非本人所愿。这样吧,这回要是能把你请动,我摆十桌酒宴补偿你!

黎曙光说:十桌?一百桌也补偿不了啊。行,就照你说的,咱就不提过去。但是你说这事,我一点谱没有呢。等我回去院里问一下,然后再给你答复。

旷乃兴说:那咱就说好了,你可一定来!不光是参赛,而且还要力拔头筹!假如最后竞标结果真的都落入外国人和外地建筑师手里,你说,咱们这些本省本地学建筑出身的人脸还往哪儿搁?!这可真不是我目光短浅施行地方保护主义,而是一个荣誉问题。你自己好好想想吧!我还是希望在这举世瞩目的时刻,老同学能一显光彩啊!

黎曙光说:你别激我,激我也白激,没用。也不是什么事情都是我自己能说了算的。

旷乃兴说:你这话说到点上了!你说了不算我说了算!现在由我具体分管淞州的奥运事宜。这样吧,离大赛最后截止日期还有些时日,我在这儿等你,希望你能想尽一切办法,拿出最好的设计方案来,把你最好的才华,奉献给淞州的奥运事业!

黎曙光说:市长大人,官话你就给我省省吧!我立刻回院里问,然后尽量争取参加。

旷乃兴笑说:这就对了!说好了,我们可等你啊!老同学,动作要快,剩下时间可不多了!

黎曙光说:嗳,我说你什么意思?还真摽上了?我欠你们家两斗粮吗?

旷乃兴说:虽说你不欠我们家两斗粮,可谁让你是睡在我上铺的兄弟呢!有道是打仗亲兄弟,上阵父子兵。你躲也躲不过去,上场吧!老同学,我相信你的才能!给你一个支点,赶紧来撬动地球!

黎曙光说:我还头一次听说,这地球支点原来在你们淞州!

旷乃兴说:是,是,我也是刚替你找到。

说罢,两人哈哈大笑。

放下电话,一看,方便面都坨了。

被旷乃兴激得兴起,也问得发蒙,黎曙光也无心再吃,简单喝了几口汤,吞下两个卤蛋,冲了个热水澡,换上衣服,开车直奔院里而来。正赶上节前的忙乱,到处都闹哄哄的。一问才得知,院里参加奥体中心建筑概念设计竞赛的人选早就报上去了,是书记陆文誉和副院长洪肖奇联合参赛。黎曙光一听,立刻感到匪夷所思,他一个书记又不会设计,参加什么竞赛?他又私下问了问其他几个设计所的建筑师,都说没报,根本没有选拔,上边截留直接把他们自己个儿报上去了。末了,他们还不忘添油加醋加上一句:你也别去问了,问也没用。根本就是暗箱操作嘛!

黎曙光感到不解。这才觉出这件事情的不简单。按理说,这么大的一个项目,既然是代表院里参赛,事关国家和集体荣誉,怎么也要院里先竞标,层层选拔然后再递交上去。

他满腹狐疑,想了想,决定还是直接找老陆去问。老院长张杰纡这一年在国外讲学,平时也不管事,主管院里工作的就是书记陆文誉以及主管业务的副院长洪肖奇。在一把手陆文誉和副院长洪肖奇之间,他更信任和喜欢陆文誉。不管怎么说,老陆作为一名党政领导,为人宽厚和善,没有专业上的嫉妒和狭隘,平常跟大家关系都不错。而跟洪肖奇,则是同行成仇,没得话说。

不巧上午老陆外边有会,听办公室的人说要到下午才回来。黎曙光只好先跟着大伙一起忙乱，先处理了几件日常事务，又到财务那里销账，回来又把这些日子积累下来的信件处理了一下，忙忙乱乱就到中午了。在食堂简单吃过午饭，等到下午两点钟办公时间到了，黎曙光才敲响了书记陆文誉的办公室房门。

陆文誉好像早知道他要来似的，立即从办公桌前站起来，一见面就热情洋溢，一面招呼他落座，一面沏茶倒水，嘴里说：哦，小黎你来了？我也正要找你。你看，咱们这可真是心有灵犀。

黎曙光开门见山：陆书记，我想问一下，咱们院参加淞州新奥体中心设计竞赛的事情……

陆文誉说：哦，我也正想跟你说这个事。这件事情，院领导高度重视，先在院务会上讨论商议，然后分级动员部署。事先虽然没有召开全院大会做动员，但是院领导还是分头下去到各个设计所征求意见。大家都表示，这项国家级竞争项目难度大，时间紧，任务重，一定要认真慎重对待。如果在没把握的情况下贸然参加，搞不好，最后落选的话，不光影响到参赛者的自尊心，扰乱手头正忙的工作，也会给院里的声誉造成损失，所以大家都表示不愿意盲目参加。这件事让领导们也很挠头。最后的院工作会上，领导们还是表示，不管怎么说，不管有多少困难，我们院是全省建筑设计行业的龙头老大，怎么说都应该参加，以表示我们对奥运工程的响应和支持。

黎曙光听得一脸茫然，他直盯盯瞅着书记陆文誉的脸，想从那里面找出简明易懂的答案来。但是，老陆那张浮肿的、眼袋微微下垂的脸上，表皮异常平静，读不出任何有意味的内容。

陆文誉呷了一口茶，看了黎曙光一眼，这才慢悠悠接着道：在这种情况下，同志们才一致同意推举由副院长洪肖奇同志和我联袂参赛。奥林匹克精神，重在参与。在这种困难的时刻，一把手的响应，就是最好的支持嘛！我说了，我就带个头。即便是当个分母也好，也是表明咱们院里的一个态度。其实哪，具体设计工作都是由洪肖奇同志去做的，我也只能协助做一些外围事务性的工作，以保证这项代表咱们院的方案能顺利入选。

黎曙光总算听明白了，却仍充满书生气地问道：陆书记，我作为第二设计所的负责人，也是院副总建筑师和学术委员，有资格知道院方的通知和决定。为什么没有人通知我？

陆文誉不紧不慢地说：是的，当初他们回来汇总情况的时候，还是我最先发现了你也没有报，就特地问到这个问题，说曙光同志是咱们院最有才华、最有可能代表我们院里竞赛得胜的同志，他为什么也没有报名参加？他们回答我说，一是你正在外地出差，他们没有找到你；二是你现在手里正在承接着一项省里重大项目，还没有结项。按照院里的管理规定，凡是承接省以上重大项目的，在没有结项以前，不能再承接同样级别的省级以及国家级项目。

黎曙光被噎在那里，一口气出不来又咽不下，勉强开口道：不管怎么说，都应该事先通知我一声。现在通讯这么发达，即便出差在外，我想，打个电话问一下，应该不是什么难事。

陆文誉说：是的，是的，这是我们工作做得不细致。过后我要批评办公室人员，今后再有类似事情，一定要把意见征求到人。

黎曙光缓过神来，复又开口道：陆书记，既然说到参赛条件，手里项目没结项的人就不能再申请，我认为那是强词夺理。特殊情况特殊处理，给开绿灯，这样的特例也不是没有过。能够有实力代表院方参加省级以及国家级项目的建筑师，院里也就那么几个，平时谁的手里没有项目在忙着？谁能平时什么都不干，就为了随时等待某一项国家或世界级重大项目落下来掉到自己手里吗？谁都知道不可能，肯定要有冲突的。而且，为什么院里不去查一查，我手里的这个项目，已经临近尾声，我这次去南方出差就是去结项的，在时间上跟参赛报名淞州奥运场馆设计根本不矛盾。为什么事先就没人问我一声？是不是故意的？

陆文誉还是那种不温不火的笑容：曙光同志，请你千万不要多虑。我们都是本着善良的愿望出发，来关心爱护和帮助每一个同志。说句贴心话，你跟肖奇同志在业务上一直有竞争，这我是知道的。你们俩同时进院，在各项成绩指标上不相上下，后来肖奇同志走上了领导岗位，专业工作上有些荒疏，而你这几年来的专业成绩突飞猛进，这些事实我们也是了解的。曙光同志，你也是一名共产党员，还是省里跨世纪百人工程入选人才、省青联委员、省里十大杰出青年，现在我们又推荐你为国务院特殊津贴专家，院里给了你很高的荣誉。我们希望你凡事能多考虑大局，考虑整体，为了一个共同的目的，就是把我们院建设好，把我们的每一项工程都在全国乃至于全世界打响。曙光同志，你还年轻，前面的路还很长，我们希望你不要辜负了院里对你的培养和信任。

黎曙光无言。在这样的太极推手面前毫无抵挡之力。刚才来时的一肚子火气，越发郁闷在嗓子眼里，如鲠在喉。没法再说下去了，他也只能闷闷地从陆文誉办公室里出来，出了门，使劲发动起那辆老旧的捷达车，横冲直撞出了研究院大门，三拐两拐，就下意识地上了高速路。过了领卡口，脚底下又一猛给油，车子便以120迈的速度在高速路上疾驰而去！

郁闷。胸口被人打了一记闷拳的感觉。好端端的，怎么会跑到老陆那里问起这个事儿，又听他语重心长不轻不重地给堵了回来？而且给噎得毫无脾气、有理也讲不出去？想他黎曙光，一向恃才傲世，不求人不靠人，完全靠自己的真本事，真才实学，一张设计图、一条平行线那么辛辛苦苦画上来的，现如今也到了大腕的水平，前来请他做项目的客户盈门，一般人请他他都要挑挑拣拣爱搭不理呢，今儿怎么就跑这儿来向人家上赶着要来了？

谁闹的？还不是旷乃兴一个电话给闹的！

哼哼！

真是气死人！

这个文文静静的小白脸，戴无框眼镜的年轻人，脆弱的心灵，俊逸的外表，高超的专业技术，低下的处事能力。对各种纷纭复杂的人际利害关系严重缺乏认识。他只能将车子开得飞快，油门踩得巨猛，用以发泄内心不平。每逢到了有摄像头限速器的地方，车里的反监控电子狗就“吱哇——吱哇”叫个不停,聒噪得要命。他不理,也不管,只顾加大油门往前开,在一种飘拂的、向死而生的速度快感中,发泄一下心里的不平。车子调频交通台里正播放着红极一时的刀郎的歌曲:2002 年的第一场雪,比以往时候来得更晚一些,停靠在八楼的二路汽车,带走了最后一片飘落的黄叶……那种哼哼唧唧的鼓点和节奏,正好适合于人在车上不紧不慢、无欲无求、昏昏欲睡。黎曙光慢慢地镇静下来,寻找内心平衡,也试图捋出一丝丝线索,把他知道的前因后果,一点点往上拼,最后整理出一个整体的效果图来。

很明显,院里的头儿们的这次暗箱操作,始作俑者,一定是洪肖奇!洪肖奇那人,他太了解了。这么多年的较量,在玩弄权术操控人际关系上,那真是挖空心思,掘地三尺,明修栈道,暗度陈仓,只要他想要拿下的事情,就从来没有不得逞的。他黎曙光早就甘拜下风,承认自己不是对手。其实,黎曙光把谁当对手了吗?是洪肖奇自己挑衅,刚一进院,就把黎曙光视为竞争对手和假想敌。当年毕业分配来院里时,接收他们的老院长在欢迎会上特地点了一下黎曙光的名说:清华毕业生,能到我们东北这里来,屈才了!小黎,希望你能扎根东北闹革命啊!

而一旁当地东北大学建筑系毕业分来的洪肖奇,则阴阳怪气在底下嘟囔一句:清华毕业的?清华人都去美国啊!到我们这小地方,来得多冤!

十几年过去,那种阴阳怪气的话语言犹在耳。在新州省这块地界上,洪肖奇他们这种本土出生长大、又是本地院校毕业分配参加工作的学生占绝大多数,方圆几百里上千里,新州大大小小各党政机关、职能部门到处都是他们的校友学兄,彼此之间的互相提携推荐,自然不在话下。而黎曙光,一个北方人眼里的小南蛮,江浙才子,考到风沙弥漫的北京清华,又为了爱情,跟随他北大毕业的老婆一同分到荒蛮偏僻的东北来落户,此地除了老婆邵宝娟的娘家人外,就没有别的认识人了。他的同窗旷乃兴则是在北京工作两年之后,又给保送回了北方大学经济学院读硕士。具体因为什么回来的,一直讳莫如深,黎曙光也没有去深问。

一个南方人，到了北方省份，做了上门女婿，有点孤独寂寞，水土不服，这些倒还好说。最让黎曙光心有不服的是，他们这些清华北大毕业生分到外省，非但不容易得到重用，而且还处处遭到当地院校毕业生势力的联合排挤，有点落难凤凰不如鸡的味道。他们自己以为是在“俯就”，在别人看来那就是“发遣”。你想想，一个省，每年能考上北大清华的能有几个？也就是那么几个全省高考状元。想当年那都是敲锣打鼓给送上去的，没想到，毕业以后又给分回去或分出去了。没的说，肯定是混得不好，出不了国，就连北京也留不下，都是没什么能耐的人才被分下去。他们这一分到省里，眼见着各单位接收领导都要特别、单独握一下他们的手，拍拍他们的肩，说一声：哦，北大清华毕业的，好！好！素质高啊！旁边看着的人家本地毕业生，难免就心里发酸、眼睛发红，嗓子眼里边不服气地哼哼：哼！有什么了不起！都是一样的人，待遇不一样，凭啥呀？就凭你们会背书、会做题、高考成绩好？嚓！转了一圈，还不是又得站在同一起跑线上从头开始？哼！走着瞧！

所以，人家本地毕业生平常时时处处踩咕踩咕他们这些北大清华流落来的，视他们为假想敌、眼中钉，也是正常心理现象。

黎曙光一踏上社会，就遇上这个，心里不平，也不知道怎么处理，郁闷之情，溢于言表。

当地人踩咕北京人，北方人踩咕南方人，两样歧视，都让他赶上了。啥也别说了。眼泪哗哗的。他介入不了当地人的圈子，就只有一个人躲在一边，刻苦研读，闷头搞业务。

而人洪肖奇就不一样。洪肖奇在自己家乡熟悉的地盘上，如鱼得水，游刃有余，左右逢源，一步一个台阶往上高升，有时还跳空高开，从普通的助理建筑师，到建筑师、高级建筑师，从设计室副主任、主任、支部委员、支部书记，做到所党委委员、副书记。院领导换届，因为乖巧，听话，跟院长张杰绗贴得近，被提名搭班子，成了副院长，总建筑师，主管业务，摆布院里百十来号人的命运。

而黎曙光，则一直是一名普通的建筑设计人员。后来因为业务突出，设计项目屡次获省级及全国奖项，提前两年破格晋升为正高职称，是当时院里最年轻的高级建筑师。他还通过外语考试选拔，获得出国进修机会，去德国学习了两年，与欧洲同行建立起联系，掌握了世界建筑设计行业的最新动态。回来后又当了第二设计室的负责人。从此越发目标宏大，志向高远，追随世界建筑大师的脚步。他在心里盼着早点改制，像南方别的省的建筑设计院一样，政策落实到位，自己能有个独立工作室，能够出去投标承揽项目，有更大的施展空间和自由。至于说能否像国外那些有名的建筑师一样，建立起私人设计事务所，他目前还没有这个理想。作为一名从体制内成长起来的年轻建筑师，自己又太过于书生气，除了懂建筑，对于人际关系、政策梳理之类，他知道自己都是弱项，不善于打理。况且，我们国家的政策是比较复杂的系统，什么时候能够真正完善到位，还不知道。总之，他就希望有个好的创作环境，让他设计出几个能留下来的作品。

黎曙光业务水平蒸蒸日上。洪肖奇一天天官运亨通。洪肖奇务实利，重效益，上下翻腾，在处理世俗事物上，也一天天老到，圆熟。他一边当着副院长，一边在他母校读着在职博士，一边自己也带着博士生，当博导。所有体制内的好处，一步不落，全都捞着了。这回洪肖奇拉上书记陆文誉共同承接新奥体中心这个竞赛项目，就足见其用心良苦。一是想利用陆书记原来在省里工作时的老关系，为他清障，争取自己的设计方案能顺利入选；二是知道现任院长张杰绗这一届干不满，马上就面临要退了。如果上面没有空降干部来的话，院长一职，由他接任，胜算应该很大。而书记陆文誉这时就是一个重要砝码，由他推荐表达与自己搭班子的愿望，先当上代理院长，那么坐上院长宝座也就指日可待了。

是啊，他洪肖奇的心思黎曙光尚能想得清楚，但是书记陆文誉也联名参赛，他可就有点想不通了。一个不学建筑的人也去参加建筑设计竞赛，那不是给世人留下笑柄吗？对老陆来说，完全没有那个必要。黎曙光估计老陆一定是被洪肖奇蒙骗住了，硬给拉下水的，就是为了堵别人的口，让其他人没法参加，也为了到时候能给他说情。

老陆能知道这些吗？他又有点杞人忧天，为老陆隐隐担心起来。

4. 夜登碣石山

已经是傍晚了。暮色四合。冬季的寒鸦，在秃枝上孤独地叫着，然后“呱”的一声，振翅迎空而去，抖落了枝上的几片积雪。车灯划出黄黄的两道光柱，穿透重重雾霭。黎曙光心情萧索，毫无目的地驱车前行。高速路上车辆稀少，逼近年关，从外地回乡长途自驾车奔袭的人们，这时多半都已到达了目的地。剩下本地近郊的车辆，也基本上完成了一天的颠簸。刚刚下过的一场大雪，在路上留下明显的痕迹。祁阳这边所属路段路况还行，大雪一下，应急预案便启动，扫雪撒盐车上路，没留下时间让雪结成冰。往前那边路段，越过祁阳地界时，很明显，维护管理不善，清雪不及时，路面的积雪被一个个过往车轮轧得贼亮，鼓起一道道溜滑的车辙。当黎曙光意识到路段的危险时，却已经下不去了。高速路，本就是直行线，只有上口，难寻出口。他本能地紧张起来，放慢速度，点刹，徐行。抬头瞥了一眼路牌，不知不觉，竟然是开往凇州地界。

他打开手机，给旷乃兴拨了一个电话。

旷乃兴那头一听是他的声音，兴高采烈，说：好啊老弟，你在哪儿呢？我就知道你会给我打电话。

黎曙光说：我在高速公路上。都是因为听了你的蛊惑，一不小心走错了路，走到通往你们凇州的路上来了。

旷乃兴高兴地说：那怎么叫走错路？你走的正是一条笔直正确的康庄大道！

黎曙光说：行啦，我说市长，赶紧给我指条道吧！别让我迷路在你的一亩三分地上。

旷乃兴说：条条大路通凇州。到了这里，你想迷路都难。等着，我这里正有点事儿走不开，我马上让司机到高速路口去接你。车号是多少来着？

黎曙光报上了车号。果然，到了凇州收费站出口，旷乃兴的司机马有光早已等在那里。小马开车在前边领路，黎曙光在后边跟着，一直把黎曙光引到旷乃兴家里来。

两辆车子一前一后进了市府领导居住的大院。一排排楼房，连体别墅样的建筑，气象簇新，一派新贵派头，赛过省城里那些干部们的住宅。旷乃兴原来在省城的家他去过，岂止是去过，旷乃兴自从北京发配回来住学校单身筒子楼，到结婚后与人合住，直到分到单元楼居住，一居室、两居室、三居室地熬着，逐步上升，这些经历黎曙光都历历在目，甚至都亲自参与过，每次搬家蹭饭都少不了他，两家人经常来往走动。当然，黎曙光自己的搬迁、上升经历也都大同小异，多是从单身宿舍起家的。如今，旷乃兴从省机关下到地方上来，果然，各个方面都鸟枪换炮。当了地方上的常务副市长，就像县太爷，哦，也不是，一个省辖市的官，应该是五六品了吧？待遇自然不一样。

旷乃兴家的市长小楼在后院，有那么独立几栋，灰色二层尖顶小洋楼设计，枯萎的常青藤和老橡树环绕着，很有生命气息。打开别墅的房门，一股热气腾腾的香气扑面而来。那是厨房里煎炒烹炸的香气。

旷乃兴的妻子倪燕茹闻声迎出来，胸前还扎着围裙，道：哎哟，曙光来啦？乃兴打电话一说你要到家来，可把我高兴得不得了！乃兴还嘱咐多整几个菜，你们哥俩要好好喝上几杯。

黎曙光说：嫂子，你就别忙乎了。乃兴呢？

倪燕茹说：他处理点事，说马上就回，让我先在家里预备饭。嗳，小邵怎没来？孩子呢？没一起带来？

黎曙光说：小邵忙着单位里加班，一到过节，电视台更是累死人不偿命。孩子也放假，送他姥姥家待着呢。嫂子你看，我这临时路过，也没顾上给嫂子带点什么礼物。

倪燕茹说：瞧你说的，你跟嫂子还讲这个客气，这么一说不就外道了？

黎曙光说:下回来我一定给嫂子补上。

倪燕茹说:快别说这些了。麻利儿的,洗手上桌吃饭。

正说着,旷乃兴赶了回来,推门一进来,就跟黎曙光又是搂肩又是握手:哈哈哈哈!我说,你到底来啦!

黎曙光说:我不来怎么着?你把我引上了贼船,我不来,我不来能去哪儿?

旷乃兴说:我说你这位同志哟!怎么能说是贼船?这是上帝派来的船,诺亚方舟,普度众生,拯救子民于水火。

老友相见,兴高采烈。倪燕茹招呼老公:你看你,净顾着说话,饭菜都做好了,还不赶紧洗手招呼曙光坐下吃饭!

旷乃兴说:可不是。来来来,坐下,吃饭。你嫂子听说你要来,可比我还高兴啊,竟然亲自下厨。平时我在家都没有这待遇啊!

倪燕茹瞪了老公一眼,嗔怪说:平时在家饿着你了吗?你让曙光评评理,这么高的个子,不吃饭,光喝凉水西北风就能长成?

旷乃兴说:你看看,发表意见都不让我说。在这个家里啊,我是一点儿地位都没有喽。

黎曙光看到饭厅桌子上摆了色香味俱全一桌菜,忙表示歉意说:你看,我一来,打扰了你们家生活,还得惊动市长夫人下厨掌勺。嫂子你真别忙乎,咱还跟以前那样,家里有什么我跟着吃什么。

倪燕茹一边往上端菜,一边说:那可不行!你知道今天是什么日子?今天可是腊月二十三,过小年!过年怎么能对付呢!

黎曙光挠挠头说:今天是过小年?我还真给忘了。这么说就更不该来打扰了!

旷乃兴说:说的叫什么话!你到我这儿来,那叫打扰吗?基本上算是回家,应该形成制度,定时定点常回来才成!我说,你要不要给小邵打个电话,告诉她今晚不回去了,就住在这儿,咱哥俩好好畅饮几杯!

黎曙光说:不用。我们俩各忙各的,她在那个电视台,一忙起来经常不着家,我在哪儿她根本不关心。

旷乃兴说:嗳,这就不对了,听你这话里怎么像是夹有怨气?这么大个建筑师,当怨夫,就不对了吧?人小邵那妇女解放独立了,撑起祁阳电视台半边天,那不好吗?就你这留守丈夫,应该自觉点,出门在外总得有个请假纪律吧?

倪燕茹也搭腔说:你还是打一个电话告诉她一声,省得她到时候担心。

黎曙光说:得,听你们的,我就给她发一个短信。

小保姆帮着把碗筷摆好,几个人落座。旷乃兴刚上中学的女儿也从外补课回来,叫了一声黎叔叔,然后一起上桌吃饭。

看着满桌热气腾腾的饭菜,一室温暖的橘黄色灯光,全家温馨和睦的气氛,黎曙光又开始心生感慨。待众人端起杯,碰过一下后,他说:真羡慕你们哪!一家人围坐在一起,吃着香喷喷的年夜饭,这才叫个家。这才叫享受生活啊!家里有嫂子这个贤内助,真是乃兴你的福气!

旷乃兴停下手里的筷子:怎么着,我越听这话里话外越不对劲儿?幽幽怨怨的,又要埋怨你们家那口子是不是?你以为我们家常能这样坐在一起吃饭?这也就是知道你来了,才特地请你进家,吃饭,制造最高级迎宾形式!

倪燕茹在旁边给黎曙光夹菜,埋怨道:就是!我们家啊,今天这也是托你的福,才吃上一顿团圆饭。要不价,他也是六辈子不着家,连我长得什么样他也忘了。

旷乃兴说:听到了吧?古往今来,怨夫怨妇的唠叨嗑儿都是一个样。要说,在省城工作那会儿,咱可没少互相到家蹭饭。那会儿咱们青春年少,多么有闲,有心情,给点阳光就灿烂!……嗳,上回见你是什么时候来着?

黎曙光说:是……前两个月,不不,是……去年秋天吧?想不起来了。

旷乃兴说:是不是去年秋天,我领人回省城祁阳考察工业园区的时候?啊……想不起来了,想不起来了。这人哪,一离得远了,感情也跟着散,再想聚一次也不那么方便了。

旷乃兴的女儿圆圆这时突然插上一句说:其实,要我说呀,世界上最远的距离,不是天和海的距离,也不是城市与城市的距离,而是心与心的相距遥远。

话语一出,举座皆惊!连她的父母都像不认识似的望着自己的女儿。旷乃兴既赞赏又吃惊地说道:咦,行啊!没看出来,我闺女还出口成章呢!像念诗似的!你小孩子家家,懂得什么!不过,也说得很有哲理嘛!

倪燕茹也道:圆圆,大人说话,小孩子别乱插嘴。

圆圆听了,咬着筷子,得意地窃笑:嘻嘻嘻,嘻嘻嘻!老爸老妈真土!这是电视七频道《生活》栏目的开头语。连这个都不知道。

旷乃兴虎起脸说:去!小孩子,赶紧吃完回屋做作业去!

待到圆圆起身回屋,旷乃兴才感慨道:现在这孩子!咳!真没办法。

黎曙光说:你该高兴吧!有其父必有其女嘛!

倪燕茹怨老公说:你平时也该多关心关心女儿才是,现在我说什么她都听不进去了。

一家子其乐融融的氛围里,众人酒足饭饱。一瓶五十年茅台被哥俩喝了个精光。女主人和小保姆收拾桌子,女儿回屋做作业。旷乃兴和黎曙光两人坐到沙发上喝茶。

旷乃兴这才切入正题说:出了什么事?你肯定不是专门来我这儿过小年的吧?

黎曙光说:我哪有什么“年”的概念。我问了,我们院里报名参赛表已经递交到淞州,不过他们报上来的不是我。

那是谁?

是书记陆文誉和副院长洪肖奇联合参赛。

陆文誉?是那个原来从省建设厅下去的老陆?

正是。

扯淡！他哪里懂什么建筑设计！

是联合参赛，业务上的事情由洪肖奇做，他负责跑关系，说人情，找资源。

乱弹琴！

旷乃兴义愤起来，酒后微醺酡红着脸，在屋里激动地来回走动。

他以为这是什么？是院里评职称、涨工资、选学术委员？是领导班子换届选举？这是奥运会！是举世瞩目的、百年不遇的奥运会！我们就是要扭转这些不良习气，就是要举办一次最干净、最透明的奥运会，彻底体现民主、平等、公正的原则，一切都按照参赛条例进行。

那你说，现在怎么办？

黎曙光问：既然他们已经代表院里报名了，还能再报别人吗？

当然能！谁说不能？我们只认作品，不认人。谁设计出了完美的、符合奥运比赛要求的场馆方案，我们就采纳谁的，就用谁的。

黎曙光说：刚才出来前，陆文誉跟我谈话，让我要顾全大局。

顾全什么大局？哪里是大局？办好一个绿色奥运、科技奥运、人文奥运才是大局！设计建设出最好最优秀的比赛场馆才是大局！

对。我知道他的意思就是说，劝我不要参加比赛，否则，一个单位里报两拨人，就会先造成内部 PK，没等最后到评委手里就得先被拿下一个来。你说我怎么办？

什么叫怎么办？参赛啊！你参加你的，他参加他的，没人说一个单位只能有一拨人报名。不管是谁，最后都要以作品说话，用设计方案决胜负见分晓。

黎曙光点头思忖。

旷乃兴又想了一下，说：这样吧，你就按照参赛规程，以单独或联合体方式报名参赛。不管跟国内的也好还是跟国外同行联合也好，只要一切按章程办事，并能在截止日期到来之前提交方案，我认为，就应该没有问题，并且，还应该有把握取胜！

黎曙光说：这话说得有点儿早了吧？我还什么都没有准备呢，你对我就那么有信心?

旷乃兴:这完全是出于我对你的了解,对你的水平的了解,既是信心,也是期望。不光是我个人对你的期望,也是凇州三百万老百姓对你的期望,是奥运会对你的期望。我们就是期望用最好的建筑师,来设计出最完美优秀的奥运场馆!

说着,他从桌上拿起一份文件递给黎曙光。是《凇州新奥体中心竞赛章程》,里边还有关于凇州的各种情况介绍。黎曙光翻开文件,但见文件第一页《竞赛宗旨》上写着:

> 希望广大建筑师能满腔热情,为凇州创作一个可以举办全人类和平盛典的场所,将举办城市对于奥林匹克的回忆凝固在建筑中,希望这一场所能在未来的日子里为丰富城市文化、激发城市活力提供源源不断的动能。

几句话看得让人热血贲张!面对这样的历史机遇,谁又肯轻易错过呢?

旷乃兴说:看到了吧?不用我跟你多说什么了吧?

黎曙光面色潮红,激动地点了点头:是!我一定会尽力!

旷乃兴说:好!老同学,有了你这话,我就放心了!光尽力还不行。一定要取胜!

黎曙光低下头去翻资料。旷乃兴却趁着酒兴,一把拉起他:走!光有文字资料不行,我带你去增加点感性认识。

说着,打电话吩咐司机来接。二人到门口衣架拿大衣。倪燕茹跟出来,问:又要出去?这大黑天过年的,又要去哪儿?

旷乃兴说:出去转转。领曙光看一看我们凇州。

借着酒兴,司机开车,旷乃兴饶有兴致地领着黎曙光夜游凇州城。

相比起曾经是清王朝陪都和张作霖父子起兵之地的省城祁阳来,

凇州城实在不能算作有历史文化，也难以谈得上有什么规模。一条主干道，两圈环城线，不出一个小时就跑完了。凇州这么多年都没有发展起来，这其中的原因，有一部分是受整个东北工业不景气的影响，同时也与它自己是个农业市有关。凇州下辖两个辖区，三个县级市，两个县，一个经济开发区。区市县下边还有街道办事处、镇、乡，总共百十来个。三百多万的总人口中，农业人口占了百分之七十。让这样一个附属于省城的粮食和煤炭基地，跻身于环渤海经济圈和新州打造工业长廊计划，想要迅速发展成为现代化工业城市，其难度可想而知。

市府广场灯光耀眼，一排排高大的水泥廊柱延伸开去，上面是一串串的造型莲花灯。广场中心那座古希腊少女提着瓦罐造型的喷泉，已在冰雪寒天里凝滞不动，而边上的太湖石假山旁，却插上数枝塑胶寒梅，茫茫夜海中，一朵朵鲜血梅花格外耀眼醒目。黎曙光忍不住笑。

旷乃兴说：看见了吧？又土又狂。

黎曙光说：身为一个学建筑出身的市长，让这么恶俗的建筑摆在贵市的门面上，我都替你汗颜。

旷乃兴说：这是上届一把手老大的作品。老大高升去了省里，继任者谁也不敢说翻盘给砸了重建。你以为，建筑，仅仅是建筑吗？

黎曙光问：是什么？

旷乃兴：政治！

黎曙光不屑地从鼻管深处发出一声：嗬……

旷乃兴道：你嗬什么嗬？你不懂。你这个一脑门子都是建筑的人，只想成为建筑大师。殊不知，在全球经济政治愈来愈一体化的世界格局里，对于一个国家而言，没有什么不是政治。文化是，建筑是，体育也概莫能外是。经济，更不用说。我们那些号称会搞城市管理抓经济建设的官员们，有几个好好读过马克思的《资本论》，理会了马克思主义政治经济学基本原理？

黎曙光对这些官话总是有点稍微不习惯，忍不住抬杠道：就你会！你这个学建筑出身的副市长，又拿了经济学博士学位，这世界上就没有你不懂、你不会的了，还动辄大讲马克思主义。你还给不给别人留点儿活路？

旷乃兴呵呵一笑说：你甭打击我。击不倒。我现在已经比较抗打击。在其位，谋其政。如今咱们是各说各的行话。只要你不说“道不同，不相与谋”，我就放心了。

车子从市府大楼前穿过。这是一套灰白色的十二层双子星座，左边是市委，右边是市政府。坐北朝南的方向望下去，穿过广场，视觉中心线的位置上，立起一块疑似华表的建筑。柱体浑圆粗壮，也是雕栏玉砌的模样，顶端蹲伏的望天犼石兽和雕花云板周围，安上了一圈霓虹灯，中间则是一个电子倒计时牌，上面的数目字红灯闪烁，是年月日和标明距离奥运会召开还有多少多少天。

黎曙光奇怪：那是什么东西？

旷乃兴说：华表。也是原来一把手老大安的。他迷信，盖大楼的时候请来一个堪舆先生来望地势，看方位，测风水。风水先生往远处一望，道：你这块地方，天象不通。目力所及，碣石山挡住了去处，影响仕途通达。必盖一塔，能够通天，破解这一布局。老大就诚惶诚恐，信以为真。但市府中心之地，随意建塔，没个说法。想来想去，便出这么一个主意，仿天安门广场华表式样，建起这么一个什物，看似华表，实则变形，建筑比例早已不对。柱身盘龙，就比正常华表粗大茁壮，龙身外的云纹，也都粗得像棒槌。尤其是柱头部分那两个“承露盘”，比两扇大磨盘都大，一心一意承接上天的雨露甘霖。

黎曙光听了呵呵笑，问：后来呢？

你还别说，还真灵验。华表建好后，没几年，上天甘霖普降，老大果真就饮露高升了！

黎曙光大笑，说：哈哈哈！有意思！有意思！我听说过地方上有把县政府办公楼盖成小天安门的，这建华表，还是头一次见。

旷乃兴说：是啊！他饮完甘露走了，剩下的人怎么办？总不能像那个望天犼石兽，总蹲在上面，天天望君来吧？新来的老大虽然看着这东西碍眼,但也不敢言语,最后只是出了一个主意,说要把奥运倒计时牌挂在全城最显眼地方,当然那就是这个华表之上了。

黎曙光越听越滑稽,忍不住“扑哧扑哧”乐了几声。华表基座栏杆四周装了射灯,灯光直接聚焦对着柱子照,更是让这个腰缠巨龙腾飞的汉白玉柱子显眼。即便在黑夜里,离老远也能望得见。那块巨大的电子时钟,红色液晶数字不断闪烁变换,映得钟两边华表上插着的云板,就像猪八戒的两只支棱出来的大耳朵。

主干道边上一排排高耸的商业办公楼,还多少给这个城市增添了现代化气息。东湟河老体育场遗址紧挨着这些高楼大厦,爆破拆除之后,现在它的钢筋支架变成黑黢黢废墟造型在夜幕中挺立。再往前走,下了主干线,景象就灰暗下来,环线两边到处是楼层不高的旧的居民住宅,一看就知是二十世纪七八十年代的建筑,一扇扇小小的窗口透出暗淡的灯光。车子走过时,不时还能看见三三两两的人们在楼角和胡同口边缘,或蹲或站,在地上烧着一蓬蓬黄纸。腊月二十三过小年,按北方人民的风俗,在世的人要给死去的亲人烧纸送纸钱。一团团火光一闪一闪,一张张肃穆的脸在火光中若隐若现。

旷乃兴和黎曙光都不说话,望着这沉沉的暗淡的夜,一簇簇明明灭灭的鬼火,各自想着自己的心事。再往外走,就是城区边缘。大地封冻,夜色中的田野阒寂而安详。车子到了南湟河区,先围着新奥体中心地址外围转了一下。那里边仍旧是一片片,一排排,小胡同,破板房,简直就是非人类居所。旷乃兴叫司机把车停在南湟河堤坝最高处,两人下得车来。热热乎乎的身子被寒风猛地一扫,黎曙光打了一个喷嚏,赶忙裹紧了大衣。放眼望去,黑黢黢一片广大的区域,没有一个像样儿的屋顶。油毡纸的、石棉瓦的、破塑料布苫着的,一个破板房挤挨着另一个破板房,一点点浑浊的灯光回应着另一点点浑浊的灯光。

黎曙光无语,顿感心头沉重。

上了车,继续往前行驶。车子像是走出城外。四野昏暗,速度加快以后,似乎能听见西北风呼啸着凿窗的声音,屁股底下的路面也变得有几分颠簸。

去哪儿？黎曙光问。

到了你就知道了。旷乃兴卖了个关子。

颠了一段路后，到了一坐小山的脚下。司机停下车，说：到了。

旷乃兴和黎曙光从后门一左一右下车。黎曙光四下看了看，说：这是哪里？

旷乃兴说：碣石山。

黎曙光一听，说：嚯！碣石访古？好大雅兴啊！

旷乃兴道：别以为我们凇州就一无是处，到处荒蛮、丑陋、落后，我们这里也是人杰地灵，藏龙卧虎之地！先领你在低处望望，然后再登登高处。我这叫先抑后扬。走吧！这可是九帝登临之地，咱们也上去沾沾龙气！

正说着，迎面昏暗之中，山门口停车场那边有人迎了上来，叫了一声：旷市长。

旷乃兴一看：噢，王局，你怎么来了？

又转身给黎曙光介绍道：这是凇州旅游局副局长。又指黎曙光：这是我一个朋友。

旷乃兴没有跟对方说黎曙光身份。黎曙光也不多说什么，简单跟王副局长握了握手。

王副局长道：刚才市府办黄主任通知我，说您要来，我这就赶紧过来了。

旷乃兴向司机小马斜睖一下眼睛，小马赶紧上来说：那什么，是我打的电话说您要上碣石山来的。

旷乃兴说：乱弹琴！惊动那么多人干什么？

小马说：这黑灯瞎火的，风大路滑，我怕您有个什么闪失。

副局长说：旷市长，您看您来视察，也不事先跟我们说一声，我们这儿准备迎接工作都不到位，您别见怪。

旷乃兴说：你别张罗，我也不过是请省城来的老同学随便过来看看。

副局长说:旷市长,碣石山这里冬天游客少,今晚尤其风大,路滑,山上的路很难走,我特地叫他们山顶的电视塔值守的工作人员下来接您,他们熟悉路。

接着把身后站着的两个小伙子介绍给旷乃兴。他们两人都穿着军大衣,系着小围脖,拿着手电筒,捂得严严实实。

旷乃兴说:不必了,你让他们都回去吧。我认得这里上山的路。

副局长说:旷市长,这要是在白天还好办,您自个儿肯定能上去。这夜晚间,出了问题,我们可担待不起。还是让他们陪您一起上吧。

旷乃兴一看拗不过,只说:那行了,走吧。有他们俩陪我就行了,你就不用上了,先回去吧。

王局一听,正巴不得呢,但还是先假意执拗了一番,又吩咐两个山上下来的小伙子,让他们陪好旷市长,要保证市长安全之类的,然后自己才返身钻回车里远去。

黎曙光打趣道:当了市长,想微服私访都难喽!

旷乃兴说:唉,地方小,屁股一动,都知道了。

几个人顺势往上走。见山门口一侧的墙壁上,有这样几行字:“神岳碣石,观海胜地。九帝登临,千古之谜何解?”

黎曙光说:够煽情的啊!

旷乃兴说:走吧!上去就知道了。

两个小伙子一个在前边引路,一个在后边护卫,司机也跟在后边。五个人一起爬向山顶。看似不起眼的山包,平缓起伏,仿佛就在眼前伸手可触,实际上,山道贴悬崖而辟,十分陡峭险峻;加之积雪没有清扫,脚掌抓不住地,每走一步都很吃力。山道两旁,乱石交错,寒鸦惊起。山涧溪水全都干涸,只留路旁一道道深沟在暗夜中恍不见底。因为没有游人,路灯全都没有给电,他们借助的,只有山林里还没完全融化的雪的青蓝色反光,还有手电筒的光,靠这一点点光亮,艰难向上爬行。

黎曙光竖起大衣领子,爬得浑身冒汗。旷乃兴吐气均匀,一点看不出吃力的样子。

黎曙光问:还有多高?

旷乃兴道:没多高,总共海拔高度才695米,比香山鬼见愁的557米高出一点点。怎么,不行了?东临碣石,以观沧海。日月之行,星汉灿烂。走吧,上去,就看见了。想想,当年帝王们是怎样在上头抒发豪情的。

黎曙光呼哧带喘地说:得啦,我可没你那份豪兴。你这是诓人诓到底啊,深更半夜扯我来遭这份罪!

旷乃兴呵呵笑说:你啊,如今是上了我这艘贼船,哪儿那么容易下来?再走几步,马上就到了。

耳听松涛阵阵,眼见巉岩竦峙。费了好大力气,他们才来到东南悬崖之下一道狭长平台。这里就是望海长廊。进入廊内,虽也是山风瑟瑟,眼前却豁然开朗。旷乃兴矗立长廊上,浑身热气腾腾,解开大衣扣子,一头浓密的黑发和衣角都随山风舞动,他背靠山峦,面朝大海,嘴里振振有词,诵的是曹操的名篇《观沧海》:

东临碣石,以观沧海。
水何澹澹,山岛竦峙。
树木丛生,百草丰茂。
秋风萧瑟,洪波涌起。
日月之行,若出其中。
星汉灿烂,若出其里。
幸甚至哉,歌以咏志。

黎曙光则拉紧围脖,将脸瑟缩在大衣领子里,一边扭脸躲避着山风的吹打,一边撇撇嘴,打击一旁的旷乃兴道:啧!还真有古代帝王"碣石想秦皇""披襟眺沧海"的风采啊!

旷乃兴不接他的话,却手臂一挥,当空画了一下,道:看!这就是凇州。

黎曙光也只好顺着他手指的方向望去。但见夜色微蒙，星垂平野，山川辽阔。滦水之东、山海关之西、长城之南、渤海之北百公里广袤大地铺陈在脚底。见不到沧海，也没有日月之行和星汉灿烂。腊月二十三的冬季下弦月，将一弯红铜色的残辉映照天边。山河沉睡，万物凝冻。重重夜幕覆盖着古老的城镇和村庄。沧海也悄然规避到天涯深处茫然不可得见处。只有冰封的古老湟河水，扭结成大地上最后的忧愁，蜿蜒而来。从哪里传来吱扭吱扭的流行歌曲：下弦月星满天，像谁泪涟涟……

登临碣石，如今那王者何在，浩气焉存？！

他们看着这一片冬季的沉寂和暗淡，一时无言。

半晌，旷乃兴才打破沉默道：你知道《辞源》里怎么解释"碣石"？

黎曙光说：怎么解释？

旷乃兴道：《辞源》里说，"因远望其山，穹隆似冢，山顶有巨石特出，其形如柱，故名"。

黎曙光说：是啊。这么不大点的一个小山包，被修辞夸张成那样。真应了古人的一句话：山不在高，有仙则名。

旷乃兴说：不巧，今天时候不好，没法让你体会"登泰山而小天下，登碣石而小沧海"的意境。你等着。

说着，旷乃兴用手一画：就在那儿，在你视野的正中央，一条中轴直线上，不久的将来，就会看到一枚闪闪发光的物体，昼夜闪亮，与日月交辉！无论你走到哪里，在哪个方向，它都能在你的视野里，在你的触觉中，到处都能看到它闪射的光芒。周围则有万家欢乐祥和的灯火环绕……

黎曙光扭头看他一眼，说：嗬！胃口不小！你要把你的新奥体中心体育场做成一座新碣石山？

旷乃兴说：对！我们就是要把它做成这座城市的新地标，让它和这座古老的碣石山一样永垂天地间！

说罢，回头，直视着黎曙光：怎么样，老同学，干吧！一张白纸，才适合于画最新最美的图画！

黎曙光不言语。碣石山山风呼啸，松涛震天。远处潮汐拍岸的声音依稀传来，裹挟在风声里，更加有冲撞力。

沉思良久，黎曙光缓缓道：乃兴，今天这一天，收获不小，我看了你的城市，懂了你的豪兴。但是乃兴，我要给你说句实话，给你的热情泼一瓢冷水：咱们也算是差不多人到中年，是具有科学理性的人，不再是刚毕业参加工作的小孩子，做一件事情，首先知道了它的风险、胜算有多大，懂得了它的投入产出比。你建功立业的心情我能理解，要在自己的任期上改造城市面貌，搞出政绩来，这不假。可是对于我来说，我只是一个建筑师，建筑师的目的就是做一个自己心目中理想的建筑。相比起参加设计竞赛，我更愿意做委托项目，因为是业主邀请和信任，设计方案可以相互探讨商量，直至最后达到双方满意。而做竞赛是一次性的，是要承担风险的，只许赢不许输，输了，就等于全白干，前功尽弃。这样一来，我就必须处心积虑取悦评委和业主、取悦当地的文化和公众。难度太大了。你若让我个人选择，说实话，我不做。我已经超越了那个青年时期战战兢兢取悦于人的阶段。

嚯，嚯嚯！旷乃兴不满地大声道，怎么着，你成了大师啦，了不起啦？你这叫小富即安，典型的农民思想！什么事能没有风险？做大事的人还怕风险吗？风险大小和成就系数永远是成正比的。这你又不是不知道。贝聿铭在巴黎卢浮宫前做金字塔没有风险吗？

贝聿铭？人贝聿铭那可是当时的密特朗总统亲自邀请他去做的！那也叫业主委托邀请，成不成就是他了。

那我现在就邀请你！代表业主评委、当地公众和文化部门委托邀请你！怎么样？你做还是不做？

说着，旷乃兴凑近脸前，目光直逼立在长廊上的黎曙光。

黎曙光把脸往后躲去，夸张大叫：干吗干吗干吗？又不是逼宫，想非礼啊！

叫的声音很大，那三个在旁边闲聊天的司机和电视塔小伙子闻声走了过来，问：旷市长，有事吗？

旷乃兴摆摆手：没事。我这儿跟老同学聊会儿天。你们干你们的去。

几个人知趣散去，不敢打扰市长的清谈。旷乃兴这才到黎曙光身边，言辞恳切道：曙光，我说咱们就别较劲了，说点正经的。我是真心想请你帮帮我，参加这次竞赛。这是从北京国家体育场那边下来的模式，要是我真能一个人做主的话，我肯定就直接请你做不就完了嘛！但是，现在不行，要搞设计竞赛，国际招标，显示中国开放的气度和全球化胸怀。你说，那些名头大的建筑师，什么国际一流全国一流啊，肯定都被招去参加北京的竞赛，剩下咱们怎么办？我找谁去？

黎曙光说：你的意思说，你只好退而求其次，来找我这个不够一流的人呗？那你还来找我干啥？

旷乃兴忙说：你急什么，听我把话说完哪！我知道你的理想就是成为世界著名的建筑大师，设计出名垂青史的优秀建筑；也知道你的水平实际上已经跟国际同行相比肩，只不过是你太年轻，还不好封大师，目前还没有一个全球性的合适的项目，能让你在世界范围内打开知名度，一举获得那个世界建筑界最高奖——普利策建筑成就奖。所以，我才特别希望这次你能来参加，借这次举世瞩目的机会，实现你的建筑理想。

黎曙光说：实现理想？实现理想我也不一定非在你这里实现！机会有得是，我还有时间，我可以再等。

旷乃兴有点儿火了：我说你这人咋就这么拗呢？还等？再等可就没有你了！再等人七十年代、八十年代出生的小孩伢子可就跟上来了。再则说，你以为你还可以赶上下一届在中国办奥运会？没有了！没有这机会了！这叫百年不遇、千年不遇！你等到它再轮回，五大洲两百个国家，再轮到咱们办，一百年以后吧！那时你我都不知道在哪个爪哇国啦！

黎曙光迎着山风，慢声细气说：你急，急也没用。机会难得是难得，可是，我刚才在你那儿看的文件，预先的遴选竞赛这些过程也太复杂了些。我不是陆文誉和洪肖奇，没有他们那么多人脉资源，不会拉选票走后门，根本不敢有志在必得的信念。虽说技术上也许我会胜他们一筹，但是，也许，连第一关评委的关都没过，就被刷下来了，更不用说之后的公众投票和最后的领导拍板呢！你说，我这不是做无用功吗？

旷乃兴说：嗳，你还没做，怎么就知道不行？你首先得相信群众，相信党，你更得相信你自己。再说，文件写的最后是领导拍板，我不也大小是个领导？

黎曙光听罢，先是愣愣地端详旷乃兴的脸，直盯盯地左看右看，直到把旷乃兴看得快要发毛，突然才喷出一声笑：呵呵，呵呵呵呵呵……

旷乃兴也跟着笑：哈哈，哈哈哈……

黎曙光更忍不住放声大笑：哈哈，哈哈哈哈……

旷乃兴也随之纵声：哈哈哈哈哈哈哈……

笑得旁边那三个人又一次赶过来，恭敬肃立，急询旷市长有什么事。

旷乃兴笑得被风呛了一口，忙摆手道：没事，没事。

又问：曙光，还往上走吗？还没到仙人顶呢。

黎曙光说：不去了。我看差不多了。

旷乃兴说：好。差不多那就往回返。哎，我说，这还只算是个开头，下次，找个月圆的时间来，我一定领你登顶，好好体会曹操观沧海的意境！

黎曙光说：好啊！最好到时候能看见你的闪闪发光的地标建筑物。

旷乃兴说：好！那就一言为定！是“咱们”的地标建筑物。

黎曙光说：好好好，咱们就咱们。

几个人顺着悬崖绝壁的来路折身而返。

一轮残月更高地挂在天际。风已停歇，枯树停止摆动，大海声息全无，碣石山静谧无比。

第二章　庙堂之高

5. 办公会议

市委市政府召开软环境建设工作办公会。市委书记白宏臣，市委副书记、市长程之介，市委常委、常务副市长旷乃兴，主管国土资源和城建的副市长刘卫华，市委常委、市总工会主席、市高新技术产业开发区管委会主任栗渊德，市委常委、市纪委书记邹瑾允，市委秘书长范大鹏，市府副秘书长黄一发，等等，出席了会议。

这次办公会主要是听取近期各项建设工作汇报，并针对存在的问题提出解决措施。凇州市的“三大战役”已经打响。“三大战役”是市委、市政府给刚刚上马的三项工程取的名字。今年有三大亮点同时出现在凇州版图上，令人振奋，同时也让人觉得压力空前。以建设新奥体中心为核心，带动出老棚户区改造和居民经济适用房的开发，以及东湟河体育场旧址上台湾恒元集团投资兴建的会展中心工程建设，对于凇州来说，这都是前所未有的大项目，目标大、影响深，不光在全省备受关注，其中奥运场馆建设在全国也是焦点。按照一把手白宏臣书记的说法，这都是凇州去年抓“项目年”所取得的成效，令人鼓舞，催人奋进。三项工程都在紧张而有条不紊的进行当中。

说是有条不紊，其实是事态频出，压下了葫芦又浮起了瓢。中间出现的问题，也着实令人担忧。其间的阻力，不光是主管的常务副市长旷乃兴心里最清楚，一把手白宏臣心里也有数。白宏臣知道，凇州的建设，就如同此时这屋外的天气，热气腾腾的表面之下，其实仍然冰雪未消。何时能够真正迎来一个蝶飞蜂舞的欢快春天，还需要走过一个漫长艰辛的过程。

会议室大楼屋檐下虽还挂着正月里的大红灯笼，一长串通红通红的红绸布渲染出节日气氛，但也架不住被冬季里的寒风拢着，灯笼们一个一个在线绳上哆哆嗦嗦，摇摆晃荡个不停。元宵节都已经过完了，整个城乡还沉醉在过年气氛里，松松散散，懒洋洋，都跟大梦没醒似的。这就是北方农业人口居多的县城特征。大地还在封冻，燕子们仍然成群结队在南方过冬，只有寒鸦不畏风雪，偶尔在北风呼啸的枯树丛中张着翅膀抖动。地处北纬42度的北温带边城的凇州，夏季无霜期短，冬季昏暗而漫长。此时正是春天冰河解冻之前最为悠闲而慵懒的时刻，一旦七九河开，八九燕来，人们就开始耕地犁田、拧钢筋支脚手架地开始忙碌。趁这个时节调整思绪整顿思想认识，准备迎接开春后的一个个硬仗，实为党政工作所必需。

主持会议的市委书记白宏臣首先在会上号召班子里要统一思想，把主要精力集中到抓经济建设上来，尽量减少争议，防止和杜绝各种不必要的事情发生。在听完了主管城建的副市长刘卫华对于几项建设工程的汇报后，市委副书记、市长程之介又率先发难：我先说几句。对于凇州的“三大战役”和新奥体中心的建设，我仍然持有保留意见。我们要谨防某些同志有急功近利、急躁冒进思想。凇州底子弱，基础薄，申请奥运协办城市本身，就已经勉为其难，人力物力资源都已消耗殆尽。如今又要拆老馆，建新馆，根本就跟节俭办奥运的精神不符。而且，还一下子牵扯出棚户区改造和会展中心两项大工程，一夜之间，将凇州变成一个轰轰隆隆的大工地，请问，谁有那么大的协调能力？有没有想到总体资源环境配套问题？有没有考虑到老百姓的心里是怎么想的？

程之介言之凿凿，落地有声。会场上一时沉默，没有人主动搭腔。主持会议的白宏臣环视了一下会场，最后将目光落到旷乃兴头上，点将道：乃兴，你看看，具体工作环节你了解，你来说说。

旷乃兴放下手里一直摆弄着的铅笔，腮帮上的肌肉不易察觉地动了动，开口道：本来我不想一再重复解释这个问题，既然白书记点名让我说，那我就不得不赘言几句。关于该不该拆老馆、建新馆，该不该形成凇州“三大战役”，从一开始项目上马那天就有争议，而且问题也早有了答案，最后市委、市政府形成了决议，已经开始逐项落实实施。诸位也都参加表决了，情况都比较清楚，这个就不用我多说。但是，我要说的是，凇州“三大战役”建设工程当中遭遇这么大的阻力，出乎我的意料，这也是前所未有的。比方说，东湟河体育场定向拆除爆破时的球迷闹事，棚户区拆迁时的钉子户的撒泼拒迁，新会展中心宣传报道中诸多带有责难和诋毁性的负面评价……这些现象的集体出现，都不是偶然的，我想说，这些现象是不正常的。

说到这里，他顿了一下，不再往下说，而是用眼角余光悄悄扫了一下白书记。只见白书记一直端坐，板着他那张永远不显山不露水的小白脸。他同时也瞟到程之介市长微微后仰的身躯，倨傲的表情，下巴颏上扬，那张古铜色四方大脸上的皱纹肌肉斜向牵拉，皱纹线条微妙抖动变幻。

市委常委、市纪委书记邹瑾允这时跟上来，接着说：我认为这些事情背后，都是有人在指使利用群众。就说球迷闹事那个事情，在东湟河体育场定向爆破拆除之前，球迷我们早已经进行了安抚，市府办公室主任两次接见他们，找他们谈，纪念碑的重新安放以及以后球迷协会的活动场所和经费问题，包括新奥体中心今后还延续叫东湟河体育场这个名字，所有这些，都达成了一致意见。他们怎么会突然间反悔？谁告诉他们具体爆破时间的？他们又是怎么进去的？这些都是问题。还有，棚户区改造，居民无不拍手欢庆，他们盼了几十年甚至几代人的时间，就盼着住新屋。政府给的优惠条件够宽大的了，怎么就还有像崔老太太家那样的钉子户迟迟不搬？她一个小老百姓，哪里来的那么大的幺蛾子？讲价还价，上法院起诉，竟然在法院判决生效后还拒不执行搬迁！这严重影响了施工进度，同时也对政府声誉造成极坏影响！这要不是背后有人出谋划策，他们怎么闹得起来？闹了一溜十三遭，最后能占到什么便宜？该怎么办，还是按最初的方案办理，唯一起到的作用，就是造舆论，给凇州脸上抹黑！

邹瑾允义愤填膺，说到激动处，脸色通红，嗓音干涩。他停下来喝了一口水，继续道：我们有些同志，就是这样，会上不说，形成决议表决时不说，背后乱说，而且还利用某些不明真相的群众，去干一些跟政府过不去的勾当，这是不对的，是跟我们党提倡的发扬党内民主、建设和谐社会的方针相违背的！

他的话音刚落，程之介就立刻接上去发言。只见他俯身向桌，以指叩击桌面，不紧不慢道：我在淞州工作这么多年，深知淞州一向民风朴实，人民单纯，说百姓无端闹事撒泼，是不合乎实际的。今年一下子上了这么多大项目，可以说是给淞州翻天覆地的改造，利益涉及千家万户，老百姓不理解，有怨气，也是正常的。既然是利民工程，就要首先考虑满足老百姓的利益，百姓讨价还价，我们就要正确对待，研究它是不是有其合理性。至于说到是不是暗中有人指使，我想，老邹做纪委书记这么些年，比我们有经验，知道说话的分量，以及该怎么定性。

他这话说得不轻不重，实则绵里藏针。邹瑾允正想辩驳，主管城建的副市长刘卫华却抢先上来接口道：是的，程市长说的问题的确存在。我一直都跟在东湟河地块的新商务会展中心工地上，听到过好多议论，都说那么好的东湟河体育场炸了，现在要在上面建国际会展中心黄金商业圈，连带着周边的建筑也要跟着搬迁改造。那些都基本上是上世纪七八十年代建起的居民楼，才住上十几年，拆了实在是怪可惜的。都说会展业是一个现代化发展行业，全世界都在搞，但是，别忘了，淞州只是一个三百万人口的城市，哪来那么多人天天到这里来开会？

旷乃兴听罢，也立刻当仁不让接口道：如果我们把会展中心仅仅理解成为“开会”的地方，那就大错而特错了！东湟河国际会展中心是集酒店、办公楼、商场及餐饮娱乐设施为一体的综合性多功能会展中心。关于会展业的意义，我也已经多次跟诸位陈述过，现代会展业是实现城市资源优化配置所必需的信息服务形式，能提高中心城市对人流、物流、信息流、资金流的集聚辐射能力，为辐射区域内的广大企业提供商情商报商机，同时还能带动周边的劳动力市场，发展相关的旅游休闲餐饮等项目。广交会就是一个很好的例子，它成立五十年来，成功带动了广东省珠三角以及岭南地区贸易的发展。凇州地理位置优越，处在两省交界处北方工业长廊的一端，古老的湟河入海口和著名的碣石山都在我们这里，对游客和外商非常有吸引力。会展中心的建立，能使全省的贸易中心从省城祁阳有效地位移，使更多人气和商家集聚到凇州境内，这对于发展凇州本地经济，促进和实现凇州从传统农业县市到现代化工业城市的转变，具有十分重要的意义。它能提高凇州的城市地位，打造凇州作为现代化城市的新形象。

市府副秘书长黄一发也接上来说：我们曾经做过调查，会展中心周边那些居民楼，都是上世纪七八十年代建起的简易楼，当时的建筑水平，大家也不是不知道，都是比较简单低下的，住上个十几二十来年，那些楼也就基本上过时了。户型不合理，防火抗震能力差，水电气、电脑宽带线网入户改造也十分困难，天然气管道不能入户，空调一用就跳闸，已经跟现在二十一世纪新生活距离越来越遥远。居民们都很拥护动迁，他们能得到不低于同一地段商品房市价的补偿款，然后可以在二级地段买大房子住进新楼。老百姓对此也很理解，也是拥护的。

旷乃兴继续说：至于说到凇州奥体中心异地重建跟节俭办奥运精神不符，那更是有人不负责任的胡乱猜测。我在这里可以再给大家把这笔账掰一掰：原先我们计划投6个亿改造升级东湟河老体育场，这笔经费全部由政府投资。现在，我们拉来台湾恒元集团，通过土地置换、银行抵押的方式，以15个亿的土地成交价格，由他们在原体育场地带开发以会展中心为主体的黄金商业圈，我们则在南湟河新建一座奥林匹克中心，包括主体育场、综合体育馆、游泳馆、网球馆和一座大型奥林匹克公园，同时启动南湟河原址五万平米连片棚户区的改造工程。

大家可以跟我一起算一笔账：凇州南湟河主体育场总造价10个亿，整个新奥体中心，包括一座综合体育馆、游泳馆、网球馆和一座大型奥林匹克公园投资近20个亿。台湾方面土地置换抵押资金是15个亿，炸掉老体育场的钢筋能卖600万。如果我们将这15个亿多一点的钱全投进新奥体中心,将还有5个亿资金的缺口。

说到这里,旷乃兴顿了一下,呷了一口茶。眼角余光又打量到了程之介的睥睨又很倨傲的表情。白宏臣则仍然不动声色,小白脸平平整整的。

但是,我们不把这15个亿全投进去,而是投一部分。旷乃兴继续说道。新奥体中心将采取国际新型的融资方式PPP方式,就是说政府不招总承包商,而是招一个“业主合作方”来一起做,说白了就是公私合营方式,然后经营的利润分成。在这总投资的20个亿里,政府出58%,业主联合体出42%。我们从土地置换的那15个亿只需拿出11.6个亿建新奥体中心,剩下3.4个亿去改造棚户区。棚户区改造不够的部分,可以通过减免建设过程中的税费、政府财政支持以及老百姓个人掏一点的方式解决,以基本保证棚户区改造的顺利进行。目前,银信集团跟我们签下协议,成为业主合作方。他们负责拿那另外的42%,也就是8.4个亿。所有这些过程,完全是透明的、公平的、公正的,符合相关法令和程序。

会场一时无声。旷乃兴这小子是经济学博士,喜欢拿数字说话。他那个脑袋就像一台强大的计算机,各种数码符号记得贼清忒溜,张嘴就是一大串,动不动GDP、CPI挂在嘴上,座下官员们一听到这些,除了刘卫华等个别搞城建的以外,都有点儿蒙,跟不上趟。白宏臣就曾提醒他:除了在专门的经济工作会议上以外,以后在班子会和常务会上,尽量少说字母和数字,直接说“国内生产总值”和“居民消费价格指数”等汉语。旷乃兴听话,还是改了一改,但是往往一着急就忘,有时顺嘴就吐噜出来,好像故意刁难、有意为难似的,不经意间就要招人忌恨。别说别的官员听不懂,就连白宏臣自己听起来也像天书。他是文学系毕业的,简历上最后学历为“北方大学文学系在职研究生,文学硕士学位”。

会议室里出现短暂沉默,众人希望跟上旷乃兴的数字化思路,但在心里又实在运算不过来。市长程之介也在心里迅速盘算着怎样反击。

书记白宏臣也在静静等待，并不急于发言。通常开会，他从不定调子，让众人去充分发扬民主，发表意见。等到每个人都说完了，才在集思广益的基础上集中讨论，然后拍板。这个一把手书记，瘦削、脸白，肤色白得接近某种病态，不论什么情况下，总是西装革履，着领带，白衬衫，头发随时焗油，不见一根白丝，三七分的背头，永远用发胶打得根根不乱，似又油光可鉴，是个一丝不苟的人。乍一看有点书生气，其实是一个运筹帷幄的资深官员，懂政治，能够把握大局，任何时候都能将局面牢牢控制在自己掌心。

白宏臣有着深厚的阅历和丰富的工作经验，他也算本地人，籍贯是另一个县级市盘湾市，在周围区县乡里都干过，工经贸农口……除了妇联，几乎都任过职。从副乡长、县农业局副局长、经委主任、副县长，到区委常委、副区长、县委书记，再到地级市市委副书记、代市长、市长，45岁那年来就任中共凇州市委书记，算是同等职位当中比较年轻的。他那一副瘦削白皙的样子，说起他是北方人没有人相信，都以为是南方江浙一带移民。但他的的确确就是北方土生土长起来的。有句俗话说得好，叫作“北人南相，前途无量”，作为一名省辖市一把手，他将来向上进阶的路还很宽。

此刻，他坐在凇州市委大楼双子星座会议室中央坐北朝南的位置上，放眼扫视座下衮衮诸公，见只有旷乃兴等一两个年轻人还有一头天然的黑发，其他的，不是疏于打理的半灰半白，就是漂染的虚假的油黑，再就剩下几位脑盖上只支棱着几撮毛、“地方支援中央”的秃顶半秃顶。白宏臣就不由得在心里感叹。

白宏臣最愿意观察人的头发，对头发有着天然的敏感。最先让他感到韶华逝去、内心沧桑的，就是头发开始变白。一直到四十岁以前，他还满头黑发，开会办事，往老同志堆里一站，显得青春洋溢，英姿勃发，充满优越感。四十岁以后，别的器官尚未出现老化现象，唯有头发，却遮掩不住的白，先是一根两根，鬓角那里露出一点端倪，接着就灰蓬蓬一大片，一天白胜一天，简直一泻千里，不可收拾。头发一白，人立刻显老，仿佛一夜间变成老人，同时也加深了“时不我待”的意念，内心对于“位置”的紧迫感和焦躁感也同时在加强。

作为领导干部，外在形象太重要了！再年轻的同志，一旦白了头发，往老同志堆里一站难分伯仲，那也是不行的。那怎么可以呢？岂不是自绝后路？尤其是当今影像媒体发达的时代，什么重大会议重要场合没有电视台的参与？电视台的摄像机把官员们的一举一动、一颦一笑、脑袋顶上出现的几撮白毛如实向老百姓传达，真实展现诸位的年龄和精神状态。岂可马虎啊！

万般无奈，白宏臣持续下半生的染发工程也就此拉开了序幕。谁知，这一染上，就没有了个终结。染发剂着色容易，半个小时染染洗洗就能搞定。但是，白头发长出来的速度也不缓慢，没出俩月，理过两三次头发之后，新长出来的发根就白花花、齐刷刷的，戳着，立着，顶起上半截染过的黑发，黑白分明，像故意揭露黑颜色的虚假似的。没办法，只好再染。差不多每隔两个来月就要进行一次的头发着色工程，让他不胜其烦，同时也听说染发剂有致癌的危险，更是让他内心惶恐，惊惧陡生！

但是，现如今，有理想、有抱负的中国官员，还有哪个不染发？哪个不把一头苍苍白发染得溜光黢黑？

领导干部集体染发，是我们这个时代最肝肠寸断的现象。

除非有一天他白宏臣对自己的形象不再在意，除非有一天他已经彻底丧失了从政理想，他才能任由自己白发三千丈，缘愁似个长。

而座下旷乃兴那一头黑油油的、旺滋滋的浓密头发，就总能吸引他的眼睛忍不住地去看、去瞟，总能成为他眼前最显著的一块地方。妈的，一看就是，小子肾好，肝火旺，长出那样一头自然卷曲蓬松的头发来！年轻啊！年轻就是好。那头黑发，几乎是自己十年前的翻版。真是让人羡慕啊！

再一看程之介，土老帽，头发灰蒙蒙的，几乎濒临全白，身上架着的假“七匹狼”男装皱皱巴巴，仍然是一副习惯性的乡长或乡村支部书记的扮相。显然他还没有与时俱进。

今天场上这个争论,实际早已在白宏臣的意料之中。程之介的率先发难,也丝毫不奇怪。平常开会也总是这样,两派力量针锋相对,各不相让。只是今天旷乃兴的反驳这样有理、有力、有节,邹瑾允的帮腔这样毫不留情,却让他没想到。他心中暗想,乃兴这小子,如今,说话做事,口气大,翅膀硬了！不再懮老骨头了！不光是程之介快不是他对手,就连自己也要防着点儿了。

这小子,自己几乎是看着他一天天毛硬的。作为省里外派来淞州的干部,据说,他在上面有根底。白宏臣听说,旷乃兴的后台是原省长、现在已经是京中要员的老领导。旷乃兴跟那个前省长有一层清华校友关系,一分过来,就受重用培养,很快就当了省发改委经贸处副处长,省经委投资与规划处副处长,省财政厅厅长助理。后来通过省里干部公选,破格提拔,32 岁就成了副厅。真是令人眼热!

眼热也没办法,选拔通过严格的程序:从自愿报名、统一笔试、择优筛选、组织面试答辩,到组织考察、初定人选,直至党委研究、确定人选,整个过程完全合乎规范。省委组织部对考察对象德、能、勤、绩、廉等方面情况进行了全面考察,没有听到什么。唯一能有的窃窃私语是说,那一届公示的 67 名拟任职人选,平均年龄 36.9 岁,年龄最小的 29 岁,具有博士、硕士学位的 45 人,具有正副高级专业技术职称的 40 人。之所以平均年龄偏低,而要求学历偏高,这些画线儿都是为能让旷乃兴顺利上去而垫底的。但这种说法也没有实据。要是为了一个人而就合 60 来个人破格,也说不过去。谣言嘛,总是止于智者。

两年以后,旷乃兴从省财政厅副厅长、党组成员的位置上外派来淞州,2000 年 5 月任中共淞州市委常委,2000 年 6 月淞州市人大常委会决定任命旷乃兴为淞州市副市长。关于旷乃兴来淞州,也有几个版本的传言。有一说是前省长进京,新老大对前任的下属并不感冒,旷乃兴被冷落的日子开始不太好过。于是有三条路供他选择:求前老大领往京城谋职,在原来位置上受煎熬,下基层锻炼。仍然是前省长给了建议:

还是应该下基层锻炼、历练，积累一定的资历。在中国想当官干出一点事业，你一个学生娃，光会坐办公桌电脑前写报告搞资料不行。作为年轻人，你现在什么都不缺，就缺基层工作经验。去踏踏实实做一点事情，干好了，将来就会有发展机会。

旷乃兴听从建议。正好凇州有这么个位置，不得已才过来。

白宏臣不知道具体该相信哪个版本。总之，这小子来了以后，没啥动静，前两个月没见人，天天就是在下边跑，据办公厅的人说，他在下边一个乡一个镇地跑，调查研究，了解情况，两个月时间跑遍了山山水水凇州大地。第三个月回来，也没动静，话不多，就跟在他们几个主要官员屁股后边，熟悉情况，察言观色。凇州人欺生，不拿一个新来的年轻人当回事，根本没人理他，凡事总越级请示汇报。旷乃兴自己也不当回子事，依旧我行我素。见此情状，倒是白宏臣先替他着急了，以为这家伙是个草包，什么都不会，于是出主意谆谆教导他说：你到了这里，就得整点事儿。不整事不行。人们看不见，也不能服你。

三个月以后，旷乃兴开始动手了，开始整事儿。他跑京城跑省里，拉来国家发改委的同学视察，从省经委那里找项目，先后完成凇州新工业科技园区打造、湟河新区整体改造方案、韩国投资“三千里金融新区”等几个项目工程，一整就是大动作，个个整得红红火火。白宏臣这下明白了，心说，啊，这小子，很有心计嘛！原来在用心观摩着呢，不是不能整，是时机火候未到。

到后来，见旷乃兴整啥啥成，越整越大，书记就有点防范他了。掌握了专业经济理论的人，如果给了他良好的实践发挥的环境，再加上有上面的人脉关系，这不简直就是大路通天，小子岂不是快要飞上天去了嘛！

白宏臣觉得，这小子快有点要搂不住了。

就是再有能耐，任何时候，都不能功高盖主不是吗？

这道理，旷乃兴这小子他明白吗？

看不出来。

过吗？只有生活在这块土地上的人，才知道土地对老百姓意味着什么，土地就是淞州老百姓的命！卖一点少一点，这不是卖家底过日子吗？说是为官一任造福一方，但是我们有个别同志，就是好大喜功，喜欢大兴土木，打造政绩工程，结果怎样？他最后拍拍屁股走了，留给老百姓一大堆债！别忘了，老百姓还要在这块地上过活！不要一失足成千古恨，成了淞州的千古罪人！老百姓会跟在屁股后边骂的！

程之介仗着自己是地主，土生土长，使劲抨击外来户，说话不知轻重，一时义愤，骂人时忘了连带关系，忘了一把手白宏臣也不是淞州当地人。

白宏臣这才觉得是时候了，该说话了。利用程之介适当地打压一下年轻人的气概，是有用的。但是程之介太出格，把自己也不放在眼里，那就是触怒天庭，就是不对了。

白宏臣这时轻轻咳了一声，清了清嗓子，发出了要说话的信号。会场上立刻沉静下来。白宏臣呷了一口茶，不紧不慢开口道：同志们，我们这次会议的议题就是统一思想。淞州全党抓经济、重点抓建设、突出抓项目的大政方针不能变。全市上下要一心一意谋发展，和衷共济图振兴，一切都为上项目服务，去年是我们的“项目年”，今年是“招商引资年”。

淞州的城市化建设、和谐社会建设和招商引资工作上出现了前所未有的好势头。我希望同志们都要珍惜这个大好形势，通力合作，使淞州的经济工作再上一个台阶，加快新淞州、大淞州的建设步伐。不能说我们招商引资就是出卖国土。把更多的人吸引到我们这块土地上，利用他们的力量，为我们自己谋发展，为百姓谋福利，这不是件好事情吗？这跟卖家底是两个概念。

新淞州、大淞州建设需要引进更多的项目，更需要突出主线，这个主线就是这“三大战役”，每一个都是关键，是重点。这样吧，市委主要领导进行一下分工，责成程之介同志具体负责会展中心工程，乃兴同志重点抓新奥体中心建设和棚户区改造项目。时间紧，任务重，影响大。

各部门必须积极配合，除了抓硬环境外，一定要搞好软环境建设，提高城市竞争力，营造一个良好的氛围。我们要彻底克服、杜绝、根除个人利益至上、部门利益至上的思想观念，要从经济发展的大局、全局出发，站在新凇州、大凇州建设的高度，来认识三大项目建设的重要性，增强自觉性、责任感和使命感，把思想统一到市委决策上来，增强工作的紧迫感、责任感、使命感。通过社会监督来规范、约束政府有关部门依法行政、科学行政、民主行政，政务公开要保证到位，做到真公开、真到位，加大监督整治力度。在这里我再强调一下，对影响三大项目建设的案件，影响凇州形象的案件，我们一定会一查到底，绝不手软，绝不姑息迁就。

白宏臣的一番话，化有形为无形，平息了双方的争议。

6. 台北亲戚访祁阳

台北亲戚说来就来了！

三月料峭风寒，积雪未融，冰冻未消。此时的南国已然姹紫嫣红，到处鲜花盛开景象，而北国大地，仍然沉浸在一片冬眠沉睡之中。当台湾歌星旷莉莉裸露着玉腿、星姐旷美芬袒露着鸭蛋清似的后脚跟、星爹旷承宗穿着一袭古铜色绣吉字唐装、星妈旷李雅芬身着暗玫瑰红开叉旗袍出现在省城祁阳饭店的时候，祁阳的冬天好像突然之间被戳了个洞，春风就从那破窟窿里七扭八歪地吹了进来。

见到台北亲戚们如此盛装打扮隆重出场，应邀前来的省城祁阳老旷家一家人激动得乱七八糟。本来，他们临来前已经做好了充分的准备，先是要上演失散五十多年的老哥俩旷承祖、旷承宗相拥而泣抱头痛哭的相认一幕；接着是旷乃兴的妹妹和弟媳上前给旷莉莉献花。现在可好，边上有那么多媒体娱记和狗仔队在盯着，长枪短炮全架在旷莉莉面前身后咄咄逼视，饭店多功能厅外面还有旷莉莉的歌迷粉丝会的小孩来了一大帮。祁阳老旷家人蒙了，眼见得台上星光耀眼的台湾一家人，他们预先准备的动作表情都没用上。只有在被主持人叫到前边去上台，跟台湾老旷家人相认时，他们才似乎有点张皇、有点扭捏，又有点不情愿地上得台去，跟陌生的亲戚们一一握手。他们不明白，亲人相见这么私密的事情，为什么要暴露在明晃晃的镁光灯和镜头下？害得人手没处摆脚没处放。后来回过味来一想，可也是，人家这么大一个歌星，全球华人都瞪眼珠子瞩目的，走到哪儿还不整出点动静？咋能就哑默悄悄地前来认亲呢？

祁阳老旷家一家人这边手脚不得劲儿，人台湾的老旷家一家人却心里明镜似的，表演得欢实着呢！一家人同心协力齐上场，携手配合搞作秀。这本来就是歌星旷莉莉的签约公司举办的一场歌迷、媒体见面会，专门为她的新碟上市和接下来的个唱做宣传准备的。大牌明星不小心在大陆有了一门子远亲，公司文案策划充分利用这项资源，把它当成宣传中的一个很好的噱头和亮点。

于是，被蒙在鼓里的祁阳老旷家一家人，就傻不棱登扶老携幼一家大小倾巢出动给做配角。但见台上歌星旷莉莉和星姐旷美芬身经百战，表情拿捏得最到位，将身体呈六十度角面向观众，见有闪光灯亮起时，瞪大眼、吸口气、憋出两腮酒窝的动作足有六十秒定格。老头老太太也一直保持颔首微笑状。台下观众面对大冬天里歌星那光滑修长不穿袜的裸露玉腿，面对星姐白胖胖涂血红蔻丹的十根脚趾和光嫩如玉的后脚跟，无不感慨欣羡啧啧称赞。个别有恋腿癖和恋足癖的小娱记，竟不惜趴下身来，将肚皮贴在地板上，争相拍摄熟女脚部和大腿的特写。歌星和星姐也暗中配合，将那玉腿和纤足不断往明晃晃灯光下伸去。

祁阳老旷家的人没干过这活儿，属于正经古板人家，被陌生人围着拍照，一个劲儿问这问那的，登时，恐惧、兴奋、张皇、不乐意……各种情绪涌上心来，五味俱全。没一会儿，就没了耐性，不胜其烦。旷乃兴的父母、弟弟妹妹弟媳们都左躲右躲，简单答个话，应个景，就赶紧下台去，躲了。倒是那老爷子旷承祖，八十多岁了，到底忍不住，也顾不得周围灯光乱晃，握着七十多岁的台湾老人旷承宗的手，道了一声：你是承宗？

台湾旷承宗也老眼昏花，颤巍巍叫了一声：大哥……

祁阳旷承祖拍着他的手背，叫了一声：承宗啊，五十多年了啊……

台湾旷承宗也又覆盖过来一只手，叫道：大哥……

四目相对，四手相牵，颤巍巍摇晃着。海峡两岸，两个面貌相似、情谊深重、失散五十多年的老人家呜呜呜哭成一团。

这是老旷家永成经典的一个镜头，足以载入家谱，传谕给子孙万代。

可惜，却没有留下来。媒体没有往这边照。媒体的镜头全集中在歌星旷莉莉脸蛋玉腿和星姐后脚跟上。祁阳老旷家的晚辈们，虽也预备好了照相设备，但是，被这气氛给闹蒙了，恨不得快逃为上躲到一边去不让记者乱照，谁也没有等在老爷子旁边捕捉下这一历史性的镜头。

这些事情，还是过后二弟旷乃庆给凇州的哥哥旷乃兴打电话时，简单向他描述的。旷乃庆让他哥回省城一趟，打个照面，接待一下台湾亲戚一家人。旷乃兴说凇州这两天忙，实在没空，等到星期天看看吧，等我带你嫂子和侄女一块回去。

旷乃庆说：哥，你能不能从凇州那边给弄几辆好车？

旷乃兴说：干什么？

旷乃庆说：那什么，请人旷莉莉出去玩，点名要坐奔驰600或者克莱斯勒。

旷乃兴说：嚯！谱儿还不小！听这意思，是不是还要警车开道啊？

旷乃庆说：那当然了！大牌明星，人家经纪公司提出来了，干啥事都不能降低规格。

旷乃兴说：乱弹琴！你跟她说，谁请她来的就找谁要去。要大牌也得找对地方。我什么也不能提供，我这里顶多能让你嫂子给预备一顿家宴招待。

旷乃庆说：哥！咱家就你一个人当官，名声大，跟旷莉莉能有一拼。你在省城认识的人多，有面子，帮着借一下，连这点小事都办不成，别让人瞧不起咱们。

旷乃兴说：嘿，我说老二，你们有没有搞错？他们这次回来，到底是来跟咱爷爷认亲，还是明星搞活动来了？我怎么听着，全都在忙乎旷莉莉？

二弟旷乃庆说：听说是旷莉莉签约的华星超人公司给出的钱，来为新专辑《回头是岸》做巡回做宣传的。旷莉莉自己爆料，说有个侄子在北方大陆一个市当市长，人这才出钱把老爷子他们都捎带上，就是奔你来的，希望借你的光帮助炒一炒。结果，你这么半天不露面，连借个车也不给借，哥，我说你这个市长，算是白当了。

旷乃兴说：唉！娱乐界，“利”字当头啊！这几天工地招标，我忙得脚打后脑勺，实在走不开。你在那边先接待一下，就算是替我了，行不？再则说了，一个走亲戚，有什么大不了的。咱爷怎么样？能受得了这场面吗？

旷乃庆说：我这不是紧着哄咱爷吗？全家兴师动众，请他们吃饭，陪他们游玩，为什么啊？还不是为咱爷高兴？

旷乃兴说：你们哪，该管的管，不该管的不管，别让人看着太低三下四了。

旷乃庆说：哥，你也别那么说！就因为你第一时间没在家里接待，咱爷和咱爸很不高兴，觉着你架子忒大了些！人大老远来的，又很高看你一眼，你就不能给个面子？人公司说了，原来他们的唱片发售一直做北京、上海、广州这几个大城市，像祁阳这种地方根本没列入名单内，北方人都没文化，不买书不看报不淘碟，发到这里的唱片全都死翘翘落地无声，收不回成本。这要不是有个认亲的由头，他们是说什么也不会到咱这疙瘩来。

旷乃兴说：别听他们拿那套话忽悠，再忽悠也没用，越忽悠越显得他们利欲熏心，压根儿就不是为老人们认亲而来。老二，你再辛苦两天，等到手里活一忙完，我马上回去。

旷乃兴这么告诫以后，二弟旷乃庆仍没能收住，像操办什么家庭大事似的，把这事搞得沸沸扬扬，恨不能满城都知道他家有门台湾亲戚。也不对，确切点说，是他家有个当红歌星亲戚旷莉莉。还不准确，应该说“台湾当红歌星旷莉莉是他们家亲戚”！

按理说，他一个大老爷们儿，不应该这么赶时尚攀时髦也跟着去追星什么的，但是，架不住他自己那个喜欢时尚的媳妇乐此不疲地撺掇，总唧唧喳喳吹耳边风，旷乃庆就也跟着为自家有旷莉莉这门亲戚而骄傲起来，开始咋咋呼呼穷张罗。

若说这个老二旷乃庆，比他哥也小不了两岁，从小到大，却一直遮蔽在他哥哥的阴影之下，学习没有哥哥好，能力没有哥哥强。哥哥当年以全省高考状元的成绩考上清华，他毕业时只考上本地一个财政专科学校。毕业参加工作后，又蹦来蹦去，没个安妥的地方。最后全靠哥哥的提携，靠哥哥在省财政厅的面子，才在市税务局一步步提拔起来，闹了个副处。原先哥哥在省城工作时，家里大事小情都是哥哥做主。直到哥哥去了凇州之后，他好像才一步翻了身，成了老旷家撑门立户的男人。爷爷老了，父母年纪大退休在家，妹妹已出嫁，他这个老旷家的二小子、祁阳地税局副处长才成为家里外头一把手，感觉是当了顶梁柱，很上档次。

台湾亲戚这一来，正是他旷乃庆大显身手的机会，他焉能放过？老旷家祖宗三代，在他认识的亲戚里边，最远都不超过直线距离八百里去，突然间就有了一宗台湾亲戚，这个海外关系着实令人兴奋！得好好宣扬宣扬，张罗张罗。尤其是，跟娱乐界明星人物有瓜葛，这在老旷家还是头一次。

为在台湾亲戚面前显示自己的神通广大，老二不惜血本大摆宴席，请客吃饭，到处去给他们弄豪华车，安排全省旅游，尽显粗犷豪放风范。旷莉莉要的那种车，一般单位和个人全没有，他就专门去婚庆公司弄来加长凯迪拉克，花着昂贵的租金拉上他们一家人去棋盘山冰雪世界乐园，去本溪滑雪场，去北戴河黄金海滩，一路尽显东北大男人风度和豪华气派。

他这一领可算是领对喽！东北人的热情好客、大手大脚、虚荣心、爱显摆，与台湾人的锱铢必较、精于算计、揩油刮膏，正好逆向交接一吻即合。星姐旷美芬见状，便不停嘴地表扬夸赞这个能干的二侄子，什么“有能力”“有气魄”“大方”“仗义”“讲究”……总之，把所有好听的形容词全都用上，把个旷乃庆忽悠得云里雾里干脆找不着北。眼看这个二侄子基本已经被忽悠晕了，星姐旷美芬这才适时提出，他们在祁阳期间的食宿费是否帮助报销一下。那家华星超人公司只负担了小妹一人的资费，其他三口人则只提供了单程机票。他家人当初一想，既然是奔着投亲靠友来的，还考虑那么多干啥？再则说了，家里头不还是有一个侄子在当市长吗？即便是有点啥经费小问题，到时候也好解决。所以他们也没多想，就答应跟着来了。但就目前看来，还是遇到了一点难题，酒店什么的规格安排过高，资费还是超出了预算。看看二侄子能不能帮助解决一下？

老二旷乃庆一听，一拍胸脯：这有什么难的！没问题，包在我上。我哥当市长，这点小问题，还不是手到擒来的事！虽然他不管本市，但是当年在省财政厅当副厅长的时候，帮过不少人忙，跟省里人全认识。你们就在祁阳放心大胆地玩，踏踏实实地消费！

台湾星姐一听这话，咧嘴乐了：还是我二侄子有本事的啦！超爽！巨酷！你们大陆的社会主义就是好啦！不像我们台湾，资本主义，一元一分都要自己掏的啦！

说完这话，转天，星姐就拿出一沓买东西的发票，连同酒店里住宿的押金单，一并递给旷乃庆。旷乃庆一看，牙齿缝里不禁嗞嗞冒凉气。心说这老娘们儿，可真敢造哇！五星级酒店，贵得要死的字画丝绸服装她也敢成万成万买?!

星姐旷美芬可能是看到他皱了皱眉头，忙说：不好意思的啦！我知道你们大陆公家报销可以吃“床腿”，打入住宿费用里。本来想上街买一点回去送人的礼品，我怕商店的收据不好报，所以就一并在酒店里买的啦。

一句话把旷乃庆噎在那儿。旷乃庆大话已经说出去，没法再往回收，只好打掉了牙往肚子里咽，嘴上说：小意思，没问题。心里头却在说：滚！快早点给我滚犊子！

原先这旷老二还琢磨着，台湾亲戚在祁阳的一干费用，即便他哥哥给搪回来，不帮忙处理的话，他自己也有门路解决。旷乃庆所在的单位本身就是一个揩油的行业，地税局下边管着众多企业，减税增税打政策擦边球，那还不是他们这些主管人员一句话的事儿？平时一般只要不出大格，什么事都好办，在哪个下属企业走点账报点销，没什么大不了的。可哪里想到，这星姐得寸进尺，一整就上万上万元的发票。这可让他有点犯难了。

他这才知道了台湾星姐的厉害！

再吹牛的时候，旷乃庆就加着十分的小心。

他心里期盼着他们台湾一家人早点走，可还不行。还有若干程序没有走到呢。自己家爷爷的愿望还没有得到满足。爷爷自从那次在酒店里跟台湾亲戚一家见面之后，还没得机会第二次跟堂弟见面，那家人除了作秀就是游山玩水去了，哪里是来认什么亲！可老人家不这么想，老人家实在、怀旧、念亲，他这些天就一直念叨着，要把老堂弟请家来，老哥俩坐下来好好拉呱拉呱，聊聊离别往事。

不成想，他这么一说，却遭到孙子、孙女、孙媳妇几个小辈人的一致反对。众人都不同意，理由是嫌家里地方小、寒酸、憋屈，怕叫人瞧不上眼。说是即便要请客吃饭也要到外边订酒店吃去。爷爷生气了，闷着声说：什么？还找酒店？我一把老骨头，都成了摆设了，给他们当群众演员，你们当我不知道是怎么着？

老爷子真不简单。八十多岁了，心明眼亮！人那当年也叫一个老家北江市的政协委员呢！

二孙子旷乃庆、孙女旷乃红这些小白眼狼不肖子孙们，一看拗不过爷爷，又开始打歪主意，想到要在他们的老姨家的孩子钢子家里举办这场家庭聚会。钢子是他们的表哥，省城大款，做钢材和汽车生意发达了，住在郊区的别墅，同时自己还经营着一家跑马场、两家绿色蔬菜基地。他们要把那里假装成爷爷家，把台湾亲戚请到那儿去做客。

表哥钢子一听，二话没说，鼎力相助。他倒不是好奇歌星旷莉莉，而是考虑借机会还上人情债。平时钢子可没少找表弟旷乃兴、旷乃庆哥俩帮忙，尤其旷乃兴，时时能用得上。在政府部门里能有个实在亲戚，对于钢子做生意来说，管老了事儿了！钢子满口答应对旷乃庆说：二弟你放心整吧！到时候缺啥需要啥，就吱声。酒席、礼品什么的我都负责预备。

旷乃庆和旷乃红把钢子那头叮嘱妥当了，回头家来跟爷爷一说，没想到在爷爷这里却碰了壁。爷爷坚决不去，说：你们整的这叫个什么事儿？招待自己家亲戚，那还用得着作假吗？

孙女旷乃红说：爷爷您不知道，这不光是我们自己家亲戚往来，这是关系到海峡两岸人们正常交往友好往来的问题。怎么着，这五十年，您也不能显得比他们在台湾的生活差嘛不是？爷爷您不能给共产党脸上抹黑啊！

爷爷知道他们在瞎忽悠，根本不听他们小孩子家家的这一套。实在没辙了，老二只好打电话给在凇州的老大旷乃兴求援，让他说动爷爷。

旷乃兴刚开始一听，也一愣，说：去钢子家干啥？

听了旷乃庆的解释，旷乃兴没好气地批评道：我说你们啊！乱弹琴！让我说你啥好呢！没见过人是怎么着？台湾人高摆啊？我看你们哪，纯粹是虚荣心在作怪！

老二说：我这不也是为家里好嘛！传出去，你这一个大市长的父母家，还住着不到几十平米的老式三居室，你当市长的脸还往哪搁！老旷家全家也颜面无光嘛不是？再则说了，也确实是屋小，搁不下。一来就好几十口子人，没地方坐没地方站的。我们又要满足爷爷他老人家的心愿，又要办得体面，哥你说怎么办？在咱家，爷爷最疼你，也就听你的话。你离家大老远的，一点指望不上，叫你回来也不回来。具体怎么着,你自己掂量着办吧。

旷乃兴一听,弟弟开始撂小脸子了,这可不太好。一想到具体的事情还得老二出头操办,惹他来了脾气也没必要,于是也只好说:行行行。你看着办吧。不管怎么说,出发点是好的。家里还有啥不够,具体还需要些啥,你吱个声。

老二旷乃庆说:算了,啥也不用你。你就把爷爷说动就行了。

于是旷乃兴只好给家打电话,在电话里好一番贬义,好说歹说,爷爷勉强同意了。

旷乃兴是老旷家这辈人中的老大,又是从小爷爷奶奶给带大的,在他们的老家北镇一直长到六岁,直到了该上学年龄才被父母接回省城,与爷爷奶奶的感情非同一般。俗话说得好:老儿子,大孙子,老头儿老太太的命根子。老人把对隔辈人的溺爱,全都泼洒在旷乃兴身上,对小二小三以及旷乃兴叔叔姑姑家的孩子们,那就差远了。旷乃兴从小学到中学及至上大学,每年寒暑假,都要回老家去看爷爷奶奶,待上那么一段时间。每年一回去,老两口那个乐啊,从头到脚的一通抹擦、胡噜,大孙子长大孙子短,喜爱个不停。奶奶早已经把好吃的给他留了一大摞。他姑姑家的孩子来了想要跟着吃一口,立即被他奶奶拦下,不让动,口口声声说:这是给你大哥留的,你瞅他在北京上学,啥也吃不着,把个孩子饿瘦成啥样儿!

他姑姑家的孩子就乐,附在老太太耳边大声说:姥姥,你是不是我亲姥姥?怎么总偏心眼,净向着我大哥?人我大哥在北京,那是毛主席待的地方,啥吃的没有?咋就能饿着他?

老太太张着没牙的嘴,道:那咋的呀?人那好吃的能给他们大学里头啊?别说毛主席,人毛主席吃芒果他们能吃着芒果吗?再说毛主席都去世了,那块地方更没啥玩意儿可吃了。

旷乃兴他们就叽叽嘎嘎乐。他们几个儿时的玩伴、几个半大小子也被奶奶一番话逗得前仰后合笑闹成一团。奶奶爷爷瞅着这些孙男嫡女也乐,两张老脸上都欢喜得笑开了花。

奶奶去世以后，爷爷被接到省城旷乃兴自己的小家来住。孙子和孙子媳妇倪燕茹极尽孝道，把老人照顾得很好，填补了爷爷那一段时间感情里的空缺。每天下班后，再累，也要陪爷爷坐一会儿，聊一会儿天，唠一唠国家大事。这几乎成了旷乃兴每天必修的功课。后来旷乃兴去了淞州，爷爷给接进了旷乃兴父母家。尽管离得远了，爷爷的全部感情和思念，仍然维系在这个最有出息的大孙子身上。旷乃兴也是一样，只要周末有空，总是要开车回省城看望爷爷，陪爷爷说会子话。平时开会路过，也要顺道去家里看望一下。旷乃兴跟父母的感情，也远没有跟爷爷的感情深。由于错过了六岁以前儿童跟成人建立感情的成长期，他跟父母之间，总是显得很陌生。加之他那个工程师出身的父亲和搞党务工作的母亲，总是一本正经、古板，致使他跟父母之间的关系，更像是学生跟老师间的关系。到后来他茁壮成长挑起大梁，父母年老退休二线之后，他跟父母之间的关系，就掉了个个儿，成了老师跟学生之间的关系，父母反而有点唯他命是从的意思了。

而在老二旷乃庆老三旷乃红身上，就没有这个障碍，他们跟父母之间是很正常自然的亲子关系。他们对父母该撒娇撒娇，父母对他俩该打骂打骂。对待旷乃兴，他们则共同心存畏惧，有点儿毕恭毕敬。

旷乃兴觉得自己在家庭中，更像是替代了爷爷的角色。

赶上一个晌晴薄日的天儿。微风轻拂，河水骚痒，水波在薄薄的冰层下泛起涟漪。河边的柳梢也都滋歪滋歪扭鼻子弄眼儿，有一点点儿喷薄欲出的发春色彩。老旷家一家人披红戴绿，拖孩子带崽，重又穿上了刚脱下没几天的过节穿的立领唐装和织锦缎小棉袄，色彩斑斓，从四面八方会聚到省城西北地带。

这是一场盛大的民间狂欢。花团锦簇，觥筹交错，处处透着初级阶段小康家庭欣欣向荣景象。

旷承祖这一枝上枝繁叶茂。他一共有四个女儿、两个儿子。儿女之下又繁衍子孙若干。按最低标准平均每家有两个儿女、儿女之下再有一个孙子或孙女计算,总计起来大概有一个加强连的数目。队伍拉出去,其阵势就会贯一把长虹,颇有“子子孙孙无穷尽也”的气象。这要是再来个愚公移山,可有的挖了。不由人们不感叹:过去没有实行计划生育的年代是多么的积德!老祖宗们四世同堂五世同堂光荣传统能够最后光芒闪现!以后这情景可就再没有喽!以后咱中国人也都全球化,多民族种族大融合全地球人类重新杂交大洗牌,没有宗亲没有族谱,不知爹是哪来的、妈的老家在哪里。

这些分布在全省各个城市和乡间的孙男嫡女,除了旷乃兴父母居住在省城祁阳,其他有在老家北镇的,有在鞍山、抚顺、大连的,接到老祖宗的号令,于是乎一家家一户户乌乌泱泱拥向省城祁阳钢子家的别墅,一会儿来一家,一会儿又来一家,应接不暇,就连过年的时候都没来这么齐整过。也正好赶上了星期天,天气泛阳,憋闷了一冬天差不多也该是出来踏青寻绿透口气的时候。旷乃兴的爷爷看着高兴!老祖宗八十多岁了,耳不聋,眼不花,孙男嫡女们见过一面后他都能记住。耳听得到孩子们进门一声声“爷爷”“太爷爷”地叫,旷承祖的一张老脸上乐开了花。把孩子们一一给台湾亲戚引见介绍时,台湾亲戚有点蒙,记不住,分不出个个数来,只好频频站起来跟着点头。

台湾亲戚们来到坐落在城市北端山脉脚下的钢子家的庄园,首先就感叹这院落的雄伟、庞大。但见各处花木茂密,虽没到扶疏的状态,但也已经欲吐绿了。院内四处设假山石、花架、犬舍、鸟笼,有点中国古典庭院设计的风范。当中一块人工湖,此刻干涸着,周围是一丛斑竹枯立。他们真没想到北方人有这份清雅的爱好。其实这全是当初钢子雇来的业余设计师附庸风雅,拿他家这块地练着玩的。台湾星姐好奇地问:这么大一块庄园,要有一万多平米吧?老二旷乃庆说:没多大,也就是个二三十亩。星姐也算不出来一亩等于多少平米,于是问:这些土地要好贵的啦?老二旷乃庆道:没花多少钱,便宜。买得早,都是从乡下人手里买的地。

星姐频频点头,表示听懂,不再往下问,只管跟随着一路走一路看着。众人由二小子旷乃庆引路，穿过一道月亮门，又绕过一湾枯水的水榭，这才仰望到钢子家住宅的主体建筑。这里又是另外一番景致。一见那别墅外部造型，来人首先就给震住了！只见人钢子家那座坐北朝南三层楼，是仿照张作霖大帅府的样式设计的，哥特式风格主体建筑，砖混结构，青砖墙体，廊柱尖顶，二楼三楼是两个突出半圆体阳台，瓶式栏板，还打出了水泥花格。不同的是它整体规模略小，只设了一道门，比大帅府的三道门少了两道，但气势不减。门前九级台阶两侧，各蹲踞着一个石头狮子，威武雄壮，很有气派。

台湾亲戚们前两天刚刚被老二旷乃庆领着去参观过清朝努尔哈赤的故宫，也顺带着参观了故宫后面不远的张作霖大帅府。一见眼前钢子家的这个建筑，认识，眼熟！这不整个一个帅府大青楼的翻版嘛?!

了不起！他们说。真了不起！建成这么大一幢大楼！他们竖起一个大拇哥频频夸赞着说。少帅在台湾被囚禁大半辈子，他若是有幸能回故居看看，现如今民宅也已经能盖出他家帅府气势，他不知该作何感慨！还是共产党领导得好啊！老百姓也都当家做了主人。想当年，他被日本人和蒋介石逼成啥样儿：东北易帜，去国离家，举旗助蒋，西安事变，终身囚禁……唉！血与火的洗礼，千古功臣，天下为公啊！

台北老爷子旷承宗感叹说：几十年没回来，变喽！变喽！连这小辈人，也盖起了大青楼喽！老哥哥，你就说，在咱们新州这疙瘩啊，能够打进关里入主中原的，除了努尔哈赤、皇太极那爷儿俩的子孙，剩下的，也就数张作霖张学良爷儿俩能够入关成点事儿了。咱东北爷们，好汉都是爷儿俩爷儿俩的出！真是应了那句话——打虎亲兄弟，上阵父子兵。你这孙子啊，行！有出息！

祁阳老爷子旷承祖接口说：是啊！是啊！咱这疙瘩，就是出英雄豪杰的地方啊！

他们越夸，陪同一旁的老二旷乃庆心里就越紧张，生怕事情露馅。他事先已经对台湾亲戚称这里是他自己的房子，爷爷和父母跟他这儿一起住着。为此，旷乃庆还特地把自己跟媳妇的婚纱照从家里摘下来，挂到人钢子家一进门的客厅里。这会儿，他紧紧贴身跟随几个主角身旁，不让闲杂人等近前，以免人多嘴杂穿帮。他叮嘱过钢子，本地亲戚们过来打过招呼后，立刻领走，找旁边待着去，别让他们围着台湾亲戚转悠。

钢子很忠实地执行着命令。

星姐旷美芬眼瞅着这土洋结合的建筑，心里暗自嘀咕：土老帽儿！大陆的暴发户，真有钱啊！这要不是当官贪污腐败来的，就是做生意坑蒙拐骗来的。大陆人那点事，我还不知道？嘁！

星姐虽然心里充满了不服不忿，可嘴里还在说：啊呀！实在了不起的啦！酱紫（这样子）的豪宅在台湾也很少见哦！有钱人家的“汤耗斯”也不过盖成小小两层楼而已。

星姐拿腔捏调的，说得煞有介事。

老二旷乃庆在一旁道：这里是早先买下的地皮，自己动工盖起来的。地面三层，地下一层。同一块土地当然起得楼层越多越好，造价成本就会降低。这一带的楼都是盖得差不多的样子。你看，那边。说着旷乃庆用手一指：再往北那一片都是。

星姐旷美芬手遮着眉户望了一下，影影绰绰也看不太清，北面茂密的树林枯枝之中，偶尔冒出几个洋楼尖顶。于是道：这里就是你们的富人区哦？好好有钱的啦！

旷乃庆调侃道：一般一般，全国第三。

这种东北风格的冷幽默，星姐旷美芬没听懂，说：绳墨（什么）？已经排在全国第三的啦？

旷乃庆忙说：开玩笑。嘿嘿，开个玩笑。

再往前，沿着特地铺就的红地毯上了大青楼前的九级台阶，就见楼门前两株巨大的梅花盛开，殷红殷红的花朵密集在枝头上，给这早春萧瑟之中增添了一点喜艳艳的味道。再近前一看，却是假花，塑胶做的，植在一个硕大的塑料盆子里。

星姐旷美芬心里就更增加了不屑。

进得门去，有点眼花缭乱。但见屋内装饰更加华美。红地毯到这里戛然而止，延续下去的是厅内地面上铺陈的浅驼色手工绘绣波斯地毯。羊毛地毯落地无声质地柔软，映衬着四周围墙壁挂的几幅俄罗斯风景画，倒也般配。阳光透过天井上端的挑空玻璃屋顶照射下来，暖洋洋的，映照着四角里的花木葳蕤。鲜花竞开，绿植旺盛。铁树、巴西木、发财树的叶子油绿，一盆盆杜鹃，一株株燕尾蝶蝴蝶兰竞相怒放。屋里已经到处是一片人工的春天景象。

老人们被让进客厅休息。其他腿脚利落的中青年，陪星姐参观整个别墅。这幢单体别墅，一层为主要的生活活动区。客厅、餐厅、休闲区以及厨房、保姆房、工人房成为该层空间的主体。二层为休息私密区域。主要为卧室空间，设计安排了主卧、老人和儿童卧房、客卧以及起居室等，三层是书房和休闲区。地下一层设计主题为娱乐休闲及仓库。安排规划了车库、活动室、健身房、棋牌室、杂物库房等。这一圈下来，星姐旷美芬看得眼热，一边嘴中啧啧称叹，一边就装饰中的粗疏之处在心里聚集着鄙夷。每逢见到哪里的物品摆放或者装修的一个不顺眼之处，她心里的平衡感也就增添了几分。

众人重新返回一层会客厅。一看，这里也照帅府样式，将客厅设在了一楼的东北角。不过可不是帅府里张学良处决杨宇霆常荫槐的“老虎厅”，也没有陈设老虎标本；而是用了一座希腊断臂维纳斯女神的雕像，立在门口迎宾，仿佛礼仪小姐。女神的雕像是真正的大理石制造。旷美芬心里就暗笑：这大理石的东西，他们怎么不怕射线给射着？

厅里繁缛的装饰是新近流行的混搭风格，奢华与怀旧主题，一面是仿照欧洲维多利亚时代的西洋设计，暗紫铜与金黄色调，壁炉、罗马柱、宫灯与浮雕彩绘，金丝绒色的真皮沙发，扶手有卷曲的造型和手工制的细致褶皱。旷乃庆和他媳妇的婚纱照就安排在欧洲元素的一边，放得巨大，以表明这里真正是他们家。另一面是典型中国元素设计，中国红搭配沉稳大气的黑，有红酸枝中堂四件，一对紫檀木椅，黄花梨小条案，红黑漆手绘描金柜，红木多宝格里摆设几件青花缠枝菊花纹梨形执壶、黄地粉彩花鸟纹蒜头瓶、青花龙凤纹盘、雍乾珐琅彩瓷器，琳琅满目，看着都色彩斑斓，真的假的肉眼难以辨认。

眼见这大陆城市新贵的奢华做派，台湾星姐旷美芬又不得不假装啧啧称叹。她心里的情绪和想法此刻已经有点乱七八糟。

主角们分宾主落座。两个老爷子挨着坐着，唏嘘感叹，有股相看两不厌的劲儿。旷乃兴的父母亲则成了晚辈，小心在边上伺候，父亲陪俩老爷子唠，母亲陪老太太和星姐旷美芬说话。

老二旷乃庆则严守在客厅门口，每当来一拨亲戚，给领到老爷子和客人面前见过面后，他都会迅速给领将出去，转交给钢子，以防谁不小心说漏嘴穿帮。报过到的亲戚们再被钢子和媳妇带往各个楼层参观。二层三层各个楼层的卧房、书房、客房等门扉虚掩，迎接着客人们的大呼小叫惊讶歆羡。两位从祁阳饭店特地请来的大厨，则在一楼厨房配料摆盘，在操作间里忙乎着。

老大旷乃兴此刻领着媳妇闺女正在开车从淞州来的路上，还没有到。歌星旷莉莉当然也没到。她总是要在聚会快达到高潮的时刻亮相到来。

老旷家当地亲戚拖孩子带崽儿一拨一拨进门，到老人家面前报到的时候，台湾亲戚老太太明显有点紧张。她预先准备了一点见面礼，见来了这么多人，显然不够分的，愣是没敢往外拿出来。那个星姐旷美芬倒是不怵，看出了她妈的心思，于是就大大方方，一一替她送了。花里胡哨的彩纸包装，有的还扎着蝴蝶结带子，一层又一层，不知是什么玩意儿。这在大陆，显然有“过度包装”的嫌疑。台湾人给的礼品，一般都是女人接，然后是小孩子好奇拿过来，手欠当场就要打开，通常会被妈妈一通阻拦。这边侍立着的老二旷乃庆立刻上前，将喧闹的母子领走。

到了门口，小孩子还是性急，忙扯开左三层右五层的花花绿绿包装，见里面也就是可怜巴巴的电子表、石英钟、一小盒巧克力之类。还有人接到的是一些不花钱的试用装 1.5 毫升的化妆品小样。最不能理解的是，那几个晚来一点的亲戚家被星姐送的东西，竟是酒店里的一次性使用的那些牙膏、牙刷、梳子等用具。

祁阳老旷家人没说什么，随手就把东西搁下，扔得满处都是。他们只好以善良之心揣度：这是两岸隔阂太久，他们肯定以为大陆人还吃不饱穿不暖，是水深火热的叫花子吧？

可是也不对，揩油报销白吃白喝时怎么不当大陆人是穷人了呢？

台湾亲戚送礼送坏了！伤了大陆人民的感情和自尊心。媳妇孩子们立刻就有点瞧不上台湾亲戚，嘴撇得跟什么似的。那些奔着见旷莉莉来的，一时又没有见到歌星影子，人们便自顾自二楼三楼乱窜玩去了，没人再答理他们。

男眷和上了岁数的家长们还要顾及面子，也是为了哄自家爷爷高兴，里里外外张罗着，陪着唠嗑。

副市长旷乃兴一家三口到来时，钢子家的三层楼里，早已是欢声笑语，人声鼎沸，各处布满了人。花园里，地下室健身房，后院马厩，狗圈，蔬菜大棚，果园，欢声笑语，亲戚们闹翻了天，比过春节还热闹。但见处处花团锦簇，好一番盛世欢乐图！

他们一家三口的到来，掀起了整个聚会的高潮。亲戚们纷纷上来跟旷乃兴寒暄打招呼，老辈们亲切地喊他："大兴啊，来啦？"孩子们一口一个叔叔大爷的叫得亲。从那神态语气上，就能看得出老旷家整个家族对旷乃兴这个当市长的器重，叫他跟叫别人不一样，连看他的眼光也是略微谦卑的、讨好的，跟看别人比方说看老二旷乃庆的眼光也不一样。

其实，这也根本用不着。旷乃兴本来就是他们看着长大的。但是呢，这人啊，一旦成了器，当了官，能让家族借上力，在亲族长辈心目中的分量自然就不一样。这就是中国普通老百姓的共通的生活逻辑。

旷乃兴一来，他父亲就主动让道，立刻腾出两位爷爷身边的主座来让给他。父亲和儿子的位置立即颠倒，儿子陪着爷爷说话，父亲在一旁侍应。彼此都感到很自然，仿佛理应如此。旷乃兴的妈妈和女眷们也立刻把旷乃兴媳妇当中心，上去围绕倪燕茹和孙女说话。

刚才旷乃兴媳妇和孩子引见给台湾奶奶和姑奶时，台湾老太太还给了倪燕茹一个首饰礼盒。倪燕茹接过来，说了一些感谢的客气话，并没有想打开。星姐旷美芬一旁还特地催她打开看看，还生怕她不知道似的，加上注解说：打开看看，没关系的啦！一般欧美人和我们台湾人接到礼物都会当面打开来的。

话说到这儿，倪燕茹也不好意思再不打。就只好在她们的注视下打开金丝绒的首饰盒，见是一枚金戒指。连忙说：这么贵重的东西，怎么好意思呢？星姐说：收下吧，不要客气的啦！以后大家都是一家人啦，彼此还要多多照应。

旷乃兴女儿收到的礼物是一个电子手表。娘儿俩见过面后出来，立刻被拥到亲戚女眷堆里，嘘寒问暖。跟着又扯到二楼客厅去聊天。

老二旷乃庆的媳妇，那个长着“地包天”下巴颏的小女人，唧唧喳喳唧唧喳喳，有点小市民相，一看就是厉害茬子。她扯住倪燕茹一通“大嫂”长“大嫂”短咋呼完了后，贼头贼脑地问：大嫂，他们家送给你点啥了吗？

大媳妇倪燕茹憨厚，不明就里，实话实说：给了一个戒指。

老二媳妇说：啥？戒指？拿来我看看。

倪燕茹就递上那个金丝绒的首饰盒。老二媳妇一打开，捏起戒指瞧了一瞧，道：哎呀妈呀！我还当是啥好玩意儿呢！原来就是这破戒指！18K 金的，值不了几个钱。俺家我自己那几个，都是人求老二乃庆办事送的，哪个都比这个强。哎我说大嫂，你说台湾人是不是太抠门了点？人都说台湾那边金子便宜，就送这样一个 18K 的小东西？

倪燕茹说：咳，也就是走一个礼节呗！谁还在乎他们那点东西。

老二媳妇小嘴一撇：礼节？他们要是知道走礼节就好了！大嫂你是不知道她送给我啥。

倪燕茹说：送啥？

二媳妇说：不要钱的那种化妆品试用装小样。

倪燕茹说：不能吧？

二媳妇说:啥不能啊?我这还算好的呢。不信你问问,给钢子媳妇送的,都是宾馆里头的小梳子和小牙膏!

倪燕茹瞪大了眼睛,惊讶说:这……不会吧?

钢子媳妇在那头听见,也接口说:是,二嫂没骗你。大嫂,你说,他们是不是故意埋汰人?给的那叫啥玩意?什么破东西从宾馆划拉来的就敢给人?

二媳妇又小嘴一撇:大嫂你说,咱东北人最讲实在,他们竟拿这破玩意儿忽悠俺们,干啥玩意儿,瞧不起人是咋地?这种亲戚,认不认她有啥用?

倪燕茹赶忙劝着妯娌:别太当回事。人家不了解这边情况嘛。

二媳妇说:啥不了解情况啊,不了解情况她们怎么知道看人下菜碟,知道俺家我大哥当市长,有用,就给个金戒指;知道要用得着俺家老二给帮着报销,就把这些不要钱的试用装小样假装高档化妆品送给我;对于钢子媳妇,她们不知道能用上啥,就给些破牙膏梳子给打发了。大嫂你说他们是不是故意的?

倪燕茹也被二媳妇给挑唆得心里怪不得劲的,心想这台湾亲戚是太不地道。但是身为大嫂,还得有个样儿,于是嘴里不得不劝着说:要我说,你们也别介意,咱也不图他们啥。还不是为了咱爷爷高兴,才跟他们交往吗?

二媳妇说:那倒是,谁也没想跟他们怎么样。关键是太瞧不起人了。要么你什么也别给,要给,就送一些拿得出手的礼品。你给我个手绢贺卡什么的我都不在意,但也不能把宾馆里的东西拿出来送人哪!早知道,就不给他们准备那么多贵重礼品了。

二媳妇说的话倒也是有道理。祁阳老旷家这边给台湾亲戚准备的礼品,是由老二旷乃庆来预备的,二小子当然要把这事交给他媳妇来置办。虽说过后也要揩公家油,不知拿到哪个企业报账去了,但是人家二媳妇的认真负责挑选礼物的精神,还是应该得到肯定。二媳妇是分别按对方老头老太和星姐、星妹身份,送的是正宗杭州产丝绸面料,铂金项链和“普拉达”名贵手袋。

天平两边，悬殊相差太大。难怪二媳妇要发牢骚。一片好心都喂狗啦！她撅着个小下巴颏愤愤地说。

一楼维纳斯厅主客厅这里，双方宾主会谈在友好的气氛下继续进行着。这回跟上次在台北圆山大饭店的会面不同，这回是在自己的地面上，轮到旷乃兴呈现出轻微的倨傲状，而台北亲戚（主要的女眷）则在短短的从进门到落座的几十米路程中，走完了从一进门时的趾高气扬，到中间落座馈赠礼物时的骄傲，再到接受礼物后的谦卑、逐渐没底气的过程。尤其星姐旷美芬，刚来时的那些自豪和骄矜全没了，她的那些个脚指头和后脚跟，成了挺各色不协调的因素，也不自觉地往红木椅子腿背后缩去，能藏就尽量藏起来，在淳朴的家人聚会场合完全派不上用场。

看看时近晌午，老二旷乃庆过来问要不要开饭，小孩子们都吵吵饿了。旷乃兴说：再等等，不是还有个小姑姑没来吗？

台湾亲戚老爷子赶紧说：不用等。你小姑姑忙，还不知几时工夫才能到。咱们先吃着。

旷乃兴说好，那就边吃边等。

餐厅在一楼的另一边，进去一看，活像一个大宴会厅，能摆下十几桌的规模。钢子说这是餐厅兼舞厅。几大桌酒菜摆好，供老旷家的亲戚们团团围坐，喜气洋洋，真像是办什么结婚典礼一样。主宾给让到了另外一个包间，从这里出去能看见远山。主桌上是台湾一家人，老头老太加星姐。地主这边是旷乃兴爷爷、大伯、父亲、母亲、旷乃兴、旷乃庆。其他桌，亲戚们自己择席而坐。男眷们自找酒友落座，女人孩子们归拢到一堆儿。东北人的规矩，女人和孩子不能上主桌。倪燕茹作为大嫂，也被喊过去上主桌，但她坚决不上。她自己不喝酒，所以不爱看一大桌男的喝起来就没个完，主动躲到媳妇孩子们这一桌来。老二旷乃庆还悄悄给各桌规定了纪律：谁没事也别到爷爷这屋来，敬酒什么的全免了，个人把自己喝好就得了。

他是怕好不容易捂了这半天,万一谁酒后失言,把这虚假现场的事说漏了,那可就全白忙活了。

主桌这边旷乃兴代表大家讲话,欢迎台湾一家人。客桌那边,亲戚们自便,各找对手叮叮咣咣喝起来。厨师和小保姆穿梭其间,上菜,添酒。一时间觥筹交错,猜拳行令,好不热闹!

直到酒过三巡,菜过五味,“嘀——”的一声汽车喇叭响,歌星旷莉莉才袅袅娜娜地现形了。

旷莉莉依然着貂皮大氅,光着玉腿,一袭露背装,在早春的凉风里飘然亮相,身后跟随着一位中年男子。

她的到来,没有引起应有的兴奋。一来,亲戚们正喝得高兴,纷纷沿着自己的话题入港,酒醺中的注意力不容易被转移;二来,在祁阳酒店那天已经照过面,有些亲戚对她长相已不陌生;三来,最重要的是这个“三来”,三来是台湾亲戚在送见面礼垫底这一环节没有垫好,不但没有垫好,而且还给垫反了,引起了祁阳亲戚们的腻烦和逆反情绪,他们对这一家子人已经没有什么好感,对于“台湾亲戚”的神秘感也彻底被打消、破坏。所以除了一两个没见过她的小孩子跑出去看歌星旷莉莉,其他坐在宴会厅里的祁阳亲戚们,几乎没有什么人出去看她。

老二旷乃庆把旷莉莉等人迎到主宾房。刚才趁人不注意,旷乃庆已经被他媳妇恨恨地掐了一把,叨唠着台湾亲戚抠门的事,让他一瞪眼珠子给瞪回去了。这会儿,见没人出来答理旷莉莉,他的心里也明白了几分。但是他必须得圆场子,把握好会场情绪。

旷莉莉跟主桌上的人那天都见过,所以兴奋度不高。加之家庭聚会没有镁光灯和狗仔队追着照,旷莉莉就更上不来情绪,连笑都懒得笑。几个小孩子过来让她给签名,她懒洋洋地龙飞凤舞划拉了几笔,又勉强端起酒杯沾了沾唇,只坐一会儿,就推说有事,站起身来离席。

众人也皆不以为意,认为这正是歌星应有的做派。

倒是跟旷莉莉同来的一个人,见了祁阳旷家一家人,尤其是见了旷乃兴,显得情绪高昂,相当地兴奋,频频敬酒,喋喋不休,有点找到组织的感觉。他就是上次在台北见面时提到的、埋伏在北镇做生意的台湾二叔旷正茂。此时,他也恰到好处地跟着妹妹旷莉莉一起现形认亲来了。

二叔一来,立刻代替了星姐旷美芬,成了台湾亲戚家的喝酒认亲主角。

二叔长得像他娘,方正,粗胖,圆头大脑,大眼睛,双下颏,短脖子,一双大手也肉乎乎的,从整体上看,是一个没有什么性格的发福中年人,一点也不像他爹,没有老旷家人固有的精瘦骨感、刚毅下巴。二叔肚大如牛,酒量不小,话也稠,一看便是个生意场上身经百战、左右圆通能干的主。他频频举杯,连连说有幸认下这门亲,从此你们就是我在本地的亲人,甚至比亲人还要亲。二叔特地提到有幸认得旷乃兴这个大侄子,以后在新州地面上的事情,还请侄儿多关照一下,照顾一下他的生意。

当酒精度数中冉冉上升的亲人气氛快要达到浓度最高点时,二叔又敬了旷乃兴一杯说,大侄子,我看到淞州黄金商业圈地块招标的消息,二叔我也有意投标,希望得到大侄子的助力。

旷乃兴哈哈一笑,说,那当然,当然。二叔连连说,那就好,那就好。碰杯干掉,旷乃兴遂把话题引向别处,继续陪爷爷和爷叔叙旧,谈天气,说淞州风土人情,探讨台海局势。真个是醉翁之意不在酒,王顾左右而言他。

但,仍没躲过去。饭后甜点上来,众人在客厅饮茶闲叙时,二叔又主动坐近旷乃兴身边,躬身近前,一副恳谈的架势。旷乃兴也不好太拒斥,只好用叠在一起的二郎腿、微微后仰的身体语言,来表示对这个话题的不相与谈。台湾二叔自有他的韧劲,将身躯一个劲儿地趋前,竭尽讨好的姿势。旷乃兴无奈,只好听着。

就在小孩子们在外边出出进进跑动、嬉闹的喧哗里,在旁边两位老人轻声细语,呷茶欢谈的和谐气氛中,这位酒量深无底的台湾二叔,涨红着脸,深一句浅一句介绍完了他的来历、出处,也述说完了他的志向、意图。

他不像别的台湾商人小打小闹，来大陆开饭店咖啡店，养鱼种菠萝什么的，他可是大手笔，宏图远大，是在台湾完成了资本原始积累，然后来大陆投资的。上世纪末一轮海南房地产泡沫中，他跟几个人合资，大胆重金出手圈地，等到房地产热回潮时，转手卖出，发了大财。振兴东北，他闻风而动。先在北镇老家附近落下了脚，开了电器元件厂，生产汽车零配件，现在正在瞅准机会开发北镇的房地产。

你这个二叔啊，年轻时吃了不少苦，先去的日本留学，后来在那边入了日本国籍，又回来创业。

正在那边相谈甚欢的台湾老爷子，猛孤丁扭过头来对旷乃兴说了这么一通话。没等他搭茬儿，老爷子又说：乃兴啊，你这个二叔，如今在你的管辖下，还要靠你多照应着点儿啊！

旷乃兴先是猛一愣，接着明白了，老爷子看似有一搭无一搭跟自己爷爷聊着天，其实耳朵一直支棱着，听着这边他跟二叔之间谈话的动静。

他此时明白了。有道是，无事不登三宝殿。此番台湾亲戚们远跨海峡来淞州，不是随便来认亲的。选择这个时机倾巢出动，就是为了旷家二叔的生意，是来为他牵线搭桥的。

他也绝不会想到，就是眼前这个胖胖的看不出性格的台湾二叔，后来却在淞州搅起惊天波澜，差点儿葬送了他的一世前程。

7.“东方地平线”

这个春节，黎曙光没有过好。经过八个星期的艰苦鏖战，淞州新奥体中心主体育场的参赛设计方案完成。他和德国穆勒尔建筑设计事务所一起合作并联合参赛。

穆勒尔建筑设计事务所在欧洲很有名气，设计师穆勒尔有设计大型公共建筑的经验，先后为德国、法国、比利时、荷兰、美国等国家设计过教堂、民宅、体育场、剧院等，他们的作品有一种简约主义倾向和诗性风格，强调对生活的体验和对内心情感的诗意表达。设计师穆勒尔本人曾经获得过被誉为建筑界诺贝尔奖的“普利策奖”。黎曙光在德国学习时就跟他认识，并且在一起有过短暂而愉快的合作。后来在几次国际建筑学界会议上他们偶有相逢，相谈甚欢，处得跟老朋友一般。

这次，在动员穆勒尔共同参赛的事情上黎曙光下了不少工夫，的确是费了不少的口舌。穆勒尔这个有着犹太血统的大胡子高个，内心非常执拗，不太那么容易轻易被人说服。当然，凡是有个性的艺术家内心都是执拗的，都比较善于固执己见。老穆虽然也就五十出头，但早已是功成名就成绩斐然，免不了多出一份成功人士的矜持和傲慢。如果不是被单独邀请委托做项目的话，很难想象如他这般的设计大师，会来参加一个遥远东方发展中国家一个地级市的设计竞赛。

该怎么跟他说呢？黎曙光处心积虑，左思右想，设计着打动他的言辞。不错，像他们这种建筑设计行业对外开放较早，从上个世纪八十年代中期就开始了。尤其是中国加入 WTO 以后，市场化进程加快，国内设计市场已经呈现出国际化竞争的局面。由于我们给了外国建筑设计师极高的政策和资金上的优惠，一时间许多家大型外国设计公司都在中国派了办事处，或搞分支机构，搜集有关政策，对中国本土设计单位的情况作详细分析，扫描着将来某一天的下手之处。当国内各国营建筑设计机构还在晕头转向研究如何搞转轨改制时，人家已经把我们的建筑市场和政策研究得很透，大门一开，洋人就有备而来，用他们的一个个洋葱、奶酪、红酒浇铸的头脑智慧淘金捞钱，把一些高端项目全抢了去，像国家大剧院、CCTV 新址的两根斜梁塔、中国电影博物馆等大项目，全是外方设计的。就连一些中低端项目他们甚至也不放过，一些城市住宅项目和几千平米的小型广场，他们也会伸手力争，这一伸手就轻轻松松拿走若干万以美金结算的方案费回去。洋设计师们蜂拥而至，几如过江之鲫。那些中间经纪人的腰包也跟着鼓起来，赚得盆满钵满。同样，那些拍板的地方领导、企业领导也不白干，拿着国家的地皮和资金，赚得了个有品位、有眼光、有魄力、支持开放的好名声。

中国的设计师们有的就望洋兴叹,有愤慨不平者说:这哪里是什么引进开放搞活,这简直是文化殖民!一群败家子引狼入室!等着吧,等到中国大地上到处布满了鸟巢气泡、一团乱麻、接不上榫的斜塔这些后现代电子游戏建筑,我们就该要遭到子孙万代唾骂了!

如此这般,慨叹忧思完了以后,他们很少有人反观自身,检查一下自己为什么抢不上巢、争不上捻,落标落选的原因到底是什么?究竟是技术水平不行,还是抵抗风险的努力和心理脆弱?要么不敢竞标、怕选不上丢人;要么一旦某一次竞赛落选以后,从此再无兴趣甚至不敢去参加比赛——这些,是我们那些体制包养下成长起来的设计师们所普遍存在的毛病。

全球化市场化的浪潮惊涛拍岸,受挤压的当然是我们自己的建筑设计行业。如何迎头而起,树立起我们自己的民族威望和品牌?这个问题也是行业一直在讨论和关注的问题。

但是,也并不是所有的国外建筑师都卷入到轰轰烈烈的来中国市场淘金的队伍当中。如这个德国的穆勒尔已是名家,身价高,手里的活计也忙不完,总是择其要而选之。他的设计活动半径,基本围绕在欧洲范围之内,有时也接一点北美方面的活计。对东方的大市场,认知甚少。要想请得动他,谈何容易?而且还是参加一个生死未卜的设计竞赛。如何来说服对方,不能不让黎曙光费心思。

想请得动穆勒尔出山,几乎是不可能的;然而没有穆勒尔的加盟参加,想要取得竞赛成功,又是万万不可能的。

这可让黎曙光焦虑坏了。

黎曙光想了想,索性,一上来就介绍国情,讲述我东方老大帝国版图疆域之大,她那辽阔丰富的领域,有着大片有待开发的处女地。打开了这个市场,就像打开了通往天堂的一扇大门。现在,我们将要主办奥运,要新建场馆,这正是把你的设计留在青史上的大好时机。

接下来的情形跟黎曙光猜想的一样,穆勒尔并不怎么感兴趣,就如同旷乃兴最初提到邀请黎曙光参赛时黎曙光也没表示出兴趣一样。不是穆勒尔不感兴趣，奥运场馆毕竟意义非凡，一旦选上，自己的建筑就将永驻青史这一点他是了解的，就像他八年前曾经给世界杯足球赛设计过的场馆那样，至今，后来者还没有谁的理念和新颖程度能够超过他那座。可是，骤然听到这个邀请消息，他还是有所迟疑，觉得对中国文化环境全然陌生，能不能胜出，没有把握。一个大建筑师，谁都不愿意做过分徒劳无功的事情。

务虚重要，务实更重要。黎曙光接着将本次竞赛方案胜出后的待遇也具体告知，穆勒尔这时才有所动心。

黎曙光说：按照我们国家的规矩，如果外国建筑设计所能够获胜，你们将能拿到工程总造价的15%至18%。

这是一个令人震撼的数字。对于中国目前动辄投资几个亿、十几个亿、几十个亿的大项目来说，即便是拿到最低的15%，那也是不少了，已经接近于天文数码。

这一消息（还不如说是这一数字）令穆勒尔兴奋又起疑。穆勒尔犹疑道：塞瑞黎，这简直太难以想象！像这么高的回报率，你自己不可以拿吗？为什么要跟我们大家分？根据我对你的认识，你自己完全有能力设计这个体育场。

黎曙光也不隐瞒，实话实说：老穆，我跟你不一样，我是为荣誉而战，对我来说，这只是个职务作品。跟你交个底，如果在竞赛中获胜，中方设计师只有3%至5%的回报，而且还要上交单位，最后通过分发奖金等形式对设计师进行返还。

穆勒尔说：塞瑞黎，简直不可思议！你们对待自己设计师跟外国设计师态度不一样，太不一样！为什么？

黎曙光说：老穆，你就别问了，中国的事情，很复杂，一句两句话也说不清。总之，这件事情对你来说，既有大把金钱，又有巨大名誉，可谓名利双收。对我，也是一个荣誉高于一切的事情。并且，只有我们两个人合作，才最有可能胜出。你就说一句痛快话，干还是不干？

老穆想了一想，似乎没有什么不去冒这个险的理由。成名之前，他也干过这类参加竞赛的事情,大不了,没入选上,也仍还可以把设计方案改一改,下回参加别的竞赛,或者挪作他用,设计给别的委托业主。自己损失的,就是一点点时间、大量脑细胞死亡和轻微的前期人员设计投入而已。但是这次不同,这次黎曙光说的获胜以后的诱惑力太大,让他没有办法不动心。穆勒尔仍然有点怀疑地问:黎,你究竟有多大把握能赢?不是我们对设计没把握,而是对在中国取胜没把握。

黎曙光说:我邀你来一块儿做,就是想取胜。至于说有多大把握,我们中国人不习惯用数字说话,我们中国人习惯于说“谋事在人,成事在天”。这点你就放心好了。

穆勒尔说:我还是不能明白什么叫“谋事在人,成事在天”。人干的事儿最后还要让天来拿主意?你们中国人也相信上帝?

黎曙光说:我说穆勒尔,你们有上帝,我们有老天爷。但是谁是老天爷,谁是上帝,究竟谁是这个世界的主宰,这是一个哲学问题,而不是一个建筑学问题。这么说吧,只要你和我联手参加,我们就有95%以上的获胜把握,这回你放心了吧?

一听到95%这个数字,穆勒尔这回听懂了。他不但没有停止追问,还很不理解地问:塞瑞黎,既然有这么高的胜算,为什么不直接把项目委托给我们做?为什么这件事情不是交给我们做,而是要参加竞赛?

黎曙光又急又无奈地说:我说老穆,你能不能少问几个为什么?有些事情,不是我们个人做主说了算的,我也回答不了你。我只能说,各国有各国的国情。我能保证的是,和你一起精诚竭力,把这个concept design方案设计做好,争取让它以95%的胜算概率完美胜出。

穆勒尔这才不再钻牛角尖提问,而是转向谈具体操作事宜。

黎曙光夸下这个海口,就是为了把事情凿实,拽下穆勒尔来参赛。无论怎样,只要先能动员穆勒尔参赛,拿出设计方案来,就算是走好了关键的第一步,朝向胜利之门的路也就不再遥远。

邀请穆勒尔一块儿来做,是从黎曙光拟定的三种参赛方案中选取的最好的一种,属于上上签。还有两种方案可以选择:上中签——联合国内同行一起做,下下签——自己单独做。

采用排除法,首先排除的是下下签“自己做”这一项。在时间紧、资源有限的情况下,单靠他自己完成这样一项大的公共建筑设计,几乎是不可能的,光是画图就可以把人累残。所以这个不可行,去掉。

而找一个有经验的伙伴合作,就可以取得事半功倍的效果。上中签,是找国内同行来联合做。这一条恐怕也不行,获胜的几率不大。先不说国内建筑设计师的技术水平没有几个人能超得过他,单说要对付另一对双打选手洪肖奇和陆文誉,从人际关系上看,就不占优势。洪和陆掌握着本省建筑行业人际关系的操控权,肯定要事先上下活动托人请吃,预先就把评委官员什么的打点好了。在这一点上别人根本不是他们对手。必须要避开跟他们一样的形式组合,要有所不同、另辟蹊径。

看来这条路也走不通。

那就只有最后一条——邀请国外设计师一同来做了。以黎曙光对穆勒尔的了解,无论从名望还是水平上,他都完全能够胜任,是一个合作好伴侣,尤其是他有过设计世界杯足球比赛场的经验,这一点非常重要。国情和圈内的游戏规则都表明,近些年来,凡有外国建筑师参与的设计方案竞赛,在投票时,往往会得高分。也许,只有在一点上,才有可能跟洪肖奇陆文誉他们对票数的操控来匹敌。

唉!黎曙光感叹。中国啊!中国!在还没有开始做一项专业设计之前,首先要考虑的,不是技术、水平,却是人,是评委,票数,是人际关系!唉!真是让人感到悲哀啊!

反过来说,无论参加一项什么比赛,除了当事者的技术因素外,其他诸种因素,不也得全盘综合考虑吗?一个参加奥运比赛的运动员,比如说刘翔,也不是说脑袋瓜子一拍,拔腿就能奔过去参加比赛的,而是要事先考虑分析好所有参赛对手的情况,知彼知己,还要考虑抽签在第几跑道、场上风速、场地的硬度、裁判的偏向和误判等等这些非身体因素,其他还有办理签证啊、机票啊、预订酒店啊、食宿交通啊……这些烦琐而避不开的例行事务，也都得有人去处理去应对。一个微小的细节没有处理得当，就会导致全盘翻车前功尽弃。只不过全盘考虑处理的任务落在教练、领队、队医、营养师、后勤、翻译以及厨师等人身上，所以运动员本人不觉得，他只单纯想着把技术练好，届时正常发挥，不乱吃东西、不跑肚、不拉稀别误食了兴奋剂就行。

现代奥林匹克运动，考验的不是单打独斗的竞技者的水平，而是考验的集体、团队、国家的力量和水平。一个人的背后，依仗的永远是国家，是集体，是团队。

如今，黎曙光这个运动员，被他所属的那个团队排挤出来，归属到了旷乃兴这个团队。面临着一系列众多新问题，他还有点儿不适应，以前是单位替他承担与解决一些技术性以外的问题，现在他必须自己出面解决，必须自己既当运动员又当教练又当领队又当营养师又当厨师……他必须重新在实践中学习，在斗争中成长。

本来，他只是一名专业的建筑设计师，他的特长是闷头搞设计，是研讨艺术，是明晰现代建筑发展到二十一世纪的水准和未来趋势，预备把自己锻炼铸造成为新一代建筑设计大师。而处理其他俗世事物都不是他的特长，甚至连一点儿门儿都摸不着。所有这些预备对付对手和裁判的方法和参赛形式选择，都是他那个学建筑出身的老同学、而今已是深谙中国国情并有一定操控能力的地方小官僚旷乃兴教给他的，而且是现教现卖。

尤其是这次为了能邀请到穆勒尔——这位建筑界的诺贝尔奖得主，旷乃兴又特地叮嘱黎曙光：一定向对方强调我们许诺的竞赛设计获胜后的酬劳，凇州会按照付与外国人的最高标准，给他最高18%。这个数目本身就可以说明问题，表达了我们最诚挚的邀请和对大师名望的尊重。

果然，这一招很奏效。大师也是人。是人，就会有人性的弱点，就有人性当中易于被攻破的脆弱之处。

而像旷乃兴那样的官员本身更是人。他最是人的地方就是能知道别人也都是人。

反倒是衬得黎曙光越发觉得自己做人做得还远远不够,觉得自己只是一脑门子技术艺术有点类似于机器,好多人事尚未弄通。

唉!生活,就是这样,未知的东西远远大于我们的已知。既然他已经被旷乃兴拉上了这条船,既然跟洪肖奇他们赌的就是一口气,那就必然要把这口气赌好,为这口气而战,真正打造出青史留名的建筑作品来!而要想争这口气,没有老穆的参与,是绝对不行的。他们必须互相借力。无论是在技术上,还是对周围评委及公众的影响力和渗透力上,他们都必须互相借力。这乃是当下二十一世纪初的中国国情使然。

德国人做事严谨,一旦想到要做,就言必行,行必果。穆勒尔提出要到凇州实地考察一下。穆勒尔以前虽来过中国,但只是在北京上海短暂开会,对于中国北方小城凇州,毫无想象。这笔经费谁来出,又成为一个问题。省院肯定是不会出的,洪肖奇把持着一切科研考察经费,甚至这事儿连知道都不让他们知道。黎曙光想了一下,咬咬牙,决定破釜沉舟,自己给他出来回机票钱。就当是先期投资算了。本地的交通和食宿,凇州方面应该解决起来没问题。

把这个想法在电话里跟旷乃兴一说,旷乃兴说:说你是书生吧,你还总不服气。区区小事,何足挂齿?你这是没把我这个市长当市长啊!穆勒尔要来考察,好啊!这是对凇州有利的事情!凡是对凇州有利的事情,我们都欢迎!这样吧,你就什么都别操心了,经费问题也由凇州方面解决。另外,我让规划办他们派专人接待。

黎曙光说:那敢情好,省了大事儿!到时候得怎么感谢你这位大市长啊?

旷乃兴说:咱们俩,还提什么感谢!要谢,也得是我感谢你。到时候,你就给我拿出最好的设计方案来,咱俩就互相扯平了。

黎曙光说:要不这样吧,别整得动静太大,穆勒尔喜欢清静。到时候给安排个好一点的酒店,再给派一个熟悉地形的司机拉着转转就行。

旷乃兴说:可以。

北方的三月，乍暖还寒。微风刚刚吹拂一下水面，就又被一场倒春寒给逼退回去。杨柳芽和青草地都憋着，大气儿也不敢出地等待着，等待着，等着下一场春风的抚慰。穆勒尔冒着风寒，一个人专程万里迢迢从德国飞来，到了首都机场转机，直飞省会祁阳，再由黎曙光开车从祁阳给拉到凇州。这一折腾，就走了十几个小时。想想，人家老穆也挺不容易的。

黎曙光等在省城祁阳的机场出口处，怀里抱着一件军大衣。他就估摸着老穆不会料到中国北方大地，三月的北风仍冰寒刺骨，特地去给他寻摸来一件。远远见老穆拖着一个简单的拉杆行李箱出来，穿了一条牛仔裤，上身是件黑色质地非常柔软的皮上衣，面色清癯，两腮和下巴刮得乌青，脑后扎了一根马尾辫子，走路步伐很快，落地也十分扎实。看那神情体态，怎么瞅都像一个三十多岁的人。乍一看，还以为他是画家、摇滚歌手什么的。总体上来说，就是年轻，富有活力。

黎曙光明白这都是人老穆长期修炼的结果。节欲、锻炼、自我克制，是人老穆人生的三大法宝。他知道老穆至今还保持着吃素的习惯。但凡有理想的人，都知道该如何爱护自己的身子，明白该把劲儿往哪使。所以，他们才能高出常人。

嗨！老穆！

嗨！塞瑞黎！

两个人亲切拥抱，彼此打量端详。

你没变。

你也更帅气了！

哪里哪里。

这里这里……

哈哈……

哈哈……

帮老穆拉着箱子走出候机楼，走出旋转门，“刷——”一股寒风兜头扑面。老穆身子一缩，“阿嚏——”打了一个喷嚏。

你们祁阳真厉害啊！太冷了！

老穆说着，抱着频。他那一身单衣单裤，一下子就被塞外来的风给打穿打透了，在零下十几度的寒流里仿佛赤身。黎曙光这时才把手里的军大衣献上。老穆接过军大衣，套上，把大襟一抿，自己低头，左看看，右看看，然后止不住地笑：塞瑞黎！太帅了！哪找来的？简直像朝鲜人民军啊！

黎曙光一听，也笑。这叫什么比喻！敢情，他以为社会主义国家，都像现如今电视里播的朝鲜国家那样，一见这种黄颜色，也要联想到朝鲜的军队。也难怪，老穆是西德人，对于前东德以及当时的社会主义阵营，存有他自己的想法，在黎曙光看来那就是傲慢与偏见。当初他们在德国初见时，他们曾经就东西德统一以及社会主义国家体制问题粗浅地讨论过。但那毕竟不是他们要关心的主要问题，多数时间还是在谈建筑，谈专业。

还多亏了这件军大衣，帮助老穆抵抗住了淞州连日风寒。

黎曙光用了三天时间，领着他在淞州各处转，弄清楚了新奥体中心的地理位置、淞州气候气象条件、工程地质情况、用地位置及周边关系……方方面面做了一个宏观考察，有了感性认识。其他具体硬性指标：体育场的功能定位、建筑设计要求、屋面设计要求、工程造价要求、交通规划条件和要求、安全和环保要求……招标文件上也一一列示。看着像三十来岁实际有五十来岁的德国人穆勒尔一脸肃穆，一路上不怎么说话，一直在不住地拍照、录像，观望、打量，仿佛大脑里正在进行着紧张精密的运算思考。黎曙光了解他的脾性，也不去过多打搅他，由着他自己一个人忙乎。看完了淞州，余下的三天时间，他又领着穆勒尔参观游览了周边地区的省城祁阳、大连、秦皇岛等城市。

穆勒尔明白了中国的北方基本上是个什么样，亲眼目睹了初春时节的东方亚洲、古老中国北纬四十度左右广大地平线上的大地和村庄。南湟河，东湟河，市府大道，城市主干线，瑟瑟风寒。大马路，小胡同，红男绿女，臃肿的冬装，表情明艳。北方人压抑的热情。内环，外环，冰封的河流，皑皑白雪。偶尔露出一角赤褐色田野。东临大海，面朝碣石山……破败与张扬，恣肆与内敛，阳气蒸腾，蓄势待发。

对他一个德国人来说，想要跟他解释“新北京、新奥运”或者“新淞州、新奥运”什么的他不懂。在他眼里，在他心目中，淞州的地理坐标，就是这样——亚洲、东方、古老中国、北纬四十度左右、地平线、大地和村庄。

送别的那天淞州常务副市长旷乃兴要设宴。黎曙光不让，说不要惊动市长了吧，免得有闲话。旷乃兴说：见外了吧？没当过领导吧？领导干什么事情，都是冠冕堂皇、光明正大的。你以为只接待你一个人吗？应邀参赛的多数都来过了，吃过我们的饭。就连你们那个洪肖奇也陪同陆文誉来过。

黎曙光听了，又“哦”了一声。

晚宴很仪式化。黎曙光当翻译，穆勒尔吃素，滴酒不沾，饭就吃得很拘谨。但酒菜仍摆满一桌子，表示市府的诚意。旷乃兴代表市政府送了一些当地特产礼物。

穆勒尔回到德国后，两个人开始通过长途电话、互联网等方式进行讨论，就设计理念及具体样式开始磨合。接下来的几个星期都是在暗无天日中度过的。出设计图，勾小样，修改，否定，再设计。穆勒尔那边是一整个团队，从结构的概念设计、施工图设计、钢结构设计、钢筋混凝土结构设计、机电系统设计等等工程师各司其职，黎曙光这边则就是自己，而且还必须是在极端保密的状态下，将自己对每一次修改后的观感、直觉、中国理念注入德国人的头脑内。穆勒尔悉心倾听，但也十分执拗，不轻易改变自己的看法。黎曙光也很固执，坚持自己的设计理念毫不放松。

八个星期过后，设计方案完成。空中俯瞰体育场立体图、三维体育场内景、由基座看体育场效果图、体育场总平面图（赛时、赛后）、剖面图、从一层到五层的平面图、足球比赛模式图、屋顶平面图（包括主要结构框架、屋顶在开启位置、屋顶在关闭位置）、坐席平面图（包括场馆内部流线分析图)、赛后交通组织规划图……一一呈现。

尤其是设计体育场那个屋顶,相当费脑筋,足足耗去他们两周多的时间。按理说,既然叫体育场,就应该是露天的,有了盖子合拢封闭的,那叫做体育馆。这次的竞赛方案要求中特地强调了体育场要有屋顶,并且是可开合的屋顶。主要是考虑体育场的后续经营,比方说业主投资方举办大型演唱会、歌舞晚会等的需要。以前在中国南部城市江苏省某地体育场曾经做过实验,采用过活动开启式屋盖,据说效果还不错。当然,主要说的是后期商业经营效果。他们研究设计了多种方案,包括滑盖式、翻启式等等,最后决定用可以整体飞翔移动的热气球式屋顶,使屋顶和底座能够各自独立,热气球屋顶同时还可以当作观光游览飞艇使用。

这么大的画图量,靠传统手工根本不可能完成。现在,穆勒尔建筑设计事务所用的是当今世界上最优秀的 ArchiCAD 三维建筑设计软件,而且每年都有一次版本上的更新升级,其精确度和立体感都是黎曙光他们的老版本 2D 所没法比的。它拥有强大的剖/立面、设计图档、参数计算等自动生成功能,以及便捷的方案演示和图形渲染,为建筑师提供了一个无与伦比的“所见即所得”的图形设计工具。在电脑上即可以看见与真实景观相差无几的建筑图形。

尤其妙不可言的,是 ArchiCAD 具有完善的团队协作功能,为大型项目的多组织、多成员协同设计提供了高效的工具。团队领导者可以根据不同区域、不同功能、不同建筑元素等属性将设计任务分解,而团队成员可以依据权限在一个共同的可视化项目环境里准确无误地完成协同工作。黎曙光坐在自己的设计室里,面对电脑犹如跟穆勒尔面对面一样,实时研讨修改设计方案。

感谢数字化时代吧！它让人们虽然远隔重洋,却如同对面交流。是哪位哲人说的:在一个日新月异工具理性的现代社会,谁掌握了最新的技术,谁就率先登上了命运之门的阶梯。

即使是在后续设计上,这个 ArchiCAD 创建的三维模型,通过 IFC

标准平台的信息交互，也可为后续的结构、暖通、施工等专业，以及建筑力学、物理分析等提供强大的基础模型，为多专业协同设计提供了有效的保障。

黎曙光的最后一项任务，是将建筑概述从德文翻译成英文和中文，形成语言优美逻辑清晰的文字。

几天之后，距离参赛截止日期还有两天，穆勒尔他们制作的体育场模型也从德国空运过来，运用的是特殊钢材料，采用奇特的编织方法，还在外围贴满发光的泡泡。这一切程序，在这边都没法做。黎曙光拿到这个精巧的模型，简直欣喜若狂，就像捧着自己初生的孩子，抱也不是，亲也不是，怎么看都看不够。

就在把模型送交凇州竞赛委员会前一天，黎曙光突然发现，模型里边的夜景灯不亮了。他不禁惊出一身冷汗！究竟是空运过程中磕碰造成的部件损坏，还是线路连接出了问题？参赛文件中规定，模型必须有一个夜景模式，点亮体育馆里边的灯，以便观看它的夜晚效果。灯不亮，等于是前功尽弃！凇州新奥体中心夜晚那璀璨明亮的灯光，可就是旷乃兴在碣石山上憧憬的凇州闪闪发光新地标的光芒！黎曙光急忙打电话，把穆勒尔从深夜睡眠中叫起来。穆勒尔一听，也急得够呛，忙去请教制作模型的电力工程师，然后将意思转达过来。没见实物，他们也无法断定问题究竟在哪儿，也只能是说，还是要一点点排查，看看是哪个电路还是连线接口出了问题。

黎曙光急忙找出图纸，又找到这边外院的一个搞机电的哥们儿（他可不敢找本院的，万一泄露出去风声，同样也是前功尽弃）。那哥们儿替他鼓捣了大半宿，对照线路图，一点点找问题。这样一个由钢结构和泡结构组合起来的圆行物体，每一个小钢筋钢条都是焊接好了的，严丝合缝，排查起来相当费工夫。按照设计，体育场的灯泡十分特殊，是按照足球比赛主客场的特点，谁是主场，场上灯光就显示哪个队的队服颜色，所有的灯泡都是能变换颜色的，红白蓝绿……世界诸多国家足球队十几种队服的颜色几乎全都考虑到。真是一个绝妙的创意！当然，无形中也增加了电路设置和检查的难度。如果是在真正的一比一的大体育场,开门进去找到电源开关,然后顺着线路检查测试一下就行了。但是现在是在小小的模型里,人又进不去,这可真是不好办。还好,那个机电工程师朋友比较有经验,在不破坏一钉一铆的前提下,终于把问题找到并最终修好了。之后接通电源,哗!小灯全亮了!随着开关的揿动不停地奇妙变幻,果然绚烂!这真是全世界一无二的杰作!

黎曙光和穆勒尔的作品递交上去后,淞州规划委立即如期召开初审小组评议会,初审结果出来后次日就召开全体专家评议会,中间不给任何空歇,以保证初评结果在不泄密、不被干扰的情况下顺利进入第二道专家评选程序。

旷乃兴是在省城祁阳下了会之后,直接赶到淞州竞赛评委会现场的。省城那个会是由副省长主持的各市负责人经济工作会议,中途根本走不开。黎曙光和穆勒尔的作品“东方地平线”递交上来的时间太晚,他已经没有办法事先看上一眼。他有点放心不下,就让初评领导小组组长、市规划委副主任仝琳把黎曙光他们作品照片发到他电子邮箱里,至少心里大概要有个数。

照片一来,他就觉得眼前一亮:行了!这下准成!

他暗暗感叹自己没有用错人。

有时候,你不得不承认天赋异秉,老天爷在造就万事万物时是有差别的。有些人,就是天生丽质,气质超拔,往人群当中一站,就能够鹤立鸡群;同样,作为一件有创意的作品,一亮相,也能够卓尔不群,它所蕴涵的思想和才华灿烂夺目,光彩照人。

“东方地平线”就是这样一个光芒四射的作品。

除了黎曙光他们最后递交上来的这个,作为主管领导,旷乃兴事先已经浏览过评委会初审工作小组送来的其他参赛作品的方案材料,大概看了一下。他觉得众人的思路大体一致,只是在外观形式上略有不同。他不禁有点担心,现代建筑艺术发展到现在,也几乎有了固定模式，尤其像体育场这种大型公共建筑，其实就是围绕着固定的标准四百米跑道及其看台坐椅在做文章，能变化的也就那么几种方式，顶多是在材料上有所变化，再创新，已经很难。拿出来的作品总觉得彼此类似，很难让人眼前一亮。

黎曙光他们的方案，让他打消了这种顾虑。同时也让他产生了一种信念：随着思维的革新和技术手段的发达，艺术仍然会有不断上升的空间。

他不禁内心狂喜！心中一块石头落了地。瞅着“东方地平线”从各个角度拍下来的照片，他暗自思忖：但凡一个有眼光、有良知的评委，都该把赞成票投给“东方地平线”，把赞许的目光也一并给它！

这个作品简直太棒了！无论是以专业的眼光还是以非专业的眼光来打量它，都无比纯粹，优秀，杰出，构思精巧，想象力超拔。

但是……他也知道，要想获得全票那是不可能的。作为官员的旷乃兴和作为建筑设计师的黎曙光毕竟不一样，虽然是一同走出校门，但是对旷乃兴来说，经过这么些年社会上的风风雨雨，他对人性的本质已经深刻洞察，原先当学生时的那一份浪漫和憧憬早已丢失殆尽。也许作为纯粹设计师的黎曙光对人生还保留一丝诗意的幻想（对于他的职业来说也是应该和必需的），而旷乃兴却没有那份心思了。他知道，类似于评选评奖这种事情，能影响其公正性的因素太多，尤其是人际关系的因素，最容易操纵结果的走向，有时甚至会走到跟期许的目标相反的对立面上头去。

究竟是谋事在天、成事在人，还是谋事在人、成事在天？

他在脑子里将每个评委都过了一遍，初步估算了一下选票。五个请来的外国评委姑且不说，只说六个中方评委，旷乃兴能够有把握的，有赛区办主任黄一发的一票，还有市规划委副主任也是初审组长仝琳的一票。加他自己，一共三票。另外三个：一个是北京方面请来的中国工程院院士；一位是本省建工学院博导、教授、建筑大师；还有一位是省体委副主任。虽说都熟，但同时他们这三位跟洪肖奇陆文誉也熟。如果他替黎曙光在这边打招呼,洪肖奇陆文誉那边难说就不事先一一打招呼。

正想着,手里的电话响了,一看,是赛区办主任黄一发打来的。黄主任告诉他,洪肖奇那边已经给他打过电话,还约他吃饭,他以忙为借口婉拒了。旷乃兴“哦”了一声。黄一发接着问旷市长,马上就要开评委会,您还有什么要吩咐的,要不要再给谁事先打个招呼?旷乃兴没有正面回答,而是问,参赛作品你都看了吧?黄一发说:看了,我肉眼凡胎,对建筑是外行,比不得市长您是搞专业的,但我也觉得仝琳她们那边的初评结果不错,黎总他们的“东方地平线”评第一,水平确实是高,其他那些跟它都不在一个档次上。旷乃兴说:对。我们一定要保证最高水平的作品在明天的评选中胜出,给奥运,给凇州,也给全国人民一个交代。这件事情,事关重大,具体工作一定要落实到位,不能有半点疏忽。市府副秘书长出身的黄一发点头说明白。旷乃兴说:好,你去吧。开完这边的会,我明天按时赶回去。

刚关上电话,铃声又响。一看号码,是规划委副主任仝琳打来的,向他汇报初审小组评选的情况,按规定,一共报上去十一个方案,并说,大家的赞美之词多是冲着“东方地平线”说的,它的票数名列第一。旷乃兴说:好。仝琳又问旷市长,明天的评委会上,我应该怎样向评委们陈述汇报?旷乃兴说,你就按实际情况如实汇报,重点要突出。该赞美的就要赞美,该突出表扬的就要突出表扬。仝琳聪明,眼珠子一转说,我明白了。仝琳当初是旷乃兴来了以后从下边区里调进来的,对旷市长很有感恩戴德之心,所以有话可以直接说。仝琳说了声“明白”之后,接着又犹豫了一下,吞吞吐吐地说:旷市长,有件事我还想向你汇报,前两天省建筑工程研究院洪肖奇他们过来请吃饭,送了张中贸百货的购物卡。我查了一下,见卡上有一万元。我寻思了一下,还是决定把卡交上去。

旷乃兴波澜不兴地说:仝主任你的决定是完全正确的。我支持你。

仝琳听了,似乎失落于旷乃兴这种不痛不痒的口气,有点自我解嘲地说:我是觉得,收了这一万块钱回头就被他们记着告发太不值当。

旷乃兴也半是调侃半认真的口气说:那你是不是觉得,收个一百万将来进去挨枪子就值当了?

仝琳做撒娇状:旷市长瞧你说的!人家这不是信任你,才跟你说的嘛!

旷乃兴说:我谢谢你的信任!

电话就这么挂了。

仝琳这儿在市长面前卖一个小乖,挺心满意足。旷乃兴心里头也乐,心说这么点小事,就拿我面前买好来了?还来了个信任我?哼哼!个个都修炼得跟人精似的,什么事情,该怎么做,不该怎么做,自己都门儿清,还问什么问!

处理完了这两通电话,他又沉下心来想了想。又拿起电话,拨通黄主任,问北京那位工程院院士到了没有?黄一发说到了,已经安排住进宾馆。旷乃兴要了院士的房间电话,记了下来。那位老院士当年在大学里教过他们课,后来荣升为院士,老先生一向为人耿直,刚正不阿,有知识分子独立的处事态度和精神准则,不会轻易丧失原则。现在即便老了,退居二线,也不糊涂,在建筑设计行业中有很高威望。旷乃兴和黎曙光都算是他的学生,理应前去迎接问候,但这个时候,大家都是当事人,是应该避嫌,不能见面的。旷乃兴想了一下,拨通老院士房间电话,给老师问安,并抱歉自己公务在身,有失远迎。并说过两天评选工作结束后,一定陪老师好好转转,看看我们新凇州。老院士表示理解。并说他也是来的路上刚知道凇州的常务副市长是清华学生,好啊好啊!清华学子,大有作为!旷乃兴趁热打铁说,这次凇州提交的奥运场馆参赛设计方案,排在第一名的"东方地平线"这个方案的中方总设计师也是当年您的学生黎曙光。黎曙光的名字您老肯定知道,他的设计作品多次在全国获奖,您老也曾经担任过评委。

老院士听到这里,只轻描淡写说:好啊!学生们都能成材,我这个做老师的也高兴。

听到这个声音，旷乃兴似乎能回忆起二十年前老师那就早已布满皱纹的脸和飘动的满头白发，每一根上都明明白白狂舞着两个字：狷介。

他就此住嘴，不再往下说什么。

决定命运的时候到了！

评委们集中住进了凇州市里唯一一家四星级酒店万豪大酒店，集中进行评议。评审工作历时两天：第一天上午，评委们来到南湟河边，对体育场用地进行现场踏勘；下午听取初审工作小组对十一个方案的介绍、审阅，评委们研究观看参赛设计方案的图册、展板、模型。第二天上午是评委就各个方案进行讨论、评议、投票。

需要提一下的是，所有参赛作品都是匿名进入评选。

但是，诸如评选这类事情，往往都会形成一种悖论：越是形式上“匿名”，就越是被评委事先“知名”。

这次的凇州奥运主体育场方案竞赛评选，当然也不会例外。

旷乃兴是跟众评委一起，在同一时间看到“东方地平线”立体模型的。

乍一看，旷乃兴简直不是感叹，而是惊叹了！他忍不住又退后几步，隔出一段有效观赏距离，眯起眼睛，细细欣赏观瞧：

……浩瀚的、苍茫无际的大地上，静卧一只巨大的由钢筋编织起来的椭圆形的巢穴。巢穴的上方，也就是体育场的盖子部位，是一枚火红的热气球，远远看去，仿佛是一个温暖鸟巢孵出的一枚巨蛋。它静静地坐落着，以处子之姿扎根大地；它又峭拔地贲张着，以脱兔之势随时欲起！

按亮电源开关。瞬时，那大地上温暖的红色灯光骤然亮起，整个建筑物的贴膜的泡泡都被点亮了！仿佛燃烧着的温暖的母亲情怀。缓缓燃烧的红色逐层上升，上升，直到把热气球点亮。它膨胀，成长，缓缓从屋顶脱离，缓缓向上飞升，恰如太阳从大地上喷薄而出！终于，气球远远地升到半空，鲜红的太阳冉冉升起，脱离巢穴，跃出地平线，向上，向上，停在某一个位置不动，悬浮着，俯瞰世间。它那巨大热情的光芒洒下，照耀万物，纵览人寰。

一个钢筋编织的圆形窠巢；一枚热气球造就的鲜红太阳屋顶。

那个窝巢是大地上纯洁的处子，那个屋顶是她的霓裳羽化登仙……

当所有的参赛模型都放到评委面前一溜摆开时，作品的直观效果高下立现！

旷乃兴站在“东方地平线”前驻足观望了一会儿，不知怎的，内心竟一时有点儿激动。“东方地平线”立体之后全维展现的样子，在他想象之外，意料之中。他简直不知道，还有什么理由可以不让这个称得上是“伟大的”作品成为未来淞州的新地标。

东——方——地——平——线。

他又一次在心里默念着。

就是它了。他在心里说。这就是他想要的。是正在崛起的振翅欲飞的淞州想要的。

也是古老的东方、亚洲的中国大地想要的。

没有什么可以把它阻挡。他想。

在座评委共十一人，有来自各方面的代表。一半是当代国际著名建筑师，一半是国内著名建筑师和结构建筑师、体育专家及政府官员。这样的组合，一是为保证倾听各方面意见，也是为了保证选拔公正，让那些走动说情的人，只可能认识其一，不可能全都认识。同时还采取措施，他们直到前两天，才最后公布评委名单，以让选手们措手不及，说情走动都来不及。“在各项招标选拔中，都要杜绝营私舞弊现象，保证一个公正、民主、透明的绿色奥运会。”这是在竞赛文件中言之凿凿事先写明了的。

既然都是建筑界同行，不管是国际的还是国内的，总之都是跟中国同行很熟悉的，其实保密也保不住。打招呼这种事情总是难免。最后花落谁家，真是没法事先预定。一是看水平，二是靠评委们的良知、正义感和责任心。比赛就是矬子里拔大个儿，通常情况下都只是相对优秀，具有绝对优势的作品一个世纪也出不上几个。况且，所谓“伟大”的作品要经过漫长时光的淘洗和检验才能认定，并不是一出炉就能得到定评。

至于说到评委们的良知、正义感和责任心，从理论上讲，应该是人人具备，本身就不该成其为问题。但是，从实际操作程序上说，评委也是人。只要搀入了人的因素，私心杂念就在所难免。见利忘义的、现场起疑的，干戈龃龉、随风转舵……什么情况都会发生。

很快就要进入第二天上午的评委评议阶段。这才是一切投票活动中最关键的阶段。它是最考验一个评委的品行、境界、公德心的阶段，也是一个最明修栈道暗度陈仓，最此地无银三百两，最具有倾向性、指导性，最四两拨千斤，最冠冕堂皇，最大言不惭，最众声喧哗，最一言九鼎的阶段。

这时候，如果有某一个权威人士替某作品说句好话，全场倾向、作品命运就有关键性的扭转。反之，亦然。

它看的、它所考验的就不仅仅是作品的成就、水平。有时，更多的时候，它暴露的则是人性诸方面。

令人没有想到的是，就是第二天上午的评议会开始之前，本市市委副书记、市长程之介同志突然亲自打电话来，对旷乃兴说他要求列席这次会议。

程副书记特地强调自己是“列席”，“一项市政工程的评选，关系到凇州三百多万老百姓的利益。我作为一个主管凇州市全面工作的市长，应该去听听各位专家和同志们的意见。”程之介在电话中这样跟旷乃兴说。这种场合，按理说程之介是不该来的。由常务副市长主持的工作，在没有得到邀请的情况下，市长偏偏要出席并在场旁听，究竟是什么意思，几乎是司马昭之心路人皆知。

但旷乃兴怎能说不让他来？

一个市里，市长和常务副市长之间的矛盾，几乎就是天然和必然的。虽说都标明是主管全面工作，但是常务副市长管得多了，市长会觉得你擅权；管少了，他又说你怠工。总之，上峰如果想故意找碴儿不睦的话，那是随时可以揪出下属来尽情蹂躏一番的。

旷乃兴觉得他是来者不善，肯定是带着目的来的。但具体是什么目的，现在还无法猜测。

会议按时在万豪酒店二楼多功能会议厅召开。国外请来的评委们都戴着耳机，两名同声翻译在隔音间里通过麦克风将现场的话翻译过来传到他们的耳机里。主持会议的淞州常务副市长旷乃兴总结了一下昨天的实地踏勘活动和初审结果内容，并进一步强调了这次评选的严肃性。他说，我们不仅仅是投票选举出一个即将实施的、投资几个亿的体育场建筑，而且是要给古老的淞州大地留下一份珍贵的奥运建筑遗产，将来让子孙万代都要千秋铭记。

他的一番开场白使会议气氛变得更加庄严、凝重，让评委们进一步感到身上责任的重大。在座的名人名流，要人官员，参加过的投票评选活动何止成百上千！对于一些与个人自身利益并无太大关系、活动等级也在一般的评选来说，有时就有可能流于形式，敷衍了事，名人们的所谓“投票”，也不过就是出场作个秀而已。而这次毕竟不同。这次决定的，是即将投资数亿元、在某个固定的时间里会在全世界人民面前出现的一座庞大体育建筑。评选结果的好坏，都将追溯到每个评委的审美眼光和个人趣味以及对人民的负责精神。

评委们都闷头不语。会场上一时静悄悄的，气氛略微有点压抑。

我说两句——

就在庄严肃穆的气氛刚被旷乃兴挑起来，下边该轮到评委们发言，每位评委都在冥思润喉、耷拉下眼皮在心里掂量盘算着马上将要怎么开口时，这样一个声若洪钟、充满乡气的“我说两句——”，搞得众人一惊，蓦地抬起眼皮，将惊诧的眼光向这个打头炮的声音投射过去。

是市长程之介。是他的声若洪钟，一部分气息打到颅腔，另外还有一部分气脉通过胸腔共鸣，声震四野的原生态大嗓门，第一个打破了现场的静寂：在同志们发表评议之前，我想先来说两句。本来我是来列席这次会议的，只是想来听听大家对凇州市发展建设的意见，并没有表决权。但是我还是想说。昨天我也去南湟河那边看了看场地，回来也看了展厅里递交上来的参赛作品。我很激动啊同志们！这些参赛作品无论是海内还是海外的，都是对我们凇州市工作的最大支持！证明全世界的建筑师设计师都在关心我们凇州，关注我们凇州，支持我们凇州，我们凇州也要借这股东风，要把奥运赛事办好，要把奥运场馆建设好，要在全世界人民面前展示我们“新凇州、新奥运”的形象！今天还有这么些外国朋友赶来参加投票，我也代表凇州市委市政府感谢你们！

当隔壁的同声翻译把这最后一句话翻译传达进耳机里后，老外当中有人礼貌性鼓起掌。众人也就都跟着鼓了鼓掌。旷乃兴手里拍着巴掌，脑子里在紧张等待着下文。

停顿之后，程之介接着讲：我昨天看到有个叫“大地凝眸”的作品，好！非常好！当时我的眼前就一亮。“大地凝眸”，多么响亮的名字！这说的不就是我们凇州吗？大地代表了我们凇州的形象，凝眸，就是说我们正在张开眼睛、聚精会神向外观看，向世界看齐，证明我们要跟全球接轨、要进一步腾飞！我觉得这件作品十分符合我们这次竞赛的要求，也符合我们举办奥运赛事对体育场馆的要求！让这样的作品入选凇州新奥体中心主体育场实施方案，是完全当之无愧的！

说到这里，程之介扫视了一眼现场。见众人哑然，他又补充一句：当然，这只是我个人的看法，同志们还可以充分发表意见。我的话完了。大家说说吧。多说说，随便说。

大概有半分钟的沉寂。旷乃兴的心一直在往下沉，往下沉，沉在某一个位置，卡住了，停滞不动，却卡得生疼。

来了！终于来了！他在心里说，老狐狸终于沉不住气，急于亮出底牌。也好，底牌一亮出来，也就踏实了。狐狸的尾巴也就彻底露出来了。

那个“大地凝眸”，正是省建筑设计院洪肖奇与陆文誉联合参赛的作品。

也就是个半分钟的沉寂，多一分钟都没有，座下那位省建工学院博导、教授、建筑大师，也是本次评审委员会主席穆隆育就搭话了。他是接茬儿搭话，沿着程副书记、市长的思路，开始对“大地凝眸”大肆夸赞，颂扬，舌灿莲花，口若悬河，翻云覆雨，肆意吹捧，几乎到了词不达意的地步。

如果说程副书记那番话还只是个引子、是外行话、只是盖了个帽儿，还只是从政治角度的个人化诗意表达的话，那么穆博导的这番话可就有分量了，他的吹捧和评价，是从上下五千年、东西南北中、金木水火土、天地君亲师……从建筑史、全球化、新古典、后现代多角度多方位抡圆了甩开了表扬，直忽悠得上天入地、山呼海啸、翻译崩溃。

旷乃兴听得心里又“咯噔”一下，感觉心脏整体又往下沉降了一格。虽然他从专业角度听出老头子的话很多都不着调，属于胡说八道，胡吹乱捧，句句落不到实处，可评选这玩意儿，有时候看的就是个气氛，是气场，往往谁的气焰高，谁就能夺势，就有可能牵走大多数人的注意力和眼光。

他将目光狠狠瞥向黄一发。见黄一发也正吃惊发愣地听着，样子有些发傻。旷乃兴就明白，黄一发的工作白做了。黄一发的办事风格和效率，旷乃兴还是很了解的。老头子肯定对黄一发有过应允，表示过要公平、公正。但他现场又临时变卦，一见有市长发言，立刻改作追随市长胡乱吹捧起来。

谁说教授都书生气？场上这博导老头子也不白给。博导是一个小个子的南方老头，说话“n”“l”不分，口音很重，戴着一副镜片很小造型十分卡通的老花镜，镜子经常滑落到鼻头上，每当他将眼皮抬起扫视众人时，那对充满白内障的浑浊目光便从金属边老花镜上方瞪出来，引人发噱。实际上他那蒙了翳子的大眼珠子可不是白瞪，那是在察言观色，在观察自己发言的反应。老头儿敏感地警觉到座下有异样和责怪的目光盯来，就明白今天这大鬼小鬼都不好答待，哄了大鬼高兴，小鬼就要有想法。于是就话锋一转，说：当然，不光“大地凝眸”这一件作品优秀，递交上来的十一件作品个个都是精品，都代表了现阶段体育建筑的发展水平。比如，那件“东方地平线”也是一件非常好的作品，整个设计理念非常先进，是一个较为纯粹的建筑形体，屋面开启方式简单易行，而且在造价上大大低于设计限额。这些都是非常有创意的想法。

说到这里，他的大眼珠子又从镜框上方瞪出来一下，快速乜斜了一眼程之介，又扫了一眼旷乃兴，见程之介听得津津有味、颔首微笑、满含期许，旷乃兴面色凝重、抹耷着眼皮、脸色铁青，于是穆博导咽下一口吐沫，道：不过嘛……就其名字来说，“大地凝眸”创意更好些。大地，就是我们自己，就是凇州古老的大地，代表了我们的自主意识；而“东方”是什么？是他者，“东方”这一指称，本身就代表了西方人的眼光和对我们的定位，隐含有西方文化霸权色彩。我还是觉得“大地凝眸”更好。我的意见就这么些。

说完，他趁着端起茶杯喝茶的工夫，眼角余光快速扫到市长程之介身上，只见他的红脸膛上已堆满幸福的笑意。穆博导额上的汗方才下去了一些。

这个老头子到底是怎么回子事？他这么来回反复搅和着一说，一时把众人的思路全搅乱了。旷乃兴暗暗叫苦。评委人选是由各方面推荐来的，最后上报常委会批准。穆博导在省内高校建筑学界比较资深，算是“一把”（北方人习惯于将“一把手”简称“一把”），他作为一方代表被提名上来，似乎也没有多大异议。而大学本是公器，大学教授常被想象为“公正”的化身，不会有偏袒和私情，评委会在政府、建筑设计单位与大学三方代表中间，选择一个具有设计大师资格的博导来当这个主任似乎也没有什么异议。而偏偏，就是这个“公器”里边的“公正”化身先跳出来两头搅和，你就说现在的大学，还怎能让人信服呢？

洪肖奇与陆文誉联合参赛的作品“大地凝眸”，它的总体形状，是一个不规则的椭圆形。从空中俯瞰，围绕着跑道合拢的两面钢筋浇铸墙体,仿佛是上下眼睑,也像是上下嘴唇,把赛场跑道包围在中央。体育场正好构成了眼球中心,或者是嘴唇里的喉头。它的“大地凝眸”的名字,正是来源于此。

有意思的是,在总体构图上,他们又发挥了一下,体育场两面墙体交合的眼角(或者嘴角)部分,并不是戛然止住,而是继续延伸,顺势拉长,形成一个狭长管状过道,在这里又设计了一个可以伸缩的滑行跑道,将来的运动员入场和观众的主体人流就通过这个大门入场。从空中俯瞰,就会看到一个有着细长不封闭外眦(外眼角)的丹凤眼造型,或者玛丽莲·梦露那样咧着大嘴媚笑的性感模样,有一边嘴角向外裂口,有点歪。

而更有创意的部分在它的屋顶设计上,由于要符合体育场有盖的需要,所以在两面墙体顶端各装置了可开启闭合的四个扇片,扇片前端和尾部都相应做了装饰和点缀。这样一来,整体形状就变了,再从空中俯瞰,大模样就酷似一个女阴图形,四瓣阴唇灵巧外翻,裸露出的阴道,就是场上那四百米跑道。

不知他们是故意还是巧合?

当然,也不得不承认设计方的用心良苦。

这是初审时有人发现并提出来的。那人这么一说,大家一看,果然是像,越看越像!发现这一问题的初审评委说:如果飞机在空中俯拍,直播比赛实况,这样的体育场外形是不是不太雅观?在看似时尚的构造中,却会引起情色的联想。

这种议论,在穆博导一说完他的极尽赞美之辞后,又被现场的一个美国女评委提了出来。美国女评委从女权主义角度对体育场的形象提出了疑义和批评。她说,我知道,在你们东方,“大地”通常是母亲的化身,东方的古代神话里都有“地母”的原型,母亲是神圣的,对待母亲,我们应该尊重,不应该采取这种类似于子宫和阴道的图形。这是对女性的侮辱。

她的话刚刚说完,市委副书记、市长程之介立刻就予以反驳,用的是鲁迅先生评说《红楼梦》时的经典名言:一部《红楼梦》,道学家看到了淫,经学家看到了易,才子佳人看到了缠绵,革命家看到了排满,流言家看到了宫闱秘事。我们相信,凇州三百万广大的有觉悟有道德的人民群众,只能是看到运动场上参加竞赛者的拼搏精神,而根本看不见其他。

大家一听,嚯!有水平!还会背诵鲁迅的名言呢!人们这才想起,程市长是北方大学中文系函授本科毕业,后来又读了在职社会学研究生,学历为硕士。

程市长一驳斥完,还没有半分钟的空当,省体委副主任就随之主动发言附议,大肆夸赞"大地凝眸"如何完美,如何伟大,如何贴切而诚恳地表达了中国形象。"运动员在一个属于中国形象的场馆里边比赛,民族自尊心会大大增强。"他说,"而'东方地平线'看着也不错,灯光可以随着主场球队的队服颜色变幻,更能增加比赛气氛,球员踢起来更来劲。尤其是体育场那个热气球盖子,像鸟窝里孵出一个蛋,又像大地上升起红太阳。中国人喜欢红太阳,这个也非常好。我觉得,能不能咱们选出两个并列方案来,进入下边的公众投票选举程序?"

显然,这是一个将两边往一起揉,谁也不想得罪的说法。

他话刚一说完,市规划委副主任仝琳就接口说:咱们这么多专家评委,还选不出一个最佳实施方案来?还要把责任推给大众?

省体委主任辩驳说:不是推给大众,而是要真实表达意见。咱们这么第一轮选完了,第二轮老百姓也投票完了,最后决策拍板权不还在领导层吗?这就好比是电影的金鸡奖和百花奖,素来专家奖和大众奖就不是完全重合的,各有各的口味,各有各的眼光,光有哪个评出来也不算数,最后还要拿到领导决策层去表决才算拍板。

仝琳毕竟年轻,说话冲,考虑事情没那么老到,根本没注意到程之介市长脸上已有不豫之色,还由着性子道:不管是什么,我们都应该根据事先制定的评选规则来。你这会子搞平衡,要照顾这个照顾那个,搞出个"双黄蛋"来,下次就会冒出"三黄蛋""四黄蛋""多黄蛋"。都这么搞，那咱们还要评选干什么？

旷乃兴及时插话拦住他们，暂时先阻止一下仝琳的口无遮拦。在评委里她最年轻，属于人微言轻，话虽然要说，炮也要由她来放，但是，说多了也不起什么作用，有时还容易给领导和老评委造成逆反情绪，点到为止最佳。所以，他还是不动声色，尽着主持人的职责，请每个评委都充分发表一下自己的意见。

关键时刻，那个旷乃兴曾经的老师、中国工程院老院士开口了。老先生的音量不高，但句句都透着威严、笃实：我们目前是在评选一座奥运场馆建筑，我希望大家不要被太多因素所左右，而是老老实实从体育建筑的角度，从它的功能、建筑整体形态、空间大跨度结构设计、建筑内部功能组织、是否形成新的建筑语汇几方面着手来衡量。至于命名，并不是绝对因素，是可以改变的。而且，在我看来，“东方”和“大地”的意象并不矛盾。无论是他人的指认还是自我认知，都不存在西方话语霸权或东方俯首称臣之意。所有的参赛作品我都认真看过，而且，通过昨天到南湟河体育场用地的实地踏勘，我认为，在目前阶段的淞州，采用“东方地平线”这个设计是比较合适的。它跟淞州所处的地理环境、空间方位实际情况比较符合，也跟奥运赛事的需要比较吻合。就其建筑本身来说，“东方地平线”这个作品在目前的建筑界是独一无二的创造，可以称为后现代建筑的典范。

当然，另外两件作品也很优秀，“大地凝眸”很有自主性创意，在“凝眸”的眼角处设计了推拉式跑道，不用时还可以推进去收藏起来；“甲壳虫”的莲花瓣一样的屋顶翻盖也很美观，很值得称道。但是，就创新和气势以及功能的全面性来说，最接近体育场实际功用的，我认为还是“东方地平线”。它是一个二十一世纪的作品，也是一个朝向未来的作品。而且它的设计总体造价比竞赛书要求还降低了 7% 。面对这样一个天才的作品，我们没有丝毫不选它的理由。当然，它在未来建筑施工上会有很大难度，也会有意想不到的困难。届时，还要竭尽全力克服。

院士的话，一言九鼎！此时此刻，在旷乃兴看来，他这一番话简直是扭转乾坤、感天动地啊！

其实，如果此时院士不出来说话的话，如果再有人极端吹捧“大地凝眸”，旷乃兴就准备自己跳将出来，舍得一身剐、最后一搏。再不说话，有可能场上局势就会一边倒，所有的选票，都会倾斜向市长程之介的方向随风而去。明白的人，知道他们这是事先串通，彼此心照不宣；不明白的人，会以为市长程之介的发言代表了淞州市委市政府的想法。既然他们是淞州市给请来的评委，有什么理由要拂逆程副书记、市长的意思呢？

到那时候旷乃兴再不出来说话就已经不行了！但是他也知道，一旦他开口陈述反驳扭转乾坤的话，就等于是跟程之介公开交锋亮相，等于把矛盾亮到了桌面上。

即便是交锋、公开争斗，在这个关键时候，他也不能让步。如果像“东方地平线”这么好的作品都不能入选，那将是他这个学建筑出身的常务副市长的耻辱！

如果说，最初他拉来黎曙光设计，还出于一个官员的考虑，要将自己主持的工作做得完美的话，那么，当他见到“东方地平线”这件作品模型时，他就已经恢复成一个建筑专业人员了，以专业人士的惊奇、惊异的目光，欣喜地打量着一件惊世杰作，完全变成一种审美的鉴赏和愉悦，是面对一座完美建筑作品的惊诧和感叹！

也许这上面负载了他当建筑系学生时的宏图抱负和理想。

从那一刻起，他就要奋不顾身了！要奋不顾身替这个作品争胜。一时间却顾及不了那么多其他方面的考虑。

到底是年轻啊，到底是专业人员出身！

年轻的危险性同时也在这儿，年轻官员可以奋不顾身争胜，欠缺全局整体性考虑；专业人员当领导的危险性同时也在这儿，专业领导眼光刁钻，偏重技术标准，隐含个人趣味，不容易蒙骗，也不好答待，会极力打压不同意见。

这要是一个外行领导，就不这么干；这要是有经验的政治干部，也不会这么干。他们首先会顾及利益权衡，然后才去讨论其他。

院士发言后，旷乃兴作为附议和补充，谈了自己对“东方地平线”的肯定和赞赏。

当然，既然已经有了院士开了个很好的头，他就不用像刚才铁青着脸时那样义愤和焦灼，这时，他已经能够略微调整好心态，尽量平和，从一个专业人员的角度来评价和评议，语中赞美之词恰到好处，并注意没必要再用语言刺激程之介情绪、挑起无谓争端。

老院士和旷乃兴的一番专业评语很起作用，在几个外国评委当中获得信服。由于他们重新起了这样一个头，剩下那些评委的发言几乎都围绕着“东方地平线”和“大地凝眸”两样作品展开，中方评委这边就不用说了，黄一发和仝琳肯定是赞同“东方地平线”的；外方评委那里，情况比较复杂，其中有两人绝对支持“东方地平线”，一人对“东方地平线”和“大地凝眸”表示出均等的好感，一人赞成支持“大地凝眸”，另外还有一个来自日本的评委力挺了一下日本株式会社松山综合计画与中国南方某建筑设计院联合设计的叫作“甲壳虫”的作品。

剩下那些没有被评议到的作品，显然在最后投票时就根本没有什么希望。

果然，最后投票结果，“东方地平线”获得七票，名列第一；“大地凝眸”有三票，名列第二；“甲壳虫”一票，名列第三。

淞州市公证处对参赛设计方案的接收和评审全过程都进行了公证。证明程序合法，投票有效。

最后，评委会形成决议：经过专家评议、投票，“东方地平线”“大地凝眸”“甲壳虫”三个方案被选为优秀方案，其中“东方地平线”以绝对优势被确定为重点推荐实施方案。评委会决议：这三部作品一部作为专家推荐实施作品、两部作为专家评选优秀作品，进入下一个程序——公众投票阶段。

评委们鼓掌，握手，祝贺工作顺利完成。这回轮到程之介黑着脸，很没有风度地不跟任何人握手，只欠欠身说：抱歉，诸位，我还有个会，得先走一步。

说着起身便走，连旷乃兴留他吃饭的话都没来得及应。

只有市府副秘书长黄一发颠儿颠儿的，一溜小跑追在屁股后边去送程市长。

旷乃兴知道，他与程之介市长今天这个梁子算又结下了。

可是，事已至此，不结下怎么办？

按理说，今天的会，程之介不应该参加，更没有他发言的份，这是违背程序的。但是，他旷乃兴有这个权力撵他走、封他的嘴吗？

这个程之介，也未免太蛮横霸道了！明明是由我主持的工作也要不请自来横插一杠子。

肯定，这事还不算完。以程之介那么个乡愿、土老帽儿、小心眼儿，肯定还会找碴儿的。后边两关也是鏖战哪！

想到这里，旷乃兴苦笑着，暗自摇了摇头。

他拨通电话，把这个获胜的消息告诉给一直在那头等待的黎曙光。黎曙光兴奋道：真的？太好了！我请你喝酒！

旷乃兴说：你这酒啊，免了吧！等到最后程序全完了，咱们再庆功。

他没敢把太多的负面信息透露给黎曙光。黎曙光前期的工作已经圆满完成，后面的事情就都由他来承担了。知识分子，都敏感、脆弱，只能够享受成功的喜悦，不能够承受失败的打击。黎曙光他们出了力气，拼死拼活完成这么大一个活儿，又是被他旷乃兴胁迫邀请入伙的，闹了归齐，却还有这么多悬而未决的消息等待着，让人焦躁闹心，搁谁谁也受不了。

横是不能让一个运动员过多承担一个教练和领队的职责吧？

所以，旷乃兴只通报好消息，不传达坏结果。况且，这件工程本身，也只能成功不能失败。如果“东方地平线”真的没有入选成为最后实施方案，他旷乃兴本人的政治抱负、审美理想没法实现不说，他对黎曙光和穆勒尔也没法交代。

所以，他告诫自己千万不要高兴得太早，还有两关要过。笑到最后才是真正的笑。

8. 拆迁钉子户

五月的淞州，说热就呼啦一下子热起来。处在北纬四十几度上的淞州春天短，几阵温暖的南风吹过，马上就开始燥热。苹果花儿梨花儿都像怀春的少女，刚一粉面含羞洁白翠绿地结了花骨朵，猛不丁就被春天的风沙给打得迷蒙醉眼落英缤纷。想一想，差不多同在一个纬度上的日本人赞叹的樱花的美，也就是这般稍纵即逝的模样吧？淞州人民是从黑土地上一犁一铧摸爬滚打种地出来的，生发不出那种不合实际的审美需要，没有人想起来打造类似的一种赏花节，花开就也白开、落也是白落了。即使是没有那份闲情逸致的赏花心，环境好了，毕竟看着心里边也舒坦。原先臭河滩一样的旧湟河两岸，经过改造后，现如今垂柳依依，桃花灿烂，成了休闲散步踏青的好场所。市里边决心下大力气把旧湟河打造成一条像穿越伦敦市中心的泰晤士河那样的河流。旧湟河东部城市中心地区的改造基本完毕，而南湟河沿岸一带就有不少欠缺。市政府正在想方设法加紧改造。这次借举办奥运之机，将新奥体中心放在南湟河地带，为解决那里五万平米连片棚户区改造提供了一个良好的机遇。这是政府把解决民生问题放在首位的重要举措。

为百姓办好事，就能得到全部赞美和掌声吗？那也未必。那就要看看各级政府的政策是不是落实到位，一项利民工程是不是真正得民心、顺民意、解民忧。

南湟河新奥体中心拆迁工地上眼下就出了问题。

一间小房，像一坐孤坟一样立在南湟河新奥体中心工地上。它周围的土地，早已挖地三尺，翻整一新，做好了施工前的一切准备工作。

唯有这一间小屋，在一个高岗处孤傲地兀立，明晃晃的，以挑战者的姿态，迎接着空旷处的八面来风，迎接湟河两岸人民注视的目光。同时，也在考验着我们的政策水平，法制进程，考验着政府的执政能力。

旷乃兴怎么也没想到，刚把老体育场的球迷闹事平息下去，这边的新体育场址在拆迁的环节上又出现问题。很棘手，而且越闹越大，最后到了大动干戈上法庭的地步。

房地产的纠纷越来越成为百姓关注的问题。通常在征地过程中开发商普遍都会压价，老百姓觉得拆迁补偿不到位的话，就会联合起来拒迁、讨价还价。这几乎是每次拆迁或者征地时必遇的问题。如果是开发商征地与百姓发生了纠纷，政府会维护群众利益，在引导双方谈判基础上，尽量让拆迁户的要求得到满足，最后让问题得到妥善解决。

这次却不一样，百姓申诉的主体变了。南湟河棚户区整体搬迁改造工程是一项市政工程，这一诉讼，就变成了老百姓和政府打官司。

这样一来，就相当不好办。从舆论层面上来说，老百姓无论输了赢了，都是赢家；政府即便是赢了，也显得被动。

按照事先预计的想法，南湟河整体改造方案一出炉，这里的人民应该额手称庆，感谢党感谢政府，敲锣打鼓欢天喜地搬出这片几代人蜗居的贫民区才是。

然而，事实却总跟最初的想法有距离。

拒绝搬迁的钉子户当中，为首的是南湟河老崔家，就是上回常区长领着旷乃兴和一大帮媒体记者们见过的，那个挥舞笤帚疙瘩追打儿子普拉尼的那个老太太一家。她家户口本上的户主是这个八十多岁的老太太，名下有一个三十多岁的智障残疾女儿，还有大女儿崔英姿、大女婿孙二东一家。女儿崔英姿在北边市场摆摊卖衣服，女婿孙二东原来下矿挖煤，出事故砸断了腿，成了瘸子，后来下岗回家，用两条高低不平的腿蹬黑三轮拉活儿赚钱。还有一个外孙子离家跑深圳去打工。这一家人，七长八短，窝憋在一块过活。

这个拒迁的崔老太太，两个多月前还在旷乃兴面前表态，表示支持政府，感谢政府让他们住上楼房，真正临到要搬迁的一天，突然变卦，提出种种苛刻条件，必须满足她的条件才能拆迁，否则不搬。她一个八十多岁老太太，肯定没那么大劲头。都是她那两个孩子在背后捣鼓。一个普拉尼，负责指挥出主意；一个崔英姿，作为全家的代言人出面，代表户主崔老太太讨价还价，发表意见。

应该说，整个棚户区的拆迁工作基本上还算顺利，完全按照法律程序实行。在市委市政府做出决定，将新场馆建在南湟河棚户区一带，并将棚户区居民拆迁至南三环附近，安置进新建经济适用房和廉租房之后，按照工作程序，先是对居民进行了一次入户调查，了解人口和入住情况以及房屋面积。在此基础上，开始冻结原棚户区居民户口和产权证，防止拆迁户改变住房用途或私自增加人口数量。第二步，委托有合格资质的评估公司对拆迁户房产进行评估。

按照国家的拆迁条例，安置拆迁户有原地安置、异地安置和货币安置三种。对于南湟河这五万平米连片棚户区居民来说，第一种回迁的可能性是不存在的，拆迁之后的地块将成为政府用地，在此建起新奥体中心。他们可以选择后两样方式：异地安置和货币安置。在异地安置的居民当中，一部分可以购买适合低收入家庭的经济适用房，另外一部分没有收入来源的符合条件的低保家庭，可以用1元/平米的价格住进城市廉租房。选择货币安置的，拿到拆迁补偿款后可以自行去解决住房。

当各项条款和补偿价格都下来后，最初南湟河棚户区有十几户居民联合起来抵触，诉说拆迁补偿条件的不合理之处。区政府拆迁办处理这些问题比较有经验，他们尽量不跟居民发生正面冲突，而是私下里，每户居民背对背分开做认真细致的思想工作，这种松散的以利益为结合点的民间联合体很快就瓦解。

当其他十几户钉子户都已处理完毕，或住到城郊的周转房等待入住新居，或拿了货币安置费自已择地去住之后，最后一看，只剩崔英姿一家岿然不动！这可让人万万没有想到。当初那崔老太太表态表得不是挺好的嘛！当着那么多人，追着撵着的拿笤帚疙瘩打她儿子，口口声声感谢政府感谢党。怎么，这会子倒坚韧不拔卓尔不群闹着要高价？

老崔家与区政府拆迁办在住房面积和补偿费用上没有达成一致。崔家认为给她家算的拆迁补偿面积不合理，而拆迁办认为，崔家涉嫌造假，私改房产证。不但将原来15平米的自住房面积改成20平米，还多出一个20平米的商用房。

按规定，新建的经济适用房的户型基本都在60平米左右，45平米内的算平价房，其中原来居住面积部分不收费，多出部分，按特困居民照顾价格600元/平米收费；超出45平米但未达到60平米部分，还是按照国家福利房价格，900元/平米收费。超出60平米部分，按同地块商品房价格收费。但是一般超出60平米的大户型，政府在解决特困户房屋时基本不提倡。

算起来，假如一个居住在15平米左右平房的棚户区居民，加上每家每户间壁起来的一个小院，建筑面积通常有20~30平米左右。那么，他们想要住上60平米两室一厅或者小三居室的楼房，通常只需要再交2万元左右即可解决。

按崔英姿提出的条件，她一家现在的自住房是20平米，加上一个同面积大的小院子，建筑面积就是40平米；另外，商用房是20平米，面积应该按自住房的两倍计算，也应该是40平米；就是说应该无条件补偿给她们家的住房面积，是80平米。

如果按照政府规定，她们说，补偿的自住房面积可以要求到60平米，那么，除此之外，她们还应该享受20平米、600元/平米平价自住房待遇。总体补偿面积应该是100平米，花费应该是1万2。

崔英姿说：要不，你们按货币安置办法也行，除了那40平米按自住房折价外，商用房按南湟河同地段未来的价格计算，每平米至少要8千元。20平米的商用房，你们至少要付给我家16万元。

拆迁办的人被她算得目瞪口呆！他们都被老崔家人一会儿20平米、一会儿100平米的给绕腾糊涂了，这种算法听不懂。简直狮子大开口啊！这都是什么跟什么啊！

拆迁办的人认为，首先，她们家没有那么大的面积；第二，她家也没有什么商用房；第三，也没听谁说南湟河地段未来商品房价格会达到每平米8千元。

眼见着这个嘴里说得头头是道、眼神滴溜溜转个不停乱抛眼风的大个儿女人，众人都有些不敢正视，生怕谁不小心接住了那秋波然后得自己个儿负责。你就瞅人那女人打扮的那样吧：小红手套往那儿一戴，小腰往那儿一掐，小高跟鞋往那儿一戳，小嘴往那来回一开合“叭叭叭叭”，打机关枪似的，拿捏出了嗓子眼中低音的最圆润部分，悦耳又动听。她那一双舞台上练就的演二人转的桃花眼，不安分地滴溜溜溜、滴溜溜溜转个不停，顾盼生辉，眉目传情，不像是讨价还价，倒像是一个人张灯结彩登台表演似的，那个自在滋润劲儿，任哪个男人看了心里头都止不住要“别”“别”地跳上两下。

区里的人，虽然不怎么认识她，但是，在本辖区范围内，一提起南湟河老崔家，那也基本上是妇孺皆知，如雷贯耳啊！不是因为别的，就因为她家出了一对知名的好儿女。当仁不让最有名的当属球迷协会会长崔大柱也就是普拉尼，人普会长不论是在淞州，还是在全省乃至全国的球迷中都能排上一号，那也叫个“知名”会长，连带着他这个丰姿绰约的姐姐崔英姿也跟着有名。

其实人崔英姿在过去年代比她弟弟可有名，用当地人话讲，“老有名了”！县二人转剧团的台柱子，年轻时红遍县城乡村，那一上得台去，小腰条刷刷的，小嗓子嘎嘎的，小手帕扔得啪啪的，在台上那眼波一放电，偶尔再抬腿劈叉一下腰，那家伙，登时间，不说场内场外山摇地动吧，那也是掌声如雷，不绝于耳。当时团里流传着一个悄悄话说，崔英姿就是当地老爷们的毒药，来一个迷一个，来两个迷倒一双，只要有她挂头牌，这票房指定就没跑了。

现如今崔英姿虽说年纪大了，已经不再登台，可她这把台下的广阔天地都当成大舞台了，逢事不出来表演一下就不过瘾，表明不了曾经的头牌身份。这不，又蹿到娘家来代表户主说话。其实她结婚出嫁那会儿已经把户口迁到公婆那里，一打听说娘家这里要拆迁，又在第一时间托人把一家三口户口都迁了过来，名正言顺搞成了三世同堂，有了讨价还价的筹码。后来再有的那些大动作，就都是高人在背后支招。渐渐地，事情越闹越大，局面一时逆势而上，到最后已经不是她和普拉尼能控制得了的。他们现在只有甘心听指挥、往前打冲锋的份。

工作人员都被她一通小嘴叭叭的机关枪打得有点儿迷糊，光顾着斜眼瞟她，欣赏资深美女的风姿，差一点都忘了她是来干什么的。好半晌，才回过味来，想起她是来讨价还价的。于是接过崔英姿家的房本一看，没错。那上边她家房屋的统计面积是跟她嘴里说的一样。但是他们有个直觉，这个房本绝对有造假嫌疑。总共，那片区域，也没有几户有商用房的住户，你要说她把自住房的15平米改成20平米，弄来几个七大姑八大姨户口落下，搞出个几代同堂来，然后要求分到大户型，这也情有可原。但是，胆敢搞出个假的商用房，就不是一般人所为！

等崔英姿走后，他们再去对照电脑里的数据库，竟然跟崔英姿手里的一致，有20平米的商用房。可原先打出来的材料清单里，明明是两间毗邻的自住房，崔英姿跟丈夫一间，挨着的是崔英姿八十岁的老母亲和残疾的妹妹住一间。如今怎么她老母亲的那一间房就变成了“商用房”？

而且，第一次摸底时的原始数据，和第一遍统计时的电脑数据竟奇异地丢失，找不见了！

不是五万平米集中连片棚户区的所有材料数据都丢失不见，而只是崔英姿家那一片槐岗街道的数据丢失！现在电脑里存的就是最后一次的数据资料。

去问录入的程序员，她也说不出什么，最后只能说：也许是录入新数据时，把旧的覆盖了。

工作人员都是以最后一次录入的数据为准。拆迁办的人再次去实地察看。这块宛如城市补丁的棚户区，如今更像老和尚的百衲衣，七零八落不成样子。搬家的，拆房的，摆摊卖点小零碎的，吆喝大人的，打骂孩子的……热闹非凡，嘈杂无比，却也处处透着欢乐、喜兴。那些已经决定要搬走的人家，将家里破桌子、烂椅子、旧被褥、缺齿少牙的锅碗瓢勺、精心侍弄的几盆夹竹桃、蚂蚁菜、美人蕉捆绑在三轮车上。他们有的还自己先期拆房，把屋顶的油毡纸和板子、砖头也要起下来带走，一点也舍不得扔下。夹竹桃花已经开了，粉红色的花朵面露盈盈喜色。蚂蚁菜上也有星星点点红色花苞。叶子庞大的美人蕉开花则还要等一个时辰，要到六月份才红彤彤绽放。那就是夏天来临的时刻，是人们对生活最充满信心和喜色的季节。这些都是北方最便宜最耐寒的花朵，也是穷人区一片野草根之中最妖娆的亮色。一些人家还将拧下来不用的旧水龙头、旧床垫子、旧家用电器，还有旧改锥、扳手、自行车轮胎等等零碎，就地摆上一个小摊，在那里蹲守着，等着有人来买，或者以货易货，期望谁来交换几个有用的零件回去。穷人家里，什么都是好宝贝，什么全都舍不得扔。

偶尔就有四五个孩子，大呼小叫，争争抢抢，盘带着皮球在胡同里蹿来蹿去。刚刚脱去沉重的棉鞋，换上质量很差却很轻便的球鞋，孩子们的身形轻便，腿脚灵活，把一只皮球盘得让人眼花缭乱。肮脏的街道，灰尘扬天的土路，缺门少窗的房屋，坍塌的颓墙，一张张搬家摆摊的尘灰蓬面的脸，一伙伙追逐笑闹快乐嬉笑的孩子……多么沸腾的生活！有点像电影里的拉丁美洲地区，一群未来的马拉多纳、长着大板牙的罗纳尔迪尼奥，脚底下盘带着皮球，在满怀希望、满怀憧憬地愉快成长。这里也确实出过好几个入选省队的球员。他们成为下一代孩子的榜样。

春暖花开，大地充满生机。北方大地上的人民，生活得再清贫，也依然快乐着，洋溢着野草根的蓬勃生命力。崔老太崔英姿家在一排胡同的紧把边，靠近路边的位置，几截砖头垒成的半人高墙院，里面是石棉瓦苫顶两间小房，坐北朝南。院中央用板杖间壁出一间装杂货装煤的小棚。靠外间胡同口的那间小房山墙打开，成了一间门脸房，装上铝合金门窗，门前挂上了“英姿美发屋”的招牌，门檐下还有转动的红蓝白条的灯幌子。

老崔家大闺女崔英姿，还是一身鲜艳打扮，眼中秋波频送，底下腰姿招展。她挽一把溜光水滑的横爱司髻，脚穿三寸高的细长跟船形高跟鞋，戴着一双红色尼龙手套，一手掐小腰，一手指指戳戳、拍拍打打接待来人，口里喋喋不休：我们一家几口全靠这家门脸房维持生活，开了两三年了。我搭进去多少钱哪！本儿还没收回来呢！这下可好，你们这么一拆，将来我们怎么活啊！你说，老公老公瘸子，老妈老妈也老了，没有退休金，一个老妹儿，生下来就残疾，你们说，让我这一家几口怎么活？政府你们可得给我们做主啊！

拆迁科长李云强没吱声，这看看那看看。处理这种事情，他见得多了，拆迁户能做的一些事情，他们基本都见到过。他冷眼打量着这间美发屋。见铝合金门窗上的水泥抹砖勾缝还是簇新的，屋里转椅，毛巾，电吹风，镜子，剪刀，洗发水焗油膏摆了不少，还挺像模像样。货架很干净，不像已经摆放三年那样积满灰尘。镜子也是四平招展，没有一点儿污迹水锈。又到外面看看，店门开在临街的位置，直接通着南北朝向的胡同，小店旁边也用栅栏围起来，挤占了一部分胡同口通道。这就是所说的她家面积扩容的那部分吧？

谁给客人理发？你自己？李科长问。

雇的温州师傅，都打发回去了。一听说要黄铺，人家也赶紧寻下家找活儿干去了。崔英姿比比画画地说。

有没有工商登记备案？

有，有，所有的证都是齐全的。崔英姿说着，赶紧拿出一堆登记注册簿来。李云强一看，果然，工商卫生税务……所有手续都是齐全的。日期也打的是三年前。

我看原来记录，这应该是你母亲的自住房。李云强说。

咳！我说大科长啊，那都是多少年前的老皇历了！崔英姿一扬戴着尼龙红手套的手，道：老太太高血压、高血脂、糖尿病，八十来岁了，她一个人跟我那残疾妹妹住，我能放心吗，你说？那万一半夜闹个煤气中毒啥的，想喊人都爬不起来。这不，早搬到这屋跟我们这头一起住了。你看，我们这屋，间壁出了东西屋，我跟我家老爷们儿在东头睡，我老娘和妹妹在西屋，平时有个事也好随时照应。腾出这间房做点小买卖，不也给老太太多挣点赡养费?

李科长暗中嘬了嘬牙花子。跟着过去看了看,那屋小得下不去脚,十几平米的小屋,又用板杖在中间打了隔断,分成两个屋,这边屋里迎面是一盘炕,那边屋迎面是木板搭起的简易床,两张睡人的东西往这儿一搭,剩余的空间就很小,根本没有挪脚的地方。李云强心中思量,这要是原先他们一家真就这样住着的话,也真够呛啊!人一下地,连转个身都费劲,他们其他的吃喝拉撒都在哪个地方解决呢?

疑问归疑问,眼前的装置从表面上看,一切都跟崔英姿说的相符合。从商用房到扩容的面积,从低保户到三代同堂,都符合崔英姿说的话。李云强心说这就比较不好办了。如果真是造假的话,她家有什么能量,打通这么多关节、办好这么多手续?如果要说这事是真的,那简直就不可能。一是看眼前这景象,根本没法住人,二是拆迁办是按从前的底单,一户户去办理安置的,经过了一次摸查、两次普查才最后确认。两次普查中间相隔了三个月,跟第一次摸查也有了小半年的间隔。这期间她家情况就发生这么大的变化,到最后已经跟第一次完全不同了。说是真的,谁能信哪?

然而,现在的电脑数据库里却明明是这么写着的。数字化时代,电脑数据成了唯一可靠的底本。可同时,修改一次电脑数据却也比在纸上用涂改液作假还要容易。

证据,他们要拿出证据,证明说这个美容店是后挂的招牌。但是现在没有证据。

从南湟河的拆迁屋出来,他们找到已经被转移到大儿子家也就是普拉尼哥哥家的崔老太太,问她是不是一直领小闺女住自己房子里?那所谓美发屋是啥时候开的?老太太的大儿子、儿子媳妇一见是拆迁办来人,先是拦着不让见,说我妈年纪大,有血压高、心脏病,有个好歹,你们得负责。李科长说,我们看看就走。

崔老太太这次装糊涂,咿咿呀呀说:我不知道,你们别问我,我什么也不知道。我一直就跟闺女一起过的。

而后拆迁办又通过区长老常找来槐岗街道办事处主任王大妈做调查。王大妈证明说不记得老崔家有这么个理发店,肯定是后起的牌子。也没听说街坊邻居谁到她那里去剪过头。

当晚,主任王大妈家住的周转房的玻璃半夜里就被人扔砖头砸碎了。

第二天,王大妈就到区拆迁办找上门来说,自己可能从前记忆有误。她就说含糊话,说片区太大,也许她记错了,兴许人老崔家的确开了一间理发店?她自己个儿上了岁数,平常不上理发店,头发长了,都是个人用剪刀照着镜子剪,所以不太了解街面上理发店的情况。

王大妈这边的证词没有了。拆迁办只好又找到周转房里住着的原来老崔家的邻居们。可邻居都说自己家已经搬出来,原来的事儿记不清了。他们现在不管别的,只盼着早点搬进新居。

邻居们不愿意做证明,是因为知道他们家儿子女儿都犯浑,惹不起。再则说了,指不定搬入新居后彼此还是邻居,世间一个最普通的生存法则让他们明白,得罪谁也不要得罪邻居,否则可就居无宁日,整天没个好。所以大家都闷着,谁也不愿意出来做这个证。

所有的证据链至此都断了。

搬迁不完,急呀!

奥运工程不是别的,这是一个关死后门的进度计划。其他房地产项目都可以延期,开发商作为强势群体,什么时候能完活就靠老板一句话。业主如果到期拿不到钥匙,那也得自认倒霉,休想拿到什么赔偿。即便打官司也是扯皮,白白耽误工夫,资金和时间都被套在里边。而奥运项目不行,奥运会,到期就得开,工程哪里拖得起!

按照市政重点工程房屋管理办法,在搬迁期限内达不成协议的,准备按照“先拆迁,后处理纠纷”的原则办理。拆迁办打算要硬性拆迁。

事情总是那么蹊跷。就在拆迁公司的工人还未到达时,媒体又先到了,个别本地媒体,大多是外地媒体,跟上次东湟河体育场的局面如出一辙。而这边老崔家一家人又极其配合,八十多岁老太太不知何时被运回了现场，放进那个拆迁屋里。

在南湟河新奥体中心工地上，巨大一片已经翻铲过的黄土低地中央，赫然屹立在土堆上的一间高耸小屋，突兀，倨傲。水电全都掐了，根本不适合人再在里边居住，不知他们家人要怎样踞守。周围推土机、吊车严阵以待。记者长枪短炮围拢一旁。小屋屋顶上，不知何时拉出一个横幅，打出大标语："私有财产享受保护！"

白纸，黑字。瘆得慌！

一见这阵势，工人们就不敢下手了。拆迁办的人也没辙，赶紧跟上级主管领导做了汇报，请示要不要下令拆迁，推掉他们家平房。眼见着事情闹大，区长老常也不敢擅自做主，只好逐级向上级领导部门请示。

那个黑红脸膛的市长程之介此时又不在，领着一个参观团到深圳学习考察去了。他在电话里指示："你们去找在家的常务副市长旷乃兴，一切按规定办理。"南湟河区区长老常只好把电话打到旷乃兴这里。来淞州这几年，旷乃兴也摸透程之介这主管市长的脾气，遇到棘手事、难办事，一定是推给他这个常务副市长。而诸如推荐进中央党校青干班学习的事，肯定到白宏臣那里以"淞州离不开旷乃兴"为由拦着不让去。况且最让人蹊跷的是，凡是遇到关键时刻发生大事难处理的事时，他还就偏偏都不在家。

他躲，旷乃兴不能躲。淞州"三大战役"，事事和他相关。从新奥体中心异地重建到南湟河棚户区改造，以及旧体育场原址上的会展中心建造工程，是他最先提出动议并极力促成的，他必须为工程负责，为工程牵扯到的方方面面的老百姓和人民负责。

听到南湟河区区长老常的汇报，旷乃兴制止说：乱弹琴！谁有权力下令铲掉老崔家房子？谁有权力下令架走八十多岁老母？我们不是开发商征地，不是建商用房。我们是在为老百姓做好事！为什么要硬性拆迁？为什么不协议拆迁？

区长老常诉苦说：旷市长啊，你不知道，区拆迁办跟那个老崔家多次协商过了，但是他们家提出的条件太苛刻，我们不能答应。而且他家有改房产证、私自改变房产用途造假嫌疑。

旷乃兴说:说人家作假,拿出证据来！违规的按规定处理,涉嫌违法的按法律惩处。作为政府,我们没有权力,也没有必要硬性拆掉老百姓的房子。我们不是黑心的房地产开发商,不是官商勾结鱼肉百姓。我们这是在为百姓做好事！继续做工作,谁也不能轻举妄动,一切按规定程序办理！

老常有点儿急了,苦着脸说:旷市长,该走的程序我们都走过了,可是没用！他们家总不迁走,就会影响工地开工。时间不等人哪旷市长！

再不等人,也不能草菅人命！

旷乃兴虎着脸说。老常没啥说的,回去把领导精神传达下去。拆迁办主任李云强他们一听,心里那叫一个不服。李云强心里堵着气,跟老常发牢骚:我说常区长,干了这么长时间拆迁办的活儿,还没这么处处忍让过。但凡遇到钉子户,开发商自有办法,叫上几个小流氓上去噼里啪啦几下就给拆了,管保他们大气儿都不敢出。

区长老常呵斥道:胡说！说什么呢！还像个共产党的干部吗？脚站在哪头啊？我们不是黑社会,不能来欺行霸市强拆强撵那一套。要做工作,讲道理,按照条文规定来解决。

李云强嘟囔着:按规定谁不知道？中国的事情,有时候不能完全按照条文来,全部照本宣科的话,基层干部受气也早气死了。没见到这位市长这么死脑筋的。

常区长道:少废话,你赶紧给我下去再去做工作。

李云强老大委屈又无奈地说:好吧。说罢,把手里烟头扔地上,用脚狠狠碾了一碾。这才怀着老大不情愿,一摔门,走出区长办公室。边走,还边留下一句话:不让动武,那你们就等着吧,看等出个啥结果。不信,我把这话先撂这儿。咱就让事实给这位省城下来的市长老爷上上课,给他补一堂中国国情、中国老百姓素质真相的课。

常区长在他身后道:嗳,我说你嘴里嘟囔个啥？你给我回来！

李云强才不回来呢,他一扭身,快步走没影了。

没办法。既然旷市长指示不许动粗，要走程序，那就走程序吧！

再一次协商无果。事情不能永远僵持在这儿。按照程序，先由建筑施工单位市城建一公司向区房管局提出拆迁行政裁决，要求裁决崔英姿家限期搬迁。

这边呢，又给巍然屹立于土堆之上的老崔家恢复了水电。你还别说，他们还真有办法，自家在土坡上搭了梯子进出，爬上爬下，送水送饭，把一个老太太当人质。他家也真够做得出来的！好在这时已经是五月份，比较舒适的天气，老太太在里边生活不至于遭太大的罪。媒体可不这样看，媒体记者昼夜蹲守，连篇累牍发连续报道，极尽夸大之能事，一时间又把这整成了惊动全市的大事。拆迁办仍派人跟崔英姿谈判，希望他们家能切合实际地在合理的范围提出解决问题的方案。想要得到 100 平米的重新安置房子是不现实的，远远超出政策允许的范围。

崔英姿不管那套，坚决不降低条件，在接受媒体采访时声泪俱下，提出的口号是：为什么我要一夜之间无家可归？

很是煽情。她的表演细胞又被充分激活了。

槐岗街道片区拆迁听证会召开，邀请居民代表和媒体出席。崔英姿一家未到场参加。

一个礼拜后，南湟河区房管局下达拆迁行政裁决书，限令崔英姿一家限期自行搬迁。崔英姿家不理，仍然拒绝搬迁。媒体一看没动静，没有立刻发生类似于戴安娜车祸般的爆炸性场面，做短线没希望，于是改成中线持有并长线关注。他们不再昼夜蹲守，而是私下说好由崔英姿每天每日及时报料联系他们，并支付她报料费若干。他们自己则保持随叫随到状态。

见推土机和铲车没敢上来铲房，崔英姿也改变策略，将老母亲运回大哥家休养，将自己的瘸子丈夫替上，继续在小屋里踞守。

超过规定期限以后，南湟河区房管局向区人民法院申请先予执行行政裁决书，要求被申请人崔英姿自行搬迁，并将槐岗街临河路 15 号棚户区房屋交淞州市城建一公司拆除。

法院受理此案,并向被申请人崔英姿送达听证权利告知书和权利告知书,告知她享有申请听证的权利和其他诉讼权利。崔英姿向法院提出申请,要求举行听证会。接下来,淞州市南湟河区房地产管理局、崔英姿的委托代理人普拉尼、市城建一公司均派人到庭参加听证会。

法院最终责令崔英姿在法院裁定生效后的两天之内,履行行政裁决书第三项确定的义务,自行搬迁出棚户区。

两天过去,崔英姿一家仍然坚守,丝毫没有自行执行搬迁的迹象。媒体接到普拉尼放出的消息说,作为他姐姐崔英姿的代理人,他说他已经向淞州市中级人民法院提起申诉。

中院判下来,支持区院的裁决。他们将裁决送达后,又给了两天时间,崔家仍未搬迁。

到了第三天,也就是进入执行程序的第一天,法院召开新闻通报会,宣布崔英姿房屋拆迁案已经进入执行程序。媒体和看热闹群众已经围得水泄不通,看看事情下一步要怎样处理,法院会不会强制执行。新闻发言人介绍了案件受理情况。在媒体记者追问"为什么不予强制执行",行政庭庭长回答:今天是开始执行的第一天,在执行的过程中,申请人撤回申请或者执行和解都是有可能的。

媒体回去后纷纷开始发表报道,从各个方面入手展开讨论:钉子户崔英姿家是不是成了百姓利益的代言符号?法院判决要不要执行?是什么导致了执行难?

这些议论,又通过网络传遍全地球。

崔英姿一家仍表示坚持原要求。他们放弃了最后和解的机会。

三天之后,拆迁还是强制执行。

这回,随同前去的是区法制办公室主任张春雨。一大早不到八点钟,他们就赶到南湟河新奥体中心工地,径直来到土坡上的小屋前。几个穿保安制服的人从屋里将崔英姿的丈夫架上车,崔英姿和老太太都不在，只留了她丈夫在这儿看守，只是在有需要的时候他们才把老太太接回来表演一下。区法制办的人原先想着为防老太太身体出意外，还调来了一辆120车跟随。事实证明完全多余。老太太不在，事情就简单好办得多了。屋里除了一把水壶、一个饭盒、一个破半导体、一张旧床板、被褥之外，几乎没有什么家什。看得出，他们早已将家里物品腾挪完毕，时刻准备迎接来迁之人。一辆搬家公司货车把崔英姿的丈夫和这些物件一并送到位于郊区的周转房。

随后，小屋周围迅速拉上警戒线。站着不少穿警服的人，不让闲杂人等靠近。由于事先没接到崔英姿报料消息，这会儿在此蹲守的媒体并不多，时辰尚早，城市刚刚醒来，看热闹的也还没有什么人。久已待命的一辆黄色推土机缓缓前去，轰隆隆将房子推倒。霎时间，尘烟四起，小房顷刻颓塌！等到烟尘落尽，再由铲车往外运砖土。只一会儿工夫，这块地界，就跟广大的工地融成一片，不见任何痕迹。

了无痕迹。

……拆迁！拆迁！

二十一世纪初的中国广大城市和乡村，到处可以看到类似的尘烟滚滚的拆迁景象。世世代代耕耘的土地、几辈人居住过的老房屋、过去生活的图景、成长劳作的记忆……都轰然倒塌、不知所往，一夜之间杳无踪迹。不出几时，新的陌生化的城市，以变魔术般的速度突兀矗立在面前。

从绿油油的植物庄稼大地一下子过渡到后现代胶结扭曲在一起的钢筋、水泥，薄膜、气泡建筑，从破烂不堪的油毡纸石棉瓦棚户区一下子过渡到阳光控制玻璃幕墙、冷轧螺旋钢筋、六纬斜向交叉摇摇欲坠大跨度立面，人民需要适应。我们世世代代生活的这块土地也需要适应。广大的渴望新生活的老百姓在昼思夜盼、喜极而泣、涕泗横流之际，也有着一份忧心忡忡和一点点悲欣交集……

崔英姿和崔老太太是一大早在她大哥家听到丈夫打电话说这个消息的。崔英姿一下子蹿起来，立即拨通普拉尼的电话，她那个戴着红手套的小手一掐腰,气急败坏道:崔大柱你个鳖犊子!你赶紧过去问问背后给你支招的人,下一步还该干啥?你看你这事儿整的啊,一家人跟你上老火了!你躲在后边,让我和咱妈在前面丢脸,你行啊你!

普拉尼也就是崔大柱被他姐从星期天大懒觉中吵醒,不满地说:吵吵啥吵吵个啥?得了便宜卖了乖是咋的?你要的那些条件不是都得到了吗?

崔英姿说:接下来咱该怎么办?还去闹不闹?

普拉尼说:行了。还闹啥闹!钱也给了,影响也造完了,就没咱啥事了。咱也不能主动搬迁,戏都演到这会儿、都死扛到这会儿,这阵儿投降,太没面子。把面子留给他们,让他们强制执行、证明执法有力度去吧!行了,你回家两口子团聚,等着住你的新房去吧!

崔英姿这才把气喘平,放宽心下来。嘴里还说:要知这样,你咋早不吱声?我还让孩子他爸蹲那疙瘩干啥?没吃没喝的,就让他回家来算了呗,留个空房子让他们使劲推使劲铲!

普拉尼打断她说:瞅你说那玩意儿说的,一点没个谱。没人住,那不就露馅了吗?干啥,摆个空屋,咱忽悠政府玩呢?咋也得整得像点。咱姐夫虽说受了点累,那不也都捞回来了吗?

崔英姿一想:可也是。

他们这一趟闹也没白闹,最后实际上还是采取了折中的办法,给了他们家两套房:给老太太和残疾闺女一个小两居,给崔英姿两口子一个大两居。房屋差价款,仍跟其他住户一样,按照原先的方法计算。

这件事情虽说处理完了,但是造成的影响太大,整体工作还是发生被动。旷乃兴暗中追查事件的来路,这么大的举动,绝非像崔英姿家个体所能为,他要查出事件的背景,找出私改房产证的证据,究竟谁帮他们作的假,这一系列的打官司过程里,都是谁在背后指使他们。他准备一查到底。从区里一直暗查到副市长蒯广富那里,线索断了。

他直接向一把手白宏臣汇报了情况。白宏臣听了以后,摆摆手,道:这件事情就算结束了,你处理得很好,充分体现了法治精神。这些问题，不是某个人的问题，而是法律、机制、制度不健全的问题。在目前这个转型社会，法律的不完善，不健全，出现咎责，全要由我们这些人来承担。而且我们也必须担当。

旷乃兴觉得，自从认识他以来，白宏臣这是说得最有水平的话。

白宏臣没有跟旷乃兴说的是，在旷乃兴外派来凇州之前，程之介一直想跟蒯广富搭班子，多次在他面前，也到省里举荐蒯广富当常务副市长。旷乃兴一来，无疑大大缩小了蒯广富向上升的空间。旷乃兴一落脚，总想干出一番成绩，一搞就搞出个“三大战役”，一竿子都把建设成效支到了2008年。那么他蒯广富呢？他怎么办？现在是2003年，这会儿他51，到了2008年，他蒯广富都56岁了。时不我待矣！旷乃兴的行动，无疑延迟了他上升的时间，剥夺了他进阶的机会。

他希望中间能出现点问题，让旷乃兴早点滚蛋。

9. 公众评议

“东方地平线”“大地凝眸”“甲壳虫”三个设计方案按规定进入公众投票评选程序。三件作品的模型都放在凇州市旅游参观人流最大的“满族民俗村”里展览，每个前去参观游览的人都可以参加投票。

同时，还启动了网上投票程序，在政府网上设置了一个网民点击投票主页。

一切看似平静，似乎都磕磕绊绊却也有条不紊按计划按程序向前运行。

但是，地火却在地下运行、奔突，渴望着出口，并期待着在某一时刻燃烧成熊熊火焰，将一切既定成果全都烧成焦灰！

黎曙光和德国人穆勒尔联合设计的“东方地平线”获得票数第一的消息传回省建筑设计院，一时间舆论大哗，听到的人都吃了一惊！这家伙！他们事先的保密工作也做得忒好了！连点风都不漏，从报名参赛到请穆勒尔来凇州实地考察，到最后的交卷，一直到初审通过……一切都是在极端秘密之中进行的。突然之间,就平地起高楼,“东方地平线”从众多入选作品中意外冒出并获了第一名,这事儿能不让人震惊嘛!建筑设计院的人们都以各种各样的眼光和心情偷偷注视打量着本院两组参赛选手:黎曙光、穆勒尔 VS 洪肖奇、陆文誉。那些眼光里的成分也是极其复杂的,惊异、艳羡、赞叹、敬佩、嘲笑、幸灾乐祸、落井下石……多种多样。有时逮着空子,趁他们转过头去不注意,看热闹的人就在背后交头接耳一下子。

要说这建筑设计院里头,几乎一潭死水,也许静水流深,反正是,自从进入新世纪福利分房制度解体、涨工资和评职称都变得无所谓之后,一年到头,能供大家都高兴或互相揪斗的事没剩多少,除了雷声大雨点稀偶尔嚷嚷一阵子的转企改制计划能跟全体人员的利益有点干系,别的,能够轰动全院、吸引所有人眼球的大事没有多少,揽活挣钱的事都只跟个别一小部分人有关。这次,淞州新奥体中心主体育场方案设计竞赛,就算一次热闹事,开始时院里掌权人物摁住下边设计人员不让参赛,曾惹起过众人心里一阵不痛快,这回,没想到竞赛结果竟真是花落他们院,最有意思的不是落到那两个当权派手里,而是跟他们身份一样的黎曙光手上,人们能不感到兴奋吗?众人背后嘁嘁喳喳,嘁嘁喳喳,兴高采烈又幸灾乐祸地说,等着吧,有好瞧的!

连人民群众都直觉出这事到此不算完,那么在当事人洪肖奇、陆文誉那里,事情肯定也就不算完。

消息首先让洪肖奇这个年富力强、心高气盛、从不曾接受过失败考验的副院长承受不起。他先是不相信,然后是有点纳闷:自己已经把一切都布置得周全,从体育场设计图稿的筹划制作到竞赛委员会的评委及官员的说情走动,事无巨细,都一一布置打点到了,每时每刻都攥着电话,通向评委和评选部门的热线一直牢牢监控着,就连那淞州市长,那个姓程的,都被他们说通了帮忙,怎么还会冒出这个岔头,让黎曙光他们钻了空子?

他原来的假想敌,就是日本株式会社松山综合计画与中国南方某建筑设计院联合设计的叫作“甲壳虫”的那件作品。从设计理念和外形轮廓上说，那件介乎于悉尼歌剧院的“贝壳”和香港会展中心的“甲壳”形状之间的东西，很有点讨巧，乍一看，颇得人们的垂青和喜爱。当然，它多少也有点“抄袭”和“仿造”的嫌疑。但是一切建筑作品包括其他艺术形式都一样，这种“疑似”情况多乎其多，就看你怎样去解释，它也可以从另一角度给叫成“继承”和“发展”。洪肖奇喜欢“甲壳虫”有这个瑕疵，关键时刻，这样一个“涉嫌抄袭”的缺点就可以派上用场，用来将“甲壳虫”打败。

但是，他们万万没有想到，黎曙光却突然插了一杠子！看来，真是百密一疏啊！

堡垒最容易从内部攻破。这话虽有些夸张，却也道出人世间一个最残酷的事实和最赤裸的真相。

当投票结果一出来，洪肖奇这边第一时间就知道了。那个省体委副主任打电话给他通报，说：我投了你的票。我们在评议时都一致说你那件“大地凝眸”的好话。但是，没有办法。主持投票的领导具有倾向性的发言引导，一下子扭转了场上的风向，估计他们都跟风转了。

主持投票的领导是谁？洪肖奇问。

是淞州的一个常务副市长，叫旷乃兴。

哦。知道了。洪肖奇语音沉重地说道。完了又加上一句：谢谢。

体委副主任故意隐瞒了那个中国工程院老院士的具有决定性意义的发言。按照常人的理解，只有主管领导的发言才可以一言九鼎，起改变方向的作用；而一个专业人员的发言，不管他是院士也好，是委员也罢，都起不了决定性的作用，不足以跟领导的意图相抗衡。一个主管领导的言论是控制大局、主宰方向的，不可辩驳；而一个专业评委的言论，却可以同样被另一个专业评委的言论所驳斥所击倒。所以，体委副主任要把罪责归结到主管领导旷乃兴方面去，这样才能表示出他自己尽心尽力却又无能为力的艰难处境，在卖好的同时方可以减轻自己的责任和愧疚。

洪肖奇说完了声“谢谢”，便一屁股跌在椅子上，半天喘不过气来。真是怕谁谁来，防什么什么躲不开。黎曙光是怎么报上去的？再说，这么短的时间，他又怎么和老外串通上搞出作品来的？又是通过谁来拉选票获胜的？不行！他得把这一切都搞清楚。

……可是，现在再来说搞清楚，又有什么用？如今大局已定，投票结果是有法律效应的，这个局面，不仅自己失败，还连带着一把手陆文誉名声也跟着受损，这又让他如何向世人交代？如何见江东父老？又有何颜面去见老陆？

事先他们就一直抱着必胜的信念，志在必得，把舆论搞得很大，把姿态做得很足。媒体接连不断的采访、曝光，报纸上整版整版的专访，还加上通栏标题，电视真人秀上的热点访谈，奥运专题节目上的开口秀……他们把所有的宣传工具都用上了，先是他们主动去找人家，后来是人家来找他们，几番轰炸，几番露脸，在传媒的不断吹嘘下，就连他们自己也迷糊了，也直犯晕，把自己当初拟给媒体的解说表扬词，错当成了真的是媒体和社会上对他们的表扬词，一时间被自己夸得心神迷乱，志得意满，觉得胜券在握、成功唾手可得，甚至恍惚觉得就是铁板钉钉，已经成功了。

现在，一切都来个大逆转，黎曙光的胜利便是宣告他们的失败。这便让他如何是好？其他人便也好对付，头一低就过去了。唯有一把手老陆陆文誉他避不开，必须有个交代。可是目前情形下，又该怎么交代？

洪肖奇想躲，想躲过这一阵子风头再跟老陆说。又一想，不行！老陆未必没有眼线，说不定也与自己同时接到消息。越晚去见越被动。真等到老陆亲自找上门来问，就更不好说话了。还是要先去见老陆，探探口风，然后再去图谋。

洪肖奇带着忐忑不安的心情敲开老陆房门。果然，老陆已经坐在宽大的书记办公桌后面等他了。见他哭丧着脸进来，老陆一扬手，示意他坐，然后不等他开口，便道：那件事，我已经知道了。

洪肖奇听他这么一说，自己便没词儿，略一沉吟，便换一副哀兵必胜的口吻，语音低沉，面部线条痛苦扭曲，假装冤成一副窦娥的样子说：陆书记，这件事情，你可得出来做主！我冤哪！我们都是受害者，都被那个黎曙光、都被凇州竞赛委员会给骗了！他们这样做，是违规的！是不合法的！他黎曙光凭什么以咱们院的身份去参加比赛？谁同意、谁批准的？他事先又请示过谁了？他这样做，又怎么能算有效？

陆文誉说：是的，我也注意到这个问题，这里有个参赛资格是否合法的问题。

两人都暗自庆幸，以为找到了蛇的七寸，他们可以借此反守为攻。

他们说到的“以院里的身份参加比赛”，是指参赛作品签名落款时，所签署的设计者名字而言。原来，根据竞赛规则，新奥体中心主体育场竞赛设计方案在签署提交者名字时，不是签设计师个人的名字，而是以参赛者单位的名字落款。比如，“东方地平线”的方案提交者是“德国穆勒尔建筑设计事务所与新州省建筑设计院”，“大地凝眸”的提交者是“新州省建筑设计院”，“甲壳虫”的提交者是“日本株式会社松山综合计画与中国南方某建筑设计院”。

黎曙光未打招呼，就以“新州省建筑设计院”名义参赛，在他们这两个头头看来，这就是个问题了。而且是个大问题！

陆文誉说：这是一。其次，这次评选还不是最后结果，还要有一道公众评议程序以及最后的领导终审拍板。我们还要努力争取。

洪肖奇眼前一亮，说，陆书记，我明白了！

同时在心里暗暗说，到底姜还是老的辣。自己遇到点儿挫折就气馁，人老陆想到的则是下一步，是怎样翻盘。

洪肖奇急忙又回去布置，找人搭线，拼力再搏。

凇州这边，一时不得清静。凇州规划委的竞赛办公室每天群众来电抗议的电话铃声不断，这些“群众”抗议的内容基本一致，就是声讨控诉这次新奥体中心主体育场方案设计竞赛，专家投票选举结果不公平，齐力保举第二名、贬低第一名，共同说“东方地平线”那个模型的坏话，一齐大肆夸赞“大地凝眸”是如何如何优秀完美。

省建筑设计院还出示公函,向竞赛组委会质问黎曙光参赛身份的合法性。陆文誉又通过个人渠道,将冤情反映到新州主管副省长那里。不仅如此,一些以“老红军”“老党员”“老干部”名头写的匿名信,也接二连三飞到省领导、淞州市领导和淞州规划委各级行政负责人的案头。控告的内容大致有三:一是淞州市规划委这次的新奥体中心体育场竞赛设计方案评选涉嫌营私舞弊,暗箱操作;二是参赛者黎曙光在程序上违规,身份不合法;三是淞州市崇洋媚外,不尊重民族自主品牌,没有让这么优秀的“大地凝眸”入选,而是选中了“像个鸡巴窝一样”的“东方地平线”,是将中国土地拱手相让,成为外国建筑设计师的实验场。这简直是令人悲愤的卖国行径!

匿名信如雪片般四处飞扬。主管副省长郑其明针对此事下来批示:奥运大事,谨言慎行,唯此为重,一定要按规定处理。

批示转到淞州市一把手白宏臣手里。白宏臣立即把旷乃兴叫去询问。

旷乃兴的案头早也堆了一大堆同样的匿名信。一系列的反应,也基本是在他的意料之中。按以往的经验,他甚至已经做好了上级部门下来专门调查的准备。还好,倒是白宏臣先来找他了。一进白宏臣办公室的门,他就说:白书记,您不找我,我也想找您汇报呢。

白宏臣一摆手:好哇! 我要是不找你,你也想不起说这话。咱们闲话少说,你先说这个设计师黎曙光的参赛资格违规的事。

旷乃兴道:白书记,首先我要声明,这里并没有谁参赛资格违规。黎曙光完全是按正当途径、手续参赛的,黎曙光本身就是新州省建筑设计院的员工,也是全省乃至全国建筑设计行业数一数二的著名年轻设计师,是接受我们的邀请前来参赛的,怎么就能说出个资格违规?

白宏臣道:那么人家省建筑设计院方面为何提出黎曙光是未经批准,“擅自冒用”单位名义?

旷乃兴说:什么叫未经批准擅自冒用? 未经谁的批准、擅自冒用了什么？我要说，首先，根据竞赛条例，我们凇州竞赛委员会有权邀请一切人参赛，只要受到邀请，就可以来参赛。其次，任何人，只要他有独创性的设计作品，也都可以自由申请来参赛。我们也鼓励全世界所有的建筑师都积极响应前来参加。第三点，我们现在这种签名落款方法没有错，是按国际惯例进行的。黎曙光如果没有单位，我们就直接写“德国穆勒尔建筑设计事务所和中国设计师黎曙光联合设计”，现在把他所在单位突出标明，按理说省建筑设计院应该为此感到荣耀，结果还是乱闹、乱告，告什么告？不就是他们院自己的两个头头的参赛作品没得第一？

白宏臣背着手，在屋里踱步，听着旷乃兴的解释，不紧不慢道：话是这么说，基本没出大格。但你也不能说就完全没有瑕疵。你这种落款方法，会给人造成误解，让人误以为是建筑设计院集体参赛。不管怎么说，事先也应该跟单位领导打一声招呼嘛！

旷乃兴心里暗自嘀咕：哼！打招呼？打招呼还能有今天吗？这还不是因为建筑设计院那头领导以权压人，阻止其他设计师参赛，所以才出此下策？

但他又没必要把建筑设计院如何排斥其他设计师参赛的事情一一向白宏臣解释，现在要做的，只能是稳扎稳打，步步为营，以保证最后的竞赛成功，而不能激起太多的矛盾。

于是旷乃兴就揣摩白宏臣的心思，说：白书记，我就听您的，回去让他们将作品落款写成“德国穆勒尔建筑设计事务所和新州建筑设计院黎曙光联合设计”。

白宏臣微微点头：不仅如此。你也看到了，事情已经变得不那么简单。现在，匿名信满天飞，到处在说凇州竞赛委员会营私舞弊，出来的这个结果不合理。这个，是你抓的，你要给老百姓一个答复。

旷乃兴说：谁是老百姓？那些写匿名信的人能代表老百姓？谁要说凇州竞赛委员会营私舞弊，那就请他拿出证据来。

白宏臣说：你说没有营私舞弊，也要拿出证据来。

旷乃兴激愤，说：白书记，我就不懂，在法律民主制度日益健全的今天，我们为什么还总被那些匿名信所干扰？网络电脑这么发达的时代，批量制造匿名信匿名帖易如反掌，如果那些匿名信里没有实际的举证，也没有实际的检举人，而只是空有一些侮辱性言辞来危言耸听，我们为什么还要受理？我们还要不要以法律为准绳、以事实为依据？

白宏臣那张小白脸不变色，毫无表情道：你先别跟我说法律，你先告诉我，你能不能拿出证据来证明评选活动一切合乎规范。

旷乃兴说：我当然可以拿出证据，从头到尾完整的证据，包括作品提交过程、接收登记、会议记录、评委发言和评议过程记录。但是，我凭什么要拿出证据？凇州市公证处对参赛设计方案的接收和评审全过程都进行了公证。难道这还不是证据？如果连这个都不能成为证据，那么还有什么能够成为证据？

白宏臣说：好。你就打一份报告，将整个竞赛从初审到评委最后投票过程都一一写上。无论对上对下，咱们都要有一个交代。

旷乃兴说：好。报告我可以写。但是，白书记，咱可得事先讲清楚，这个“交代”可不是那个“交代”。从法律上讲都是谁主张谁举证，怎么到了我们这里就不灵了呢？如果谁来一个匿名的东西我们都要信，都要去查一番，“交代”一番，任由这些不实之词满天飞，那岂不是误党误国误民，我们的工作还怎么搞？

白宏臣道：你这个人，怎么一根筋呢？我说让你“交代”了吗？只是让你详细汇报工作情况嘛。至于你说的那些，咱们今后再讨论。目前这个阶段，我们的民意上通渠道有时还不是很畅达。等到完全理顺的那一天，这些历史上遗留的现象就不会存在了。

旷乃兴一听，白宏臣似乎并没有过分责怪的意思，于是就坡下驴，道：嘿嘿嘿，白书记，如果说是向您做汇报，我当然愿意喽。我这就去让他们搞出一份完整的资料上来。不过，我可跟您说好，如果谁想把第一名“东方地平线”拿下，把第二名或者第三名换上来成为新奥体中心实施方案，那将是整个凇州的耻辱，也是整个新州省的耻辱！

白宏臣一听:还敢将我的军是不是?你小子不用在我这危言耸听!什么耻辱不耻辱,要讲政治!讲政治懂吗?不要一天光讲你那形容词儿。

每次只要听到白宏臣说“你小子”,就证明他是摆出一种姿态,欲跟旷乃兴亲善关系,欲平易近人打成一片,欲长者风范大人不记小人过。

旷乃兴逢到这时也就可以倚小卖小,跟书记撒点儿小娇,卖点儿小乖,鼓捣点儿小辈身份借机要挟点儿什么。

于是旷乃兴就乘机赶紧递上话去道:白书记,我哪敢哪!您身经百战高屋建瓴,够我一辈子学习的!评选出来的那几个方案,您自己看一看就知道了,后两名跟第一名之间彼此差的,不止是十万八千里那么远。“东方地平线”连中国工程院的院士都给予了充分的肯定。我这可是头一次主持这么大的工程,您可得为我做主啊白书记!假如这次“东方地平线”不能入选,我跟您说,我就立马辞职!

白宏臣回身白了他一眼:哟嗬!好小子!有种!还敢跟我来这套!甭拿这个要挟我。你以为你是谁啊?缺了你地球就不转?

旷乃兴赶忙嘻嘻嘻赔笑说:白书记,您看我这不是着急嘛!干点儿什么事情都有人捣乱,真是举步维艰啊!

白宏臣又恢复了没有表情的神态:知道难就好。不难还要我们这些共产党的官员干什么?要你去做,就是要你去带领大家克服困难的。

旷乃兴忙庄重点头道:是,是,我明白。

他知道只要白宏臣一这么说,就有戏,就是已经表示了支持的态度。

白宏臣不再说什么,摆摆手,让旷乃兴退下。

其实,旷乃兴哪里知道白宏臣的缜密心思。这里面担的责任最大的,不是他,而是一把手白宏臣。白宏臣他必须要仔细斟酌,全面统筹考虑一下。他是多年的行政干部出身,将政治放在第一位。他才不会像旷乃兴那样喜爱冲动,将个人趣味、政治野心、艺术狂想掺杂到一块儿考虑。他要考虑的,不光是新奥体中心场馆的建设,而是淞州市全市经济发展的大局,以至全省上下协同的大政方针。一幢伟大的建筑,或者是一门艺术,算什么呢?在设计和创造它的人眼里,那就是一生一世,希望能千古流芳万世彪炳,比命还重要、还珍贵、还具有价值。而在一个政治家眼里,它再伟大、再辉煌,也总要受制于彼时的生产力、生产关系,也总是要为现实服务的。这就是政治家和艺术家的区别。

事关重大,光是纸上汇报当然还不够。白宏臣决定亲率旷乃兴,去省城觐见郑副省长,把情况当面汇报一下。没想到旷乃兴还不识好歹地不愿意去。

旷乃兴说:白书记,事情都是明摆着,还用去省里吗?哪个好,哪个差,一目了然。既然规则已经规定最后要由领导拍板,您是一把手,在凇州您当家做主,最后由您自己就可以当堂拍板定下方案。

这话白宏臣愿意听。他能感觉出来旷乃兴这小子也是越来越油了,到凇州这两年来练得不错,奉承话能说到点儿上,处理事情基本上比较透明,至少在他面前能够实话实说。不像程之介那个地头蛇,总是不服不忿暗藏杀机,暗中操控着凇州的大大小小事情。

白宏臣说:乃兴啊,不是我说你,毕竟是初出茅庐,不懂得工作策略。我们做领导干部的,除了有能力锐意开拓进取,还要掌握好方针政策,协调好上下左右关系。若真像你说得那么简单,我可不就一拍板算了?问题是事情涉及省里,群众有反映,省长有批示,不能轻率啊!我建议,你还是跟我去一次,你是具体主管领导,又是建筑方面的专家,你不去说,谁去说?到时候,万一有个什么意外,你可别后悔啊!

旷乃兴这时仍面有难色,说:要去您去吧,如若省领导真的当场直接提出采纳洪肖奇他们的方案,我是没法反驳的,只有当场晕倒或得心脏病死掉得了。我怕我接受不了那样的场面。

白宏臣道:幼稚!我说你啊,就是个书生气十足!你见过哪个领导会当面驳斥下属并让他当场玩儿完过?

旷乃兴说:嘿嘿嘿,我不是担心会那样嘛!

白宏臣说:废话少说。拿上材料,跟我走。

说着他拨通郑副省长电话，跟他预约见面时间。转天，一大早，白宏臣、旷乃兴就赶来省城面见领导，将情况做汇报。白宏臣不发言，而是先把旷乃兴推到前边打头阵，让他说明情况，他自己坐旁边，暗中察言观色，探听口风，看看副省长是否有意偏袒洪肖奇、陆文誉他们那个方案。要知道，陆文誉可是从省里下到建筑设计院去的干部，洪肖奇和陆文誉是省建筑设计院的头头，他们跟省领导的关系有多深，他也摸不着底。白宏臣自己也接过省建委的人打来的转弯抹角的求情电话，要他替洪肖奇和陆文誉的方案说话。就白宏臣个人而言，他能为一个设计方案得罪省领导吗？他不敢冒这个风险。他要先探探水有多深。

白宏臣心里这时已经做好两手准备：假如郑副省长属意于第二个方案，他就要考虑考虑，顺水推舟；假如副省长并没有明确表态，只是公事公办，走一个过场，那么他还是支持旷乃兴的工作。旷乃兴小子虽然身上的棱角儿还没磨平，有点儿扎人，但干起活儿来，还是一把好手。

至于他自己，上哪个方案与不上哪个方案，意义相差不大。他不是专业建筑人员，从一个普通观众的角度来看，圆形的“东方地平线”看着更顺眼一些，而且还有飞艇房盖、发光气泡，看起来更新颖。而“大地凝眸”和“甲壳虫”，说起来有什么不对呢？他一个肉眼凡胎实在看不出来。的确，对白宏臣来说，最后选取哪个方案都是无所谓的。政治第一，协调关系第一。只要不乱，一切工程都顺利上马，为凇州取得成绩，那就是他的最大心愿。

而对旷乃兴来说，用谁的方案和不用谁的方案，意义就不同了。出于自己建立凇州新地标的宏图大略，出于气盛，出于专家癖，他是一定要一争到底，以专家的眼光苛刻挑剔，一定是要最优秀的，绝不允许次优秀的作品入选。在选取建筑作品上，他和白宏臣两人的出发点、心思、品位全不一样。但是，在维护安定团结、发展凇州经济工作的大局上，目标却是一致的。

但是，假如某位省领导属意于某个方案的话，那么，整个事情的结局，就又不一样了。可能最后结果就完全由不得他们自己。

在向郑副省长的情况汇报里，旷乃兴有倾向性地着重谈了“东方地平线”的情况，它的建筑优势、特点，以及中外合作方式的好处。当然也顺便提了一下“大地凝眸”和“甲壳虫”。他边说边揣度着省里领导的意思。

听他汇报完了，郑副省若有所思地低头，仍然叮嘱他们：奥运大事，通盘考虑，从长计议。淞州代表我们省、代表我们的国家在参与奥运盛事，要处处做到民主、公正、透明，真正打造出一个人文奥运、科技奥运、绿色奥运。

听话听声，锣鼓听音。白宏臣在一旁心里有了底。这就足以证明省里是不会偏袒任何一方的。最后的主意还是由他们评审委员会按照章程自己来定。旷乃兴和白宏臣都放下了一颗悬着的心。

从省里回来以后，旷乃兴到规划委来询问第二轮公众评议的情况。结果出乎他的意料，虽然投票还没有结束，第二名“大地凝眸”的总体票数却遥遥领先，赛过“东方地平线”不知多少倍，二者相差极其悬殊。其中，在“满族民俗村”里的观众实地投票统计中，“东方地平线”遥遥领先，而在看不见人影的网民的投票中，“大地凝眸”遥遥领先，网上点击投票率不断刷新。政府网的网管说：投票结果时时都在刷新。按理说不会有这么多网民不停地投票。仿佛有一只看不见的手在不断操作。

旷乃兴说：你们事先有没有设置一个程序，不允许重复投票，让每一台计算机的上网用户只能投一次票？

网管是个新毕业的计算机系研究生，戴着很厚的玻璃瓶底眼镜，他瞪大无神的近视眼，说：没有。我们事先没有接到这方面的指令。现在再设置，已经来不及了。

的确，已经来不及了。程序一旦开始运行，就已经无法停止。而且，中途修改规则，也已经毫无意义。该投的票都投完了，该做的假也做得了。旷乃兴无奈，眼睁睁看着“大地凝眸”的投票数在眼前的显示屏上刷新。

网络真是个最好的民意表达通道也是个最坏的民意表达通道。它虚虚实实，真真假假，人妖不分，良莠不齐。尤其在匿名状态下，那些被教化和文明约束着的人性之恶就会猖獗起来，肆意作乱。在跳过权威审查评判这一关隘后，没有人来对自己的行为负责任，真假美丑，界限不清。

谁让我们处在数字化不完善时代呢！我们注定要享受数字化的福，也必定要为数字化付出代价。

网络这种真真假假的性质，有时候，让旷乃兴自己也迷糊了。他心里也在犯合计：到底应该信它是真的，还是假的呢？如果是假的，那自不必言。洪肖奇他们虽然操纵不了到“满族民俗村”参观游览顺带着投票的本地游人和外地游客，但是，网络这东西就不一样，可以幕后操纵，只要他们稍微用一点心，就能在背后把网络投票这玩意儿玩得滴溜溜转。刷新一点投票、点击率已经是含蓄的，急了直接修改网络投票数字那也不是没有可能。

当然，这点事儿，黎曙光他们也能玩。但就目前情况来看，黎曙光那小子显然并没有这么干。以旷乃兴对他的了解，第一他不屑，第二他当大爷，作品递交上去以后就没他事了，往后这些程序全应当是招他来入伙的旷乃兴去干。那小子，他那种清高、自负、自律的劲儿，一个上下铺里睡了几年，他旷乃兴还不了解！

如果……如果，如果这些网民投票数字都是真实的，那么又该做何解释？

旷乃兴也不是没有考虑到这个问题。这一轮观众投票中，参赛作品已经是实名制。对老百姓来说，除了个人在审美方面的偏好导致选这个，不选那个外，对于国外设计师参与国内大型建筑设计的抵触情绪，也多少会影响到网民们对作品的看法。

旷乃兴也不敢肯定，那些不投“东方地平线”的票数里边，是不是包含着人们对外国设计师的不放心？最鲜明的例子就是国家大剧院，虽然是以竞赛方式胜出，仍招来许多争议。据说在第一轮投票时评委评选中国设计师魏大中的方案胜出。那是跟周边环境协调的设计,一看就是人民大会堂的孙子辈建筑,方方正正的建筑,巨大圆柱支撑的门廊,外形也很像个小型人民大会堂,仿佛中国古典建筑的现代升级版。而在终评时却是法国人安德鲁胜出,搞出一个银光闪闪的水泡一样的现代建筑。国内的不满之词层层泛起,不光参加评审的专家有意见,老百姓嫌它外形晦气难看,甚至就连堪舆大师也预言:它破坏了广场前的风水,施工建筑工程中人员不死即伤。

而决策层领导人则用辩证唯物主义科学观解释:要破除迷信,解放思想。选择外国建筑师的作品,一是显示中国人开放的胸襟,不故步自封;二是给国人灌输现代建筑的理念。巴黎卢浮宫前金字塔,难道也是法老的坟墓吗?只不过是借用了一个金字塔的外形,与卢浮宫相互辉映。

诸如此类,各种争议一直就没断过。

这些对往后凡是有国外建筑师参加的大型公共项目,都造成了负面的影响。公众抵触情绪就是其负面影响之一。

当把公众投票的两种形式票数——真人实地投票与网络投票——相加起来统计时,"大地凝眸"领先,"东方地平线"名列第二,"甲壳虫"第三。

这个结果,有点类似于电影界里的百花奖跟金鸡奖评选结果有所偏差。

到了最后常委会拍板的时刻。

这是一件非同小可的事情,留给三百万凇州人民的奥运遗产,就要在他们几个官员的手里评出。

洪肖奇、陆文誉那边加紧了走动打招呼的步伐。

旷乃兴这边也紧张地注视着发展动态。

让他略感宽慰的是,他赢得了一把手白宏臣的绝对支持。通过暗中调查,已经有事实证明副书记程之介全面卷入了这次方案竞赛的投票活动,并且是在全力为“大地凝眸”那件作品走动说情。那些写到省里各地去的匿名信之类,也都是跟“大地凝眸”有利益关系的人联手搞的。这让白宏臣多少有些不快。给淞州添乱,就等于往他脸上抹黑,给淞州的工作局面造成被动。对于白宏臣来说,没有了上峰省领导参与的顾虑,剩下的事情就比较好做了。在旷乃兴与程之介二者之间,他选择支持做事情透明的旷乃兴。

这次会议,主持会议的是白宏臣,掌握命门的也是一把手白宏臣。

作为一个决策层的一把手,白宏臣也费尽心思。他既然已经决定支持“东方地平线”,那么就一定不会让它落空。这就需要百般筹划,要细,要把工作做到家。

白宏臣事先计算了一下票数,光是常委参加终审投票,没有必胜的把握。程之介的势力大,他会事先拉票,许诺给人许多好处。尤其是程之介与副市长蒯广富联手在下面做工作,就更难掌握票数。他必须精心计算,准确把握,要一票一票地估算,一个人头一个人头地统计结果。在此准确估量基础上,最后决定,召开市委常委扩大会议,进行最终一轮的投票表决。本次会议扩大的范围是:市委委员,市级领导,市委、市政府副秘书长。白宏臣心里有数,人大常委会主任、政协主席、市委市政府秘书长的票可以稳定拿到。几个副市长的票也能拿到一半以上。市委委员里会丢几票,但总体来说,得的票比丢的票多。他算来算去,心里有了底,事先已经保证掌握了超过二分之一的票数。

市委常委扩大会议如期举行。先统计人数,宣布应出席会议的人数有超过一半以上到会,会议选举结果有效。圆形会议桌中间,架起小桌板,三个模型摆在上边。从视觉上看,“东方地平线”更规整、严密,上边漂浮的小飞艇也具有想象力。另外两个略逊一筹。

旷乃兴作为主管这项活动的副市长,负责向常委会做汇报,将前两轮投票过程和结果说了一说。其实这个时候,听不听汇报、看不看模型都无所谓。该办的事情,事先早已经办完了,人人皆有备而来。最后也就是等着会上走个程序出结果而已。

旷乃兴一汇报完，又是程之介率先发难，痛斥组织工作做得不好，搞成现在这个局面，匿名信控告信满天飞。副市长蒯广富则应声附和。

这边，常务副市长旷乃兴、纪委书记邹瑾允等则针锋相对，一一驳斥。

白宏臣面无表情，板着小白脸，聆听着每个人的意见，不插话，不打断，尽情发扬民主。

从早八点一直到中午十二点，每个人都已发表过意见，中间过程中不断有争论、质问、诘难、辩驳、捣糨糊、和稀泥……之后，白宏臣宣布进入最后表决投票阶段。

选票发下去，然后再收上来。由各方群众代表组成的监票委员会（一名运动员，一名教师，一名IT白领，一名清洁工，还有一名歌唱演员。特别注明其中有两名少数民族代表）当场统计票数，唱票，监票。十分钟后宣布结果："东方地平线"以三分之二多数票名列第一，当选为淞州新奥体中心主体育场实施方案。"甲壳虫"得了一票，其余的票数皆为"大地凝眸"获得。

不管再有什么想法，这已经是板上钉钉的事实，不可更改。众人鼓掌通过。淞州市委常委扩大会议当场通过决议，"东方地平线"成为淞州新奥体中心主体育场实施方案。

当旷乃兴把这项决定最后通知给黎曙光时，他才敢长出了一口气！

他在事后一想，白宏臣这事做得老到、智慧、聪明。白书记当官的经验、策略，真够他好好学一阵子的。

一股感激和敬佩之情油然而生！

旷乃兴岂有不结草衔环以报，拼命效劳的道理？

第三章　雕梁画栋

10. 腹背受敌

当南湟河沿上最后一座小碉堡——崔英姿家的小平房被铲掉以后，大型挖掘机、推土机、搅拌机轰隆隆开进奥运工地。民工的工棚搭起来，接着就是脚手架支起，打夯机、水泥搅拌机也紧跟着轰隆隆转动，眨眼间就是一副热气腾腾施工景象。一切按部就班开始工作。

淞州的秋天是美丽的。美丽的秋天也正是户外作业的好季节。

立秋这天一到，淞州的空气立刻舒爽起来，天高云淡。老祖宗定下来的农历果真非常灵验，说是哪天立秋就有个秋天样，说是哪天下雪哪天还真就飘下雪花来，不由得让人钦佩！虽然是以中原地带黄河流域节气为基础计算出来农耕日历，可是放在北纬40度的广大北方，也依然很准。我们的先人在天文、历法、数算方面的智慧，的确让人佩服！假如当初我中华老大帝国的版图疆域能扩大四海，进一步将古老的东方农耕文明普授全世界的话，地球人今天的历法，是会按基督教的公历年走，还是执意按照我们自己的农历方式过日子呢？

淞州秋季早晚温差大。阵阵凉风吹在身上，很是惬意。然而，总设计师黎曙光的心情并不能同样美丽得起来。以他为首的新奥体中心建设团队殚精竭虑，日夜奋战在施工现场上。这是一个非同寻常的建设项目，建筑施工有相当大的难度，工程施工图纸非常复杂，机电工程师、水暖工程师等各部门要协调配合，每一次的修改切磋似乎都耗尽心力。黎曙光原想淞州和祁阳两个市离得近，自己可以像正常在单位上班一样每天两边跑。但是一段时间过后，他发觉这样下去不行，跑不起。虽说淞州离省城祁阳近，但是毕竟是跨市，总是高速公路开车两头跑来跑去，耽误时间，消耗体力，很不方便，同时也极不安全，而且这一忙起来，就没时没晌，每天跑路的时间也不确定，披星戴月，十分麻烦。于是他决定进驻淞州工地，索性把工作室搬到淞州，直到最后“东方地平线”完工验收。把这个想法跟旷乃兴一说，旷乃兴当然高兴，他也正巴不得呢！他高兴地一拍黎曙光肩膀：我就知道，你是个追求完美的人！能来淞州，太好啦！这下，整个工地上的事情我就可以大撒把。

转而，又略显担心地说：你来淞州，家里那边怎么办？弟妹能同意吗？孩子谁管？

黎曙光说：那能怎么办？甘蔗没有两头甜，做做工作吧！孩子让我岳母帮着照应一下，再说，这离得又不远，我双休日节假日都可以回去。

旷乃兴说：好，你把家里好好安排一下。淞州这边一定给黎总提供最好的工作休息环境。

黎曙光未免太书生气，把问题想得过于简单。他没想到自己一切从工作出发的一个善良愿望，竟然遇到了强大的阻力。不光家里不同意，就连单位也给他设置了层层障碍。

省城建筑设计院副院长洪肖奇，设计竞赛失败的火还没消，哪里肯就这样轻易放过他！洪肖奇内心的气愤仍然无以言表。太狠了！他在心里说。黎曙光这小子，下手太狠了！别看这小子平时言语不多，可是怀里揣着个老猪腰子，主意正着呢！

设计竞赛结果一公布，他就已从私下渠道打听出，黎曙光跟淞州常务副市长旷乃兴是大学同学。怪不得呢！胆子这么大，关键时候插一杠子，自己潜心布置好的局面统统被他给搅了。原来是内部有人给支招儿啊！

我怎么就没想到他会是个对手呢？洪肖奇懊恼。大意了！真是太大意了！

原先他只把眼光盯在那另外十来家参赛对手上，第一时间搞来他们的资料情报，一一想出对策破解。十几个评委名单刚一定下来，他们也悉数得知，急忙走动，找相关人员打招呼，说情。该做的工作都做了，就连他自己也觉得是有了不能说是十分也至少是九分半的把握。

怎么到最后还是智者千虑,必有一失?

就怪黎曙光这小子做得太诡秘了。而且也出手太快!

他是不甘心就这样失败的。

于是去层层寻找报复的时机。

先找出德国穆勒尔与中国黎曙光联合设计方案的漏洞。从诸多网上资料中发现,这个凇州新奥体中心主体育场设计方案,跟多年前穆勒尔给法瑞边境瑞士一方设计的另一体育场形状相似。好!太好了!洪肖奇不由得拍手称快。这下子,这个新奥体中心主体育场就有了“抄袭”和“仿照”之嫌。即便是自己重复自己,虽不好说是“抄袭”,至少也可以叫做“复制”。至此,“创新”这一词可以取消。

而没有了创新,穆勒尔黎曙光他们的整个设计方案就不符合竞赛宗旨。

好!有了这个短处,他洪肖奇就可以攻其一点,不计其余。

洪肖奇立刻回去安排,让自己的研究生写文章,进行论证攻击,并在网上到处散发帖子。

这一招儿还真奏效,立刻在业内激起了反响。一些专家尤其是一些自由设计师们纷纷回帖或在媒体上发表言论,由此生发开去,就此事论及民族自主品牌的受挤压、外国设计师假冒伪劣产品在中国建筑市场上的淘金和在发展中国家的横行霸道。

把法瑞边境的一座体育场照样搬到中国北方大地来,有什么意义吗?他们说。届时,当体育场进行实况转播比赛时,全世界人民,尤其是欧洲人民看到了一座跟自己家门口一样的体育建筑,他们会怎么想?除了会嘲笑我们钱多、挥霍、拾人牙慧,嘲笑我们本土建筑师的无能,还会有什么别的?他们说。

这岂不是跟南方企业家把自己的办公室建成美国白宫形状、跟广东乡镇照卢浮宫模样设计自己乡里的五星级饭店一样可笑吗?人家那是民营资本,自己爱怎么设计就怎么设计,可是奥体中心体育场却不一样，它代表的是国家形象，难道我们就把这样的毫无新意的建筑展现在世人面前吗？他们质问道。

一时间，批评和非议的话语齐出，言辞甚为激烈。那些不明就里的网民也随之跟帖起哄，跟原先对“东方地平线”大加赞扬的网友形成对峙的阵容。两派网民叽叽嘎嘎在网上打架打得不亦乐乎。

舆论给淞州市政府和竞赛办、给新奥体中心带来了很不利的局面。这样一场争论，涉及的，不光是设计师本人。同时，还牵涉到评委、专家，牵扯到拍板决策的政府诸方。

面对诸多非议，黎曙光、旷乃兴他们不能保持沉默无言。黎曙光在日夜兼程赶制施工图之余，不得不分身出来，对这些议论一一进行驳斥和解释。旷乃兴则一边陈述着一切竞赛程序的合理有效性，同时也得再次请中国工程院的老院士出山，就“东方地平线”的设计创新性、对它的诗意性结构中所包含的中国意象对公众进行解释。老专家又一次阐释道：仅就形状来说，世界上所有的体育场都是相似的，无非是要围绕椭圆形的标准400米跑道做文章。这一点无可争议。而其内部的功能结构、建筑材料的运用等等，却是千差万别。不能因为看到淞州新奥体中心也是一个椭圆形外观，也是外部贴膜，就可以简单断定它是法瑞边境体育场的仿制。它的符合中国人审美方式的设计理念、建筑形式，还有那个飞艇式的可开启盖子，都跟前者有着本质的不同。作为业界人士，应该多一些科学理性精神和严谨求实态度，不能听风就是雨，不加研究思考就随便发言，将普通公众的思维和观赏方法引向歧路。

老专家一番中肯的话语，拨正了一些人的认识。这个问题的争议稍微平息了一些。洪肖奇一见，马上启动第二个程序，仍然抓住黎曙光参赛身份问题，死缠烂打。既然他黎曙光事先未经院里批准同意，也未曾在院里备案，就私自去参加比赛，那么他能否代表或者说能否以建筑设计院工作人员身份出现，就永远是个问题。

不管淞州方面怎样替黎曙光解释、开脱，洪肖奇仍坚持说黎曙光逃不掉无组织无纪律、冒用身份、牟取私利的嫌疑。如果都照这样下去，谁想去就去，谁想参加什么就参加什么，丝毫不在乎院里统一的工作部署计划，都想着个人出风头，那么今后院里将怎样进行管理？如果早知如此，院里其他人也都抢着去参加，说不定就没有黎曙光的份，说不定今天入选的就是别人了！

洪肖奇在院务会上咬住这个问题不放。书记陆文誉因为已经搅进了这趟浑水，被洪肖奇拉去联合参赛，其间动用了大量的关系拉选票，到现在吃了败仗，也只能像拿了人家的手短、吃了人家的嘴短一样，已经没法做到公正处理，他最多能做的，也只能是劝劝，做做思想工作，做到息事宁人而已。陆文誉心里明白，黎曙光参赛，从大的参赛程序上说，是合乎规则的。是他们自己，或者说就是洪肖奇自己制定了一个院里选派规则，把众多设计师拦在门外，给他洪肖奇自己去参赛获奖大开方便之门。没想到半路上杀出个程咬金，把这一切安排全破坏了。洪肖奇咽不下这口气，也在情理之中。

告黎曙光的匿名信从上边转到院里，陆文誉也看到了。省建设厅、信访部门、组织部等相关单位都有收到过。把黎曙光连带着凇州规划委大赛办一块儿告，说黎曙光的参赛程序不合法、营私舞弊、腐败等等，所有的罪状一股脑儿上。作为多年的行政干部，陆文誉一看就知道是怎么回事。他看到主管副省长的批示：凇州能够争取上奥运协办城市是我们全省的骄傲。大家要团结一致办奥运。具体情况请建筑设计院党组查。陆文誉想，我查什么呢？一切都是秃子头上的虱子，明摆着的。

同时，省纪检部门也听取了凇州规划委大赛委员会方面的详细汇报，并调来所有程序和一系列参赛投票选举文件审核，没有发现有违规违纪问题。一切都是按事先公开发布的大赛程序办理的。专家评委的选举投票有效，公证处的公证程序有效。公众评议结果也有效，最后的领导拍板更不能说没有效。

见告黎曙光的匿名信总是纠缠不断，源头必是建筑设计院的利益相关者，省里责成建设厅给建筑设计院解决问题。建设厅王厅长直接找一把手陆文誉来谈话,明确表示说,黎曙光的参赛身份没有问题。难道他不是你们建筑设计院的工作人员吗?难道他假冒了吗?要说有问题,只能说你们部门之间制定的细则跟大赛组委会的竞赛规则有冲突。上面也知道了是老兄你跟一个副院长联名参赛,院里其他人员都没有资格上。这样做是不是不利于人才的培养和选拔?

要是一般人,肯定要被这一番话给说得羞臊得慌,显然,上边是调查了一系列底细之后才说这番话的。陆文誉未免暗中埋怨这个洪肖奇不是个东西,没完没了,把自己的声誉也给搭了进去。洪肖奇的小算盘倒是打得不错,天塌了有陆文誉这个大个儿顶着,他自己个儿什么也不损失,躲在后边装神弄鬼。洪肖奇以为这样就可以躲得住呢。可惜,他错了!他陆文誉是什么人?毕竟也是官场上一路摔打出来的,岂能被洪肖奇这个小崽子随便给玩了?!

再则说了,眼前你个老王、王厅长是个什么人?原来也不过是跟自己一起当副厅的,如今敢用这种口气跟我说话!一想到自己过不久也马上面临退休了,不用过分小心谨慎担心他个什么。于是陆文誉便软中带硬地说:王厅长啊,你有所不知,我们并没有阻碍人才的发展和培养。只不过,在目前状况下,转企改制的关键时期,还要强调一个院里的纪律问题。如果是一盘散沙,谁想干什么就干什么,那是不利于党的领导,也不利于建筑院的发展的。设定的规章制度都不执行,我们的工作就没办法做啊!

王厅长把话缓和了一下,说:我说老陆啊,你是把关的人,我劝你们其实不必纠结于这个问题上,黎曙光的方案入选,对你们院,对你这个一把手,是个成绩,也是个光荣。当务之急,还是搞好转企改制工作,完成奥运场馆的建设施工任务,同时加强和谐社会建设,也给奥运赛事在我省的举办创造良好的氛围。别的省院的转企改制,已经大张旗鼓动起来,咱们省,也不能落后啊!

陆文誉说:是啊!你放心。尽管困难重重,我们也是要坚决改下去的。

王厅长说:这就对了。以后真的改成了新州省建筑设计有限责任公司,建立起严格有效的人才选拔机制,就能充分调动大家积极性,今后像这些谁代表院里去参赛的问题根本就不是个问题。

陆文誉说:是啊,我也就是站好这最后一班岗吧。一定把接力棒很好地传下去。

从省建设厅回来后,陆文誉找洪肖奇谈了一次话,一是传达上面精神,一是将黎曙光要去凇州奥体中心工地的申请报告转给他看。

洪肖奇不服气地说:这件事,就这么着完了?

陆文誉说:不完还想怎么样?现在一切都是木已成舟,无可更改。这件事情牵涉面大,省委省政府都高度重视,要求我们打造和谐氛围,保证奥运工程顺利实施。再想做什么都无济于事。我说你啊,还是把自己手里的活做好吧!

洪肖奇拿着黎曙光的申请报告,仍旧不满意地嘟囔说:他这可真是目中无人啊!山中无老虎,猴子称霸王。就这么便宜地让他过去了?岂不是让他两头都落好?

陆文誉说:不让他去怎么办?省里的重点工程,全国人民瞩目的大项目,阻挠得了吗?要不怎么办?要是让你去那么个闭塞的地方长时间进驻工地打造场馆,你能做到吗?

洪肖奇说:我去不了。我哪像他那么闲,就一根筋搞设计。我这头家里的事情多着呢。

陆文誉说:你看,这就是你和他不一样的地方。他可以一根筋搞设计,心无旁骛。你却忧思太重,积虑太多。你们根本上走的是两条路。

洪肖奇不吭声了。

暗地里的小动作一直没断。

院里批复了黎曙光进驻凇州奥运工地的申请。临走前,陆文誉找黎曙光谈了一次话。

老陆知道这件事情搞大了,黎曙光这一入选,成了省里名人,从省委书记到省长,以至于逐渐地全世界人都会知道他。陆文誉知道如何做顺水人情，首先对黎曙光极尽言辞表示祝贺支持之类，表示院里讨论同意了他去淞州进驻奥体工地的要求。还问到家庭有没有什么困难需要院里帮助解决的。

陆文誉说：你的方案的入选，是我们院里的荣誉，也是整个淞州乃至全省人民的骄傲。院里经过讨论决定，批准你以“黎曙光工作室”的名义进驻淞州，指导协助完成新奥体中心工程建设。作为院里的一个改革试点，我们还打算今后在各个所里都成立工作室，把你们的经验传授下去。到那里以后有什么困难，就及时跟院里提出来，我们一定帮助解决。记住，我们都是你的坚强后盾。

黎曙光怀着十分感激的心情说：没有困难。谢谢组织上对我的关心。

陆文誉站起身来，友好地拍了拍黎曙光肩膀说：年轻人，好好干，院里会全力支持你！希望你不要辜负了大家的期望哟！

黎曙光如沐春风，给了一点儿阳光就灿烂。他吹着口哨，从院办公室回来，路上特地绕道去菜市场转了一下，买了一只乌鸡和一些蔬菜，准备回来煲汤煎炒给老婆大人献殷勤。院里这一关过了，家里边呢，也得把妻子好好打点打点，以便让她痛痛快快同意自己驻扎淞州。他在卖活鸡的鸡笼前看了一会儿，瞄准一只雪白如鸽漂亮得炫目的乌鸡，跟卖主讲好了价钱。乌鸡见到生人的到来，咯咯欢叫着甚至还抖擞了几下翅膀。它并不知道这几声欢叫竟成为自己在这个世界的临别赠言。卖鸡的菜农一手持烟，一手伸进笼子里揪出乌鸡，然后将烟头叼在嘴上腾出手来，只见他手起刀落，一刀就抹了乌鸡脖子，顺手将鸡身扔进开水煮沸的大煤油桶里。改造过的煤油桶通上了电，安上了作为煺毛器的转轴，刷刷一转，锋利的齿轴咔咔一打，刚才还是活脱脱一只骄傲的乌鸡眨眼就变成一只光秃秃肉鸡，浑身没毛给倒提着双脚拎了出来。

有那么一刹那，黎曙光心脏部位突突狂跳了一下，有种暴殄天物的生疼感觉。他赶紧闭了闭眼睛。同时心里还在说，我这是怎么了？是老了还是怎么着？以前在家杀鸡杀鱼还不是常事儿？现在怎么就如此善感，在现场看着这种场面就难以忍受？

是时代变了，观念变了，价值观人生观也有所变更了吧！以前只是寻求填饱肚子，只是一味饕餮，现如今环保和众生平等理念占了上风，爱护动物观念也深入人心。再眼看着这些杀戮场景，肯定于心不忍。

可是，众生平等是一回事，生物链的层叠堆加环环相扣又是另外一回事。如同那个猜拳行令常用的老虎、杠子、鸡，后面应该再加一个“人”。老虎、杠子、鸡、人，周而复始，人遇到老虎，便也成为它的口中食，没什么好说的。这也是上帝安排好的。上帝先天预设了很多悖论，来让人类争执不休，以磨炼和激活类人猿后裔们的脑神经细胞。

胡乱地想了一些，将自己方才的难过化解了。待到菜农递过装在塑料袋里已经收拾齐整的乌鸡来，他赶紧接了，一手交钱，迅速离开还有着鸡腥味的屠宰现场。走到隔壁卖蔬菜的床子前，见到满眼满捧的绿色植物，心情似乎好了许多。挑了一些老婆平素爱吃的西红柿、黄瓜、豆角、莴笋之类，又拣了个大西瓜，一并称了，放在袋子里。

将这一干活色生鲜扔进车后备厢后，他给邵宝娟打了电话，问她今晚能不能早点儿回来，今天是周末，把孩子也接家来一起吃个饭，他会给他们做好吃的。邵宝娟声音是漠然的，也是急躁的，说：我不一定，忙着呢。你先把小波接回来，做好了你们俩先吃，别等我。

黎曙光忙强调说这顿饭一定要一起吃，我有事要告诉你。邵宝娟说：你能有什么事啊，大惊小怪的。没看我这忙着吗？有事回家再说，先这样吧，我挂了啊。

说罢，不由分说挂断了电话。

夫妻通话，永远是这样。黎曙光也不以为意。谁还能指望婚龄十几年以上的夫妻还能发嗲，还有什么甜言蜜语吗？多年的夫妻成兄妹，这话说得好。现在他们俩，就是亲人的感觉，一家人，而并不一定是那个男女之情意义上的“爱人”。

黎曙光只是想借今晚吃饭的工夫告诉她自己准备驻扎淞州的决

定。他并没有什么思想准备会在邵宝娟那里遇上障碍。在互相支持彼此干事业干工作这一点上,两个人有着高度的和谐和惊人的一致。要不然,在外人看来怎么也不像一家人的他们两夫妻,十几年的婚姻凭什么能如此坚固地延续下来呢?

没错,而今35岁的黎曙光面目俊朗,玉树临风,过了而立之年后,一步一步,逐渐到了男人的最好年纪,从皮肤的油脂分泌状态,到气质风韵、自信程度,都到达了迷倒天下老妇少女的临界状态。再年轻一刻,显得太嫩;再老一点,立刻沧桑。一个男人若想成为少女和师太“杀手”,那对脸盘子的要求也是很高的。

而同样岁数的妻子邵宝娟的状态,则是每况愈下,一天不如一天,一年不如一年。这也是老天爷的不公平之处。一个35岁的女人任怎的也不能和一个35岁的男人相比。最糟糕的是邵宝娟并没意识到这一点,意识不到她已经先于丈夫一天天苍老,平时穿衣打扮一点也不知道讲究。其实她一直也就不怎么讲究,从认识黎曙光那一天起,或者在认识黎曙光之前的多少年,也一直是素面朝天,本色对人。好在那时有青春做底子啊!青春就是最好的养颜化妆品,血气充盈的红扑扑的脸蛋,比扑什么胭脂都要好看。

但是,时光啊,谁能敌得过时光呢?再娇嫩的容颜,在时光面前也要败下阵来。人近中年的邵宝娟没意识到这一点,还整天像个没出校门的学生一样,运动衣、运动鞋的穿着,头发也随便拢了一把马尾辫揪在脑后,随随便便,穿着家常衣服就出入于电视台,出入于黎曙光单位,出入于各种社交场合。这有什么?她心里说,才女嘛,可不就是恃才傲物,有了才干就有了一切,并不是凭脸蛋立身,穿什么、抹什么化妆品,又有什么重要?

这是她心里的潜台词。甚至当世事变迁,一拨又一拨70后、80后受过播音传媒专业训练的小美女陆续进得台里来,莺莺燕燕,姹紫嫣红,作为老大姐的她也没有产生任何自卑,依然我行我素,风尘仆仆,一副八十年代才女风范活体标本的样子示人。

有一次她在黎曙光单位出现，忘带了家钥匙到他那里去取，建筑设计院几个新来的小年轻，就在背后悄悄地议论说：啊呀，那个就是黎总爱人？不像。啧啧，不像夫妻，倒像是黎总他大姐。

旁边就有多嘴的老太太说：人黎总的爱人是正经电视台名主持人呢！当年坐台里第一把交椅，你们都没赶上。当年那也是郎才女貌、天造地设的一对玉人儿！

小年轻唧唧喳喳道：哦？没看出来！怎么看她也不像是个电视台名嘴，倒像是菜市场卖菜的大婶。

了解底细的老太太就说：说什么呢？越说越不像话了！人家那叫北大女生！当年的省里高考状元！北大女生啊！多不好考啊，你们这些建筑学院毕业的也没人家厉害啊！

几个年轻小姑娘互相看了几眼，从窗台上把头缩回来，吐了吐舌头，扮了鬼脸，异口同声道：北大女生？耶！

不知道她们这“耶”的是啥子意思，仿佛充满了反讽。

也许，在她们这一代新新人类眼里，那就代表着“过时”“过气”的二十世纪八十年代那一代才女的代名词吧！

这些无意闲谈往往能道出世态的真相。可惜作为当事人并不能听得见。就是听见了，邵宝娟未必就往心里去。她当年那份清高、那份自傲、那份北大女生的架子还一直端着呢！这么多年，也一直没卸下来。不但跟自己的丈夫，跟别人也一样，忒牛，忒瞧不起人！她就忘了自己照一下镜子看看岁月风尘已经把她打造成了什么模样。

什么模样？浑圆，下坠。主要是下半身，腿粗，臀大，经受不住地心吸引力诱惑，一个劲往下坠。本身她的家庭就是半蒙半汉血统，这样一种体型特征随时都可能爆发，一发而不可收。当姑娘那会儿，整天在学校里，还没有什么发福的条件，肥胖的端倪暴露得还不是太明显。可是结完婚生完孩子后，她对自己的身体毫无关注和克制，任凭自由发展，迅速发酵，所有基因遗传的缺点显露无遗。整日没有充足睡眠，过度忧心焦虑，媒体人的工作狂状态，已经使她未老先衰。外加她染上了才女往往都要一手提烟的时髦癖好，面颊也因为抽烟过度而皮肤过早松弛，呈现一副虚泡囊肿状态。原先上大学时一尺九的腰围现在已经发展到了二尺六，要到商场的中老年人专柜才能买到合适衣服。尤其那眼神，一副清澈见底的北大女学生眼神早已不见，只剩了缺乏睡眠营养不足的血丝黄疸。

她自己虽不以为意，丈夫黎曙光却已有所察觉。他曾善意提醒过妻子要注意一下，却被她几句话铿铿锵锵给斥责回去：怎么，现在瞅我不顺眼了？早干什么去了？我一直就这个样子！过去这样，现在这样，将来还这样！爱看不看，不爱看闭眼！

黎曙光被噎回去，不再说什么。在家里，妻子邵宝娟也是强势，一张大圆脸盘，风风火火，雷厉风行，像个男人。黎曙光像个妻子，俊逸的脸，柔声的语气，江南气质，优柔寡断。夫妻俩虽然乾坤颠倒，完全错位，可也正因如此，才阴阳搭配，琴瑟和谐。否则，两个人一样脾气，肯定过不到一块儿去。

十几年前，那个北大女生，是这样吗？如果是现在这副人近中年的破马张飞模样，黎曙光还能爱上她吗？

黎曙光的心里，永远留着当初校园里初见她时的模样。

……操场上，黎曙光、旷乃兴他们一伙清华男生在踢球。球一不小心滚到外边，滚出去好远。为了节省体力，他们没有去追，而是看见有谁路过，就让给顺便踢回来一下。

“喂——同学，给帮着踢一下球——”

喊声是冲着一个穿连衣裙的女生去的，那个女生瞄了一眼生硬的皮球，又瞟了一眼自己脚下的白色皮凉鞋，没舍得抬脚。那女生迟疑了一下，假装没看见，很矜持，挺着小胸脯，漠然地绕道走过去。

旷乃兴、黎曙光他们一帮男生起哄：嗨，嗨，嗨，牛什么牛啊！踢过来一下，崴不了脚嗨！

女生仍旧不答理他们，假装没听见，过去了。

那帮男生们又生气又失落。无奈，黎曙光只得四脖子流汗，一颠儿一颠儿地往场外跑，去找回皮球。谁让他脚底下不准，一脚给踢出去的呢！

正在这时，远处又走来两个人影，那正是邵宝娟和另外一个女生。两个人正说说笑笑走着呢，猛孤丁见到眼前一个足球。再抬眼望，操场那边有一群男生正在下午的阳光下杵着，有的光脊梁，有的把背心撩上去扇乎着喘粗气。一个男生一蹩一蹩往这边走来，看样子也跑不动了。男生见了她们，打老远就喊：喂——同学，麻烦给踢过来一下。

邵宝娟明白了。没等同伴做出反应，只见她二话不说，上前，先用脚掌踩住球。最逗的是她没有立即踢，而是拿眼睛往前方瞄了瞄距离，接着，她返身，往回走了几步，走远，站定，再转回身来，来了一小段助跑，奔到球前，小腿肌肉绷紧，脚背触球，脚尖直抵球下方，接着，用力，飞起一脚！

只见那皮球在空中高高划了一个弧线，荡悠悠荡悠悠直回球场而去！

啊！大脚开球啊！

一操场的男生都惊呆了！他们自己，也未必能踢得这么有力、能把球大脚开起这么远来啊！

他们先吃惊地张着大嘴，眼波随着皮球高空的弧线转动，盯着它的落点，接着再把目光回投向那个踢球的女生。

见那女生，身材高挑，穿了一袭白衣白裙白色网球服，脚下也是一双白色球鞋，扎了一个马尾辫，在秋季下午的阳光下无比的青春，无比的靓丽。男生们惊叹得七零八落，大声喊："谢谢！谢谢哦——"

就见人那女生毫不在意，从旁边女伴手里接过网球拍，满不在乎地冲他们一群男生摇了摇，那神态好像说：小意思！没关系的啦！然后两人挽着手，又说说笑笑走了。

黎曙光愣在那里，目光紧紧追随着那个高挑女生。他永远记住了那个夏天操场边，那件白色网球衫，那个女生，她的青春靓丽，她的满不在乎，她的欢颜。

事情也巧，踢完球，晚上在食堂的饭桌上，他们又碰上了那个踢球女生，跟她的女伴在一起，也正在排队打饭。旷乃兴上去跟那个女生的同伴打招呼，他们认识，是另外一个系的同年级老乡。女生也把穿网球服的女朋友介绍给他们：邵宝娟，北大女生，也是从新州省考来的。

旷乃兴跟她握握手说：邵宝娟？这名字熟啊！想起来了，高考文科状元是吧？

邵宝娟扬起明媚的小脸，一副挑战者的神气，说：是又怎么啦？

旷乃兴说：知道！我们知道你原来是市二中文科班的女秀才，语文老师总拿你登在报纸上的作文给我们理科班当考试范文。

邵宝娟有点兴奋地说：哦，是吗？你是哪个学校毕业的？

旷乃兴说：省实验中学。

邵宝娟说：好学校啊！省里边的重点。

旷乃兴说：彼此彼此。

邵宝娟说：幸会幸会。

他们俩这叽叽呱呱说得高兴，旁边的黎曙光只是怀着一种难以名状的心情，偷偷打量着这个北大女生，这个北方女生，会大脚开球的，爽朗、热情、明快的北方高个子女生。

她跟他所熟悉的那些南方女生完全不一样。

有了中间这一层老乡关系作为铺垫，后来他们清华和北大两个班级之间的彼此交往就密切了起来。到了年底新年晚会的时候，清华北大两个班联谊搞了一次联欢，清华这边的都暗怀着小心眼儿，就是想借用北大那边女生多的优势，弥补他们这边阳性太足而阴性稀缺的不均衡之态。

旷乃兴、黎曙光他们处心积虑，做了不少准备，把看家本事都使出来了，排练节目，赢取女生们的欢心。黎曙光他们排练了一个男声小合唱《邮递马车》，还请了略通音乐的年级辅导员给帮着分了声部。那个曲子可真好，难度不大，歌词满是春天的气息。以后无论在任何时候唱起，都要激起黎曙光对于青春的美好回忆。“从那南边山坡上，远远传来了，邮递马车阵阵声响。马车将要带来快乐信息，马蹄声儿多么清脆嘹亮……”他们那群小男生，都穿着雪白的衬衫和牛仔裤，一个个都那么飒爽、洁净、明快，宛如春天田野中冒出嫩芽的一棵棵小树。

那是一个时代的记忆，更是他自己的青春记忆。

北大女生们也都很高兴。联欢会开得很成功。邵宝娟则朗诵了一首诗，《傲骨柔情》。她那甜美圆润的声音，一点听不出北方话的生硬：

我们有多少柔情，
温柔如春天的黎明；
我们更有多少刚烈，
刚烈如冬日的长风。

那是八十年代初发表在《中国青年报》上的一首诗。但是还在上中学的黎曙光读了之后心潮汹涌，热爱之极！他把诗工工整整抄在本子上，没有和外人道，也没法跟别人交流。大家都在奔着高考独木桥同一个目标，没有心思去吟风弄月、谈诗论画。而黎曙光喜欢这些。从小，他那个在大学里教古典文学的父亲希望他将来能子承父业，拼命灌输给他文学的基本原理、诗歌的基本原理，从小就唐诗宋词地教他背；而他那个在音乐学院里教声乐的母亲则逼着他练琴，想让他将来能成为音乐家，从四岁起就开始让他学弹钢琴，一直弹到上初中，考级通过，还得过全市钢琴比赛少儿组一等奖。按照母亲的意思，是要他读音乐学院附中，然后顺理成章进专业音乐学院，可不知为什么，他青春叛逆阶段来临后，第一件事就是把父母亲的意愿全叛逆掉，不想学文学也不搞音乐，自己开始喜欢上了画画。最后呢，画画也没有画到底，只当了个业余爱好。高考报志愿时也是听说建筑系可以画图，也没跟家长商量，就自己稀里糊涂报了上来。那个年月有许多不确定性，青春理想志向选择，都有许多盲从和不确定性。现在，猛然听起有人又朗诵起这首诗,听到有人跟他同好,他不禁心潮澎湃,激情奔涌!

叹息和犹豫不属于我们,
只要开始,就是一次壮丽的行程;
卑屈和胆怯不属于我们,
既然活着,
就有一副硬骨铮铮。

他痴痴地听着,呆呆地想。她那青春无邪的脸庞,皎洁如满月,她那动人的语音,温暖如太阳。

等到她朗诵完下来之后,黎曙光问她,记不记得这首诗作者的名字是谁?当年抄诗时他没有记录作者名字。问起她,她说不知道,她竟然也是只抄诗而不记作者名字。他们不禁笑了!美好单纯的青春时代啊!只记录正文不记录作者名字的懵懂青春时代!

当然还有爱,
爱属于我们,
但爱得热烈,爱得深沉。

黎曙光发动了爱情攻势,知道了邵宝娟平时的体育锻炼是打网球,知道了她周末的主要娱乐活动是到大食堂跳舞,知道了她爱读小说,知道了她喜欢吃巧克力,知道了她的这个她的那个……黎曙光也就成了北大网球场的常客,也就成了周末北大食堂舞场的常伴,就买了巧克力,就也捧了她念叨过的小说……

凭着共同的爱好志趣、共同的对《傲骨柔情》的喜爱、共同却又是不同的对于南北地域差异的神秘感,他们渐渐走近、靠拢,渐渐息息相通,渐渐耳鬓厮磨,渐渐如胶似漆,渐渐海誓山盟,发誓要不离不弃。

一切都是那么自然而然,水到渠成!

无论多么美妙的恋人，在毕业时也得经受一番何去何从的考验。那年月，工作不用愁，大学生都是国家包分配。邻近毕业分配时，各省都去北大清华这样的学校抢毕业生。邵宝娟所在的祁阳电视台副台长也前去抢人，他一到那里，立刻瞄上了北大女生邵宝娟。副台长单刀直入，以情动人，说：小邵，当年我就读过你这个二中才女写的文章，你写的古体诗我还从报纸上剪下来留着呢！回来吧，祁阳的电视事业正需要人去开创，回来我们就让你当一个部门的主任。你这个小老乡，祁阳人民的骄傲，一定要回来为家乡做点贡献哪！

那时候的人都单纯。邵宝娟一腔正气，满身理想，除了满脑袋瓜子浪漫，可以说对社会一无所知。她也没多想，就跟谈恋爱似的，谁先下手，就跟谁走，而且还容易从一而终。副台长这么一吹捧煽乎，她就决定分回老家祁阳电视台。

黎曙光本来是可以留在京城的，但在爱情和工作二者的取舍之间，他义无反顾，决定保爱情，要跟她一道分回新州。“你到哪儿，我到哪儿。”他说，“在天愿做比翼鸟，在地愿做连理枝。”

“山无棱，江水为竭，冬雷震震，夏雨雪。天地合，乃敢与君绝。”她说。

那时候，他们都习惯于这么说话，习惯背诵一点诗来言志。

那是一个时代的风潮。

他们拥抱在一起，满怀幸福，满怀着憧憬。

果然，北大才女邵宝娟，打一毕业分回祁阳电视台，一直就是单位里的“角儿”。那年头，电视业正方兴未艾，正是需要人的时候。广播学院的毕业生还没几个，供不应求，分到各省的几乎没有。邵宝娟这个北大女生，在当地凤毛麟角，顶天了！

她不负众望，挑起了大梁，成为顶梁柱，是台里的骨干分子和中坚力量。

这一“中坚”，十几年下来，就把自己从一个青春少女，“中坚”成了中年大妈模样。

这也是一代才女的必由之路。

黎曙光把车先拐到了丈母娘家,接回了孩子。一进屋,儿子小波立刻就钻进他自己房间上网打游戏。黎曙光让他少玩一会儿电脑,多做做功课,练练琴,小波嘴里哼了两声算是给他面子答应,眼睛却不离荧屏,手里忙不迭地按着键盘。黎曙光无奈,知道儿子大了,说也说不动,只好任由他去。家里那台“星海”牌钢琴,还是在小波四岁那年买的,黎曙光这个家长,又重蹈了自己母亲的覆辙,也把家长的一厢情愿,强加在了孩子身上,从小就逼着孩子练钢琴。当然,相比起自己的母亲,黎曙光觉得自己对孩子的要求已经宽松得多了,不指望小波将来成音乐家,只希望孩子学点音乐增加一些素养就成。就像自己那样,尽管没当成诗人也没当钢琴家,但是童年时期的艺术熏陶和打下的文学根底,在他后来从事建筑设计行业时还是相当受益。

而小波呢,也酷似乃父,也是学琴学到上初中,考试晋级和比赛成绩都不错,然后不知何故,突然间就对钢琴厌恶,说啥也不学了。怎么逼着也不学。他跟同时代的小孩一样,兴趣迅速转到电脑和网络上边,手指按电脑键按手机键比弹钢琴键还要娴熟灵巧,对电脑游戏单调枯燥的伴奏音的感觉比听古典音乐的感觉还要来劲。黎曙光就担心,这代人成长起来后,对音乐和艺术还会不会有感觉?明知这是杞人忧天,但有时还难免不了要唠叨儿子几句。儿子则一开始还假装听,到后来就无动于衷。他那个钢琴放在家里就成了摆设,就剩下黎曙光偶尔才弹上一弹。搬家的时候邵宝娟曾经主张卖掉,嫌它占地方,黎曙光没舍得,仍旧保留着。大概跟他从小的那一份音乐情愫有关吧!

儿子躲在房间里忙着玩,他则戴上围裙先进厨房,把一堆脏碟子碗筷迅速清理好。不用说,这又是他在凇州两天没回来的结果,一看那垃圾桶里扔的包装袋就知道邵宝娟是吃方便面对付的。接着他又拾掇出一块地儿来,将该煲汤的东西先清洗好放进锅里,大火先煮上,接着才腾出手来收拾打扫房间。

每次从外面回家，这都是先要做的一个例行项目。叠被褥，抹灰尘，拖地，通空气……按理说不是太麻烦的工作，为什么邵宝娟不能就手做一把？要是一个顾家的女人，每天早起十分钟、晚睡十分钟，也会把这点活计干了。整天睡在一个像猪窝的地方，好受吗？

也许，就是自己把媳妇惯坏了，让她认为这是理所当然由丈夫来干的活。妻子邵宝娟不是个理家的人，打一开始就不是。从他们结婚时起，就是黎曙光管家。他们家是典型的男主内女主外，常要被人揶揄。没办法，电视业那时方兴未艾，正是扩容整编草创时期，邵宝娟又得以重用，更是忙得热火朝天脚不沾地。黎曙光千里迢迢入赘而来，房子是人家邵宝娟单位分的，工资也是每月人家往回拿得多，他在那么一个多数时间都闲着的设计院，用邵宝娟的话说"整天坐板凳不挪屁股"，家务活多分担点也是理所当然。里里外外，洗衣做饭，带孩子都成了黎曙光的活儿。他任劳任怨、无怨无悔。他的自行车后座上绑了一个儿童坐椅，每天接送孩子去幼儿园。儿子3岁到5岁在坐椅里长大，6岁到10岁去掉坐椅，继续在自行车后架子上长大。

忽然有一天，黎曙光出名了，他开始忙得团团转，频繁出差、上项目，再没有时间理家务管孩子，而邵宝娟此刻却显得比他还要忙乱，他们的家务事就处于一种无序和混乱状态，没人打理没人管。好在孩子大了，稍微好办些，黎曙光出差时就送他姥姥家寄养，或者索性就被姥姥爷留下，不给送回来。家从此就像个空巢，乱七八糟没有个热乎气儿。

空巢归空巢，一般人家里能够混乱成这个样子，也是少见，外人一看几乎有点儿破罐子破摔的意思。其实没有，这就是他们俩的日常状态。以前他们住的房子小，四十几平米的小两居，三口人住着，东西多房间小，要说乱点，倒也情有可原。那时的同伴们，几乎没有几个能一结婚就有房，通常不是租房住，就是和父母挤到一起，再不就是侵占单位单身筒子楼宿舍。他们的两居室在当时一同毕业的那拨年轻人里也是很少见，被人艳羡得不得了。这也是邵宝娟敢于在家里当甩手掌柜、把下巴翘上天去的原因。

南方人黎曙光爱整洁，又爱讲究点小情调，算是当时的小资，又加之那时不忙，没事就爱动动脑筋，把室内装饰理论运用到布置自己家庭的实践上，搞得艺术兮兮的。在卧室里不买床，只用两块席梦思垫子，还铺上地毯，做了茶几式酒柜，光灯光的变换就有四种。夫妻两个人能在卧室里对酌，还可以合成一体从床垫直接翻滚到地毯上而保证不闪了腰。最初几天还新鲜，邵宝娟还基本按着他的思路予以配合。没多久就嫌烦，她的心思不在这上边。她忙，正如日中天，整个心思都在电视镜头上，回家就是为了睡觉，全面排毒养颜，为了保证第二天上镜不出黑眼圈。家里再有什么情调她都视而不见。不光忙，还乱。东西乱扔，放完自己不记，只把自己出镜的服装严格挂起来，按时去干洗，其他的，完全是乱扔乱穿。床垫子嫌太软，喊腰疼，只好换上传统床板，铺上钢丝加密的硬床垫；地毯也被她嫌来回换鞋麻烦，给掀起来不用了，统一用地砖。

你说咱这家是干什么用的？是给人看的还是为了满足你的情调用的？我上厨房要换一次拖鞋，进卫生间又要换一次拖鞋，进卧室踩你这地毯还要换一次软底拖鞋？我这干什么呢？到家来回换鞋玩儿？邵宝娟指责说。

黎曙光也委屈地说：我这还不是为咱家好？厨房里的拖鞋穿到卧室，不是把水都带进去了？卫生间里的拖鞋，底部是镂空的，便于排水。你总不能穿着湿拖鞋出来吧？

穷讲究！邵宝娟用这三个字终结了他的小资装饰实践。

以后进门，她是甩了外衣就扑上床，睡了一觉缓过来后，再起来吃饭洗澡。黎曙光没话说。她是家里的主宰，也是电视台的红星，在外鲜花掌声不断，在家，房子工资，都比自己有得赚。怀孕之时她也很不情愿，儿子只是他们做爱的副产品。在他保证把什么活儿都揽下后，邵宝娟才勉强将儿子生下来。以后就真甩手不管，真看不出她的母性在哪儿。有了孩子，家里多了一口人，就更一团糟，搞得像猪窝，黎曙光跟在屁股后头收拾也收拾不过来。

直到三年前，他们买了商品房，有120多平米，房间容积等于扩大了三倍，儿子又不常在家住，按说够大的了吧？可还是乱，乱成原先一样的猪窝格局：被子胡乱堆叠。碗筷都扔在池子里没刷。衣服胡乱堆在一个房间里，该换洗的和没有穿过的纠成一团。厨房墙壁溅上油烟，灶台上到处是油腻。

人哪！本性决定一切。

他到他丈母娘家一看，才明白这一切的源泉在哪儿：邵宝娟的娘家，一样的乱。丈母娘，简直是老年版的邵宝娟。她和老丈人这一对中科院研究所分所的知识分子，两人基本没有过日子的概念，不懂什么叫过日子。只要有一小块地方能看书、能写字、能搞科研就成，他们就满足。其他，吃饭、睡觉、穿衣等等，一律对付。老两口对儿女的教育和要求就是：只要你们学习好，能成才，对国家能有贡献、就成。别的，没了。我们也就算尽到责任了。

你还真别说，人家孩子也真争气，大概是基因好的缘故吧，大女儿邵宝娟考上北大，老二是个儿子考上航空航天大学，老三小儿子考上了哈工大。

也许，这就叫生活吧！黎曙光暗自感叹。也许，这就叫幸福吧！生活和幸福本无一定之规，识到了，就是幸，就是福；认定了，就是生，就是活。

邵宝娟无疑继承了她父母的衣钵。她跟黎曙光的生活，成了父母生活的翻版。结婚在一起生活十几年后，渐渐滑入惯性状态，滑入各自拼搏忙乱、彼此独立和互相忽视状态。家是旅馆。他们俩回家来，只是为了睡上一觉（通常还失眠）。三分之二的时间都在外面，在办公室加班。有事打个电话，没事电话都不用打。知道对方肯定忙，肯定不在机房就在设计室里。

他们俩一向就是离多聚少，尤其这几年，两个人在各自单位都是挑大梁角色，邵宝娟是每天披星戴月，早出晚归，黎曙光是频繁出差，抬腿就走人。家里孩子也干脆送到姥姥家长期帮着照看。这样的家庭状态,既是最舒适的状态,也是最危险的状态。身在其中时,他们什么也意识不到。就像已经穿出来的旧鞋子,合脚,舒服。但是转眼间就坏,不是帮裂,就是掉跟儿,让人猝不及防,只有尴尬,只有崴脚倒地摔跤。

把婚姻比喻成鞋子,未必恰切。新鞋子夹脚,让人流血、磨损、受伤;旧鞋子寒酸、裂帮、掉跟儿、开线。总之,都不是好状态。

等到饭菜做好,家里也收拾清爽了,黎曙光让上初中的儿子小波再给妈妈打个电话,催她快点回来。

电话通了,邵宝娟对待儿子的态度比对黎曙光能稍微缓和点,语调却一样是焦虑而不由分说的:告诉你爸,我今天加班,不回去吃饭了。你和你爸先吃,吃完赶紧写作业,别光顾着玩电脑游戏。

小波放下电话,用变声没变完的公鸭嗓说:我妈加班,说不回来吃饭了。

黎曙光无奈,说:好吧,儿子,那就咱们俩先享用。

一大桌尽心烹制的饭菜摆上饭桌,人参乌鸡汤,油焖大虾,红烧狮子头,素烧地三鲜,蒜蓉木耳菜……色香味俱全,非一般家庭主妇所能为。可黎曙光这个“家庭主夫”在灶台前,错落有致,节奏明快,煎炒烹炸,一会儿就做出来了。十几年的婚姻生活磨炼——如果后边在外忙碌的几年不算,至少也有那么七八年时间,一直就是他持家——什么铁杵还不磨成了针?加之黎曙光原本就是南方那种心思细腻、热爱生活的人,逢事都要刻苦钻研努力学习一番,这烹饪的手艺自然见长。只可惜邵宝娟却没有那个福。她心不在家,一脑门子埋头工作,任什么好东西到她嘴里也变成不咸不淡没滋没味。只有晋升了、得奖了、节目受表扬了、收视率排第一了,才能让她眉头舒缓脸上展现一点笑容出来。

想要溜须拍马奉承的女主角不回来,不给面子,爷俩只好闷头吃饭。小波这个孩子脾气像他,不是那种活泼乖巧类型,不好动,话少,心里头主意正,但是嘴上很少说出来。又正值青春发育阶段,面对家长往往显出一脸的无视和冷漠。饭桌上,黎曙光费劲地跟儿子说着话,征求了一下儿子的意见,把自己去凇州驻扎一段的事情告诉了他。

儿子,这回我大概要在那边待上一段时间。

嗯。儿子嘴里嚼着饭,含混不清地说。

我走以后你要听外公外婆的话,多帮妈妈照应点家里的事情。

嗯。儿子说。儿子根本说不出第二个字来。

黎曙光感到既欣慰又失落。儿子的反应漠然。他已经适应了姥姥家里的生活,不觉得父母的工作变动会对自己产生什么影响。父母虽然忙一点,但是他从小到大并不缺少爱。这让黎曙光比较放心。但是由于工作太忙,自从儿子长大上学后父子之间就失去了日常交流,致使他们父子之间已经很陌生了。儿子现在什么情况,脑子里在想些什么,他完全不知。有时他夜晚做梦,出现在梦境中的儿子,总是小时候自行车后座上的那个痴顽可爱的小孩儿形象。长大以后的儿子,从来没梦见过,不熟悉,没法梦。

别说是总不在家的儿子,就连同床共寝的妻子,他又梦见过几回啊?没有,几乎没有。一做梦,就是考试,永远是考试,中学时期的考试,大学时的考试,评职称考试,出国人员外语水平考试,有时是考数学,有时是考地理(奇怪,为什么是考地理?),一般都是答不上来题,不是事先没复习心里慌张,就是还没答完马上要到交卷时间,心里那份急,那份窘迫,像掉进一个黑洞里,四壁光滑,前程黑暗,任怎么挣扎、怎么爬也爬不上来,一着急,往往就醒了。一摸,浑身大汗淋漓。

在工作的强压力下,他每每就做着考试答不上来的梦醒来。

吃过饭,安顿好小波写作业、睡觉,黎曙光又开始收拾起自己出门的行李。一点一点叠,一件一件往箱子里放。一看表,已经下半夜一点了,邵宝娟还没有回来。媒体人,没日没夜加班工作,已经成了家常便饭。他也不以为意。看了看饭桌上留好的菜,估计这个时候回来也已经吃不了什么,于是又赶紧收拾,把碗碟一一归置收好,饭菜放进冰箱。刚收拾完毕,邵宝娟才推门进家。见他还在忙,问了声:还没睡?就甩掉鞋子，放下挎包，径直脱了衣服直奔卫生间里去冲澡。

黎曙光跟在邵宝娟后边磨磨蹭蹭，不肯一个人先上床去睡，拾掇点这个，拾掇点那个，等着邵宝娟洗完澡出来，好像今晚一定要做点什么，交代点什么。这是一股奇怪的感觉，他也说不好是为什么，可能想到将是一个漫长的分离，总得来点夫妻床头告别仪式什么的吧！

邵宝娟一点不知觉，仍按往常习惯，洗完澡出来，坐在梳妆台前吹干头发。黎曙光问：吃饭了吗？我给你褒了乌鸡汤。邵宝娟不耐烦地说：都什么时候了还不吃饭？儿子呢？黎曙光说，睡了。邵宝娟说：我也得赶紧睡，明一早还要起早开会。说完，脱得精光光，像一条红毛大鲤鱼，从一侧床头上去，掀开被子，一头钻进被窝。不穿衣服睡觉是邵宝娟独特的健康生活方式，不知跟谁学的。刚结婚那会儿，黎曙光不习惯，一见这个白亮亮、丰满、高大、闪着青春光泽的胴体在眼前晃，就总受刺激，动不动就腰底下支帐篷，然后就是两人嬉笑叫闹着缠成一团。“谁不知道光着屁股待着舒服呀！”她这样说。黎曙光表示理解。她那个工作性质，天天踩着高跟鞋，套着作秀装，脸上刷大白，上镜，够受的。但他更愿意理解为这是老婆在显示她丰满的身材诱惑自己。的确，因为总觉得自己过于羸弱、瘦削的原因，黎曙光在对异性的审美趋向上，比较喜欢和认同那种高大、丰腴的女性，认为那样才性感。邵宝娟这个北方健壮女人（当然，在发展为“健壮”之前她还只能算作是“丰满”，脂肪的充溢程度刚刚好），在某种程度上满足了他对性感的想象。想来这也是他真心爱她、对邵宝娟穷追不舍的一个缘由吧。

多好啊！那个时候多么好啊！年轻的时候多么好啊！什么样的缺点都可以被容忍，被无限生发和升华，被超级想象。

而眼前的邵宝娟却不可遏制地老了，身体一日千里地泻将下去，像俄罗斯大套娃。因为身材高大，健壮，因而对周围男性有了压迫感，有种咄咄逼人气势。再加她确实是自恃才高，卓然傲世，说话做事语气态度上就对别人更不客气些，首先就是对自己家里头的丈夫更不客气些。身体上的审美疲劳再加上态度倨傲，致使他们的夫妻生活已经名存实亡，至少，已经降落到地平线以下。

黎曙光却在迎接着男人生长发育期的第二个高峰的到来。他的身体已经从毛头小伙儿时的青涩破壳而出，经过里比多、荷尔蒙的润泽滋养，现在，已经恰到好处地丰满了，每一根线条都柔韧清朗，明媚而具有亲和力。对于性的需要，经过了结婚生子、养家、糊口、安身、立业一段时期的疲劳后，却又重新聚集，潜藏着，不知在哪一个黑暗深处，如岩浆。

这实在是一个危险的年龄。这实在是一个动荡不安的成长阶段。

眼见一个大白象似的裸体老婆睡在自己一侧，黎曙光躺在床上，翻来覆去烙饼子。他将两床被子的间隙撩开，进到老婆被窝里，从背后抱住这个热乎乎的身体，手指去前胸捻动那一对硕大的乳房。嗯，有点像贴近一团发酵的母性，热烘烘。有安全感，富足，皈依…… 有多长时间没有了？似乎已经好久，有一个多月了吧？或者，两个月？不清楚。有时忙起来，就把那件事情给忘了。他想尽尽义务，临行前有个抚慰性的演出。是抚慰自己，也是抚慰妻子。

没想到邵宝娟不领情，道：我累了，睡吧。

黎曙光仍不放手，继续用功，哄着，以唤起她的配合。

邵宝娟把身子往前拱了拱，尽量离开他远点，道：别折腾了。明天还要起早开会呢。睡吧。

一句话彻底熄火。黎曙光自觉没趣。撤回身来，脸冲天花板，平息了一会儿，说：跟你说个事儿……

邵宝娟迷迷瞪瞪说：唔……有事明天再说。困死了。

黎曙光继续说：我要把工作室搬到凇州去一段时间。

邵宝娟没有转过脸，仍旧迷迷糊糊问：多长时间？

黎曙光说：说不准，大概……要两三年，至少，要等到那边主体育场完工。

邵宝娟一听，腾地转过身来，尖叫：什么？你说要多久？！

黎曙光赶紧起身，背靠在枕头上，阻止她说：小点声！别惊醒孩子！

邵宝娟也坐了起来:啥时候的事?怎没听你跟我说?

黎曙光说:刚定下的。院里同意了。淞州那边也已经批准,明天就过去。

邵宝娟瞪大眼睛说:明天就走?这也太快了!这么大的事情你怎么事先都不跟我说一声?

黎曙光说:也不是什么大不了的事。淞州离咱这儿近,周末和节假日我都能回来。再说,你要有空,也可以过去看我。

邵宝娟说:说得轻巧!还要我去看你,看什么看?你还把不把我放在眼里了?这么大的事情事先都不跟我说?当年你去德国学习,一走就是两年,家里的事全得我管。平时也是,说出差,拎个包就走,你说,我拦过你吗?这回,一下子去这么久,总得打打招呼安排安排吧?得待到猴年马月才回来?你走了,家里的事情怎么办?小波上学的事情谁管?

黎曙光说:家里能有什么事?有什么可安排的?再说不是还有你在家吗?小波现在自己可以骑车上学了,平时有事也可以让爸妈他们帮助照应一下。

邵宝娟说:说的什么话?我爸妈年纪大了,小波也面临升学考试,想考省重点,爸妈都辅导不了他。

黎曙光说:没那么严重。顺势而为吧,也不能太逼着孩子。

邵宝娟说:说得好听!你为你自己的所谓事业,就可以什么都不顾,屁股一抬,走人。我呢?我这一大摊子事谁来管?你就不能不去?

黎曙光说:净说傻话!怎么可能呢!

他想息事宁人,伸过胳膊去搂妻子,邵宝娟却将身子一耸,说:好!你爱去就去!你就逞能吧你!

说完,倒下,翻过身去重新背对着他。黎曙光上去想哄,手刚一触到她身上,邵宝娟就狠劲一耸搭,一个严词拒绝的身段。黎曙光就忙缩回来,不再自找没趣了。他了解老婆大人的脾气,气头上最好离远点,否则,犟起来没个完。

这个结果,他真没想到。两口子从来不互相在工作问题上拖后腿呢。这回这是怎么了?工作不顺心不如意?还是真的舍不得跟自己分离?

后一个原因可以说基本上不存在。他自嘲了一下,想,两口子,早已经都各自独立,各忙各的,谁离开谁都一样,家里塌不了天。即便是她工作不顺心不如意导致脾气不好,自己也帮不上她什么忙。就像她帮不上自己什么忙。

这一夜因为心里有事,睡得相当不爽。第二天起来一看,是个雨天,秋雨连绵。黎曙光起来,给儿子热完了牛奶,给老婆做好早餐,伺候他们吃好后出门。儿子走前还知道说一声:老爸,再见。黎曙光说:儿子,今天下雨,我开车送送你。儿子说:不用,待会儿老妈打车捎我过去。邵宝娟却自始至终,一句话都没跟他说,也不正眼看他。出门时,动作也挺大,听得出是摔门而走的。

黎曙光的心情一下子阴郁起来。回头瞅了瞅这个乱糟糟的家,内心也是烦乱得很。后院起火,吵架出门,毕竟很不舒服。他忍住气,开始收拾屋子。将自己夫妻房间和儿子房间的被褥都叠了,将两个卫生间也一一打扫过,又将梳妆台上邵宝娟的化妆品一一摆正。那些少得可怜的化妆品,无非是吹风机,一把梳子和一瓶擦脸油。平常出差开会到女同事房间聊天,他见过女同事房间的梳妆台,每个人瓶瓶罐罐,摆了一大堆,简直像化学实验试剂瓶。一个个精巧的、充满情趣的磨砂瓶,各式各样香水瓶,荡漾着女性气息,十分令人心动。他也曾从国外给邵宝娟带回过香水,但她一次没动。从机场免税店里带回的CD牌子化妆品,她也不屑一顾,很不领情,说用得不适应,她们台里的年轻女人经常把脸画得像个调色板,像个什么样子!自信的女人就该素面朝天。

他不想跟她理论。素面朝天也好,盲目自信也罢,年岁渐长又不懂得修饰的女人,面庞如不略施粉黛加以遮掩,那肤色黯黄和下垂的眼袋,离远一看,不像个姑子就像个婆子,送庙里去,都不用剃度就能值守。吓人!整个世界都显得没有生气。

他知道，他们俩，在审美趋势上和各自的人生走向上，越走越远了。如今只是靠着惯性，靠着十几年打磨出来的亲情，往前滑着。

他又拿起抹布，里外擦拭着灰尘。拿起桌上摆放的自己跟邵宝娟在大学时候的照片。那是在哪儿？远足踏青在西山八大处的草地里吧？阳春三月绿茸茸的草地里，他们青春的笑靥是那么动人！风吹杨柳，几丝鹅黄嫩绿拂在他们脸上，多么富有青春活力！那时候的邵宝娟要比黎曙光耐看，盈盈的笑意，圆圆的脸庞，格外饱满，格外聪慧，黎曙光显得多少有点瘦弱，但那一份南方小伙子的白净、俊逸劲也很帅。那可真是他们青春最美的年华！

带着对往日的回忆，他不由自主摇了摇了头，又把它摆回桌面。接着顺手拿起钢琴上边搁着的镶在相框里的儿子照片，放进自己的旅行包。

等到窗明几净，在细雨中走出家门，再回头望一眼，不知怎的，内心里，隐隐地，觉得竟像是一个告别仪式。

11. 业主合作招标

凇州市政府双子星座的会议室里，烟雾缭绕，争论声嘈杂。会议已经进行了两个多小时，各方商讨咨询还是没有个完结。参与新奥体中心场馆投资兴建的各方建设集团之间利益互不相让。会议圆桌周围坐满了各投资建设单位的一干老总，政府方面出席的有凇州新奥体中心工程总指挥、常务副市长旷乃兴，第29届奥运会足球比赛凇州赛区办公室主任黄一发，主管城建的副市长蒯广富，市计委主任邱顺德，以及市发改委、市规划委等部门主要负责人。一群油光满面的男人塞满了一屋子，手指间的香烟一根接着一根地熏，嘴巴上叼的明明灭灭的烟头跟身上架的名牌西装的笔挺洁净总是显得不那么搭配。虽然政府在公务员内部已经明令禁止在办公楼里吸烟，但是今天来的这些是客，而且是重要的客人，不能硬性规定，抽就抽吧，对于他们也就网开一面。好在今天是周末，从会议室门窗冒出去的烟熏火燎层层瘴气对办公楼里的环境影响不大。

外边是初秋时节北方一望无际的晴爽蓝天，大地散发着万物生辉、草木葳蕤的晴朗味道，屋里则是烟草的辛辣、男人的汗酸，夹杂着男士高级香水的薰香。伴随着远处奥运工地上机器轰隆隆隆的运作节奏，这边的跟工程有关的各方投资老总也在唧唧喳喳，为本集团的利益而争执不休。这些肥肥瘦瘦各路老总，带着他们的洋泾浜上海话、硬撅撅广东话以及咿里哇啦的闽南口音，唧唧啾啾，讨价还价，那些如鸟鸣般声音比咣当咣当的打夯机的声响还要严重，频频砸在会议主持人的脑仁儿上，让人不敢松懈，容易产生脑神经震荡。加班的小女服务生已经进来换掉好几遍茶水，并顺便倒掉好几遍塞满烟屁股的烟碟，各路老总们讨价还价仍然没有完结的迹象。

旷乃兴被这一屋子烟气熏得头疼，睁不开眼睛。早在十年前他就用厌恶疗法彻底戒烟，如今闻起烟味来，还是有点不舒服。尽管他表面不动声色，脑海里却快速精密计算着，预备回答他们苛刻的问题。未曾开工，就已经经历了那么多风波，他知道，这还仅仅是个开始，不知还有什么更大的凶险等在前边。人为的，天然的……总之是让人日子不得好过。现在他又要面临的是，跟各方老总沟通，理顺各种利益关系，保证建设资金顺利到位。

这次的淞州新奥体中心施工采用了国际上最流行的 PPP 模式，国际上标准叫法为“公私伙伴关系”（Public-Private Partnership），在中国也把它叫做“公私合营”。以往项目招标招的是一个总承包商，这个项目招的是一个“业主合作方”。政府要投资，同时又找了一个来一块投资的东信集团。东信集团跟淞州城建集团还有新加坡一家叫做“新加坡瀚海国际控股集团”的，三方联合成立了一个业主合作方叫“东信联合体”，淞州市政府的国有资产管理公司与东信联合体双方注册成立了淞州体育场有限责任公司，来具体操作项目的投资、建设与运营。

这种 PPP 融资模式，率先在英国采用，它在公私部门之间建立起伙伴关系，融资建设城市基础设施与提供公共服务，能够有效地减缓政府财政的压力。由于它机制新颖、管理灵活、责权利明确，比传统的由政府单独建设、运营的模式更为高效，因此，在国际上逐渐被广泛采用。在美国、德国、以色列、澳大利亚等国，PPP 模式也在逐步应用于公共设施的建设。它要求有非常高的市场透明度和公正性，优点是可以避免政府采购、政府招标过程中出现的舞弊行为和低效，同时，政府的资金起到了减少民间投资风险的作用。在中国，这种模式尚处于试行阶段。淞州市的新奥体中心就大胆采取了这个模式，大家一起出钱来盖这个体育场馆，在淞州市体育场有限责任公司里，政府投资占 58%，东信联合体投资占 42%。在东信联合体的 42% 中，东信拿 65%，淞州城建拿 30%，新加坡瀚海国际拿 5%。

淞州体育场有限责任公司经营班子的主要成员由东信联合体各成员单位派出，其中总经理由东信集团派出。等到奥运会结束，就由东信联合体来负责运营，利用场馆来搞展览会、演唱会，举行各种比赛等等。运营的具体工作由东信他们来做，经营的收入也是由东信联合体来负责按比例分成。他们的经营权限是三十年，三十年后完好无损归还政府，届时场馆仍要保证能够举办 A 级赛事。

这也是政府在吸取以往大型公共体育设施建设的经验教训，同时也是吸取国际上的先进管理建设经验之后得出的举措，在工程建设招标之初，就考虑赛事过后的经营和有效利用问题。以往我们建设的体育场馆，在赛事完毕之后便被闲置，偶尔的赛事利用不足以抵消场馆长期空置和日常维护保养所造成的人力财力的巨大消耗，浪费现象十分严重。这次的新奥体中心场馆建设，本着绿色、科技、人文的理念，事先考虑场地的长期利用以及节能环保等问题，包括在预先提出的新奥体中心设计方案竞赛要求中，最重要的一条，就是体育场要“加盖”，目的就是为过后举行大型体育文娱活动提供方便，能够遮风挡雨，以保证各项活动不受气候原因限制，可以随时随地进行。

采用 PPP 这样一项突破传统的融资实施模式，不仅仅是在政府体育场馆建设投融资方面，就是在我国各项社会公益设施政府投融资模式上，也是一项重大尝试。对于我们国家的改革和经济建设，有着率先垂范的作用。

淞州市政府借着这次协办奥运的契机，也学习北京的经验，在建设新奥体中心场馆过程中把 PPP 模式作为首选。消息一出，各民营机构积极踊跃参与，最后政府经过反复考察酝酿磋商，选择了有足够实力，而且比较规范的东信集团，由他们组成联合体成为业主合作方，成为政府大型公益项目的合作对象。先撇开效益不谈，本身来讲，对于企业形象和声誉都是一次大大的提升。至于过后的经营回报率，那关键就看政府给什么样的政策和具体怎样操作。

奥运工程项目能否获利很大程度上取决于政府的政策。这些政策将成为项目公司获利的关键。一些业主担心，投资和建设的工程中政府的政策会有变化，淞州市常务副市长旷乃兴代表淞州市政府向他们郑重承诺：政府将通过一系列的措施与政策，力争使投资商在每一个项目上都有利可图。

这是一个突破传统的实施模式，必然也要带来突破传统的效益以及突破传统的纠葛和不顺心。

这个看似理想模式的 PPP，它在中国的可行性如今受到了考验。进入到具体条文的实施时，矛盾进一步凸显。先是谁来做总承包商这个问题上，就与现行法规产生了矛盾。

根据提交的标书中的东信联合体协议，工程将按各集团单位的股份比例来实施，那就是东信是 65%，淞州城建 30%，新加坡瀚海国际是 5%。但是，在“东方地平线”的建设要求中，总承包商必须有特级资质，而牵头的东信集团所拥有的承包资质为一级，淞州城建集团的资质却为特级。按照业主合作方招标文件中的规定，如果业主联合体中有企业拥有特级资质的话，就自动成为总承包商，无须再另行招标。这样一来，最大的牵头者东信集团就没法以联合体的身份总包，还需要由淞州城建来做总包。按《中华人民共和国建筑法》规定，总承包商在项目中完成的工程量，必须超过 50%，这样就与东信联合体中的“淞州城建承担30%"的协议有冲突。双方协商之后,决定由总承包方淞州城建集团完成工程总量的52%,余下的43%由东信集团完成,另有5%仍由新加坡瀚海国际承担。

这样一来,出资比例65%的东信集团承担工程量是43%,出资30%的淞州城建承担的工程量是52%。在PPP模式下确定的业主合作方,与淞州市原有的地方法规产生了冲突,造成总承包合同迟迟不能备案,工程就无法上马。

遇到这种棘手的事情,说不着急上火那是不可能的。这可是一项关死后门的进度计划,拖下去,越到后面越被动,时间就会越不够用。旷乃兴急得满嘴起燎泡。他当机立断,连夜坐飞机赶到北京,次日一大早就找到在建设部政策法规司工作的老同学童关连,就此问题向他请教。这个童关连读大学时在班里很不起眼,平时不爱说话,从陕西农村考到北京来,父母在老家种地,家境贫寒,完全靠微薄的助学金度日,每天吃饭只买几分钱的咸菜,喝大锅里的免费稀粥。大学几年,就是他一个人自强自立,逐渐克服自卑、树立自信、一点一点默默完成城市化的过程。没想到,一晃快二十年过去,乌鸦成了金凤凰,人家变成了有模有样的国家部委职能部门官员,虽然只是一个处长,却职低权重。旷乃兴这个当年才高气傲的学生会主席,如今也只能在一个偏远的地级市里当个六品官。当年他若能忍气吞声经得起挫折,毕业后没有跟那个性情暴烈的身为北京高干子女的前妻迅速结婚又闪电般离婚,没有婚姻挫败之下的负气出走京城、放弃本可以继续回清华读研的机会,并且要求保送回了自己老家北方大学经济学院继续读研……没有这一切一切,那么他旷乃兴今天的命运就该改写了。

可惜啊!人生只是单行道,从来一去不回头。没有那么多如果和假设。

也许,像童关连这样的出身、这样性格的人才更适应中国的机关公务员生活。类似于旷乃兴那么年轻气盛、盲目自负、出生在大城市里有优越感的年轻人,理应在这个世上遭受更多挫折和磨难。这就是天降大任于斯人的道理。

老同学童关连在办公室里接待了他。如今童关连已经完全城市化、机关化了,举手投足,都是典型国家公务员的样子,而且是北京国家部委机关里的公务员,自信、含蓄、内敛、优柔,说话慢条斯理,言有尽而意无穷,经常想办法让对方捉摸不透。见到眼前这个童处长,每逢要见人时就穿西服打上领带,头发也抹上点摩丝,太阳光底下亮闪闪的,让人没法想象当年学生时代一个农村放羊娃,头发蓬乱,心有忧思的样子,跟那个自卑的小子根本对不上号。而童关连见到旷乃兴,虽见他还是一米八几大个儿,西装领带,瘦削挺拔,下巴线条刚毅,一副一表人才的样子,但再怎么捯饬,也是明显地外省人风范,一进了北京国家部委机关的大门,明显地就气短了几分,脸上的笑,却是笑得很低的。童关连就想,嗯,三十年河东,三十年河西。本该是这个样子。

男人的长相,不在貌,而在势。得多大势,就有多大貌。所谓"相由心生",绝对是真理。

童关连热情招呼老同学坐下,连说了些多年不见等等客套话。待到来人屁股坐稳,童处长也把待客茶泡上,他们这才可以说上正经话。

听到旷乃兴把情况一说,童关连沉吟一下,道:你们这个事情是比较复杂。这可是一项举世瞩目的工程项目,来不得半点闪失。稍微有点风吹草动,就是举国关注,你的仕途就要产生震荡啊!

旷乃兴说:我个人的仕途倒是小事,奥运的事情可是大事,耽搁不起。我现在是万事俱备,就差这一纸条文一忽悠了。你老兄赶紧给出个主意,给个政策。

童关连说:嘿!看把你能的!没想到几年不见,一当了常副(常务副市长),长出息了!出了问题,别人都可以摆脱干系,就你这个主管领导摆脱不了。

旷乃兴急着讨教,虽然按级别论起来,童关连还没有自己现在的职位高,但眼下在老同学面前也只得服软说:我说,别卖关子了,快点给指出一条明路吧!我个人出了问题,大不了嘿,也就是个降职,往好一点说是平调或者异地任用，淞州经济建设方面出了问题，改革开放成果就要倒退十几年。那我可就要遭子孙万代骂哟！

童关连说：好啊！当初在学校时我们大家就看你像个清官忠臣，动辄眉头紧皱，嘴角紧抿，下巴紧绷，一副海瑞转世的模样，中华民族上下五千年的苦难都积聚在你一张脸上。现在看来，果然还成了清官忠臣！连说话腔调也三句不离本行。

旷乃兴急得快要蹦起来，忙央告道：老同学，你快别取笑我！我说你行行好，快点给支个招吧！这都什么时候了还有时间开玩笑！

童关连"扑哧"一乐，这才把嘴里嚼了半天的茶叶末子咽将回去，站起身来在办公室里来回踱着步，然后一板一眼地说：你说得对。《建筑法》肯定是不能够违背的，这个不用说。至于具体说到地方性政策法规嘛，出台和修改的决定权在各级人大和政府部门。我们的各项建筑法规都是为了适应发展、更好地促进发展而制定的，而不能用法规来限制发展。

旷乃兴一拍大腿：对呀！简直跟我的想法不谋而合！

童关连停住步，回转身，凝视他道：既然你已想到了，还来问我干什么？

旷乃兴意识到老同学话语中的不满，忙说：嘿嘿嘿嘿，那不一样！你老兄高高在上，话一从你嘴里说出来，那就是最高指示，领导发话，我们落实起来才能放心哪！

童关连这才微露笑意。旷乃兴问他晚上干啥，一定要请他吃饭酬劳他。童关连忙推托，说：我何功之有啊？谈不上什么酬劳。旷乃兴死缠烂打说：那不对吧！咱这么多年不见，好不容易同学见面，这顿饭的面子，你得给。

童关连先是推托有事，不应。后来见实在拗不过，就说：那好吧。要不，就明晚上。明天正好周末。我把别的事情安排一下，看能不能都推托开。

旷乃兴说：嗳，这就对了。咱们就一言为定。你有什么朋友，也一起带上。

童关连说：也别搞得太大。有几个人聚聚算了。

旷乃兴说：这样吧，人你来找，事情我来安排。对了，想去什么地方，你点。

童关连道：就去天伦王朝吧，就近，清静。

旷乃兴道：好。就明晚。天伦王朝。

心里还纳闷：满北京，高档豪华享乐场所这么多，“天上人间”“玛吉阿米”之类，干吗非要去那个老五星级饭店？还不够拘得慌的。

旷乃兴知道，自己在凇州，用老同学的话说，还能算是个“县衙”，到了省城，就只剩个“村官”的地位，而到了北京，就更啥也不是，外省来的穷要饭的，只有低眉顺目四处求见的份儿。

位于王府井大街中心地带的天伦王朝大酒店，九十年代他跟随领导来京出差时在那里住过。他最喜欢那里的亚洲第一大的天井咖啡厅，从3层楼直达到10楼顶，通透、开阔，坐在那里，品着咖啡，就可以直望云天，引得人浮想翩翩，不像在亚洲中国，还以为在哪个欧洲巴洛克建筑里头呢。天井四周是格子状的酒店客房，绿色藤蔓植物从敞开式廊间悬垂而下。建筑整体是世界顶尖高手、法国设计大师黑兹（Hitts）的设计风格，大胆地运用卡格和直线，直来直去，恢弘大气，又简洁朴素。这种洋派设计风格1990年在中国一出现，就遭到本土设计师的仿效和追捧。这也就是在那个遥远的1990年吧，中国大地寸土寸金的地方仍有广大的空场供洋人设计师挥霍。进入二十一世纪以后，新开业的五星酒店恨不能把每平米所有能利用之处都分割成客房、商务中心、卖衣服、卖肉的，谁还舍得那么大一个空场毫无分割直筒筒地放在那里，给人喝咖啡、做白日梦、玩情调？

他让凇州驻京办给订位，顺便问问天伦王朝有什么好玩的。不一会儿驻京办主任回电话说：旷市长，都安排好了。那里的康乐中心是VIP会员制的，不对外，我找了关系才订上。

第二天上午旷乃兴又抓紧时间跑了两个地方，去看望了一下曾经扶植过他的老首长，又见了一下另外一个在发改委工作的老同学。如今这都是有用的硬关系，今后会不断产生问题要请教，他得努力把从前忽视的同学关系从头捡起来。说起来，同学关系也好，同事、亲戚、朋友关系也好，不能断，一断，再捡起来，就不容易了。

但是呢，这话又说回来了，什么关系也都讲个对等。如果不对等，自己只是一门穷亲戚而硬要巴结人家，人家肯定避之唯恐不及。如今自己怎么说也是个地级官儿，这两年干得比较顺，心情好，感觉上似乎可以跟留京的老同学的职位对等，不像当年逃离京城时那般落魄、见不得人，所以他才忙着走动，将从前断掉的关系一一捡拾起来。

说到底，老同学之间的联系，也要有资本，要有对等交换的关系才行。跟首长的关系，更不用说了，起码得够级的、让首长瞧得上眼的，才能前去登门。

他本想着要请发改委的同学晚上来一块儿聚，话到嘴边，又觉不妥。一次聚会上不能有俩主角。否则，就是自找没趣，惹得双方都不高兴。话语支应期间，忽然想起这位发改委老同学当年还是学校登山队员，差一点儿就去登梅里雪山。于是转口改为邀请他抽空到凇州聚聚，视察一下我们小地方凇州，登登碣石山。那里是当年曹操登临的山啊！老同学原来一直对旷乃兴说的凇州没概念，勉强支应着。一听他说登山，眼睛亮了一下，答应说好好好。

下午他又抽空去了一趟中国音乐学院，看望了一下那个台湾来的妹妹，就是那个在台北见过的老旷家大儿子的闺女、如今在大陆学二胡的旷念娇。这也是旷乃兴爷爷一再唠叨过的，说是台湾叔爷爷问起乃兴在北京有没有什么认识人能说得上话，他这个小孙女旷念娇今年要毕业了，想去中央民族乐团工作，让有空帮助打听打听。台湾叔爷爷一提起自己这个小孙女，就赞不绝口，说孙女学习非常用功，拉的一曲《二泉映月》惊天地、泣鬼神，在学校时就得过好几次演出奖。毕业哪也不想去，就想去全世界水平最高的乐府中央民族乐团，别的团，一律瞧不上眼儿。爷爷就跟旷乃兴说，你看这小囡多有志气啊！咱们老旷家后继有人哪！你能帮，就帮他们一把。

旷乃兴心里暗暗叫苦啊，心说：爷爷，您这也是老糊涂了吧！您当您孙子我是谁啊？是国务院副总理啊还是国务委员？我哪有那么大权力有那么大本事说给谁找工作就给谁找工作、说安排谁就安排谁？再说我就这一点儿职权，也不能整天都往你们这家长里短的事情上用啊！

但是这话他没敢说，他是个孝顺孩子，不能惹爷爷生气。于是只好委婉地劝爷爷说：爷爷，我的权力也很有限，以后呢，无论谁求办事，都不要随便应承人家。否则，咱们尽了力，办不成，还要落埋怨，还不如不答应的好。

爷爷说：你叔爷爷也不是外人，这不都是实在亲戚嘛！

旷乃兴心说：还实在亲戚！自从认了这门亲，你就说他们那台北一家人，给咱家添的麻烦还少吗？

不过这个台湾小姑娘应该另算。这小姑娘有意思，跟她爷爷、奶奶、姑姑、叔叔们都不一样，就喜欢拉二胡，就认准了北京的中国音乐学院是最高学府，哭着喊着要来大陆读书，他们一家人都拿她没办法。拉了二胡，面儿多窄，将来还怎么找工作啊？再说，又要到大陆来学习，现在哪家孩子留学不去美国不去欧洲？你从大陆学完了，将来谁还要你？你要到哪儿去？家里人众口一词这样劝着她。

小姑娘不信邪，一心一意就要来，最后搞得他们全家万般无奈，才抱着破罐子破摔的态度，听其自然，同意她来大陆学习，说好，除了学费和每年寒暑假来回机票家里提供外，其他生活费用，一律不管。他们想用经济封锁的办法让她回心转意，学了仨月半载，新鲜劲叛逆劲一过，就乖乖回台北去。没想到，这个小念娇也是死犟，脾气随他们旷家老一辈人，认准的道路不回头，来了以后，硬是靠自己的努力、勤奋、刻苦打开了局面，不但因为底子好、悟性高、成绩优秀深得导师青睐，而且自己还非常有经济头脑，赚钱有道，她通过给导师当助教，帮着授课挣零花钱，同时还教两个韩国学生和一个日本留学生汉语，换取美金授课费。

除了平时在校刻苦学习外,每到双休日或者“五一”“十一”放长假,她都会自己报名参加旅行社,跟着游遍祖国大好山河。

那次长假她又跟着一个旅行团到东北进行“满族风情游”,去的正好是她大陆的市长大哥旷乃兴的管辖地,同时也挨近她二叔旷正茂在北镇开厂的地方。小姑娘就自己请假脱团,先跑到她二叔那里看了看,游玩一圈,从二叔那里赚了个红包,然后又跑来凇州她大哥旷乃兴这里玩。旷副市长以地主之礼仪热情接待了这个按辈分应该叫“妹妹”的台湾小姑娘。上次在台北见面时,没留下什么印象,一大家子人,没有她说话的位置。这回,在凇州,她大哥大嫂一块儿请她吃饭,还详细询问了她在大陆的学习生活情况。对于这个小堂妹,旷乃兴夫妻俩都心生好感。

只见这个小堂妹,大大的眼睛,清澈的眼神,背着双肩包,牛仔裤,T恤衫,一头顺溜溜的头发,脸上脂粉不施,肤色洁净柔润,说话做事都非常有礼貌,都很得体,没有台湾人一到大陆那个自觉富贵了不起的劲儿,也一点儿没有搞音乐人的乖张,她就像一个安静的、特懂事的青春好女孩,让人看着十分舒服。

旷念娇说着一口标准的国语,语调绵绵的,说起话来慢条斯理,节奏比大陆人说话要慢。跟这小孩说话,特别有意思,比起跟那些台湾叔叔姑姑们谈话要有趣得多。旷乃兴夫妻俩热情相待,不停地嘘寒问暖,给她夹菜,还顺便问起她对大陆的评价啊,气候水土习惯不习惯啊,对台湾政界领导人的看法啊,等等。原以为她不会说出什么有意义的评价,也不过是为了打破饭桌沉闷气氛,东拉西扯逗她话说而已。不料,在她充满孩子气的稚嫩、简单回答中,却道出了许多切中实际的见解。比方说,她说在大陆的生活很好,很舒服,就是太大了!还有那么多地方都没有去过,不知道什么时候才能走完。说起台湾地区的领导人,她说她喜欢小马哥,而一提到阿扁、吕秀莲那些“台独分子”,她则说,“不怎么样”。她用了“不怎么样”这样一个短语来对那些人的行为做了断。

还有什么词比这个更正确、更合适、更符合她这个年龄人的认知的呢？

他们夫妻俩就觉得这小姑娘不简单。问起她将来想干什么，她说她想成为最好的音乐家，将来能去维也纳音乐大厅去开演奏会。

旷乃兴就心里暗暗感慨，无论什么时候，无论什么地方，小孩子，总是好的。一张白纸，还没有受太多的污染，纯真、富有理想和朝气。这个旷念娇，比起她们家上一代人，比起她那两个歌星和星姐姑姑、她的开厂开店做生意的二叔都要好，心态正，思维纯净。到了她们这一代人，应该是心理比较健康的一代人。而二叔和星姐那一代台湾人，在非常时期出生长大，先是有台湾地区政治环境的挤压，后又经受留学、创业打拼的煎熬，见过各种世面、吃过各种苦头，之后，不知为什么，他们就会把各种文化的缺点集于一身，中国传统文化中的糟粕、西方文化的缺点都学了来，人不人、鬼不鬼的。论起斤斤计较和工于心计，他们这些大陆人，尤其是粗心大嗓的大陆北方佬全不是台湾人的对手。

到了旷念娇这一代人这里，情况就要好得多。整个大的政治经济环境有所改善，父辈也已经打出了天下，有了一定财富积累，她们这代人不再是过分焦虑、流离、落魄，没有安全感，而多半是优哉游哉，少年不知愁滋味，拿着家长给的 OPEN 机票，全世界到处周游留学，想问题也简单得多，淳朴得多。

那次在凇州接待过旷念娇后，两口子都对这门小亲戚印象良好，还邀她以后没事常过来玩，就把这里当成她在大陆的家。

后来，爷爷一念叨起来要旷乃兴帮助旷念娇找工作的事情，旷乃兴一听就有点儿腻烦，心说：得！那台湾老旷家又是无事不登三宝殿，又来找事儿来了！这旷念娇到凇州说是“路过”，八成也是听了她台湾家长的话，有意而为之吧？

唉！不管怎么说，那一家子亲戚虽然不怎么样，孩子却还是好孩子。假如真的可以帮她一把，能够留在北京中央民族乐团当上二胡演奏员，似乎也没什么不好。还为我党的统战工作做贡献了呢！

这样想着的时候，他就明显感觉出一点，自己可能是已经老了吧！

已然进入老年心态，现在动不动就容易为子女考虑着想，眼见着自家女儿也快要考大学，夫妻俩正在琢磨着能不能把女儿户口异地迁移，落到北京的哪个朋友家去，那样高考录取的时候就要占不少便宜，同样是进北大，外省的录取分数比北京当地考生要多个100来分。眼下，见到这个比自己女儿大不了多少的台湾小亲戚，看着又真的是比较不错，恻隐之情又袭上心来，就忍不住想要提携，想要尽自己的一点力给她或她们创造好的成长环境。

唉！也是因为当今优秀的、出色的年轻人才太少的缘故啊！一看见哪里有，就忍不住希望他们能更有出息。

由于对旷念娇的印象良好，也出于对爷爷的唯命是从的一片孝心，旷乃兴还真就把这个旷念娇的事当回事去给问了一问，通过几个渠道帮助打听，结果是事情不太那么容易办理。关键是现如今各行业都要凭真才实学，单靠关系也进不去，进中央民族乐团，也需要考，谁考在前边，成绩排前几名，最后才有说合走动余地。

今天趁着还有一点空，旷乃兴特地到了位于北京北四环健翔桥北边的中国音乐学院，去看望了一下小堂妹旷念娇。小堂妹见听说他要来，十分高兴，早早等在学校门口迎候，然后又把大哥领到了交换生楼里她那间整洁的、小小的寝室。看到书架上摆放的她的表演获奖的几块牌子，旷乃兴知她家人所言不虚。他放下心来，又把毕业招考的事情跟她说了一下，告诉她说大哥已经在上边找人打过招呼，关键要看你的成绩，你先要把考试这一关过了，然后才能帮忙说情。小堂妹表示感谢，说谢谢大哥，我一定好好考。旷乃兴勉励她继续加强功课，最后这一学年，收收心，把学到的东西巩固巩固，等将来毕业了，分配留下，有的是机会玩。小堂妹点头表示同意。旷乃兴说大哥晚上还有应酬，不能请你吃饭了，这点钱你拿着，自己保养好身体，练好琴。说着掏出一个信封，留下，要给小堂妹。那里边是2000元钱。小堂妹刚开始说啥也不要，最后拗不过，只得收下。

给一个有出息的孩子以帮助，别说是钱，就是给啥他都乐意。这就是他们北方佬的性格，率直、朴拙。当然，有时也容易脑筋一热，多有颟顸。所以，他们时常要遭人坑害、被人骗，也是正常的。老祖宗传下来的缺点，没办法。

这一天没干上什么，很快就到了晚上。北京就是这点不好，太大，交通不方便，一天只能跑一两个地方，能办上两件事，就得烧高香了。不像凇州，开车半个小时就可以穿城而过，一个小时可以打上一个来回。他吩咐驻京办主任去机关接童关连，自己先一步到天伦王朝等待。

王府井大街整洁了许多。在周遭一排排酒店的挤压下，天伦王朝早已不那么显眼，外表看起来有几分朴实无华。进去以后，他自己先到三楼那个天井咖啡大堂，要了一杯咖啡，坐了一坐。它的开阔、轩敞还在，钢琴还在，夜晚自助餐的红酒、不锈钢精锅还在，鲜磨咖啡、鲜榨果汁的柜台还在，海鲜种类也层层出新，只是，十多年过去，建筑的某些细节部分已经时过境迁，已经显得老了。最明显的地方是脚底下的水泥地砖，现如今是铺外边马路牙子的和普通人家装修铺阳台的地砖，多年来被行人踩踏得已经有点坑洼不平，尤其钢琴琴台下那一方最明显。奇怪，难道那个地方行人来回走的次数最多吗？这种地砖，在 1990 年算是上等的材料，如今也经不起时光的消磨，显得落伍，陈旧，不太般配。要怪也怪中国这些年来变化太快，经济发展进程太快，建筑材料的更新更迭速度太快，简直目不暇接，一不小心就过时。

不一会儿，驻京办主任带着童关连到了。同车来的还有另外一个人，是童关连的朋友。旷乃兴迎上去握手。童关连说待会儿还有两个朋友要来。几个人到了“中华鼎宴”餐厅。但见这里立着古色古香的屏风，菜单也是扇面做就。这种人工民俗，好像应该是招待老外的地方才对。他用疑问的眼神瞅向驻京办主任，那个三十多岁的邸主任看出来他的意思，忙乖巧伶俐解释道：旷市长，这里是天伦王朝最讲究的地方，全球唯一的“中华鼎宴”。烹制器是选用上好的纯石材定做的，做成中国古鼎的形状。下料是八山珍六海味和青菜炖制而成。用料讲究，容器难得,最多一次只能做三个。

旷乃兴接过来道:对对,童处长是个贵客,可不就得讲究点儿嘛!

落座没一会儿,童关连的另两位朋友也到了,一男一女,女的很年轻,莺莺燕燕的。旷乃兴也看不出来路,反正是替童关连买单,也就招呼着,大家来的都是客嘛。

吃过饭,到了预定好的五层康乐中心。一上楼,服务女生都叫"童哥"。待他们到了包房,进门,落座,小姐对童关连围前围后,招呼侍应。旷乃兴明白了,难怪童关连点要来这里,原来熟门熟路啊。

康乐的结果,就是陪童关连一行人K歌尽兴。他那几个朋友唱个不停。那个漂亮的服务小姐一直在他们房里服侍,还与童关连来了个男女二重唱。一看那默契程度就非一日之功。

在那东方山顶升起皎洁月亮
年轻姑娘面容渐渐浮现心上
黄昏去会情人
黎明大雪飞扬
莫说瞒与不瞒
脚印已留雪上
守门的狗儿你比人还机灵
别说我黄昏出去
别说我拂晓才归
人家说我的闲话自以说得不差
少年我轻盈步履曾走过女店主家
常想活佛面孔从不展现眼前
没想情人容颜时时映在心中
住在布达拉宫我是持明仓央嘉措
住在山下拉萨我是浪子宕桑旺波

唱的竟然是仓央嘉措情歌！忧郁、伤感、动情，直指人心。那个多情的六世达赖啊！旷乃兴年轻的时候崇拜过他，温婉的情诗一一记在心里。如今，怎堪在此灯红酒绿的场所又听，怎堪在此灯红酒绿的场所又听见？

旷乃兴感伤。

他还记得因为他的那个藏族前妻，他才爱上达赖仓央嘉措的诗：

那一夜，我听了一宿梵唱，
不为参悟，
只为寻找你的一丝气息；
那一月，我转过所有经轮，
不为超度，
只为触摸你的指纹；
那一年，我磕长头拥抱尘埃，
不为朝佛，
只为贴着你的温暖；
那一世，我翻遍十万大山，
不为修来世，
只为路中与你相遇；
那一瞬，我飞升成仙，
不为长生，
只为佑护你平安喜乐

前妻卓玛，有藏人的多情，也有高原女子的彪悍。他那时年轻，被深深吸引，尤其是大胆的偷情，第一次是对方主动，卓玛一跃而跨骑上了他的大腿。他蒙了，北方男人一贯大男子主义，爱说上句的人，此时也得在藏族女子的骁勇之下甘拜下风。小伙儿的第一次，乖乖献与了这个异族女人。

卓玛的伯父是京城高官,部一级领导。旷乃兴不能不承认自己年轻时的好奇与虚荣心,无论是对她,还是对她的家族。

而他自己的家里全不同意这门婚事。对于异族媳妇,又是遥远的藏族人,他们完全没有概念。旷乃兴正当叛逆年纪,与达娃卓玛热情似火、难舍难分,非要结婚不可。

他们在没有亲人祝福的情况下成了婚。婚后,性生活的热度过去,日常生活的矛盾开始抬头。不同的生活习俗逐渐显露,尤其卓玛的暴躁脾气,吵架,没办法在一起生活。最暴躁的时候,两人打起架来,他真上手揍。卓玛揪他的下身,也真敢下手。最后实在受不了折腾,他决意了断这桩婚姻。光是四处逃躲她的过程,就费时三个月。

卓玛放出狠话来:跟我离了婚,不让你在京城有落脚之地！小样儿！我大伯轻轻一咳嗽,唾沫星子就可以锤死你！

这只是气头上的话,二十来岁的旷乃兴听了仍然相当恐怖。他头一次感到了怕。当然也是因为这场鲁莽不如意的婚姻把他的气场完全给破坏了。那么一个年轻气盛的小伙,如今满怀仓皇,选择了逃离,匆匆逃离京城。他想到了出国,但是没有托福成绩,如果出国,还要等到从考试到申请入学等过程,至少需要一年的时间。他等不起。尽快走的办法,只能是回老家。因为在学校时已经获得研究生保送资格,他保留学籍先到研究所来工作实习一年的。就在这一年时间里,他迅速把自己从一个年轻小伙变成一个离婚男人。最后跟导师商量,通过导师的老同学找关系,把他保送推荐回老家新州省城的研究生院学经济。

他抬不起头,头一次感到在人前抬不起头来。不敢见以前学校的老师,不愿意见自己家人。那么一个省高考状元、清华大学高才生,就这么灰溜溜回来了。

他茫然,自己舔伤,每天吃过晚饭,顺着学校旁边的铁轨一遍一遍地走下去。茫无尽头的两条铁轨,一直延伸到远方,更远的远方,直到他的伤心地。他不知为什么去,又不知为何回。不知何处始,也不知何处终。他的人生,已经陷落到最低谷。这段闪电般的结婚又离婚经历,他没有向人倾诉。在老家省城，除了自己家人，周围知道的人不多。就连黎曙光也没告诉。他想在自己心里把它彻底埋葬。

日月穿梭，等到他硕士毕业出来工作，跟现在的妻子倪燕茹认识结婚之后，伤口才得以抚平。生活重新开始。元气一点点恢复。妻子只是一个普通中学老师，师范毕业，没有什么大的理想，脾气好，对男人依赖性强，对他百依百顺。妻子娘家人也对他高看一眼，对他不错。这就行了。这就是他目前要找的自信和安全感。

重新穿上新郎服的旷乃兴表面看起来完好无损，他面带笑意，挽着身穿洁白婚纱的新娘，接受亲戚朋友的祝福。在那笑容背后，只有他自己知道，自己是高速路上一辆出过严重事故的车，所有的内部零件都已经自动艰难大修过了，再也经不起大的碰撞挫折。至少，短时间内经不起。他发誓忠于现在的妻子，忠于现在的家。性的鸩酒他已经喝过，并已经尝到那致命的滋味，他不想再尝。任何女人都已经去魅，都不是他感兴趣的所在。从现在开始，他要一切谨言慎行，扎扎实实从头再来。

…………

两个酒足饭饱的男女在他的眼前唱起了多情的仓央嘉措，竟又激起他对过去的回忆。他早已将那段记忆从脑海内存中消除了，没想到，这一首歌，竟然惹起……

仓央嘉措没错，错的，只是自己罢了！他想，自己只是一介汉人，永远不能像藏人那般多情，也当不了情圣。江山美人之间，自己无疑会选择江山。

他摇了摇头。把这个念头清掉。

但不知童关连那个放羊娃几时玩起了这个？声情并茂的样子，很投入的男女麦霸状。

而且，更不得了的是，他们用的是藏语！

旷乃兴晕！心想：如今这京城小官僚，到底是怎样一个玩法？俗和雅，顷刻之间转换。真情和调笑，也不那么容易辨别得出来。

倒显得自己十足土包子一个。再想唱《我爱五指山我爱万泉河》，张不开口。平日里,在淞州,那必是随从给自己点好,等着自己一展歌喉去开门见喜热场子的歌。如今,在此处,北京的天伦王朝康乐中心VIP包房,见他们这样京城男女配对才艺大表演,还用那少数民族语言,他想,自己也得做点儿什么,来点儿厉害的,把他们震一下子!否则,总是讪讪的,只作陪衬和买单人,反倒让他们瞧不起。

于是,旷乃兴自己到点歌机前,挑了一曲,趁他们不注意,鼠标双击"插入",将歌曲加塞排上。待那二人男女对唱一完,众人胡乱拍巴掌。男女兴奋,脸色绯红回座。乐音继续响起,屏幕上打出下一曲,《雍正王朝》主题歌,《得民心者得天下》,原唱者,刘欢。

众人一见,扭头互问:谁的?谁点的?

旷乃兴没吭气,站起来,径直走到大屏幕前,拿起麦克风。

数英雄论成败
古今谁能说明白
千秋功罪任评说
海雨天风独往来
一心要江山图治垂青史
也难说身后骂名滚滚来
有道是人间万苦人最苦
终不悔九死落尘埃
……
有道是得民心者得天下
看江山由谁来主宰
得民心者得天下
看江山由谁来主宰

一曲出口,高亢悲怆,响遏行云。江山之慨叹,家国之忧思,尽在歌声之中。在场的人都听呆了!

等答待完了老同学,次日一大早,旷乃兴就乘早班飞机赶回凇州,先向白宏臣汇报,然后跟市建委反复讨论磋商。最后决定,本着一切从奥运建设大局出发、与时俱进、促进发展的原则,市建委采取变通方法给业主联合体总承包方办了备案,解决了这一难题。

业主联合体方面承包商的份额和资格问题一解决,体育场馆建设立即上马开工。但是,按下葫芦又浮起了瓢,随之而来的其他问题又层层凸显。中国的关系文化盘根错节,许多事情不是一纸合同就可以规范和破除的,这也更增加了 PPP 在中国实施的复杂性,也增加了作为经济学博士的副市长旷乃兴的头疼程度。

这次的各路老板的联席会议又涉及奥运会后体育场馆的经营分成的具体细节问题,言论滔滔彼此争论不休。谁都想把自己的利益进一步扩大化。由于经验还不够丰富,也由于目前我们国家相关的法律条文还不配套,因此关于赛事之后经营的许多条文还不够细化,在具体执行过程中,遇到了与现有法律、财务制度的冲突。事情变得十分棘手,而且很难协调。

东信集团总经理旷益发的广东口音最让人头大。旷乃兴曾善意地提醒:旷总啊能不能讲普通话啦?在座的诸位听起来很困难啦!这个旷益发也点着头“细细细,好好好”的答应,但讲不了几句,又恢复到乒乒乓乓鸟语中去。在北方人听来,广东话巨难听,硬,而且蛮,没人味。虽然作为东北人的北方话在外人听起来也是那么粗鲁、蛮横、不讲道理,有股子原始糙劲儿,但好在东北人常常因此而自嘲自卑,并没有因此而自鸣得意。

老广讲着粤语的那个自鸣得意劲最让北方人恨!这要是属下这么讲话,旷乃兴一定训斥他:先把你的舌头抻直了再来跟我讲话!

可现在不行。现在他面对的是合作伙伴,财团老总,鸟语就鸟语吧,费力点听就是了。

一回到凇州这里,他是老大,又恢复了老大的风范和身姿,想叱责谁就叱责谁，想不跟谁一般见识就不跟谁一般见识，自我感觉和自我认知已经完全到位。在地方上干事只有这一点好，那就是，只要能把事情做成，作风武断、言辞粗鲁都没关系，什么毛病、苛责之词全没有，上下里外一水儿的全是敬佩和赞扬的话；反之，如果你做不成事，再谦和、再体贴下属都没用，该踩咕还照样踩咕，该欺负你还照样欺负你。

旷乃兴现在的腰杆早已硬了起来。属下只要一见他吊着的脸、绷紧着的下巴，都会感觉到怕。这样他树立威信的效果也就达到了。

但是跟眼前这群合作的老总们，态度就要拿捏得当。

东信集团老总旷益发，窝着舌头咣当咣当地问：旷细（市）长，按照现行财务制度计算折旧的话，我们的前30年基本上是亏本运营，不可能收回投资，账面是亏损的啦，股东大家也无法拿到分红。同时，依据《公司清算法》，公司要按照股权来清算，但净府（政府）承诺了前30年内不拿钱。这笔钱净府（政府）要细（是）不要呢，就违反了《清算法》。要细（是）要呢，就违背了对我们的事先承诺。旷细（市）长啊，净府（政府）到底分不分我们这30年的钱哇？

旷乃兴道：对于国有资产，谁也无权放弃。这点我相信大家都有共识。政府这边有自己的资产回收策略。我在这里可以向大家保证一点，在前30年的经营期间，盈利以后，政府不参与分红，亏损，政府也不补贴。这一点，诸位就把心放在肚子里吧！我们在运用经济杠杆调节的同时，政府也要发挥自己的主导作用。

东信老总旷益发说：但细（是），净府（政府）究竟如何发挥作用？介（这）个“主导”作用要把我们主导到哪里去呢？

旷乃兴说：大家也许没有忘记，为了保障民营企业利益，鼓励民间资金的介入与参与，为此，在最初的投资协议中政府有一个兜底条款：凇州市发改委会协调各部门帮助业主联合体取得利润。

新加坡瀚海方面的李光唯老总道：如何协调？能够帮助到什么程度？希望旷细（市）长给我们交一个底。

旷乃兴道：至于说如何协调，至今这仍是一个令中国乃至国际顶级律师都没辙的问题。为了解决这个问题,我们凇州市政府出台了专项政策,如在项目法人招标的标书里就明确规定:奥运项目的土地一级开发,政府将提供“七通一平”的土地使用条件。同时,体育场馆建设享受“浮动地价”的土地使用优惠政策,国家一级土地出让,周边打造奥运村房地产项目。奥运体育场馆难赚钱,而赛后可作为住宅小区出售的南湟河奥运村项目,应该是最赚钱的。因此,凇州市发改委决定,在招标中采取“捆绑招标”的方案,将两者打包。我们初步预计,靠开发奥运村房地产赚的钱,可再建一座同等规格体育场并收回土地出让的资金。

凇州城建集团海非宏老总说:那倒是很好!但是,仅仅是收回了建设场馆用的钱,可这三十年期间,维修养护这么庞大的一个新奥体中心场馆系统,又要搭进去多少钱?

旷乃兴道:我刚才说到奥运体育场馆难赚钱,并不是说奥运场馆本身就完全不赚钱。如果经营得好,场馆本身的赢利就足以支付其日常的保养维修费用,而且还有节余。我们就是想借奥运之机,打造完整文化产业链,加强和推动凇州文化产业的开发建设,体现文化作为一个国家软实力的重要作用。我给大家算一笔账啊:奥运场馆的收入主要体现在以下几个方面:首先是商业面积的运营收入。凇州新奥体中心体育场的商业面积可作为超市、电影院或是购物中心使用,这个不用细说了。其次是冠名权的出售收入。如果凇州体育场的看台按分区给企业冠名,那将是一笔可观的数目。第三是 VIP 客户。凇州体育场内的包厢,如能以会员制或 VIP 客户的形式出租、出售,也会有一笔可观的资金回笼。第四是举办大型体育赛事或文化活动的综合收入。我们原来的东湟河体育场就一直承办着全国甲 A 联赛和足协杯的省球队主场,还承办过“丰田杯”比赛,以后更应扩大这方面的影响,承接更多的全省和全国赛事。外加承接各种歌星演唱会、“同一首歌”等等的大型文艺演出,一年至少有夏季和秋季两个赛季和演出季节保证场馆不会闲置。也许,活动本身未必赚钱,但是举办活动可以通过场地费、冠名权、广告、赞助等形式来盈利。第五是纪念品开发及旅游收入,包括邮票、纪念币、各种相应收藏产品的打造，也是一笔不菲的收入。除了主体育场以外，其他两个具体的比赛场馆奥运会后改作他用，也可以赢利，比方说网球馆将用作马戏场以及大型演出，而游泳馆将成为有棕榈树、沙滩的“戏水乐园”，方便老百姓的健身休闲娱乐。总之，奥运场馆赛后的产业化是奥赛办的首要措施与政策。

东信老总旷益发说：酱紫（这样子）好哇。把细（事）情说清楚了，大家就都好做的啦。

旷乃兴说：我还可以跟诸位透露，根据财务测算，如果我们运作得当，招标供应商对奥运赛后商业权力进行预售，就可以取得近亿元的收入。

东信老总旷益发道：既然前景这么好，旷细（市）长就不要把这一块剥离出去啦！有利益大家均摊的嘛！我们联合体可以接过来做哦。这一块我们希望也捆绑招标，可以签订一揽子协议。

旷乃兴说：那样最好。我们这边省了时间，你们也可以寻求合作伙伴具体运营。

几个老总都道：要是照旷市长这么说，那就酱紫（这样子）决定了吧。

旷乃兴说：有什么具体问题，大家还可以咨询刘副市长和计委邱主任。

与凇州市毗邻的昌谷下属的县级市北江市，有着丰富的地热资源。近几年来，他们打造出许多温泉浴所，惹得附近县市人都来度假村休闲泡汤。在它最大的御宅茗泉水城，凇州市体育局副局长康大光拉着副市长蒯广富刚刚吃过这里的狍子宴，两人饭后出来泡温泉。

这家御宅茗泉水城在当地相当有名，据说是一个马来西亚人跟当地合资修造的，完全搞成热带雨林的气氛。幽暗的灯光，冒着热气的一个个汤池，弯曲的石板路，峭立的假山石，飞瀑小溪，葳蕤茂密的热带阔叶树，藤蔓交叉，古木参天，十分幽深，有点像恐龙白垩纪的生存环境。

一走进这里，就让人有重返原始人类群居部落、男女光着屁股互相戏耍的冲动。它那氤氲的热气，暧昧的灯光，慵懒的氛围，惹得人进了这里就想脱衣服。

当然了，脱也不是全脱，文明男女腰胯间还是吊上了小布头，女人奶头上也吊起了小兜兜，半遮半掩，在一坨坨高温汤池里隐蔽起来，只露出上半身，下半身集体共浴在人参汤池、八宝汤池、姜汤池、六福汤池、鲜花汤池里，很快就被蒸出热烘烘的人肉味，甜腻腻的汗味，以及种种令人起疑的说不清道不明的混沌气息。远处稍微明亮处还有一个游泳池和冲浪池，是否真正的循环水也不知道，游泳池看着也是幽暗的绿色，似乎也充满了可疑物质。人造海浪喷头水势强劲，在那里戏耍的都是敢于公开搂抱接吻的一对一对年轻人和一些世事未谙的小孩子。

这里是人们放松和怠惰的地方。这里同时也能制造生产关系和营造先进生产力。那副市长蒯广富挺着个大肚腩，一个小游泳裤头，吊在腰眼儿以下，勉强遮住羞处，仿佛随时都挂不住要掉下来。他从一个六福汤池里钻出来，又进到另一个芦荟汤池里，懒懒地把腿一伸，一屁股坐到汤池底上去，把腰眼紧贴在池边的按摩喷口处。咕嘟咕嘟的水花撞击着他肥肥的腰，他长长地呻吟一声：哦啊——真他妈舒服！这会开得，叨唠起来没个完。坐得我的腰都僵了。

大哥，你好好冲冲，解解乏。康大光在边上的 SPA 盐浴池子里说。

康大光要的是“御宅”里的独门独院，是这里最高级的别墅平房院落，一排排独立小房，跟公众汤池有效地隔离开来，形成一个个私密空间，不用担心被打扰。院里的植物除了阔叶的芭蕉还有挺拔的修竹，品茗的竹桌竹椅。温泉水被引入院里几口汤池里，要什么品种可以事先预订。屋子里是豪华总统套的样式，一张大床深不见底。卫生间的结构最为奇特，在那里设置了按摩床，可以从床上直接翻滚进床下的温泉汤池。

康大光之所以要把蒯广富拖到这儿来，主要是为了避嫌。凇州自从白宏臣上台后，大搞廉政建设，有一阵子禁止官员大吃大喝，市里成立监察组,整了一伙人动不动端着摄像设备在晚间吃饭的点儿闯进市里各大酒店去堵截拍照,专照那些公款吃喝的。人证拍到手后,回来公示,贴在政府机关的墙上。凡是照片上的人,都要向自己的组织部门“说清楚”。这样搞了几次,有效阻止了干部吃饭的人群,酒店那边没了公款宴请这一块,都开不下去了,一时间餐饮业萧条。淞州市廉政建设成绩也很快上了报,成了经验在全省推广。

但也好景不长。很快,干部们就换了方式,异地吃喝。这项措施不了了之。本来这种刹住公款吃喝的办法也是摆样子的。如果不从源头上堵,从党政机关职能部门的财务报销制度上堵截,怎能刹住吃喝宴请风?再则,下边也有人反映了,说是吃请的虽然是官员,但宴请的,通常是民间商人,是人家对方掏钱,又没有用政府买单,你这样堵截,似乎也说不过去。两个多月时间,表面上看是干部们都不去吃喝了,但是有没有想到过招商引资方面损失了多少客户?另外,这里边还有中国饮宴文化的原因,不是靠这样一种简单方式就能遏制得了的。

这项廉政措施,闹了个两头不落好。最后也不再提了。但是从那以后,吃喝形式还是有所变化。领导干部请客聚饮,都不在本市进行。外市的来淞州吃,淞州的去隔壁市吃,已经成了规避廉政镜头的有效方式,整得像领导干部集体换防。

见蒯广富在汤池里泡得惬意,康大光察言观色,不失时机道:大哥,那个被休掉的东湟河体育场承包商,现在又回来,要包下会展中心工程。

蒯广富没睁眼,仍舒服地半躺在池里,道:那个工程,不是早就是人家台湾恒元集团的?你还惦记着啊?

康大光说:那当然了,大哥,我可是在那块地上尽了心的。

蒯广富半眯缝着眼说:算了,别惦记了。见好就收吧。虽然东湟河体育场异地重建,会展中心工程可是有言在先,是人家台湾恒元集团的。东湟河体育场原地升级的时候,你不是也没吃亏嘛。

康大光道:可是大哥,你说我怎么能咽下这口气?他姓旷的说撸就给我撸了,说换人就换人,这也太不把我当一盘菜了。

蒯广富重又闭上眼睛道:有道是福兮祸之所倚,祸兮福之所伏。将来怎样,现在还很难说啊。

康大光一听,“哗——”地从水池里走上来,过来蹲在蒯广富的池子旁边,神神秘秘说:大哥,你知道他们这回怎么来的?携日本日田清源公司联合体一起来竞标,点名要做会展中心二期工程。那个所谓日田清源公司老板实际也是台湾人,旷正茂,是旷乃兴的二叔。

什么?蒯广富一听,大睁开眼睛,顺手从池子沿上拿起自己的眼镜,用手擦了擦上面的雾气,戴上,看清了蹲在自己眼前这个体育棒子一身彪悍的黑毛,遂厌恶地扭过头去不忍看。康大光意识到了,赶紧起身,离远点,蹲在离蒯广富视线偏左的位置上。蒯广富也一抬身从汤池里站起来,说:怎么?还冒出个台湾二叔来?真二叔还是假二叔?

康大光忙说:二叔那还有假?这是程市长儿子程小强亲口告诉我的,他说他好不容易连上了这根线,这回他们要联手一起来做。

蒯广富踱到竹椅跟前,扯下浴巾披上,又道:台湾二叔,怎么还整出个日本公司?

听程市长儿子说,他曾经在日本留学,后来入了日本国籍,在海南倒腾过房地产,现在就在咱们北镇投资搞了一个电子元器件加工企业。

蒯广富寻思了一下,若有所思道:唔,一个是市长的儿子,一个是常务副市长的台湾二叔。唔,好!好!

康大光说:大哥,这回,凇州有戏看了!这回我们要做,就做一个大的,让那姓旷的没话说。我也要借机报一箭之仇!

蒯广富道:别乱来啊,风物长宜放眼量。

康大光道:那是。没有大哥你的指令,我怎么敢乱来呢?那个旷家的二叔,现在就在北镇,他一直希望能见见你。

蒯广富扭头警惕地看他一眼:你小子什么意思?啊,请我到这里来,成心跟我打埋伏?

康大光说:嘻嘻嘻,大哥你看你说的,我哪敢呢!我这不是寻思,有了日资公司进入，就可以享受外商投资待遇，免税和按比例提成奖励政策……

蒯广富打断他：你懂什么！搞工程，别跟着瞎掺和。还是老老实实抓你的体校和中长跑吧！上一回，能让你解套，已经是便宜了你。

康大光说：是。是。可这一次不一样。这次，有程小强和旷正茂这两张牌抓在手，不怕淞州玩不转。淞州早晚都是大哥你的天下。

蒯广富坐在椅子上，半天没吭声。这阵子，他也正为一系列透明工程伤脑筋。台商万宏耀，吃透了大陆政策，刀枪不入的样子，仗着跟旷乃兴熟，是旷乃兴直接拉来做项目的，谁的账也不买，一副公事公办的态度，很强硬。这让承市长程之介之命负责会展中心那一块的副市长蒯广富心里很是不爽。他正想着应该怎么为难他们一下子才能顺顺气。

见蒯广富不说话，康大光又在一旁吹风打气说：大哥，机遇难得，你还是要当机立断哪。

蒯广富思忖了一下，说：这样吧。明天你安排一下，我先见见他。

康大光一听：大哥，不用明天，他就在咱这御宅汤池里等呢。你要肯赏脸，就简单接见他一下，算是我给过了话。

蒯广富说：呵！你小子！还真看不出来，仗还越打越精了。

康大光赔笑道：嘿嘿嘿，大哥，这还不全靠你的栽培！你要同意，那我就通知他。

蒯广富说：去吧。让他十分钟之后来。

康大光忙说：嗳嗳。

一小时之后，接见旷正茂的事情已经完成。康大光送走旷正茂，回来殷勤地问蒯广富：大哥，谢谢你赏脸。这下，我面子可老大了！大哥，这个会展中心工程完事之后，还能提一格不？

蒯广富道：不好说。要看白宏臣和旷乃兴走不走，还要看上头会不会空降。总之，你要做的事情，就是管好你自己，别总给我惹事。

康大光道：大哥，我明白。小弟今后就全仰仗着你了。

接着又问:我瞅你这劳累了半天,大哥,要不要来个全身按摩?

蒯广富说:不用了。

说着,拿出手机,打了个电话。片刻工夫,政府综合处副处长王栀惠推门走了进来。见康大光在,愣了一下。康大光也愣了一下。

我让王处长送点材料过来。蒯广富若无其事说。这里没事了,你先忙去吧。说着,蒯广富冲康大光一摆手。

康大光嘴里"哦,哦"着,知趣地躬身退出。一边退,一边想:怎么,不对呀!怎么是她?老东西的相好不是电视七频道那个女主持人吗?什么时候换了这个综合处副处长?怎么,兔子也吃窝边草?好嘛!既然不背着我,就证明快把我当自己人了。好现象!

康大光暗自得意着,吹着口哨,愉快地跑去找按摩小姐快活。

那边康大光一走,这边王栀惠立刻去掉端庄,变得妩媚,低眉顺眼,冲着那一团白肉就扑了过来。

嗯哼,你也不理人家……

我不是忙嘛。

说着,二人滚作一团。男人就像剥蚌壳似的,层层扒掉她那一身坚硬的职业装,露出里面一团嫩肉。男人遂将嘴贴过去,恨不能将里面汁汁水水一口吸干净……

12. 去盖风波

"比起建筑来我更喜欢艺术,比起建筑师的方式我更喜欢艺术家的方式。"

这是黎曙光常常喜欢引用的瑞士著名建筑师赫尔佐格的话,他以此来表明自己的心迹。

如今,凇州新奥体中心主体育场"东方地平线"的建筑设计合作方穆勒尔身在国外,不可能随时跟国人见面和答疑。所有的针对场馆建筑设计方面问题的答疑解惑、接受质询、参加辩驳、遭受非议等事情,就留给黎曙光一个人来承担。无论顺境也好逆势也罢,总之,他现在是被推到了历史和现实的最前沿，跟“东方地平线”一样，成了众人瞩目的焦点。淞州人民一夜之间认识了他，新州大地上的人民也几乎在一夜之间认识了他。

从来没有像今天这样，一个建筑设计师，会像一名歌星影星体育界明星一样走红，会被登上报纸娱乐版头条，被邀去电视台综艺节目里做开口秀。这是一个大众充分娱乐化的时代，任何严肃的、艰苦不堪的事情，都可以用搞笑、逗趣来犒赏眼球，供人放松神经。

而黎曙光不这么看。他可丝毫也娱乐不起来。他的内心仍然是沉重的，紧张的，充满孤独感和悲壮意识的。他与这个时代的娱乐精神水火相悖、格格不入。他知道，对他来说，如今由他来阐述历史、解释现实，在外人看来，只是偶然，或者幸运；在他自己看来，则充满艰辛，还有孤独和疲惫。他这一生，前半生的刻苦求学、打拼、修炼，就是在时刻准备着担当。既是建筑师的一种担当，也是艺术家的担当，更是知识分子的一种担当。

无论是面对历史，还是面对现实，他都感觉到重任在身，责无旁贷。

面对公众，他似乎慢条斯理，思维严谨，逻辑缜密，谈笑风生，举重若轻；事实上他的内心深处，充满了紧张。那种绷紧的、随时准备迎接和克服新一轮困难和考验、迎接那些未知的诽谤和陷阱的紧张。

自从上了工地，黎曙光就没有睡过一次囫囵觉，没有吃过一顿舒心饭。作为“东方地平线”的中方总设计师，黎曙光既要跟业主、政府、赛区办等多方协调关系，又要跟十几个专业设计人员、工程师协调解决矛盾，同时，几千张的施工图纸，都需要黎曙光签字负责，每天要面对争论不休的各种协调会议和技术人员对图纸无休止的讨论修改。如此复杂的工作，有时会让他觉得不堪重负。他们是在向建筑工程学上的极限挑战，同时，建筑工程也是在挑战他的生理极限。他每天都要到深夜才能入睡，又总是会在凌晨两三点的时候突然醒过来，然后就难以成眠，就在脑海里把昨天发生的工程上的事情和第二天要做的事情像过电影一样过一遍，把方方面面细节都翻来覆去想到了，直到五六点钟的时候实在太困了才又睡过去。

这种状态,每天每天,伴随着“东方地平线”打造施工的日日夜夜。

冬去春来。又到了工程昼夜兼程奋战的时刻。

南湟河新奥体中心工地经历了北方大地冰封到春风拂面的气候变化,它的工程进度也在相应地进行调整。如今,这里成了一千多名建筑工人和成百上千台重型机械的驻守之地,工地上还建起了临时水泥厂,现场浇铸钢筋混凝土柱子。马达轰隆隆响,工人们被分成两班倒,昼夜兼程地赶着进度。一些临时招来的民工,经过简单培训之后,迅速上岗,运灰、抹泥、绑钢筋,一个个忙碌的身影穿梭在工地上。

在主体育场建设正式开工前,施工方就已经根据北方气候特点,预留出了北方冬季天寒地冻无法施工的无效工期,所以在春季来临冰消雪化之时,就要招收更多的民工投入建设,加班加点追赶进度,冲抵冬季那一部分时间上的损失。按照奥运足球比赛的规定,奥运足球体育赛场必须要有一年以上赛事磨合经历,方才能进入奥运会正式比赛的日程。这样一来,凇州新奥体中心主体育场的工期实际截止年限是在奥运会正式开始前一整年的2007年的8月,时间显得更为紧迫。搞工程的人都清楚,每拖延一点工期,都意味着施工成本的增加。而奥运足球场馆建设,是封死后门的进度计划,就连一点点拖延工期的自由度也不能给予,到时候就得比赛,一点也耽误不得。即使你想不完成都没有借口。“这简直无异于把人往死里逼。”工程承办方国强国际承包公司凇州体育场项目部经理邬大为这么说道。

他是在施工现场协调会上对众人发牢骚的。有人指责施工速度太慢,照这个速度进行下去,2007年8月是无论如何完不成的。

进入施工阶段以后,面对着工程的难度,不光建筑设计师,投资方和政府方面都有压力,现在这压力又移到了新奥体中心体育场项目经理邬大为身上,令他宵衣旰食,不敢有任何疏忽。他负责控制预算,安排工期和组织后勤。邬大为今年57岁,精通英语和俄语,是中国为数不多的英国皇家特许建造学会资深会员。上个世纪八十年代那会儿他就曾经是东湟河体育场的建设经理,后来又参与过国内几座大型公共建筑的建造,在这方面非常有经验。他经历的难关不少,但是也被眼前的施工难度给搞得有点儿蒙。别的不说,仅就基坑而言,在他参与过的项目里,最复杂的要算是国贸中心的建筑,但它的基坑也就十来种不同高度,而这个"东方地平线"下面的标高却有三四十个,而且大小形状不一,圆的、方的、三角形的都有。一般民用建筑的基坑有三四种不同的标高就完了,比方说什么地方有电梯就再挖一个基坑,比较简单。而"东方地平线"他认为过分复杂。

同时,施工建设的复杂性还体现在它的外在形式上。它的钢结构的复杂程度非同一般。虽然从外表上看整座体育场是一座圆形,而它内部却是一个不规则的结构,采取"乱形"的设计理念,柱子、梁全是斜的,弯曲扭结相互编织,没有一根的截面是完全跟地面垂直。但到最后,总体合成时,又变成有规则、有序的形状,看起来完全中规中矩。整个钢结构采取中心对称,旋转180度的位置才能找到一模一样的构件。设计师的本意是要在不规则之中找出规则来,而一旦到了施工过程中,这种规律性就比较难找。地面的石材也是乱形铺就,天花板、玻璃幕墙里面的印花也是乱形,最后的贴膜,外面那一层发光的泡泡,也是乱形,富于动感变化,又以不变制变,乱中取胜。从建筑设计的角度来讲,整个创意非常高明,设计师非常有想象力,如果真能按图完成,那将富有革命性、震撼性效果!

而当它的底部逐渐并拢上升到钢顶结构时,情况又将变得复杂。设计中需要采用不同型号的钢梁和柱子来形成馆顶的钢框架,需要先在地面焊接好,然后吊到空中进行组装。施工方引进自身重量超过800吨的履带吊车,来把那些重达100吨、长达60米的桁架举到超过50米的高处,然后在高空组装。只有德国进口的起重机才能达到这个要求。这在穆勒尔的本国,可能不费劲,但在淞州,就成为一个问题。穆勒尔在设计时是否存在一定的惯性思维,完全按照他们国家的制造标准来设定实施要求呢？这点不得而知。但他肯定没有设身处地想到过淞州所面临的机械设备和人才方面的困难。

没错。如果这一切都能如愿完成，这将是工程学的杰作。但是施工过程中的困难和成本也超出想象。同时这种高空作业的危险性也不能不考虑在内。

邬大为他们搜遍全国，才从南方某省借来了这种凤毛麟角的进口起重机以及它的操作手。建筑用的特殊钢材，也是遍寻全国也找不到理想的型号。最后实施招标策略，省里一家老资格钢铁厂抢得奥运商机并在竞标中取胜，用最短的时间开发、创研生产出符合淞州奥运场地需要的高韧性抗震钢。这种钢材采用全新的优化成分设计、氧化物冶金技术和先进的轧制及热处理工艺，有着强度高、韧性好、焊接性能优良的特点，可以承受530兆帕的外力，如果遭逢上个世纪海城大地震和唐山大地震一样的地震波，“东方地平线”能够依然保持原状巍然屹立。

钢的问题解决了，而混凝土方面的技术又是个难题。体育场的钢筋混凝土结构非常庞大，所有的压力都附着在这些支柱上边，每一批混凝土都要经过特殊配制，首先要经过严格测试和检样分析，硬度和黏稠度必须达到标准，保证它的拉力和承重力都合格，然后才能够进入批量生产。接着，要将这些检测合格的混凝土浇灌进铸模里，制造混凝土柱子。离心机飞速运转，混凝土被超过9倍的重力高强度压缩，最后才能生产出这些能够撑起1000吨的超大负荷的混凝土柱子。

在施工过程中，各个分部搭接的难度也十分巨大。项目经理邬大为希望通过几个大的分部工程合理搭接，工程穿插着平行进行，以抢工期和进度。但是，事实证明不行。“东方地平线”的独特设计，造成它不能够平行施工或者搭接施工。首先混凝土看台与钢结构之间就无法搭接施工。混凝土看台结构施工阶段立着10台塔吊，不可能进行钢结构施工；钢结构吊装阶段，在混凝土看台结构中立了50座立式支撑塔架，从混凝土楼板上一层层穿过，看台结构里的机电安装和装饰工程不可能实质性地展开；钢结构吊装阶段大型起重机要沿着看台结构外缘来回行走，这样看台结构外围的近6万平米的基座结构在钢结构吊装完成之前也不可能开工。所有的座位模块和楼梯也是现场组装，每块模块重达15吨，全部的模块有1000多块。这项工作，需要起重机、电缆和绞车之间的配合。但是，各项工作都互相干扰着，不可能平行进行。他们最后不得不一项一项地独立运行，混凝土结构施工、钢结构施工、建筑内外装修与机电设备安装调试顺次进行，每一项工程都采用几班倒的方式，马不停蹄向前推进。

整个设计建筑施工团队不断协商、调整图纸，共同挑战并超越工程学上的极限。

对于这种挑战，也并不是所有人都能够承受和喜欢。

施工承建方的技术人员，对"东方地平线"的设计就颇有怨言。建筑创意是新颖的，甚至举世无双，这一点无疑都令大家兴奋，能够接到这么好的题材来进行施工创作，也是倍感高兴和荣耀的事情。虽说荣耀，但是，其结构设计和机电设备系统的设计，还是有些值得商榷的地方，对于一项运用于2008年奥运会的体育场来说，过多采用尚不完全成熟的新技术，致使工程实施的难度大大增加，需要承担更大的工程进度、质量和安全风险，他们认为这是毫无必要的。实施工程不应当承担这么大的风险。

但是，事实和工期都已经摆在那里，只有往前走，没有后退的余地。建筑师和施工方的目的是一致的，只是出发点有所不同。在建筑师看来，伟大的建筑，多在奇峻险绝之处，不冒风险，自甘平庸，怎么能够留存？而项目经理的任务，就是把建筑设计师的纸上理想变成大地现实。

当然，建设方对施工难度有意见，并不意味着他们跟设计师黎曙光之间会有什么矛盾。奥运项目的建立，这不是一个人两个人的事情，是政府和国家的大事。他们在施工过程中，不断友好协商，听从各方专家的建议，及时对设计进行调节。

夏天过后，一个体育场的雏形，一点点地从东方地平线上升起。

淞州市的“三大战役”在不断的争议中紧张有序地进行。东湟河会展中心一期工程的大模样已经初露端倪，二期三期的招标也已经启动。明年一期工程竣工的话，就可以很快投入使用，这边招商举办会展，那边的工程建设同步进行。看到工程的宏伟蓝图，人们不由得兴奋。省城的机床制造业在全国行业中属于龙头老大的地位，他们与德国合资的机床设备制造股份有限公司年底前已经正式上市。淞州市政府决定要抓住这个先机，旷乃兴正在频频跑往省城，跟他们多方接触，争取今后将一年一度的全国机床制造业产品展示会挪往淞州来举行。他鼓动着一把手白宏臣也利用个人的关系，在省会上帮助说合。这是有利于淞州发展的大好事，白宏臣很愿意从中搭桥。他跟机床公司原来的一把手一起在省党校学习过，有过一段同窗之谊。

最让白宏臣高兴之处在于，经过7 个多月的奋战，南湟河棚户区改造安置工作已经竣工，居民已经整体搬进了新居，并将那里命名为“红旗小区”。本来要命名为“奥运新区”，但是因为要预留出奥运小区的名字留给南湟河新奥体中心周围的商品房开发项目，所以还是按照传统，叫做“红旗小区”，以标示出这里是党和政府的阳光工程。

小区竣工剪彩那天，欢庆仪式搞得颇为热闹。小区大门口张灯结彩，敲锣打鼓。小学生鼓号队被请到了现场滴滴答答吹，一群披红戴绿的大妈老太太还在街心广场扭起了大秧歌，一个个脸蛋、眉眼都抹得通红、乌黑，活像一个个大妖怪。为首的，打扮最俏、身材最窈窕那个，正是老崔家大丫头崔英姿。同样是扭，同样是简单的几个踏步、跨步、滑步，别的老太太大妈都像打夯一样，艰难地将脚后跟踮起、又沉重地将身体砸向地面，再看人崔英姿，人那扭得那叫一个美哟！铿铿锵锵的节奏，愣是让她扭出了一个风吹杨柳、美人弱柳扶风之姿，谁见了，都爱多看两眼。不愧是专业演员出身，有个腰条好底子！见到一大群官员从车里下来，崔英姿扭得更欢了，还一个劲儿飞送秋波。可惜，离得太远了，谁也没看见。

省长在白宏臣的陪同下亲自到场讲话，高度赞扬淞州的业绩，并将

“红旗小区”立为样板小区，经验要在全省推广，解决全省各老煤矿区、工厂企业区住户的连片棚户区改造问题。

红旗小区建成一溜九栋六层板楼，南北通透，分别刷成浅粉色和明黄色，分外鲜艳。原先并不是这样的颜色，原来只是统一的灰色。楼房封顶即将交付使用时，旷乃兴陪同市委书记白宏臣前来视察过。白宏臣看了，表示满意，同时问：为什么全是灰色？

旷乃兴答：就是想把城市统一色调，这是淞州的传统色调，也是国际流行色。

白宏臣道：淞州的传统色调是不是太暗淡了一点？没有生气。要鲜艳！不要太保守。

说着用手一画：我看这里，还有这里，都可以艳一点，不要怕大红大绿，刷上鲜艳的颜色，要显示出淞州大地人民活泼泼的生命力！我们要把这里变成示范区，让全世界人民都看到！今后就要以我们的色彩为流行色。

旷乃兴不好说什么，只好吩咐下去，楼体外墙喷涂颜色要鲜亮一些。选了几种色系，拿到色样让白宏臣过目。白选中了眼下这两种颜色，浅粉和明黄。艳俗的色彩，带着怯怯的乡意。

每个人对于色彩的选择、偏好，都跟自身经历有关。旷乃兴想这也许就是他白宏臣自己童年心目中的色调吧？

他只在心里暗叫“可惜，可惜”。整个城市的色彩，又将变得五花八门。他兀自摇了摇头，把自己原初兴致勃勃构想的打造国际化新城市小区的念头甩掉。

不管怎么说，一片浅粉明黄之中，居民们居住的空间大了，居住环境也变美了。小区预留出公共绿地，兴建街心花园和一座下沉式广场，供居民休闲健身。同时还划出创业市场预留地，搭建大棚，困难人群免费租摊位，增加上岗再就业机会。

据环保专家统计出的数字，这个五万平米左右连片棚户区，拔掉了原来的3万多根低矮烟囱，改造后每年可减少燃煤11万吨，减少烟尘排放 1250 多吨，减少二氧化硫排放 1430 多吨。

淞州这一步走得好，在全国也产生了不小的影响。白宏臣很高兴。

红旗小区竣工后不久，组织部来人考察白宏臣，说是例行考察。得知这个消息，市委副书记程之介的心中一动！

程之介板着个脸，在心里反复盘算，看不出他是高兴还是抑郁。出了这么大的成绩，一方面来讲，跟他本人无关，一切成绩归功于白宏臣和旷乃兴，他并没有高兴的理由；另一方面，白宏臣创出政绩，由此提升，去省城当个市长什么的也很难说。这样一来，一把手的位置就由自己来接也说不定。他算了一下，就自己目前这个岁数，横向移动然后再图谋提一格几乎不可能，各相邻城市一把手都不到五十岁，腾出地儿来也轮不到自己，地级市中，五十岁已经算是高龄了，况且自己已经五十有四。如果弄得好，在本地接班，也不无可能。考虑到奥运是个持续性工程，组织上未必会空降一个新人再来接任，只有自己熟悉情况，临退休之前再干上一届，总归是好的，所有的待遇都随之改变，之后就可以全身而退。

看来，争上这奥运协办城市，对于自己，还真是一个机会。

程之介立刻改变了从前跟白宏臣摽劲儿的策略，通知蒯广富告诫手下一干人等，组织部门来考察，一律说好话，让白宏臣远走高飞，谁也不许捣乱。

程之介在加紧活动进程，主管城建的副市长蒯广富也乘兴而起，觊觎着随后的市长角色。为了讨好程之介，也为了帮助程之介能顺利接任一把手，蒯广富自告奋勇地提出为程之介到北京高层寻找关系。几天后，蒯广富通过关系找到一个自称在国家安全部门工作、与中央某部部长有深交的冒志疆，冒志疆又找来一个自称是中央某办公厅副主任的辟洪涂，说是可以帮忙运作。蒯广富到程之介面前禀报，说是人找到了，是北京的高干子弟，认识上面的人，能说上话。程之介一见他神秘兮兮的样子，有点不放心，问：可靠吗？

蒯广富马上保证说：管保可靠！上一次给昌原市的一把手就活动

成了。

程之介摆摆手，说：你去办吧。

蒯广富“嗳”了一声，立刻带上马仔康大光去会见来人。

四人在酒店了见了面。冒志疆招呼他们落座，并把辟洪涂引见给他们。那个副主任辟洪涂说看过程之介的材料，称赞程之介有基层工作经验，又在中央党校学习过，基本情况良好，并答应帮忙。举手投足显得很有官架子。两人一唱一和，很像中央领导。蒯广富深信不疑。他对康大光点头示意。康大光立即奉上随身携带的提包。里面有贿金人民币50万元、美金2万元，说是供二位首长打点关系。冒志疆和辟洪涂两位假意推脱了一下，然后笑纳。

之后，在接到他们俩报告称已经活动到哪一步哪一步后，蒯广富、康大光又陆续支付给他们俩人民币80万，美金3万元作为活动经费。接下来就急不可耐地在家坐等消息。

对于白宏臣的考察结果出奇的好。一帆风顺。

果然，白宏臣被调去省城祁阳当市委副书记、代市长，原来的市长进了省里接职。

没出多久，省委派来邻近齐河市女市长霍秋林来淞州任一把手。齐河是个沿海大市，最早的几个省辖市之一，处于工业长廊的咽喉要道，经济上也一直是全省龙头，战略地位非同小可。本省这两任的省委副书记都是从齐河市一把手干上去的。

程之介的愿望落空。他恼怒地叫来蒯广富问讯。蒯广富知道自己受骗了。那两个所谓有来头的人无耻地欺骗了他们。他也只能是低眉顺目听着程之介的发火训斥，也没敢告诉程之介给钱的事儿。

从程之介那里出来，他又把一股火都转发到康大光身上，痛斥小子也不留点心眼，白长了个大眼愣瞪，也不看看清楚，凭什么对方一要钱就给，颠巴颠巴主动上赶着给那个流氓追加预算？

康大光心里也冤得慌，自己出了钱，还落埋怨，自己这是招谁惹谁了？都是你们自己惹的一身臊，过后拿我来撒气。但是这话他可不敢说。他只是说：大哥，要不要给那俩小子点厉害？

蒯广富义愤填膺又极度郁闷地说：你去，问他们，退钱还是保命？你自己把握着点儿盘口。

康大光说：好，我明白。

随后，康大光大电话找到两个小子，把蒯广富的意思如实转达：退钱还是保命？

哪想到两个小子软硬不吃，反倒先要挟说：你们要是想真敢动咱哥们儿一根毫毛，就先去告发你们！到时候，你们一个也跑不了。

康大光一听，火从中来，一想，明目张胆行骗，竟然还敢这么拉硬！谁在背后罩着他们呢？

这会儿才想到找人背后去查。一查，傻眼了！俩小子没什么后台，就是两个明晃晃的骗子！而且在别处他们也用同样方法行骗过。康大光一看：收拾他们！不收拾是不行了！

于是派了打手去追。两个小子早已闻风而逃，杳无踪影。

霍秋林到任淞州市委书记，白宏臣省城履新，新老市委书记交接。

在淞州市领导干部大会上，新老市委书记顺利完成了交接。省委常委、组织部长彭名奇出席会议并作了讲话。省委组织部副部长洪之光宣读了省委组织部干部任免通知。白宏臣调省城祁阳市任市委委员、常委、副书记，免去其淞州市委书记、常委、委员职务；霍秋林同志任淞州市委书记、常委、委员，主持市委日常工作。市委、市人大、市政府、市政协、市纪委五套班子成员，市法院院长、市检察院检察长等出席大会。会议由淞州市市长程之介主持。“让我们热烈欢送白宏臣同志到省城工作，热烈欢迎霍秋林同志担任淞州市委书记。”市长程之介话音刚落，市双子星座会议厅里立刻响起了热烈的掌声。

会上，彭名奇代表省委对调往省城工作的白宏臣同志作了评价。他在讲话中对白宏臣同志在淞州工作的成绩予以肯定，对他带领一班人开拓进取，勤奋工作，真抓实干，为淞州经济社会发展和党的建设所作出的贡献予以高度评价。他说：白宏臣同志勤政廉政，正确使用手中权力，坚持按原则和程序办事，认真落实党风廉政建设责任制的有关规定，重视抓好班子的党风廉政建设。多年来，白宏臣同志全心全意履行职责，较好地完成了省委交给的任务，为淞州的改革开放和两个文明建设作出了显著的成绩。

彭名奇还代表省委对原齐河市市长，现调任淞州市委书记的霍秋林同志作了评价。他说，霍秋林同志政治素质好，执行省委省政府各项决定坚决，有较强的组织领导能力，有丰富的工作经验，经过县、市两级的锻炼，又在省政府重要部门担任领导工作，领导经验比较丰富。她在工作上有主见，处事果断。霍秋林同志事业心强，有开拓创新精神，作风扎实，抓工作有计划、有检查、有落实，重要的工作亲力亲为，一抓到底。霍秋林关心群众疾苦，同时能够严格自律，率先垂范，自觉执行领导干部廉洁自律的各项规定。我们有理由相信，霍秋林同志走上新的领导岗位后，一定能团结带领淞州市几套班子，紧紧依靠广大干部群众，与时俱进，使淞州市的经济建设和社会发展再上一个新台阶。

会上，白宏臣发表了情深意切的讲话。他首先表示自己坚决服从省委的决定。他说，淞州这片土地上有我一生中最美好的记忆。这里有淳朴善良、勤劳勇敢的乡亲，还有情同手足、互敬互爱的同事们。这些年与同事们朝夕相处、携手战斗的情景，深深印在我的脑海里。我感谢大家这么些年来对市委工作的支持。我坚信，淞州在省委省政府的领导下，一定能够团结奋斗、克服困难，完成奥运协办城市建设和奥运场馆建设、组织好奥运协办比赛项目的光荣任务，带领人民奔小康，顺利完成“十五”期间规划的各项目标任务，夺取经济建设和各项改革事业的全面胜利。淞州的前途将是一片光明，淞州的明天将更加灿烂辉煌。

新任市委书记霍秋林也在会上表示坚决服从省委决定。淞州是个有着光荣传统的大市，她决心与淞州市广大干部群众一起，在省委省政府的领导下,共同开创凇州改革建设的新局面。

市长程之介也发表讲话,感谢省委关心重视凇州的领导班子建设和凇州的改革发展,表示坚决拥护省委关于凇州市主要领导干部的人事安排。我市各级领导干部一定要同心同德,把凇州的事情办得更好,让省委放心,让凇州人民满意。

会议一开完,程之介回到自己房间,副市长蒯广富脚前脚后跟来。程之介气愤地往桌上一摔自己文件夹:妈的!刚送走一个小白脸儿,又迎来一个老娘们儿!净伺候他们了!

蒯广富说:大哥,你看咱们下一步怎么办?

程之介说:啥怎么办!走一步看一步吧。这女的,非同小可!高干子弟,她父亲据说是老东北局干部,三八年的老革命。她自己的经历也非同一般,跟随父母走南闯北,后来又当过兵,做过工农兵大学生,下过农村基层锻炼,当过开发区区长、财政局局长、副市长、市长,还弄了个美国哪个学校的什么MBA,懂经济,脑子好使。不是个善茬儿。

蒯广富说:是,我也打听过了,这女人属于强硬派,有老子作后台,底气足。你看那肩端得,板儿板儿的,走起路来脚下生风,比男人的步子还硬。你再看那张脸,像刀子一样,肉丝子横着长,一绷起脸来吓倒俩仨的,哪还像个女人!依我看,多少个男人都不是她对手。

程之介说:妇人之见!我看你的这种想法才真正是妇人之见!你以为这都是你那些电视台女主持人哪,专盯着人家脸蛋屁股看?能升到这个高枝儿上的女人,就早已经没了男女之分,全都是跟男人一样,互相拼的,就是后台、经历、才干,而不是看谁的奶头大,谁的屁股撅得高。

蒯广富被损得有点儿脸红,忙讪笑着,说:嘿嘿嘿,大哥,我这不是看不惯咱这一群大老爷们让一个妇道人家压一头嘛!

程之介止住他:别妇道人家妇道人家的。据说人家是梯队接班人,重点培养对象,还要往上走。在咱们这儿,也就是过一下。

蒯广富说:大哥,这我也知道。从来都是铁打的营盘流水的官。但是，上头这样总是空降外来干部，本地干部辛苦工作却得不到提拔扶持，他们这么做，也是不利于地方工作开展，不利于地方干部培养的，你说是吧，大哥？

程之介长叹一声：唉！想办法吧，总有机会，你还年轻，总有出头之日。

蒯广富买好地说：大哥，那什么，我不是为了我自己，我是说你……

程之介手一摆：打住！什么也别说。先看看新来的一把手有什么想法，然后再说吧。

程之介是不愿意让蒯广富说破自己的心事。即便是忠实马仔，有些事情该不告诉还是不告诉。他自己其实一直也没停止过暗中活动，这次几乎是背水一战，事先托人改动了自己的籍贯，出生地改在邻省的一个县，这样就有效避免了本地干部不能在当地做一把手的障碍。省委组织部那头也找了关系，但是没成。估计是上面有所顾虑，像凇州这样一个重镇，眼下正是迎接奥运的关键时期，举国瞩目，以他程之介的能力不足以统驭这么大的局面。凇州以前名不见经传，基础薄弱，观念落后，经济建设和各项发展事业都搞不上去。经白宏臣和旷乃兴这一茬子外地干部来了之后这几年才逐渐有了新气象。省委通过全盘考虑，最后决定，在2008年到来之前，还是派素以作风硬朗著称的霍秋林前来当一把手，目的就是要稳住凇州局面，以扎实、稳健的姿态迎奥运。

由此可以看出，上头对自己还是不放心哪！程之介长叹。

程之介得不到提拔，蒯广富也郁闷。程之介这棵大树一旦无法乘凉，他自己的前途也将暗淡。接班当市长肯定是没戏了，唯一的前景，就是考虑把旷乃兴挤走，自己尽快坐上常务副市长宝座。不过，姓旷的这小子什么时候才能走？如果真等到2008年他那些项目都竣工完成以后，那可就够受的，到那时候他蒯广富也被熬老个屁的！那家伙无论是高升也好，犯错误给揪出去也好，反正，只要他不在自己跟前碍眼就行。不过，瞅那小子的样子，上面没有提拔他的意思，他自己呢，一点儿要挪动的意思都没有，好像还真想在凇州扎下根了似的。

不行！不能让他继续自在下去！蒯广富暗暗咬牙。

新班子，新景象，新打算。

淞州市两会召开。在新一届政府报告里，提出未来将把抓民生问题放在首位，在实施老城区综合整治改造工程中，提高城市精细化管理水平，克服城市化进程中的基础建设规模过大、引起CIP指数增长过快的弊端。政府要控制总量，以稳步实现淞州GDP持续有效增长。全面推进城乡统筹就业，年内新增城镇就业人口，抓好转移农村劳动力建设。加快教育基础设施建设，坚持教育资源向相对薄弱学校倾斜，促进区域教育均衡发展。同时将提高城市居民医疗保健水平、实施城镇居民基本医疗保险工程，将实施弱势群体救助工程作为重点。完善各区县老年福利服务中心配套设施建设，实现城乡低保对象应保尽保。

在本市最大的区清水区代表小组讨论会上，谈到淞州市奥运建设问题时，市人大代表、市委书记霍秋林表示，今年是加快淞州奥运建设的重要一年，在硬件建设，包括场馆、交通设施上都要加大力度，同时还要加强软环境的建设，包括人文环境、文明素质、城市和谐程度的建设。确保实现廉洁奥运、节俭奥运的目标。

在代表委员们分组讨论政府工作报告时，市领导分别下到各组听取意见。旷乃兴下到政协的工商联小组听取委员们的讨论。代表们表示大家都注意到，今年的政府工作报告中不再提“招商引资年”，也不再提淞州“三大战役”，而是提出，要根据淞州目前的实际情况，缩减和收拢基础建设规模，要把原有已经上马的项目进一步完善打造好，使其尽快产生经济效益。尤其是政府还提出要抓节能环保，注重民生建设，抓敬老院建设和九年制义务教育，抓社会主义新农村建设，这些措施都是符合淞州目前实际的。委员们也建议，针对前一阵子招商引资过程中，郊区农村征地用地过程中产生的问题，政府应该加大力度解决，让失去土地的农民获得实惠，要让他们有房住有衣服穿，有医疗养老保险。

有政协委员在提案里提出，淞州近期的一些建设规模有铺张浪费和奢华的嫌疑,诸如在前期的“三大战役”中,其设施和规模都远远超出了本地的经济发展水平。诸如凇州东湟河会展中心工程,一期完工后已经足够满足需要,还有什么必要去继续打造二期三期四期?新奥体中心的主体育场“东方地平线”,就目前凇州的经济技术水平来说,完全是超前的,与目前技术水平不相匹配的。有必要花费巨额人力物力,去打造一个朝向二十一世纪的庞大建筑吗?光是二十世纪的建筑就够我们欣赏学习打造一阵子的。有这些钱,我们能建造多少所希望小学,能让多少贫困地区的人民过上好日子?

有多个委员在此提案中附议。

这种提法,同时也引起另一批委员,尤其是教科文卫组委员的激烈反对和辩驳。他们认为,这种说法,是不正确的,完全是一种混淆逻辑、偷换概念的讲法。一项工程是否奢华浪费是一回事,而打造希望小学、让贫困地区人民过上好日子是另外一回事。它不是一个对等的概念,不应该纠结在一个议题框架下来讨论。部分中国人的无知、无赖和劣根性之所在,就在于会偷换概念、混淆逻辑、蛮不讲理。你一说到要发展高端产业,发展航空航天事业、发展大学教育、打造尖端技术企业等等,他们就会把事情故意引向低端,引向另一端,就会说:那要花费多少钱?我们还是一个穷国,有那个必要吗?省下那些钱,能盖几所希望小学?能让多少贫困地区挨饿的人有饭吃?这种论调看似关心民生,关心底层,实则借打造希望小学之名、关心贫苦百姓之名掩盖自己的短视和无知,把国家经济发展和综合实力提高问题,引向毫无逻辑联系、不成因果关系的道德问题层面上,用一个所谓“关心孩子、建希望小学”的线,来画一道红杠杠,以此来杠死所有其他。请问这种反诘能成立吗?这是一种伪命题,他们是用一种反逻辑的方法来遮蔽其虚假道德,是一种反人类、反社会、阻碍社会历史发展和人类进步的谬论。试问,国家如果不强大、综合实力不提高,不能够屹立于世界强者之林,如何能谈得上让百姓都吃得上饭、过上好日子、所有人家的孩子都上得起学?这才是事物的根本,是一种必然的逻辑联系。

支持这种说法的委员也附议道:对,这种情况,在文化界也有。你一出个什么有艺术探索精神的影视剧目、一部有思想有才华的新书,就会有人站出来,不管三七二十一,首先问:你会让自己孩子看这种电影、这个电视、这种新书吗?这也是一种流氓加恶棍的逻辑,首先就把全民族的知识水平定位在“儿童”的低幼基准上,然后,再拿这条线,来拷问、胁迫大众。他们以为,这样一问,自己就代表着正义、良知,代表着公民道德。实际上,他们是打着道德的名义,干着把全体人民都变成思想侏儒的勾当。他们的意思,就是想让成年人的智力永远如儿童一般。稍微有一点文化常识的人都知道,儿童有儿童的书,成年人看成年人的书。中国古代的四大名著都不是给儿童的,也是不适合儿童看的。当今世界获得诺贝尔文学奖的书目也都不适合于儿童。这么简单的道理我想谁都会懂。我就不知道我们为什么要允许甚至纵容这种混乱和混蛋逻辑存在。如果我们不发展高精尖的科技、军事、国防、航空航天事业,我们就永远落后,永远要被动挨打;如果我们不发展高等教育,把大学都取消,我们的智力水平、民族文化水准就永远在低幼水平上重复徘徊。如果我们没有那些成熟的、成人的、保有我们自己民族精神的、才华闪现高屋建瓴的影视、文学作品,我们国家的文化在世界文化中将没有一席之地,我们国家的文化软实力将大大受到影响。说穿了,这种人的说法,就是一种愚民的说法,他们的逻辑,也是一种蒙昧的逻辑,是从根本上不能成立的。

代表委员之间两派意见的争论,一直持续到会后,在普通民众中也引起了新一番广泛讨论。奥运工程遭受严峻考验和挑战。刚来凇州不久的霍秋林一时承受很大压力。从一般游戏规则上说,没有哪一任领导会接上一任摊子,替前人买单。他们多半都会另起炉灶,重新打造。这也是“政绩工程”“升迁工程”屡见不鲜的原因。霍秋林是个认真办实事的人,有魄力,有能力。她在跟工程主管领导旷乃兴谈话时明确表示,我们就是要破一破这个规矩。既然这是一项展示国家经济实力工程、文化遗产工程,也是一项利民工程,奥运工程就要始终如一地进行下去。

她这么一表态，旷乃兴心里一块石头落地。本来他的心里多少也有点黯然。新班子上任，新的工作目标出现，关注民生、节能减排、环保等理念开始注重。以前当然也提，但是没有像现在这样当成头等任务来抓。白宏臣在任时的“三大战役”的提法不再说了，当年费尽千辛万苦争来项目，克服一项又一项困难，轰轰烈烈建设的场面犹在脑际。现在只完成了一项棚户区改造，还有两项尚在建设中。建设中途换帅，工程造价遭受争议，这对如此庞大的建设项目来说，都是非常不利的消息。

这时他才体会到为什么我们有那么多速成工程，一般工程都是一年两年就完工，最迟的工期也决不超过三四年，也就是一届领导在任、从工程的审批计划完成到计划实施竣工的周期。工程的周期就是一届领导在任的周期。而奥运工程，横跨两届，中间难免出现许多变数。这是他的经验所认识不到的地方。他没有基层政治工作经验，想象不到这些。搞工程抓建筑，如此一个看似短暂实则漫长的工期，随时都会经受时间和空间的考验。这中间的领导层人事层的变迁、政策层面的变化，都会让一个工程经受考验。在这个时候，新来一把手的鼎力支持，就变得至关重要。

市委书记霍秋林在表示全力支持的同时，也指示说，尽管如此，我们仍然要悉心听取民意，委员代表们的提案都要逐项落实。工程不能停，“节俭办奥运”的原则不能丢。你们看看，如何削减工程造价，拿出一个合适的方案来，给代表委员们一个答复，也给凇州的三百万百姓一个答复。

本着“节俭办奥运”的原则，按照相关部门要求，2004 年，凇州市政府和奥协办对凇州新奥体中心体育场项目和东湟河会展中心工程做了调整。新奥体中心主体育场工程决定要削减造价，实行瘦身计划，去掉“东方地平线”体育场上空可飞翔开启的盖子。同时座位数目也减去一万，停车场泊车位数量减去一千，外加扩大内缘，减少钢结构使用，仅此四项调整，就节省了将近一个亿。

同时，又将原来完全通连的体育场内部重新设计了分区，将原来相通的运动员、记者、贵宾、工作人员、保安人员和普通观众的分区建立封闭式独立系统，减少空调和暖气的损失，避免能源的消耗和浪费。凇州东湟河会展中心二三期项目招标也宣布暂停。

这是一次大的调整。调整之前，有关体育场的争议之声就一直未断，表扬它的，把它视为“天物”，极尽赞美；贬低它的，怪话连篇，诸如凇州成了国外设计师的实验场、“凇州到处充满了看不懂的外星球怪物”云云。这次瘦身去盖的决定做出后，得到一部分人的认可，同时，新的怪话又放将出来：政府做事出尔反尔，盲目上马。现在想起来去盖，当初干什么去了？还有人在网上贴出帖子，反对体育场去盖，提出“坚决保卫体育场的完整性”。

德方总设计师穆勒尔听到这个消息后，表示坚决反对。那个设计成热气球样的盖子，在设计当中和整个体育场是一个整体，为了这个盖子，他们当初绞尽脑汁，费的时间和精力比设计其他部分还要多。设计师，如同艺术家一样，敝帚自珍。每一件作品，都像自己的孩子，不喜欢被人动。被人割手割脚，都心疼。穆勒尔在电话里跟黎曙光力争保盖无效后，气愤得大嚷：塞瑞黎！如果你们硬要去盖的话，以后不要跟人提起这是我的作品！

德国人穆勒尔的反对意见，相对来说还好处理，他就是再有意见，一个设计师的想法也要服从于建筑所属当地的大局，他的意见，也只能憋在肚子里自我慢慢消化掉。而在凇州这一方，设计建设方案一动，就遭到业主联合体经营商们的一致反对。这个事情最让旷乃兴感到头疼，而且非常不好处理。业主合作经营建设方间的一个核心问题，就是：你现在给去了盖，我们后期还怎么经营？我们损失的利益将有多大？

是的，这是一项公私合营的建筑，牵一发而动全身。图纸的每一点改动，那动的都是钱，都牵扯到方方面面的商业利益。更何况是像现在这样的大瘦身！工程一变，所有一切事情都得跟着变。几方投资者重新坐下来设定指标、商议分配。

投资会展工程的台湾恒元集团万宏耀那边也对工程停工表示不满。这种时候，他们之间的清华校友之谊也不讲了，板着脸，开始了相互间的质询与不满。

这一切的责任，都压在了主管领导旷乃兴的身上，都需要他出面来协调，平衡，说服。旷乃兴要跟业主方以及台湾万氏集团方面解释，要帮助暂时安置遣散工人等一系列善后事宜。上项目的时候难，停项目要给人解释就更难。旷乃兴口干舌燥，几乎心力交瘁。

而"东方地平线"的中方总设计师黎曙光最心痛，最难过。当最后做出去盖的决定时，他的心都碎了，一个人躲到无人处大哭了一场。自从成年以后，他好像多少年都没哭过了，不晓得眼泪是什么滋味。男儿有泪不轻弹，只因未到伤心处。当初他们进行设计时，很大一部分精力都花在这个盖上。没有了盖，等于是地平线上没有了日出，那么设计的这件作品还有什么意义？

"东方地平线"上没有了盖，就好像大地失去了它的灵魂。

建筑精简过程中，之所以要从它来下手，是因为，这个热气球是一个活动之物，跟体育场的底座既可是整体又可以自己独立，去掉的话，容易一些。那些焊在一起的钢架钢梁，实在无从下手削减。

作为中方总设计师、"东方地平线"建筑唯一的诠释者，他曾言之凿凿对公众阐释过这个盖子的意义、作用、象征，讲述过设计构思的缘起、"东方地平线"所体现的中国元素在哪里，作为一个体育场，它加了盖子以后的功能是什么，与体育馆有什么区别。

如今，他必须调整好心态，重新来解释、回答这个问题。

他说："东方地平线"里的中国元素，不是一一对应的，而是遵从的一种设计理念，遵从中国古代天圆地方、阴阳太极的理念。

他说："盖"本来就不是体育场最主要的东西，多了它，造价也是业主分摊。没有它,就会省钱。

他说:作为一个一体化的东西,去掉了盖,虽然在美感和造型上稍显不完整,但建筑是一个现实主义的东西,总是要有变化的。

他说:作为一名建筑设计师,应该适应并预见到这些变化,并能给予充分理解。

说完了这些,黎曙光就病倒了。他连续地心慌,心悸,胸闷,恶心,想吐。

他晕倒在工地上,被 120 车送进了医院。他在病房连躺了三天,连续打点滴。医生说是劳累过度,忧思所致。

“东方地平线”工程宣布暂时停工。东湟河会展中心工地也暂时停工。

早上还机器隆隆作响的工地,到了傍晚,就变得阒寂无声。

只有一个个庞大的钢梁支架,饱含忧思,矗立在北纬 40 度干燥气候的斜阳夜幕中。

第四章　江湖之远

13. 希腊神话

旷乃兴和黎曙光他们几个人组成考察组,去希腊雅典考察。

说话的工夫,已经是2004年的10月。雅典第28届奥运会已经落下帷幕。

他们的压力太大了。自从上了奥运项目,无休止的争论、暗算、争斗,工程施工的艰辛、劳累、疲乏,经费节俭的争议和体育场去盖的风波,几乎要把他们折腾垮了。压力太大了。黎曙光的压力大,旷乃兴的压力也不次于他。弦绷得太紧,好像随时都有可能绷断。趁着这一阶段的停工,他们申请出去走一走,散散心。一是静心思考反省一下,二来也是调整一下。他们计划去希腊,有个好借口,去雅典考察奥运。报告打上去,得到了批准。

希腊黎曙光去过而旷乃兴还没去过。黎曙光在德国学习时专程去过希腊罗马探访欧洲文明的发源地。但那时囿于经费所限,只在雅典短时间驻留。这回有机会再去,当然高兴,抱病之躯,充满了渴望。好久没有出远门了,期待着爱琴海的阳光,能一扫身上的疲惫和心里的阴霾。而对于旷乃兴来说,四大文明古国,埃及和印度他都走过,就希腊还无缘前往。这次前去,时间机缘都很不错,对他来说,也是补全了探望文明起源地的愿望。

这次出行,队伍不大,旷乃兴挑的人,除了黎曙光之外,只带了几个精兵强将。旷乃兴是团长,团员有"东方地平线"中方设计师黎曙光,市府副秘书长、2008奥运会淞州赛区办主任黄一发,电视台《奥运你好》栏目主持人孙佩佩,这几人都跟奥运有关,再有就是旷乃兴的秘书严瑞杰，市府办公室综合处二处副处长王栀惠，他俩负责此行一路上的事务性工作，伺候领导也服务大家。

在市府门口集合时，黎曙光见到了一干人等。几个男的自不必说，黄一发这些日子来已经处得比较熟识，秘书小严也打过照面，只有两位女性都是初次相识。秘书严瑞杰长了一副娃娃脸，跟了旷乃兴两三年了，仍然是一副大学生模样。黎曙光听旷乃兴抱怨过，说凇州方面欺生、排外，看他是书生当政，欺负他这个外来的副市长，一来了就给安排个生瓜蛋子刚毕业的大学生当秘书，争不会争，抢不会抢，看眼色伺候人什么的更不会，任什么都用不上，还要旷乃兴处处手把手教他。有时急了，免不了就斥责他几句，批评狠了，严瑞杰都直要哭，眼泪都含在眼圈里。旷乃兴也就不再好深说。秘书这东西，可不是一时半会儿就能教会的，要经过历练，经验很重要。这样一来，倒也好，免得严瑞杰跟秘书们串通起来玩弄领导。这主仆俩，有点像摩托车手和坐在旁边车斗里的副驾，驾车的和坐车的位置完全颠倒过来，等于是旷乃兴充当司机带着小严风驰电掣，一起在凇州的风雨彩虹艰苦斗争中飞速成长。

再瞅王栀惠和孙佩佩两个美女，直晃得人眼晕。那王栀惠是一个熟女，看样子有二十八九岁，兰心蕙质，温婉如玉。看她静如处子动如脱兔，眼帘下垂时最为动人，密漆漆的眼睫毛把一双秀美的凤眼一遮，盖住所有心事，呈现出百依百顺的柔媚。她有着明亮的额头和美好的发际线，头发只是顺势梳一下在脑后挽上，却挽出一个柔软的身姿和发髻。黎曙光判断她如果不是练过瑜伽，就是自身有韩国或日本血统。只有那类经过训练的女人才有如此美好的谦恭姿态。而汉族女性的身体是僵硬的，尤其是新中国男女平等的理念，让她们的身体硬上加硬，骨骼姿态的硬度上又加了几许心理的强悍。她们表现不出来这样的恭顺。后来从旷乃兴嘴里一问得知，果然，王栀惠的母亲是朝鲜族，她有一半朝鲜族血统。

怪不得呢！黎曙光感叹。同时也为自己的判断正确而得意。他听人说过，朝鲜族女人，都是外冷内热，外表平静，内心似火。现在他们看到的就是女副处长王栀惠娴静的一面。王栀惠简直是天生尤物，是一个太让人舒服、太让人受用的女人，太会看人眼色行事了。没有哪一个领导会不喜欢这样的下属。她所受的中国传统文化的训练，尤其是机关里的历练和熏陶，又让她精明干练，腿勤手勤，既有足够的性感，又能克制在庄严的界限之内。看她前前后后张罗，各方面都很到位，分得清哪位是主要角色哪位是配角，旷乃兴只要眼皮一撩，她就知道领导要干什么，伺候领导方面很是细心周到。综合处本来就是伺候领导的。她这一来，正好是秘书严瑞杰的补充，此行的具体安排就是由她负责，从跟旅行社协调日程到住宿、机票、餐饮规格标准之类，都由她处理。

同来的那个“80后”的电视台小主持人孙佩佩，相比起来，又是另一副天地。孙佩佩狐狸脸、大眼睛、山羊腿、小细腰，长相十分卡通，就跟从日本动漫里剪下来的美少女似的，时尚美人的代表，所有的流行符号在她身上能够一一找到。孙佩佩真人看起来比电视里还养眼。都什么天气了，十月入秋了，还穿吊带呢，为了美根本不惜闪了腰，逮着机会就把外套脱下来，露出小小细细肩带缠绕着的玉颈、胸脯、胳膊，肌肤白得似牛乳，润得如象牙，让队伍中的一干中老年人看上去，真眼馋！看在年轻的份上，怎样作态也都不过分。如今她被电视台派驻到黄一发的淞州奥运赛区办公室，专司奥运方面的消息报道。孙佩佩同志在这一干老同志中间，倚小卖小，嗲得不行，提行李、拎包之类事情全都支使小严去干，把个小严支使得滴溜溜转。小严一方面很乐意给她献殷勤，一方面又猛劲看着旷乃兴的脸色，害怕领导不高兴，脸上一副左也不是右也不是的神色。旷乃兴只当没看见，只是大声嘱咐小严一路多照顾我们的主设计师：没看他大病初愈，面色还有几分苍白吗？小严连说是是是。黎曙光却忙说：不打紧。我这里没问题。让他们年轻人忙去吧。

一会儿上车，黎曙光跟旷乃兴坐一处，趁周围没人，忍不住揶揄道：行啊！旷市长！红男绿女，安排得不错啊！

旷乃兴说：嘿嘿嘿！男女搭配，干活不累。出趟远门，也是个辛苦活儿，没几个异性调节气氛，实在是没意思。再说这阵子大家都太辛苦,正好犒劳犒劳他们。

黎曙光说:听说别的领导出门,都是出去找刺激,换口味。你可倒好,还自带内部粮票。

旷乃兴也故意来劲儿,不解释,却嘻嘻笑着说:我这不是为国家节省外汇嘛!

两人哈哈大笑。许久以来,他们都难得这个样子地笑。

一行人先要坐车到省城,然后由省城飞到北京出发。从北京到雅典没有直航,只有几条转机的线路,要么经多哈、要么经巴黎、要么经伊斯坦布尔转机雅典。这么一转,他们才觉出,中国奥运军团在雅典拿到那么些金牌可真不容易,光这坐飞机转机,就够人折腾的,白白消耗掉多少体力。综合处通过旅行社代办邀请和旅游一切事宜。旅行社那边也很负责,随团导游给做了随行手册,人手一份,各个景点的图片、说明历历在目。装订得也很考究,竟然用上了彩色铜版纸,反正他们知道这印刷费也是羊毛出在羊身上,索性好事做到家。手册名字就叫做"淞州奥运考察组——希腊意大利精品十二日游"。

男导游小丁年纪跟秘书小严相仿,浙江人,活泼可爱,一见面就对大伙说:为了有别于"地陪"和"三陪",你们就叫我"全陪"好了。众人笑,对这小伙子的好感油然而生。以后大家伙果然就简称他为"丁全陪"。

大家对小丁的好感当然不是因为他的自我调侃,而是因为他的敬业精神,细致、肯干,事先的准备工作充分,帮助众人提行李什么的一点不惜力气。而且他的活做得确实漂亮,导游手册、名册,每个人的电话联络方式,都事先打印好,人手一份。就连托运箱子上挂的备失的行李签,也已经事先给每个人填好。以后每到一处,在前台分配房间时就在事先预备好的名单上填好每人房间号码,人手一份,回到房间里就可以自由联系,避免了初到一地的混乱无序。旷乃兴指着小丁对王栀惠说:这样的工作方式值得我们机关的同志们学习。尤其是外联部门,每次出国考察都乱七八糟，到处互相找不到，不丢个人落个机的就不算完。

王栀惠身姿柔软点头诺诺。

负责具体事务的副处长王栀惠代表他们跟旅行社协商，选择了经罗马转机去雅典，在罗马先不入境，游完希腊后再返回意大利观光。他们一大早就乘早间航班飞北京，在省城机场跟雇来的随团导游小丁会合，然后再从北京坐国航，下午13：40起飞到罗马，飞行将近11个小时后，到达罗马机场。这一整天的时间，全在天上。

有了美人相伴，这云端的日子，就变得不那么难熬。可能是一开始见面吧，大家还有点矜持，没有男女花插着坐，两位女士座位挨着，旷乃兴则挨着黎曙光坐，另外三个男人坐在一起。王栀惠事先请示旷市长，用不用安排商务舱？旷乃兴听了心里不悦，心说这个王处，这回咋这么不会办事？按理说，他的级别，介于可坐可不坐之间。但是一般像地方领导的标准待遇，上下活动余地大，稍微运作一下，就可以按高标准执行。通常下边的人会办事儿的，就问也不问按高标准安排下去。但是现在这个王栀惠这么一请示，他就不好表态了，只能是说，我看，还是不用了吧？

如此一来，正合她意。既然领导说了不用，王栀惠果然也就没给用。她的想法，巴不得旷乃兴跟他们坐一个舱，在一个狭窄封闭空间里，她就有了充分的献殷勤、表现自我的机会，说不定能捞着一把耳鬓厮磨的机会也不一定。

女人，可谓用心良苦啊！

果然，机上她总借机会就往旷乃兴身边凑，嘘寒问暖，饮料吃食不停地献上，黎曙光也跟着沾了不少的光。到后半程黎曙光看出点眉目来，索性趁空离身坐到黄一发的身边。小严此时占了王栀惠的位置，挨在孙佩佩的双人座旁边。等到王栀惠从后舱取饮料回来，见状，简单推让了一下，就势坐在了黎曙光原来的位置上，挨在了旷乃兴身边。

黎曙光窃笑。刚一出门，正式节目还没开始，好戏就开始上演了！但是他这窃笑维持的时间不长，他正有一搭没一搭地跟身边黄一发说着话，前座旷乃兴过来，拍他肩一下：你过来。

黎曙光跟着走到后舱休息处。旷乃兴四下望望，见没有自己人，压低声音对黎曙光道：你搞什么搞！乱弹琴！赶快给我回来。

黎曙光还以为老同学是当着熟人抹不开面子，仍旧哧哧笑着道：呵呵，呵呵呵呵，这有什么！该操作时就操作。

旷乃兴急：乱弹琴！你知道什么！这女人，水深着呢！听说她是蒯广富那边线上的人。原先我没打算带她出来，负责安排联络的是另外一个处长，谁知最后怎么捣鼓的，成了她负责并且还要一路跟着，不知是谁的意思。我已经没办法拒绝。够点儿背的了，你还拱火！还不赶快掩护我？

黎曙光一听：啊，是这么回事？你们凇州的事情，够复杂。地方不大，水不浅。我算领教了！得了，爱谁谁吧，我也不跟着掺和了。

旷乃兴：啥也别说，赶快给我回来。

黎曙光只得又借引子乖乖坐回来。

有了这么一个回合，刚刚大病初愈的黎曙光的精神头好了许多，眼也不困了，腿也不肿了，只觉得好笑。听得那几个年轻人乐得叽叽嘎嘎的，心想还是年轻人好，简单、纯净，一切的示好、爱恋也是由衷的。人近中年，就是容易浑浊。

经过十几个小时的长途奔波，飞机终于在意大利的国土上平安落地。他们在罗马机场还要等待3 个小时，才能再次坐上 AZ 意大利航空公司班机飞赴雅典，飞机空中飞行时间也需要3 个小时。此时，才越发觉得当运动员的人不易。身体又不是机器，可以任意调来调去，忍着时差和失重的折磨，还要跑出世界第一的成绩来，真是挑战生理极限的事情，光有钢铁意志还不行，还真是得有那份身体底子。

这会儿是罗马时间下午 18：20，正是当地人精神振奋之际。而此时却是北京时间大半夜，他们已经很疲惫了。下了飞机，晕晕乎乎跟着往候机厅里走。因为是联航，托运的行李什么的直接从这部飞机被搬往另一部飞机，不用他们操心，他们就提着各自简单的书包。不知为什么，下了飞机，机场就设置了一道检查口，穿着制服的意大利机场人员，一见到身形稍微高大一些的东方人，就要叫到一边检查一下，翻包掏兜的，好不麻烦。对于白种人，却一律放行。以前来欧洲，出口前都标识出“欧盟公民通道”和“非欧盟公民通道”，现在，在这个出口，什么也没标，只是看长相抽查抽检。

平日在电视里见意大利球队的金发小伙儿都帅帅的，迷死无数中国师奶少妇，一到罗马当地，见了普通人，也就都那德行，长相一般，满脸金黄色汗毛，干了一天工作下来，处处也透着疲惫和不耐烦。女副处长王栀惠，长相漂亮，提着 LV 的名牌包包，按理说没有恐怖分子嫌疑吧？偏偏也不放过。那个大眼珠子女验关员一定要把她叫到一边，把包包里所有东西：口红、面巾纸之类都“哗啦”倒出来，一一过目，这才舒坦了，还特地用小棍儿在口红上扒拉扒拉，似乎想要看清什么牌子，一脸的不屑。而对身后站着的白人妇女，以及学生模样的瘦瘦的小丁男导游，毫无兴趣，她连看也不看，就放过去。这帮家伙，在打击恐怖分子旗号下，连尊重妇女尤其是尊重东方妇女都省了。意大利人到底也是人，也都有心理嫉妒和变态变形。

过了检查口，小丁导游一路打听着，领着他们奔下一个登机口等候。穿过一溜免税店大卖场，乘扶梯上二楼，导游和旷乃兴黎曙光说说笑笑走在前边，走得快了点，发现后边的几个人没跟上来。回头一看，却见身后几个人正被两个当地人围住，似乎正在说着什么。略等一下，以为他们能马上上来，却见原地不动，似乎争辩有越来越激烈的趋势。导游赶忙折身回去察看，旷乃兴和黎曙光也赶忙跟过前来。只见两个人高马大的意大利男青年，一个穿着制服，另一个穿着夹克便装，一味用让人听不懂的意大利话跟我方人员说着什么，接着又蹦出几句英文单词。恰巧我方黄一发、小严那几个能听得懂一些，只听得他们说：“机票！”“护照！”黄一发他们也不明白对方要干什么，还以为是例行检查，只是瞪大眼睛瞅着，瞎比划，浑身上下一通乱掏。拿出机票，他们只瞟了一眼，就说，“No，No！”然后还接着让他们拿，再拿出护照，他们接过去,假装看了一下,也说“No,No”,然后两个手指捏出数钞票动作,叫道:“Money! Money!”

一叫到“钱”这儿,肯定就不对劲了。可怜那黄一发已经被折腾得有点儿蒙,像被拍花子似的,真就顺手掏兜把钱包掏了出来。恰巧这时导游小丁和旷乃兴他们赶到。旷乃兴动作反应相当快,“嗖”地一把抢过意大利流氓手里的护照,又一把推开老黄到自己身后,用英语大声吼道:“什么人? 你们要干什么你们?!”

那两个劫匪一看,一下子上来五六个黄种人,为首的这个个头比较高大,他们一看有点寡不敌众,于是乎一边嘴里说着“Nothing, Nothing”(没事儿,没事儿),一边做贼心虚,臊眉耷眼,又似乎心有不甘地慢吞吞离去。

老黄吓坏了,愣在那里半天没缓过神来。虽然众人都知道意大利有黑手党,社会治安不好,导游手册上也写上了机场要防黑车,路上要防小偷,哪想到,刚一落地,就给来了个下马威,大庭广众之下,明晃晃的罗马机场国际名牌货品琳琅满目的大厅通道里,就有人明抢,敢于明目张胆骗钱。伟大的罗马啊! 如今你变得这般小样儿!

导游小丁也惊得够呛,嘱咐大家一定要跟上队伍,以后无论什么人都不要搭讪,不要理。

老黄说:我以为他们是检查机票检查护照的呢,拦住我们,要这个,要那个,我也听不懂,那就拿出来给他看吧。哪想到是骗子。

秘书小严说:这贼也忒大胆了! 淞州的骗子骗人,还得往地上扔一卷钱假装要跟你分,或者扮成乞丐乞讨什么的。罗马的骗子就这么霸王硬上弓,硬骗哪! 真是一点技术含量都没有。

旷乃兴说:就知道这个时候耍贫嘴! 你小小的人儿,脑子应该快一点,应该一眼就看出这是一群骗子。

小严说:我……我头一次出国,净忙着东张西望看西洋景,我哪里知道啊?

旷乃兴道:算了! 什么也别说了。以后注意提高警惕,注意安全。

外国人就一定都是好人吗？全球化了，哪国人都一样。条条大路通罗马，罗马城里有坏人。这算是走出国门给你上的第一课。小心记着吧。

小严说：是。

虚惊一场后，本来都已经疲惫至极困得滴里当啷的众人不困了，精神头被刺激起来。导游让小严陪着，下到一楼去办登机牌。其他人百无聊赖等待，也不敢走远，原地待命耗着。转机间隔时间说是有3个小时，这么掐头去尾一折腾，也就没剩多少时间。乘机的人陆陆续续到齐了，看得出，乘坐这趟航班的除了他们这几个亚洲人，几乎都是欧洲人。当地时间21:20分应该出发，但是迟迟没让登机，也没有通知，小导游去问，也没问出个什么来，只说是飞机故障。推迟了半个小时后，排队验登机牌准备登机。

他们随着人流从二楼下到一楼，然后钻进摆渡大巴车，看来是远机位。大巴车开始在夜幕里围绕罗马机场转圈。车开得很慢，走得很远。只看见周围一圈点点灯火，数架飞机，中心地带却是黑黢黢的。夜色中的罗马机场，看着不怎么让人乐观。终于能从大巴车的门缝里感受到一点点外面的气温，很凉爽。大巴转着圈，每见到一个个停泊不动的飞机，大巴车就贴近前去，让人以为是他们将要上的那架。结果贴上去后又离开，每一架都不是。就这么转来转去，最后终于停下来。众人以为到了，下来一看，又回到原来登机地点。进屋，上二楼，重回刚才坐过的位置上，心里的郁闷无法言表。问了值班员，说是飞机出故障，几时能登机起飞，他们也不好说。

人们的精神仍旧不敢松懈。也只能等。还好，没人闹。罗马的旅客也唧唧喳喳牢骚了一通，然后就安静下来。也许这种事情，他们早已经习以为常司空见惯。这要在国内，就不会这样安静，也许早就闹起来了。

老黄还在跟小严说：也别说咱国内的航班不好，总晚点什么的，看来国外也一样。

旷乃兴听了，一旁打趣说：你要能有这个认识，那就对喽！算是个合格的世界公民。

大概又等了四十分钟,又一次办登机。这回,是真上飞机了,也是刚才他们曾停靠过的那架飞机。看来,刚才停在那里时是在检修。因为刚才看见机舱里有一些先上去的旅客,还在冲他们这些上不去的直嘲笑。嘲笑完一通后,也不得不下飞机,回来众人一起重新排队登机。

好歹算起飞了。此时应该是中国的下半夜。又累又困。机上供应点心和水。空嫂给每人发了一瓶冰水和一块夹着奶酪香肠的黑面包。老外们拿起来就咯吱咯吱大嚼,打开凉水咕嘟咕嘟大喝。黎曙光本来就胃不好,一看他们这吃相,不禁看得胃寒,肠胃里绞扭了几扭,不敢吃,也不敢看。那个老黄岁数大了,颠簸了一天,深更半夜,也不敢吃这些生冷之物,刚才被骗的气还窝在心里,推迟起飞又给撮了一点火,于是越发愤懑,忍不住冲旁边旷乃兴嘀咕道:畜生！简直一群畜生！你看他们竟吃这生冷食品。外国人,就是一群没进化好的类人猿。

旷乃兴笑说:我十分同意你的观点！但是进化得太好之后,也容易变成只能吃熟食喝热水的退化生物。

两个人笑。大家谁也没敢碰那生冷食物一下。从早晨离家出发到现在,折腾快24小时了。此时身体各种机能都已经达到最脆弱状态。他们都比较小心翼翼。

坐在后排的女副处王栀惠拿出随身带的巧克力分给大家。他们一人含了一块增加些体力。你还别说,关键时刻,巧克力还真是顶用,真能发挥它的神奇。

旷乃兴闭目养神,黎曙光拿起杂志,有一搭没一搭地看着。忽然“咣当”一声,机身猛一震动,似是起落架触地的感觉。旷乃兴身体震了一下,半眯缝眼说:到了？挺快的嘛。

话没说完,飞机又前后几个大幅剧烈摇摆震荡,然后笔直的箭一样拉升向上,机舱里一片尖声惊叫！还不时有阵阵晕机干呕声传来。等到那尖叫声达到最高分贝时,飞机才又猛地停止了震荡,恢复平稳飞行。

没有人通知这是怎么回事，也没有广播里播音告诉他们类似于“各位乘客，刚才我们遇到气流”之类安慰性谎言。就这么鸦默雀静儿、稀里糊涂、震荡飞行。

机舱里惊魂未定的人们，全都脸色蜡黄。老外捂着胸口，大口喘气。旷乃兴他们也是心有余悸，惊悚万分。

当飞机又来一次剧烈“咣当”时，是起落架真的着地的声音了。

他们在传送带旁等行李的空儿，听到老外在纷纷议论。说是刚才，飞机发动机突然熄火。飞行员空中紧急启动备用发动机，重新打着了火，才算免了一场灾难。

这就是那架刚才在罗马机场一直在查找排除故障的飞机。现在，这架带病飞行的飞机，刹那间险些把他们留在了天上。

他们不由得唏嘘，在回味刚才的与死神擦肩而过的滋味。其实根本来不及感觉。就连恐惧，其实也都来不及产生。几秒钟之内，一切结束。

多数的猝死，都是这样来不及知觉就过去的吧？

痛楚的，其实是那些活着的亲人。

在那时，他们只能听天由命。在一万米之上的异国高空，他们什么也不能想，什么也不能做。想什么也都是白想，做什么也都是白做。

他们怀着劫后余生的庆幸，迈出雅典下半夜两点的机场大门，一脑袋扎进欧洲文明的源头。

一走出机场，见到雅典明净的夜空，秘书小严的感慨是：这个破雅典，这么不好来！刘翔能跑到这里拿个世界冠军，真是不容易啊！

雅典的地陪导游郎艳艳将他们接到旅馆。郎艳艳是从长春去希腊的小姑娘，大眼睛，丰满白皙，上衣穿得有点瘦，裹得紧紧的，走路总像挺着胸脯的样子，又像纽扣随时能绷开。她先在雅典大学读书，毕业后考了导游。虽是后半夜，郎艳艳发面馒头一样的身体仍然热气腾腾，热情洋溢，看不出半点困倦。秘书小严顿时亢奋，忙前忙后，跟着搭讪，瞅在旷乃兴的份上还不得不压抑着,十分有趣。

老黄这个老同志不由得心里感慨:年轻到底是好,年轻不知道累。

他们下榻的雅典“总统饭店”(President Hotel),四星,还是2004年刚刚闭幕的雅典奥运会的指定酒店。一听这名字,也应该是雅典很不错的酒店。到了一看,真是朴素,从大堂气魄到酒店装潢以及软硬件设施,也就是咱们国内的三星级水准。

然而,就是这种规格标准的酒店,在刚刚过去的奥运会期间,也是房价飞涨,雅典一般四星级酒店的标准间每天收费高达800欧元,也就是合咱们的人民币8000多元一天。

这会儿,他们这一行人却已经被折腾得什么也来不及想,什么也来不及看了,进到价格已经回落的“总统饭店”,简单冲了个澡,一头扑在床上昏睡过去。就连饥饿也都忘记了。

第二天吃过早餐,他们最先去看1896年第一届现代奥林匹克运动会场址,然后去参观2004年奥运会主场馆。而古代奥林匹克体育场则在遥远的希腊伯罗奔尼撒半岛西部的奥林匹亚,距离雅典还要有三百公里的距离。圣火的采集地也在那里。要等到行程的最后一天他们才能取道去看。

说起来复杂,其实很简单,就是古代——现代——今天,在希腊,目前有了三处奥林匹克场地。最远的,是古代奥林匹克体育场,也是圣火采集地(地址不在雅典,在小城奥林匹亚);然后,是1896年第一届雅典现代奥林匹克运动会场;最后,是最近的2004年刚刚闭幕的第28届雅典奥运会体育场。

现在,他们穿梭在雅典城的现代时光中。多么有趣!从1896年最早一届到眼前2004的最近一届,两座场地处在同一城市中,看着是很近,中间,却是隔着100多年的光阴。

这一百多年,世界都发生过什么?

大理石能告诉我们吗?雅典那堂皇倨傲君临一切的神庙能告诉我

们吗?

怀着崇敬和瞻仰朝圣的心情,他们放轻脚步,来到1896年的奥林匹克运动场,也叫雅典大理石体育场。

刚刚经过奥运会喧闹的雅典,此时恢复了宁静。体育场前昼夜燃烧了多个日夜的圣火已经熄灭。然而火种燃烧时的视觉残留似乎依然留在视网膜内经久不散,形成一簇跳跃的小白点。

此时的雅典,游人不多,四处静悄悄的。他们从市中心的宪法广场步行十几分钟,就来到了1896年第一届现代奥运会体育场。

大理石的体育场保留了以主席台看台为中心的一个马蹄形横截面,其余部分的跑道和看台都已经去掉,开辟成了供游人驻足参观的开放式广场。

第一眼看到的,除了广场上的圣火台,就是希腊富商乔治·阿韦罗夫雕像。这可是一位大老板。他看上去个头不高,衣冠楚楚,手拿风衣,以石头雕像的形式,屹立在门前广场上,目睹希腊雅典百年来的变化。当年,要不是他捐赠了一百万德拉克马巨款,在雅典古运动场的废墟上重建了这座大理石运动场,法国人顾拜旦张罗的现代奥运会圣火恐怕还要往后拖延十年才能点燃。

旷乃兴对身边的秘书小严说:看到了吗?民间集资办奥运,从一开始就有了。

小严说:这么早?我看资料上说,“奥运产业”是从1984年美国洛杉矶奥运会开始的,是那个美国人、47岁的美国奥组委主席尤伯罗斯运筹经营的,他通过卖门票、出售转播权、发彩票等方式,一下子净赚了25个亿!

旷乃兴说:是啊。奥运产业说的是赚钱,而不单是筹钱。赚钱赢利是从美国第23届洛杉矶奥运会开始的,结束了主办城市负债的历史,取得了商业上的成功。从那以后才有世界各个国家城市抢着主办的现象。如果光是赔钱的买卖,谁干啊!洛杉矶奥运会是现代奥运会的转折点,也是咱中国参奥的起点啊!

小严说：我还听说美国洛杉矶那届奥运会苏联抵制不参加，直接带动东欧许多社会主义国家都跟着抵制，后来传说要有一百多个国家都拒绝参加。那个尤伯罗斯急得满嘴起火泡，如果真有一百多个都不来，奥运会将会取消，那他可就赔惨了！事先签的那些转播权合同什么的，全都作废，全白张罗，等于功亏一篑……

黄一发接上来说：要不怎么说呢，咱中国是他美国人民的大救星！多亏咱们中国组团去了。尤伯罗斯在自传里说，那是在大半夜，接到中国方面电话，说要组一百多人的代表团前去参加，他一下子就蹦起来了，说，这事儿，成了！果然，有了中国带头，罗马尼亚等国家全跟着来了，最后没来的只有五六个国家。到现在，一提起中国，那个老尤啊，就眼里含泪，感激涕零啊！是咱们中国救了他、成全了他。他还说了，2008年北京举办奥运会，哥们儿随叫随到，愿效犬马之劳。

地陪导游郎艳艳说：老美是像你那样说的吗？还跟咱们论哥们儿？

黄一发一听，来劲了，逗她说：可不是咋的！人老尤还说了，叔叔大爷们行行好，给俺一个差事做，哪怕当一个幕后参谋也行啊！退休返聘费俺一个子儿不要，俺要的只是一个投桃报李，滴水之恩以涌泉相报。

郎艳艳小丫头被逗得哧哧哧笑。

小严说：也就是那次，咱许海峰拿了奥运第一块金牌吧？

旷乃兴感叹说：是啊！上个世纪，能让咱国人记住的、世界大事中跟自己有关的，不算多。许海峰这个要隆重载入史册。

一行人说着，漫步往前走。再往前，就看见铁栅栏围上的体育场看台和主席台，完全敞开透明式的，一眼可以尽望到底。这个只剩半个马蹄铁大小的体育场，已经全然修葺一新，主席台上旗杆、看台上的坐椅都是那么整洁，铮亮，已然看不出一百多年前的模样和味道来。主席台正中央的位置上面凌空焊着五个套在一起的钢铁圈圈，那就是奥运五环。圈圈左右分立着18根旗杆。顺着台阶往下走，下到看台最底层，主席台前方邻近跑道的位置上，又分立着两排旗杆，每边都有10根。从刚刚结束不久的电视转播里，全世界人民都看见这里飘扬五大洲团结旗帜和奥运五环旗。现在圣火熄灭，人去楼空，这里就剩下这些光秃秃的旗杆和供人瞻仰凭吊的一块块大理石。

远处，看台后边的矮墙外是一圈圈秋天的柞树丛。爱琴海温暖的和风吹来，轻拂着晴空下小山峦。这里是如此安静，祥和，朴素，簇新，跟他们想象中的百年场馆遗址差距有点大。一百多年前，就为了筹备这样一个奥运会，在这里发生了多少事情！

1896 年 4 月 6 日，在纪念希腊反抗土耳其统治起义七十五周年这一天，第一届现代奥林匹克运动会，就在眼前这个体育场上开幕了。

为了这场奥运会，希腊人付出了很多。

那时候的希腊首相特里库皮斯一直反对奥运会在雅典举办。“一个国家负债累累，而却拿很多钱去开运动会，这是不行的。”他说。

他是在和前来考察场馆、摸排情况的国际奥委会秘书长顾拜旦会面时这样说的。

在这之前他也说过同样的话，是对着来向他汇报情况的希腊体育部长也是国际奥委会第一任主席德米特里奥·维凯拉斯这样说的。“我们没有钱，由于经费问题我们必须暂缓举办奥运会。”他面无表情地说。

首相的话，对于前来邀功的体育部长维凯拉斯来说无异于当头棒喝！

体育部长属于先斩后奏，先在顾拜旦那里揽下了这个活儿，然后才向首相禀报的。

此前一年多，当他们几个欧洲国家体育领导人，在法国人顾拜旦的倡导游说下，于 1894 年 6 月在巴黎索邦大学成立国际奥林匹克委员会，并决定第一届现代奥运会两年后在希腊的雅典举行，他们都由衷感到兴奋！

顾拜旦这个热爱竞技体育、擅长曲棍球和足球、时年 31 岁的法国青年，同时还是个历史学家，对古希腊文化兴趣浓厚，尤其对古希腊的历史上的奥林匹克运动情有独钟。

他早就下决心要恢复已经消失了十五个世纪的奥林匹克运动会，把体育做大做强，把原来希腊各邦玩的竞技游戏，变成全世界各国一起玩的游戏，借希腊古代奥运会的神光，挖掘现代体育竞技人才，发扬光大古希腊教育中的德、智、体、美优良传统。

在巴黎那次会上，哥儿几个水浒梁山排座次。组织名称已经有了，领导机构也已建立，众兄弟总得有个老大老二吧！既然希腊是古奥林匹克运动的源头，当然还要回到源头去找活水。第一届现代奥运会在希腊那里举办，你维凯拉斯无疑是老大，当主席，兄弟你当然坐第一把交椅！

维凯拉斯一听，心里这个激动，心说，法国人可真够意思！费劲巴拉组织起的机构，让我来当主席，坐第一把交椅！行！够意思！做老大，就得有点老大的意思。会议在我家里开，这有什么不行的。行！绝对行！

他就脑袋一热，爽快答应了！

法国人顾拜旦暂时屈居于秘书长职位。

到了1896年，顾拜旦出任国际奥委会第二任主席以后，顾老在这个位置上就一直没下来，干了近三十年，直到干不动时为止。那已经是后话。

就说这个希腊体育部长维凯拉斯，把即将在雅典举办第一届现代奥运会的消息带回国内后，起先还是兴高采烈，得到老百姓的热烈响应和支持，同时还给顾拜旦写信，表达了“吾国吾民同心支持奥运”的喜悦心情。没想到，当他去首相那里汇报时，却碰了一鼻子灰。

希腊体育部长维凯拉斯，也是被封为第一届国际奥委会主席的那个，就开始反省：既然要以国家名义去组织一项世界级体育赛事，事先不向首相报告，不经议会核准，而是来了个先斩后奏，这事若来个换位思考，自己若是首相的话，会不会同意？

这么一想，他就浑身惊出一身冷汗，就知道，完了！自己这个体育部长是当到头了。收拾行李,准备解甲归田吧!

从那以后,世界上任何申请主办奥运的国家,再也没有体育部长或体委主任或足协主席就敢拍板说了算、敢申请主办奥运的。以后,都按严格标准的国家审批模式进行。没有国家一把手的点头同意,没有议院、国民大会、人大的审核批准,谁敢代表国家去搞体育竞技?

正当体育部长维凯拉斯感到命运仕途岌岌可危,已经准备被免职归隐田园之时,事情的发展却骤然变化,峰回路转。

最后被迫辞职的不是他,而是首相。

就是那个不支持奥运、一直持冷淡态度的首相特里库皮斯。

因奥运会主办问题导致首相辞职,这在奥运史上是第一次,也是仅有的一次。

因为它已经足够杀一儆百,后人不敢效尤!

也不是不敢效尤。这个逻辑顺序给说错、颠倒了。准确点说,应该是:后人再没有不经中央政府批准就去申办的事例。

这件事情还要归功于顾拜旦。

又是那个法国人顾拜旦,大智大勇智勇双全的顾拜旦!

顾拜旦不是体育部长维凯拉斯,他不在希腊首相手下当差,所以并没有丢掉官位之虞。

他先是接到维凯拉斯报喜信,说到雅典群众欢呼的情景,难免得意而神采飞扬;接着又接到维凯拉斯诉苦信,诉说遭到首相批驳的事宜。顾拜旦不免心里一沉,感到大事不妙。随后,他急匆匆从巴黎赶到马赛,又从马赛乘船来到雅典,来求见希腊首相,希望能够说服他。

没想到还是碰了一个软钉子。

身为一国之首相,凭什么听你一个自封的什么国际奥委会秘书长之言?尽管你们的旗号是弘扬吾国吾民奥林匹克之精神传统,但是,你们事先跟谁打招呼、征得谁同意和谅解了?

首相的反应,不能说不正常。

希腊首相听说他来了,还是来到顾拜旦的下榻处会见了他。

首相还是那个态度:吾国目前没有国力来办这样一个大型运动会。国家负债累累,实在没钱。

意思也是希望顾拜旦能够收回在雅典举办奥运会的想法,将这件事情和平解决。

因为这件事情已经上升为一个政治事件,首相反对奥运会的态度在希腊影响很大,他也承受很大压力,在野党指责他,雅典市民群众也对他不满。

首相面临严重的信任危机。

这种压力转过头来,又加在顾拜旦身上,法国驻雅典使馆代办指责他说:你看,都是你闹的,凭个人兴趣闹起一场什么运动会,却引得人家雅典起了一场政治危机。你为在野党反对首相特里库皮斯提供了口实,因为在野党是赞成按期召开运动会的。顾拜旦先生,你自己要注意了！这样下去,闹不好,就会影响到两国关系。

顾拜旦这时可以说是心急如焚！此时距离他们开会成立奥委会的日子已经过去四个月,距离商定下的奥运会开幕还有不到两年时间。

眼见雅典古运动场还是满目疮痍,一片废墟。举办奥运需要钱,翻修场地需要钱。从经费困难这个角度说起来,希腊首相此言不虚。

举办世界性的现代奥林匹克运动会,最初只是他顾拜旦个人的理想,而不是希腊体育部长维凯拉斯的理想,也不是希腊首相特里库皮斯的理想。那么,完成这个理想的任务,只能落到理想持有人顾拜旦身上,而不能放在希腊体育部长或希腊首相身上,这也是在情理之中的。

顾拜旦是个不肯轻易放弃理想的人。浪漫而富于理想,这就是法国人的特性。他在实现理想的过程中也是坚忍执著的,百折不挠,有钱没钱他都必须要把这个会开起来。而且还必须是在希腊开。

当时的匈牙利人听说希腊不愿意办后,表示自己国家愿意承办,以此作为匈牙利建国一千周年的纪念活动。顾拜旦想了想,没有同意。离开了希腊这个发源地,他复兴奥林匹克运动、使奥运会国际化的奋斗目标就实现不了。

看来，这还不仅是个钱不钱的问题，这是一个理想与现实谁能取胜的问题。

顾拜旦挖空心思，极力想着办法。他听说，26 岁的希腊王储康士坦丁喜爱体育运动。于是，他抱着一线希望去游说王储。

见到王储，顾拜旦动用三寸不烂之舌，从希腊天文地理历史文化，讲到希腊抗击外寇的民族英雄……总之极尽赞美崇拜之辞，晓之以理动之以情。他还特别谈到 1821 年希腊人民在反抗土耳其统治的残酷战争中，30 万希腊人民为了自由而献出了宝贵的生命……最后，顾拜旦满怀激情地说：只要愿意，我相信希腊人民能够做成任何事情。我对这样的民族满怀信心。

世界上的年轻人，都有一颗火热的心！事关民族信心的意识形态上的大事，年轻的希腊王储岂有不被打动之理？

王储热血沸腾，他也表示，对自己的国家民族充满信心，对奥运会充满信心。

最后，不再是体育部长维凯拉斯，而是王储康士坦丁亲自接管筹备奥运会的一切工作。

国王的儿子亲自上阵，那还有个不成的吗？首相当然对此表示不满。王储他爹、老国王乔治一世这时公开表示了对王储的支持。在野党借机对首相发起责难，他们赞成按期召开运动会。人民也对首相对举办奥运态度消极发出谴责之声。内外交困，迫使特里库皮斯辞去了首相职务。

接着就是紧张的筹备工作。从发行邮票，到筹资募捐……一直到门口大理石基座上站着的这位希腊富商乔治·阿维罗夫捐赠了一百万德拉克马巨款，在古运动场的废墟上重建了眼前这座大理石运动场，奥运会的筹备工作才算告成。

第一届现代奥林匹克运动会于 1896 年 4 月 6 日，就在眼前这座体育场上如期召开。

世纪风潮，云烟过眼。如今，这些大理石的广场、基座、雕像，还记得那段历史吗？

可还记得现代奥林匹克运动的风生水起？

可还记得发起人法国人顾拜旦、希腊体育部长维凯拉斯、遭辞职的首相、亲自操办的王储、慷慨解囊的富商？

什么没有代价？

体育，难道仅仅是体育？

奥林匹克竞技，难道仅仅是奥林匹克竞技？

从它诞生之日那天起，它就负载着多少文化、政治、外交、哲学、宗教等等无穷的含义在里面！

旷乃兴他们一行人沉湎于历史回忆之中。

旷乃兴道：看到了吧？现代奥林匹克运动，从一开始就注定要伴随着争议，争斗，经济，权谋，算计，运筹帷幄，家国大计……对了，小严，你不是动不动爱写点小说什么的吗？这是多好的小说材料，当今流行的什么叫“长篇悬疑”“惊悚小说”的，各要素，在奥林匹克史里全有了。我建议你啊，有空，可以好好琢磨琢磨。

小严忙说：那是！那是！

旷乃兴复又感叹道：体育，可不仅仅是体育。有的时候，它也是宿命啊！

小严不解道：旷市长，宿命是个什么东东？

旷乃兴一脸严肃道：你别跟我假装网络语言，以为我不知道“东东”是个什么东西。宿命不是东东，宿命只是个东西。

小严呵呵傻笑，说：我知道，我知道，宿命是个东西，不是个东东。

旷乃兴道：宿命就在于，希腊人也跟我们一样，也有过申办失败的历史。你能想象吗？起源地想争取一届奥运会主办权，也有不被同意批准的时候。喏，你们看，就在这里，这个体育场上，希腊人盛装前来，带了礼花和香槟，聚集在一起，满怀信心地等待萨马兰奇宣布，将1996年百年奥运的主办权重新交回这座城市。雅典人觉得自己是最有资格让奥运在百年之后重回故乡的。结果怎么样？没想到哇，现实打败了历史，资本打败了资历！那一届主办权给了美国亚特兰大！因为国际奥委会担心，一个连现代五星级宾馆都没有的城市，能否办好一次国际盛会。

地陪导游郎艳艳吐了吐舌头：乖乖！资本真是厉害呀！

黄一发说：这跟咱们中国的申办历程也有相似。北京申请2000年奥运会主办权，仅以一票之差输给悉尼。那一夜有多少中国人郁闷，眼泪憋在眼圈里不好意思哭呢！我记得那天是1993年9月24日……

小严插嘴说：嗳，我说老黄，记得够清楚的呀！

黄一发说：可不嘛！那一天是我儿子的10岁生日。本来他自己还张罗着晚上请同学来家一起搞点小情调，吃蛋糕吹吹蜡烛什么的，北京时间9月24日凌晨2时27分，北京申奥失败，萨马兰奇宣布悉尼为2000年奥运会举办城市，儿子就跟我说，爸爸，咱生日不过了，免得同学们说申请不上是我给妨的！瞧瞧！这孩子！申办失败跟他有什么关系！这一转眼啊，我儿子大学都快毕业了。唉！时间如穿梭啊！

旷乃兴说：是啊，历史啊，就是这么着，生生不息，源远流长。历史也是精诚所至，金石为开。到最后，雅典和北京还不是都重新申办成了？这次咱此行来的目的，就是要看看人家只有历史而没有一个五星级宾馆的城市怎样成功举办的一次奥运会。

没容他们的脚步在大理石的石头记忆中耽延太久，眼前的钢筋水泥现代建筑，一下子把他们拉回到2004年的雅典现实中。

又是一个神话人物出现在2004年钢梁缠绕圣火燃烧的雅典晴空下。

是一位女人。被叫做“雅典娜”的扎西卡拉基夫人。

是她在关键时刻，力挽狂澜，解救了雅典差点儿完不成奥运场馆建设的命运，让2004年奥运会如期举行。

他们脚步疾走，太想看看这位已经被奉为“希腊民族英雄”的女人，是一番怎样的大手笔建筑打造的体育场。他们也想看看,刚刚在电视里看完的、如梦如幻的大型开幕式"希腊神话"是在什么样的舞台上演的。

待他们走近了细细观赏,不禁大失所望!

从外面看,这座奥运圣火刚刚熄燃的2004年雅典奥运会主体育场几乎可以说是不具形状。甚至可以说整体形状显得相当混乱。一道道钢索,钢梁,从体育场上空伸出去,伸向四面八方,在上方牵拉、交叉、缠绕,仿佛蛛网密布。视野被凌空分乱了,分割得乱七八糟,看见的,只能是钢架、铁索。而在水平位置,也没有什么整体的形状,周遭入眼的也是排列没有规律的一道道钢柱、水泥板。水泥墙自下而上有一排排凸凹形状,沿着看台坐椅背后顺势延伸上去。

从正门走向里边,看起来就更加简单,眼前一个传统的鸭蛋形标准400米跑道(全世界的跑道都已是标准的400米鸭蛋形,早就不再是1896年奥运会有缺口的马蹄铁形状),周遭看台是普普通通的水泥坐椅,漆成红红绿绿簇新的颜色,用以划分出不同的区域来。面对主席台方向的大门上空,擎起一个细长的可升降火炬吊臂,开幕式上最后一棒火炬接力运动员走上高高的台阶,将火炬对准这个细长钢臂头部扁扁的橄榄球形状的端口,火焰"突"地一下冒上去,奥运圣火就被点燃。

他们都对这里的朴素平凡感到吃惊。秘书小严东摸摸西看看,有点不相信地说:这里就是雅典奥运会主体育场?太一般了!跟我们刚炸掉的东湟河体育场没啥两样啊!

的确是不敢相信!这个体育场,没有奢侈的围墙,只不过就是这么个普通的跑道和草皮,普通的坐椅,除了多了一些钢索牵拉和环绕加固,外围的水泥墙换成了更多钢管、钢筋、钢梁,以及容纳人数稍微多一点,其他部分,跟凇州的东湟河体育场没有什么两样。跟全世界任何一座中等规模的标准体育场都没什么两样。

从电视直播里看,开幕式那个夜晚,从空中俯瞰航拍的体育场,不很明亮,甚至可以说还有点晦暗,好像雅典人民不舍得用电,没有一个用灯火璀璨编织起来的大致的椭圆或其他几何形状,只有星星点点灯光,还有最后随开幕式节奏偶尔蹿起的一两排焰火。

然而,希腊人就是在这么一个最原始最朴素的地方,给了世界人民一个惊喜,点燃了全球民众的想象力!

他们打造了一个神话!最不一般的神话!开幕式上的神话!

那不仅是一个体育的神话,也是一个关于欢乐与想象、关于诗歌与酒神精神的神话。

无论是谁,只要看到过2004年雅典奥运会的开幕式,就会永久铭记,长驻心底!

黎曙光默默地看着,想着,听着他们的感叹,什么也没说。他离开众人,独自沿着体育场的过道走下去,一直走到场地边缘,越过跑道,直走到那柔软的绿草皮中央,坐了下来。

秋季午后的希腊阳光,透过体育场上空巨大的圆形天井,温柔地洒在他的肩上,身上。

身体触摸到草皮之后,感到十分安宁。内心万分妥帖。

此时,他的耳中万籁俱寂。他的眼中万物皆空。

却分明是传来爱琴海水的奔腾。却分明是看见诸神的莅临……

……那是开幕式上,一个多月前,就是在这里,这块绿草地上,注入了几十吨海水,成了人工湖,成了欢乐的爱琴海;就是在这些红红绿绿普通水泥坐椅上,观看开幕式的人群吃惊,欢笑,随着那诸神的降临,制造出一拨又一拨欢乐人浪……

大幕拉开。那是雅典八月晴朗夜晚的天幕。灯光熄灭,众人无声,海水漾波。

突然,从天上飞来一枚神箭,燃烧的箭镞,划破雅典的黑暗,“突”地射入蔚蓝色的爱琴海当中,在水里炸开。埋伏在水里的奥运五环刹那之间被点燃,熊熊燃烧起来。整个爱琴海都霎时被照亮!

熊熊火光之中,一个小男孩划着船出来了,脸上洋溢着灿烂的微笑。那天使般的微笑，足以打动全世界。

声光电影的配合之下，动人的音乐之中，人面马身的希腊海神波塞冬从黑暗中出现，他有着刚毅的勇士头颅和英俊的骏马之躯。波塞冬手执一枚闪光的电子长矛，掷向爱琴海水。深邃的爱琴海底冉冉升起一块巨大的岩石，长矛将它穿裂之后，炸出一层层无数碎片，一片碎石之上升出希腊众神之王宙斯。那个英俊的小伙子从此就长着翅膀，在开幕式的天空上一直吊着钢索飞，飞，飞。

宙斯一直在天空飞翔，俯视着芸芸众生。

雅典当年的保护神雅典娜神也来了，农耕狩猎鱼牧之神来了，文艺之神来了，体育之神也来了，祭司来了，土著也来了，灰白色的大理石神来了，色彩缤纷的肉身之神也来了。古代帕提侬神庙、雅典娜神庙的神都活了，奥林匹斯山上诸神都活了，都来到今晚的体育场，加入今晚的狂欢大合唱中。他们是那么庄严、艳丽、生动，风头正健，栩栩如生。

这样的夜晚，注定是市民的狂欢，也是诸神的狂欢。是希腊端给世人的一道视觉盛宴。

古代文化和现代科技的完美结合，让人灵魂飞升，肉体震撼！

希腊人就是这样，善于把最沉重的事物以最轻盈、最艺术的方式托举起来。

……现在，开幕式上的爱琴海水早抽干了，露出了体育场的草皮跑道原貌。

体育场。他眼前这座普通的体育场。喧嚣过后趋于平静的体育场。看起来那么朴素，简单，甚至还有几分寒碜，处处充满因陋就简的意味。的确，对于体育场这样一座功能性建筑来说，不管客观环境如何，不管一个场馆建筑有多么奢华或者朴素，有多么简单或者复杂，它都是提供给人的活动场所，为人来服务的，是为了给他们以庇护，以便利，以更好地生存和施展的空间。对于建筑来说，人才是第一位的，人的才干、智慧，人的享用、舒适才是首要的。

希腊。原始诸神的表演，把一切人类活动都拉回到了起点。

体育场，不管将美学意义延伸到多大，不管它的钢材、建筑材料如何运用，终归，就是围绕这么一个四百米跑道圈起的一个场地。是为运动服务，是为观看比赛服务的。这才是中心，才是根本。

西班牙建筑师圣地亚哥·卡拉特雷瓦，在受邀重新设计、升级雅典这座奥林匹克主体育场时，想必也是把它的实用功能放在首位了吧？那些难看的牵拉的钢索，一定是吊着那些诸神与天使飞来飞去的后遗症。有多少钱，办多大事儿。改造一座体育场，比建造一座体育场更困难。就好比装修一座二手房，怎么也没有装饰一座新房来劲儿，施展的空间、余地都有限，再说那种“旧气”还蓄在里边，任怎地都没有一座新建筑打眼。可是这“旧”，如果旧过一百年以上，却又重新有了价值，就是另一番炒作概念。

这世界万物，此消彼长，原本是有趣的。就看你如何来识得。

如果说建筑就是一座城市的灵魂，那么，有着成百上千座古建筑耸立的希腊——这堂皇的欧洲文明的源头，他们早已有了自己的灵魂，哪里还在意雅典城里增加不增加几座小小不言的现代建筑？哪里还需向外重新打造、培育、铸就自己的现代灵魂？

文化的余荫，古典的余荫，灵魂的余荫，足以庇护这里的人民上千年。

雅典2004年奥运会主体育场虽然不怎么样，看似简单，其貌不扬，但是希腊人却把一个盖世的、完美的、几亿元打造的希腊神话开幕式展现在世人面前。他们那花在歌舞演出上的8100万欧元资金，早已够他们重新打造一个豪华体育场。

也足够我们打造出一个“东方地平线”。

在那一刻，在此后绵延下来的许多日子里，全世界人，全地球人类的所有电视观众都被雅典开幕式上演的希腊神话夺了眼球，都被它所复现的诸神莅临、古代文明的辉煌灿烂所震惊，没人再注意它的体育场建筑究竟怎么样，也没人再注意希腊金牌数能排第几。

此消彼长。彼消此长。祸福两倚。福祸两伏。

刚刚过去的雅典奥运会，在这块土地上演的竞技体育运动中，我们能记住的，也就是开幕式上表演的希腊神话，另外还有一个扎西卡拉基夫人，那个最后促使雅典奥运能够顺利举行的强硬女人。

再有，对中国人来说，就是记住了刘翔。夺得了110米栏冠军的亚洲飞人刘翔。就像记住了1984年在洛杉矶第23届奥运会上，为中国拿到第一枚奥运金牌的射击运动员许海峰。这些都是具有划时代意义的人物和事件。

人们的记忆，只能记住那些创造历史、具有划时代意义的大事件。

那么，中国呢？中国2008年的奥运会呢？能让世人记住些什么？伟大东方古老中国的沸腾勃兴？张艺谋导演的那个光着大腿拉二胡的八分钟节目续集？中国奥运军团金牌总数能够名列第一？国足能够冲入前四？北京、凇州的打工仔和老奶奶见到外国人都会说“玩乐卡母吐掐一拿”(Welcome to China，中国欢迎您)？

不管记住什么，至少，要让他们都记住“东方地平线”！黎曙光在心里说。

整个凇州，整个中国，整个世界，都记住，二十一世纪初，中国有一个伟大建筑叫做“东方地平线”！它将是我们这代人留给后人的一项伟大的奥运遗产。它将是凇州这座新兴北方工业城市的灵魂。是凇州从一个农业小城转向现代化工业城市的灵魂所系。

不仅奥林匹克精神要固化进建筑里，固化进它的一钢、一铁、一块混凝土的基石里，它的每一块钢梁、每一块薄膜，还都将承载起凇州父老乡亲的愿望、智力、激情、智慧和理想，承载几代人期盼富裕、振兴、发达的愿望。

不管它是瘦身也好，去掉了盖子也好，不管它的外在形象有了什么形式的改变，它成为凇州小城灵魂的愿望不能变，它成为凇州新地标的愿望不能变。

一定要把它修正打造到最完美程度，要让凇州人的灵魂随着它的灯火一起,在漫漫冰雪黑夜中、在古老东方大地上熠熠闪光。

能行。一定能行！要有信心！

雅典晴空丽日下,爱琴海清风吹拂中,建筑设计师黎曙光坐在2004年奥运会圣火熄灭的体育场草坪上,暗暗地在心中发誓。

旁边的看台过道上,同来的几个人一边照相留影,一边发着议论。旷乃兴跟黄一发不时发着感慨。旷乃兴说:我怎么越看越对咱们自己的场馆有信心?

黄一发说:是啊,我看了半天,也没看出个形状来。跟北京的"鸟巢""水立方"将来的样子没法比呀！就连咱们凇州的"东方地平线",它也比不上。

导游地陪小胖丫头郎艳艳在周遭照了一圈相,气喘吁吁跟上来,说:嘘！小点声！当人面说人家场馆不好,当心看门的把咱们打出去！

众人就笑。

下午,他们跟希腊有关方面举行了一个简单形式的座谈,听取一下他们举办奥运的经验和建议。希腊人很友善、热情,对中国人也很友好。他们拿出各种资料、照片、明信片送给中方,以扩大希腊文化的影响。其中有一个地方官员老头儿特普洛斯曾在雅典奥运筹委会担当过职务,说起话来设身处地,很切实际。老头人胖胖的,头发也很稀少,说话总爱带着笑。没有什么媒体在场,也不用制作备忘录,大家彼此说起话来也都很轻松。

特普洛斯说:我们希腊人就是不着急,慢性子,世界上已经没有什么让人太着急的事儿。我们的奥运场馆在后三年才慢慢地建起来的,为什么呢？扎西卡拉基夫人说了,早建好了没用,第一是早建好了,国际奥委会一检查验收,他肯定得提出点什么意见让你改啊,要不然他不就白来检查了？不提意见显不出他检查的认真、水平比咱们高明不是吗？结果呢,你不能不听取他的意见修改。这一改来改去,就要花不少冤枉钱。所以,就要晚点儿建,到时候像我们希腊这回,到点再交卷,想改都来不及了，他国际奥委会还能有什么意见！

众人听了哈哈哈笑。

小严嘴上没毛，傻笑之余乱插话说：呵呵呵，有点像我们中国的秘书给领导写讲话稿啊，早写完了也没用，领导指不定得提出多少修改意见。你临开会再给他，得，拿了就照着念去了。

中方众人皆讪笑，不由自主都把目光转向旷乃兴。旷乃兴狠狠瞪了小严一眼，小严自知失言，想要收回已经来不及，只能是吓一哆嗦，再不敢轻易插话。

特普洛斯老头听了翻译的解释，也呵呵呵笑，说：对对，就是这个意思。听说你们北京原来计划在2006年就要做完全部的场馆建设？我劝你们不要太快，要慢一点儿，不然场馆建好了有一两年的空置期，维护管理都很费钱，不合算。

众人暗暗点头。他们也听出老头儿有点弄混了，分不出他们是凇州来的还是北京来的。他们也没有去纠正。不管是北京还是凇州，修建场馆的道理是通用的。老黄跟小严悄声嘀咕：慢了能行吗？咱中国人，穷，好面子，家里一要来客人，早早把什么都准备好了，恨不能借锅碗瓢盆来办喜事。这回，也得老早把房子都盖好，空房以待，等着萨马兰奇或者罗格来了夸"这是我见到过的筹备工作做得最好的国家"，听了表扬，就满足了，哪还管什么房屋空置期不空置期的。

小严本来想跟着说：这也是不自信的表现，怕晚了，到时候完不成。话到嘴边，又瞅旷乃兴一眼，然后生生咽了回去。

旷乃兴看老黄一眼：嘀咕什么呢？有话大声说。

然后又跟特普洛斯说：您说的这个，当然好，但也比较冒险。我听说，到了最后，雅典水上中心，也是最后完不成，只有决定去掉屋顶？扎西卡拉基夫人，为办奥运，最后连自家钱都搭上了，挪用了几千万美元的家族财产建场馆，听说还被家族里的小叔子给告了，说是财产也有他一份，事先没经他同意就擅自挪用。还听说奥运会开幕以后运动员住宿的旅店不够，不得不把周围民房给征用来解决住宿？

特普洛斯说:这种事情,哪国都有,意外总是难免的。扎西卡拉基夫人愿意把钱用在奥运上,那是她自己的事情。她的老公是希腊航运、钢铁大王的儿子,把钱用在社会公益事业上,许多富人都在这么做。至于说到我们的水上中心,去掉屋顶之后,不但削减了预算,而且效果也不错。本来就是夏天水上比赛场所,直接露天,不也挺好吗?要那个盖子干什么?

黎曙光心里咯噔一下:跟我们的体育馆去盖何其相似乃尔!

特普洛斯接着说:至于说民房征用,那是误传。希腊是个以旅游业为主的国家,居民开家庭旅馆也是一种习惯。我们在一些重点旅游区像圣托里尼岛上,住宿基本上都是民房,居民们在旺季揽客,淡季维修。雅典少一些,雅典有一部分人不喜欢一下子全世界来这么多人,他们怕打扰自己的生活,都躲出去度假,政府就号召他们留下来,支持奥运,把自家门户都打开迎客。至于说外国人,除了那些参加比赛的运动员之外,像记者还有拉拉队什么的,他们也愿意住到普通百姓家,去了解雅典人的日常生活。听说 2008 开奥运的时候,你们北京有四合院也要干这个用?

老黄笑说:您还对北京很了解。

特普洛斯说:我去过三次北京,好!那里的故宫、胡同和四合院最好!要是有机会,我还想在那里多住些日子。

旷乃兴说:欢迎您下次再来北京。也欢迎您来我们淞州。我们是中国北方的小城,冬天可以看见大雪,非常美丽。

特普洛斯说:是吗?那太好了。

晚上,考察团一行与特普洛斯他们一道共进晚餐。在一个地道的希腊餐馆里,喝着这家餐馆老板自酿的葡萄美酒,吃着希腊风味美食,听着爱琴海边的音乐,真是无比惬意。

热气腾腾欢笑之中,他们还问那个开餐馆的小老板,知不知道 2008 年奥运会在哪个国家举办?那个留着络腮胡子的小老板,认真打量着他们的东方面孔,然后不太自信地说:东京?他们说:不对。再猜。小老板一脸茫然,又接着说:香港?他们还是摇头,有人提示他说:我们来自中国大陆。小老板这回找到了点线索,说:中国北京?

众人这才笑,说:对喽!对喽!是北京!

小老板说:北京,好!好!长城!烤鸭!

众人欢笑起来。虽然错了两次,最后在提示下总算说出来了。

看来,他们老百姓对中国的关注,远没有咱们老百姓对他们的关注度高啊!

不过不要紧,等过完了2008年,他们也就会知道了。等过完了2008年,北京、中国就会鲜亮亮地在全世界人们脑海中打上印记。

那个老头儿特普洛斯脸蛋红扑扑的,显得非常高兴。加上有小导游美女叽叽嘎嘎陪着说话,老头喝得高了点儿,就又忘了他们只是从北方小城凇州来的,还以为他们是北京奥组委来的呢,趁着酒兴,手舞足蹈,给旷乃兴他们支招说,别担心,回去告诉北京,什么事情都不用着急。对国际奥委会,你们在态度上也是分阶段对待,申办奥运的时候他是爷爷,咱是孙子,但是申办成功之后,可就颠倒个儿,这回他是孙子,咱们是爷爷啦,哈哈!不能老看他的脸色行事。你们说是不是呢?到了这时候,反正,改也不能改了,反正是你们北京办了,比赛到时候就得按时开始,办不好,就是丢他们的脸,到时候可就是萨马兰奇要辞职。

小导游胖丫头郎艳艳插话说:是罗格。

特普洛斯说:对,对,是罗格。有些时候你也给他横一点儿,罗格也真没辙,只有干着急的份儿。

众人听了,不禁笑,敬老爷子酒,佩服他的人生智慧。

毕竟希腊是个奥林匹克运动发源地,人就是有点儿牛。不管法国人、西班牙人还是比利时人当国际奥委会主席,希腊人也不会太当回事,说起这桩子事情来,就跟说自家邻居的事情一样随意,顶牛也顶得比较随意。第一届奥运会和第一届奥委会主席源头在此,希腊在这方面可是老大第一。在我们看起来远隔千山万水的国际上的事,在他们看起来就和平常邻里关系差不多,处理方式也一样。平淡、松弛。

如果事情本身能变得很平淡，那么，不平淡的就是事情的过程了。

从宣布下一届奥运会在某国举办到真正开幕，中间需要经历七年时间。七年，是一个不短的时光。

人生，总共才有几个七年？

况且，是像旷乃兴、黎曙光他们这正青春晚期、黄金时代的七年？

14. 奥林匹亚

如果你想找文学艺术、想找诗歌的源头，那么你就不能不来希腊！这里是荷马史诗的诞生地，这里有诞生于爱琴海边的一个叫莱斯波斯岛上的抒情诗老祖母、女诗人萨福。

如果你想找哲学、历史的源头，那么你就不能不来希腊！这里是苏格拉底、柏拉图的故乡；这里有历史学的开山鼻祖希罗多德和修昔底德。

如果你想找古代戏剧的源头，那么你就不能不来希腊！古代戏剧杰出的悲剧大师和戏剧大师都出自这儿：著名喜剧作家阿里斯托芬，悲剧作家埃斯库罗斯、索福克勒斯和欧里庇得斯。

如果你想寻找古代建筑、雕塑的源头，那么你就不能不来希腊！雅典帕提侬神庙、卫城雕塑、胜利女神神庙、伊瑞克提翁神庙、少女石柱、酒神剧场……令人叹为观止！

如果你想找人类一切精神文明的源头，那么你就不能不来希腊！

如果你什么也不想干，就想享受，躺着，发呆，那恐怕也得来希腊！这里仿佛尘埃不染，是神的乐园，也是人的乐园。爱琴海水微波荡漾，蓝天晴和白云悠悠。躺在圣托里尼和克里特岛的一幢幢童话般的白屋下，任海风轻拂，听希腊古琴叮咚。诸神和人类登时都拂去一身尘埃，身心透明澄澈。

几天来，旷乃兴他们在希腊半岛上流连忘返，胜景太多，已经很难说是哪一处景点造成更大的震撼。

对黎曙光而言，“震撼”这个词早已经变得十分遥远。他还记得他初次走出国门，到达欧洲的时候，那才是真正地感到震撼！那时他还刚出校门不久，活动半径无非从中国南方小城到北方北京，然后再到更北的新州祁阳，从江南小桥流水到北京通红的故宫，再到白山黑水的东北，见到的胜景有限，除了毕业实习时转过几座庙宇古建筑，根本就是一个没见过什么世面的学生。蓦然之间，到了柏林，见到那么多的石头建筑：高昂雄阔的勃兰登堡门，轩敞明亮的菩提树大街，高大雄伟的巴洛克楼群，冲天的哥特式教堂……他的狭窄低矮的视野突然之间遭到严重冲撞！非常严重的冲撞！一切建筑都变得高大了，高大得简直跟人体不成比例，都需让人仰视才行。建筑似乎不只是实际用来遮身蔽体，而是用来让人膜拜惊羡的！

晚来欧洲许多年！他在心里感叹！

那些灰白色的高大石头建筑对他视网膜的冲击，让他终生难以忘记！

突然间他对石头建筑产生膜拜，对本土的木结构建筑产生菲薄。

唯有石头才能永垂不朽！而木结构，则总是不堪一击。

尤其到了梵蒂冈博物馆，到了圣彼得大教堂，看到了乔凡尼、卡拉瓦乔、拉斐尔和达·芬奇的作品，看到了米开朗琪罗的西斯廷教堂画作，在那些经典画作面前，在那些栩栩如生的大理石雕塑面前，他简直热泪盈眶，恨不能匍匐在地，以表达他的膜拜和景仰！

大理石！那些坚硬的大理石，雕琢出来的或刚毅或温柔的面孔，那些面孔上或忧伤或神圣的表情，都直指人心，抵达肺腑！尤其那些雕像衣服的褶皱，肌肤的纹理，比丝绸还要柔软，比皮肤的质地还要细腻。那真是人类雕刻艺术的巅峰状态！

完了！干雕塑和绘画这一行的没有出路了！

他替他们感到了绝望！一种巍巍大山压顶、根本见不到出口的绝望！

同时也暗自庆幸：多亏自己学的是建筑！多亏建筑这东西已经从

雕塑和绘画中有效地抽离出来，尚给后人留有一席空间。

画画，能够画到头；盖房子，却是永远也盖不完的吧。

……后来，直到他又游历过许多国家，见到过的石头世面场景越来越多，相比较之下，才鉴定出优劣，也才对当初过激的想法有所纠偏。见过满世界的石头扑面之后，忽然又返回来觉得本土的木结构建筑是出类拔萃、独树一帜的。北欧诸国的海盗渔村村落，美国国土座座现代塔楼和板楼，土耳其的教堂和皇宫，埃及的金字塔和方尖碑，印度的泰姬·玛哈陵……走了许多地方之后，突然觉出咱们的故宫大屋顶的无比珍奇和华贵！

试想，有谁，能够完全用木材搭起巍峨的皇宫，又能让它历经风雨，一直延续保存下来呢？

又有谁，独独偏爱那种血液一样的颜色，能够将那种铺天盖地的红色泼洒下去，殷红，血红，浓烈厚重的颜色，刺激得人眼睛都能看红。甚至连牙齿都红了。

跟那个时代出生的人一样，黎曙光从小是写着“毛主席万岁”，用蜡笔在图画本上画着天安门长大的。那时候，他们小小人儿还根本不理解什么是天安门，只觉得是个神秘物质，需要用红、黄两色蜡笔轻涂浓抹才是。而他真正见到天安门，则是在上了大学以后，那个火红的八十年代，上个世纪八十年代，热气腾腾思想刚刚解禁的年代。他刚从江苏考到北京，坐上接新生的校车，从北京火车站里出来，路过长安街。当他第一眼见到天安门时，他简直都有点蒙了：天安门怎么能是一座建筑呢？怎么能是一座四平八稳的落地建筑呢？小时候，任何时候画的天安门，都是腾空而起的，悬浮或者是凌驾于一切地表之上，没有坐标，更没有地平线。那是神的宫殿，是圣物，是中国人心中的奥林匹斯山！

一刹那的震惊，诧异，震撼，直打得他睁不开眼睛。还是在心里嘀咕：天安门怎么能是一座建筑呢？

以后他逢周末或放假休息日，就总爱到天安门、到那个天安门前的广场去转转。在那里流连、观瞻、打坐、冥思，寻找古建筑之美，也想捋清历史的来龙去脉。

这样的日子持续了很久。差不多等到三年以后,他才慢慢扭转过心思来,才敢把天安门当作是建筑。才明白,那个巨大的红色宫殿,它承载人间帝王威仪,而不是供天府众神居住。

这次来到希腊,对黎曙光来说,是艺术功课的温习,是从当代、现代、文艺复兴的现实历史中转了一圈后,回归到了艺术的源头。也是一切石头的源头。恍如一部倒叙展开的历史小说,从结尾处说起,末了,才说到最初。

从那个柏林勃兰登堡门,到西斯廷教堂,到罗马、梵蒂冈、雅典卫城,他走过了一段倒叙的欧洲艺术发展史,也感受到了从最初的建筑雕塑一体化,到雕塑、美术、壁画等艺术门类逐步从建筑中抽离出来的过程。

瞻仰高耸在城市小山丘白色悬崖上的雅典卫城和帕提侬神庙,那座突兀于高楼大厦环抱之中的古典建筑,让他亲眼目睹和体会了阅尽沧桑的大理石的庄严,和谐,完美和崇高。

比起另一处也是石头铸就的历史老人埃及,那里的石头是粗粝甚至狰狞的。带着沙漠自然的旷野之气,偌大的石块,随便扶起来就是一尊神像,倒下去便是一座永恒帝王陵寝。

那却正是埃及的灵魂。

希腊人的石头,更高级,更圆润。它们体面、讲究,富于人工雕琢之美。由石头雕凿而成的神像,都符合黄金分割率和人体解剖学,都呼之欲出,吹口气就能活。

这是希腊的灵魂!也是雅典卫城的灵魂!

就如同故宫是北京城的灵魂。

一座城市不能没有自己的灵魂。

一座城市的灵魂就长在、深藏在它的建筑里面。

氤氲的历史,厚重的人文精神,精巧完美的技艺,全都雕铸进它的建筑之中。

一座有了灵魂的城市，就有了它摄人心魄的魅力。

他看到了初出国门的小严眼里的惊叹，一如当年自己的惊叹！

他自己，却再难以惊叹，只有连绵不断的思绪，让他浮想联翩。

他真希望自己也如小严般单纯、年轻，欢快而喜悦，面对一切都是初见，对万事万物的神奇，处处充满惊叹！

人生若只如初见，若何？

人生若只如初见，何事秋风悲画扇？

希腊的一路都是古典阳光的照耀。

现代希腊呢？悠闲、自在、懒散，永远不着急不着慌。沧桑的废墟，古老的神庙，美丽的神像，碧蓝的海水，幽静的小岛……这一切都是希腊取之不尽用之不竭的资源。他们有足够资本躺在老祖宗留下的遗产上睡大觉，哪管它什么GDP排名落后在欧洲的第几第几，也管不了自己被划入欧元区后转瞬间成了穷人。他们该悠闲尽管悠闲，该度假照样贷款度假，而决不会像东方人譬如说日本人永远脚步匆匆疲于奔命的异化状态；也不会像中国这个发展中国家，每个城市都在成为巨大的工地，大铲车搅拌机日夜轰鸣，马路上汽车疾驰横冲直撞……希腊人只要吃老本就可以了，根本不用考虑再立新功。用他们私下的话说，办个奥运会，也就是个玩，属于政府的一厢情愿。奥运会本来从我们国家兴起的，再办不办，也无所谓。民生是最重要的。老百姓安居乐业最重要。雅典人因此老大不乐意，嫌乱，嫌闹，嫌给安全带来隐患。为维护奥运安全防止恐怖主义，北约舰队都进驻了雅典奥林匹亚科斯港，同时还出动了侦察机进行空中巡逻。雅典奥运会的安保经费竟然高达15亿美元！

多闹腾吧！雅典人全都躲出去找清静了。但是，这个训练有素的国家。人民识大体、顾大局，一旦面对媒体镜头，立刻又是一番跟中国人民一样铿锵作响的支持奥运的语言。

每看到这些，旷乃兴一路上总忍不住说：环球同此凉热。

他们一行人游历了雅典卫城,克里特岛,接受过圣托里尼岛阳光的普照,享受过爱琴海海风的洗浴,终于踏上去奥林匹亚之路,最后一程是寻访奥林匹克体育运动真正的源头和起点。

希腊真是个了不起的地方,不愧为欧洲精神文明的源头。这一路都是从起点走向起点。

起点。黎曙光在心里默念着。起点太重要了。起点决定着一切。

从雅典来奥林匹亚,进入高速公路,穿过科林斯运河,短暂停留,然后来到迈锡尼,参观这里著名的狮子门、阿伽门农墓和王宫古遗址。之后来到十九世纪时期是希腊首都所在地的小城诺普里昂。希腊风味午餐后,他们到艾泊迪奥斯,参观保存最完好的埃皮达罗斯(Epidauros)古剧场。

这也是一条经典的旅游线路。然而,每个人的感受自有不同。秘书小严每到一处,总是张大嘴惊叹,跟孙佩佩和地陪小导游一起唧唧喳喳、喋喋不休地说"哇——哇!"政府副秘书长黄一发倒背着手,一声不吭,比较深沉,假装出一副见过世面的样子。副处长王栀惠显得比较沉静,该说的时候说,不该说的时候,静静地看,观摩,同时在一旁偷偷对领导旷乃兴察言观色。

旷乃兴则更多的时间都跟黎曙光并肩泡在一起,议论评点所到之处的建筑特性。

迈锡尼古城雕刻有双狮子的大门,两头相对咆哮跃起的雄狮,是每一部西方建筑史书的必讲内容。他们当年在课本里也学过,如今等于实地温习一遍。

在十八世纪迈锡尼古城和阿伽门农墓被发现之后,人们才认定,古代特洛伊战争不是神话,是希腊历史上真实发生过的一次大战。迈锡尼国王阿伽门农率近千条战船,数万亲兵远征特洛伊,经过十年艰苦征战,最后以木马计取胜。虽然城堡早已经成废墟,但是从它那气魄雄伟的狮子门,以及城内圆坑贵族墓挖掘出的黄金饰品,还可以看出当年城邦的发达。

城对面的小山上的阿伽门农墓,深邃威严,更让人震撼！让人震撼的是,这位英雄,特洛伊征战报捷,率士兵女仆等回到家中,到家的当天晚上,就被他老婆和情夫刺杀。死后也不得安宁。完全封闭的墓穴,先是被牧羊人发现,接着被盗墓人从顶部给打开,十几米高的墓穴,据说是风吹进来之后,尸骸就完全风化了,墓里现在空空如也,已经找不到任何一点遗物,只有巨大的石头兀立着,上面还有烟熏火燎的痕迹。据说是牧羊人把这里当窝棚,在这里烧火取暖留下的痕迹。

世界上凡是有帝王陵墓的地方,都是道高一尺魔高一丈。再防范精良壁垒森严的墓穴,也拦不住盗墓者精巧的心思和探宝的步伐。

阿伽门农,这位埃斯库罗斯悲剧中的英雄男主角,伟大的王,却也躲不掉被情杀的命运,也没躲掉被盗墓的惨剧。这才真正是英雄的悲剧。

听完导游的解说,他们都不由感慨唏嘘!

问世间情为何物？直教人生死相许！黎曙光叹道。

他这一叹,引起了一行人的热烈争论。

“80后”美女孙佩佩唧唧喳喳地说:英雄也是人哪！也有七情六欲,难免戴绿帽子啊。

秘书小严说:我呸！这叫什么话！虽然英雄难免有悲惨结局,关键是不该这么个悲惨法,被老婆的情夫杀死了。冤得慌!

孙佩佩说:那又咋的！整天在外面带兵打仗,不关心家人,那老婆红杏出出墙也是应该的嘛。

秘书小严说:你这种观点打死我也是不会同意的!

他们这边唧唧喳喳斗着嘴,那边的王栀惠却一直什么也没说,只暗暗往旷乃兴身上抛着深深的、暧昧不明又渴望回应的眼神。

旷乃兴只当什么也没看见。

经过艾泊迪奥斯这一站时,他们下车参观那个叫作埃皮达罗斯的著名的圆形古剧场。进到里边,亲自体验了一下古剧场的味道。

在参观雅典的巴特农神殿时,偶一回眸,从半山腰上见到下面的傍坡构砌的露天半环形石阶剧场,那就是希腊著名的狄奥尼索斯剧场(Theatron Dionyssou)。世界戏剧史就从那里开端,埃斯库罗斯和索福克勒斯的戏剧都在这里演出。那是公元前六世纪的剧场。

眼前这座建于公元前的古剧场,两千多年过去后,仍然开阔气盛,虽略显残破斑驳,却越发有了异样的庄严与华贵。它是希腊保存得最好的古剧场,气魄宏大,它的观众席也是依山坡建成,一圈一圈大理石坐椅顺势向上排列到高耸,一共55排,能容纳14000人。这差不多是一座现代小规模足球场的容积了。23条上下通道呈放射状向上散去,中间横列有一级疏散通道。表演区在场地中心,为正圆形,中心舞台直径20米。这么远的演出距离,如果没有扩音器的话,声音该如何传达到观众席上最后一排呢?

黎曙光和旷乃兴在剧场高高的台阶上转来转去,听风观景,同时对这个问题表示疑惑。突然听到什么地方传来咏叹调歌声,放眼一望,见小严他们几个年轻人跟着小导游,正站在下面的表演圆心区作着什么秀呢！就见小严在导游鼓动下,正扬起脖子,使劲引吭高歌:啊……唆涞唆哩亚,啊……唆涞唆哩亚……

唱的竟是意大利民曲《我的太阳》,有款有调的,还真不错！

胸腔共鸣立时波浪状一圈圈震动着袭上山来,惊动耳鼓！

哈哈！原来真是能听得见哪！

希腊人端的是了不起！早在两千多年前就解决了剧场演出的声效问题。据说这座剧场经1954年改建后,现在可以演出歌剧和举办音乐会,希腊国家剧院也经常在这里演出话剧。

他们走下看台去,见几个小年轻人还意犹未尽。导游鼓动旷乃兴也唱几声,旷乃兴矜持,没有唱。导游见状,就教他另一招,拿出一枚一欧元钢镚,说:您使劲把它扔到地上,坐在最后一排人也能听到响。旷乃兴说:我已经下来了,谁能证明可以听见?小严说了声:我去！拔腿向看台石阶最后一层飞奔。然后站在山坡顶上打手势,表示准备好了。

旷乃兴将硬币使劲掷到地上,“丁零”,发出一声脆响。

身边的老黄大声对着坐席上端喊:听——到——了——吗?

高坡看台石阶最后一排的小严回答:听——到——啦!

哦。他们不禁佩服!

一切现代剧场,跟这个希腊两千多年前的古剧场比起来,从气势上说,都显渺小了。尽管它们声光电科技手段全上,外面加了盖子,加了圆顶,还弄出些个贝壳啊、坟包啊的外罩形式……这些现代技术,相比起古代大理石古朴的技术,真是相差甚远!不要说已经列为联合国世界文化遗产的悉尼歌剧院,就连咱们那座饱受争议一直还没建完的国家大剧院,比起希腊的古代剧场来,也未免逊色。

人类的智慧,到底是退步了呢还是进步了?

一切现代技术、现代艺术,都是对古代技艺望尘莫及的绝望之后,才出现的剑走偏锋的效颦产物。

人类的智慧,在公元前的某一时刻,就已经达到顶点。就像公元前六世纪形成人类智力的“轴心时代”一样。古典的建筑智慧,也包括文学、戏剧、绘画、雕塑等等,也已经登峰造极,成了后人无法逾越的巍然大山。

后人哪,也只能小打小闹,苟延残喘吧!躺在前人成就上睡大觉吧,别总琢磨着动脑筋了。

这不知是人类的大幸,还是不幸?

他们把行李一放在叫作 Olympion Asty Hotel(奥林匹亚旅馆)的房间里,就对奥林匹亚这个宁静祥和的小镇发生了好感。虽然同样是四星级旅馆,可是这里比雅典那个“总统饭店”强多了去了!放眼望去,远处是连绵的小山,成片的森林。一幢幢白色二层小房,柑橘树、橄榄树还有柠檬树油绿的叶子拍打着十月的阳光。

这么好的地方,谁还肯躺在旅馆里睡大觉呢?

小严他们几个年轻人高兴得像一群汪汪叫的小狗一样,先是在后山坡上的绿草地里打了几个滚,然后一跃爬起来,又汪汪叫着,恨不得尾巴摇成一朵花，奔跑欢跳着，跟上旷乃兴等几个老同志，奔赴奥林匹亚古代竞技场。

顺着橄榄树的浓荫大道朝前走，小镇安静得让人着迷，两旁的叶子绿得让人心醉！没出多远，就见一处挂着世界文化遗产标志的铁栅栏门。那个历次奥运会上取圣火的奥林匹亚圣地便到了。

这便是两千多年前希腊人祭祀奥林匹斯山诸神的地方吗？

脚步轻些，再轻些，免得惊醒沉睡的亡灵！

不用放轻！亡灵们却已排兵布阵，在夹道欢迎着呢！

真的！从来没有看见过如此有灵气、生动、活跃的废墟！从来没有看见过这样具有灵性的石头。

那是大神宙斯的神殿和他的妻子赫拉的神殿损毁坍塌后的遗迹。一排排，一列列，苍老的、嶙峋的石头赫然矗立着，断壁残垣，以各自的石头形状，从千古的地下冒出来，重返人间，以自然的舒适的姿态，或颔首，或挺胸，威武地伫立在大道两旁。千年烟尘笼罩着他们的面庞，手足，胡须，“满面尘灰烟火色，两鬓苍苍十指黑”说的就是这个吧？但是，他们绝对不是穷困饥馑的卖炭翁，他们气度高傲，姿态尊贵，历史深厚，他们是神的仆人，他们是历史的将军！

他们尽管没有被雕琢成人形的兵马俑，然而却比兵马俑更具有人的姿态、人的气质。关键是，他们好像都有灵魂！一个石头，就是一个人；一个石头，就是一尊神！

真的，这里的石头，仿佛都有灵魂，一呼唤，就会醒来，一起狂欢，起舞！这里是有神的地方。有神的地方，就有灵魂。

这巨大的升腾的历史场面，蕴藏在无数排兵布阵的石头当中，令人慨叹，令人神往！

黎曙光不禁想起在尼罗河畔曾经见过的那些埃及的石头：他手持神的图谱，按图索骥，沿尼罗河水追寻古老非洲神的渊源。结果，看到的，就是满眼的石头，石头，石头。无论神庙还是王陵，都是一片石头景象：竖立起来的石头，横倒竖卧的石头，穿山凿洞穿壁附岩的石头……

一派石头的嚣张气焰。

石头与石头被时光磨砺摧毁后的石砾;石头跟石头完美榫接后的天然壁垒。

石头依傍石头巧夺天工,石头镌刻石头永垂不朽!

沿尼罗河水而居的那些个王陵神庙,却无半点植物与水的滋润气息。尼罗河水好像只是预备冲刷冲洗这些石头,并作为运输这些石头而准备的液态工具。

在古代埃及,石头是通向永生不灭的媒介。是石头,确保法老的名字不会忘记,石头也能保护他们的木乃伊走向永生不朽。而神的最伟大的业绩,也都镌刻记录在不朽的石头里。

而希腊奥林匹亚神,多么富有人间气息!诸神住的这里水草丰美,树木茂盛,空气中散发着草木的清香,到处是充满活泼生机的生命景象。

这里的石头,自然也是活的,活灵活现,是人类的变种或神的化身。

穿过一个拱形石门(这也是运动员和裁判员入场口),历史的狂欢场景轰然中开!

这里就是几千年前古老的竞技场,古希腊人举行竞技祭祀的地方。周围绿茸茸的草地中间一处椭圆形泥土裸露之地,那是古时的跑道,它全长 192 米,而远不是现在标准的四百米。跑道四周依山而起的环形斜坡,就是观众看台,上面绿草茵茵,整个看台可容纳 4 万观众。中间有几个石座,是主裁判和贵宾的席位。站在小山上观望四周,竞技场周围是成片的茂密森林,绿得耀眼,浓得醉人。看台平缓的坡线直抵云天,气势又恢弘又动人。刚才进门时一路上的颓垣断壁,也都隐在拱门的另一侧不见了。

谁能想到呢?眼前这个平静、绿茵如画的体育场,能与两千多年前赤身露体的竞技、隆重庄严的祭祀、肆意纵情的狂欢、鲜血淋漓的厮杀联系在一起呢?谁能想到,这个古代体育盛会和宗教庆典举行之时,祭司们会赶着 100 头白色的公牛来到宙斯的祭坛,然后让祈祷者一个个地将公牛的喉咙割断，当场制成烤肉分给大家？

古代的每一项活动都是献给众神之王宙斯的；今天的每一个动作都是留给人类自己的。

站在那个古老的石灰岩砌成的起跑线上，忍不住产生在这个世界上最古老的体育场跑上一跑的冲动。

旷乃兴和黎曙光也不例外，两个人并肩站在石灰岩起跑线上，俯身哈腰，做预备起跑状。周围那几个小年轻的以及王栀惠等美女，都停下手下的照相器材来观看。旁边黄一发给喊了声“预备——跑！”两人就一跃而起，大跨步出发，沿着古人的奔跑方向，急速向前奔驰！

或许是由于有了竞技对手，或许是因为边上有美女观看，或许是单纯为荣誉而战，已然进入青春晚期高龄的旷乃兴和黎曙光都使出了吃奶的劲儿，按着大学校园里锻炼时的模糊感觉，比着赶着奋力奔跑，向着终点线的方向疾驰、冲刺！

他二人脚前脚后，一跨到终点站也就是刚才起点的那个地方，两个人一起都不行了，低下头，哈下腰，大口大口喘着粗气。旷乃兴更甚，几步挪到起跑线旁边看台草地上，“咚”地一头栽倒，躺了下去，仰面朝天，身体呈一个“大”字躺在那里。黎曙光一见，也不示弱，跟着过去，也一头倒下，同样仰面朝天身体呈“大”字，躺倒在一旁，跟旷乃兴一起呼哧呼哧喘起粗气来。

“呼哧——”“呼哧——”他们一边捯着气儿，一边在分外耀眼的十月午后晴朗的阳光下眯缝起眼睛，感叹：不行喽！老喽！跑不动喽！

黎曙光说：你以为你是刘翔啊？不要命地跑？

旷乃兴说：那你总在后边使劲追我干啥？你不追我，我能那么使劲跑吗？

黎曙光说：你要是不那么玩命地跑，我能不要命地追吗？

旷乃兴说：嘿！闹了半天，还是我的责任啰？

黎曙光说：那可不是嘛！

停了一会儿，心跳、喘息的速度逐渐平缓下来，黎曙光嘴里叨了一根小草叶说:真奇妙啊!我竟然站在了古代奥林匹克的起跑线上。

旷乃兴说:我还在古奥林匹克体育场跑了一把。奇妙吧?

黎曙光说:奇妙!

旷乃兴说:不看不知道,世界真奇妙。不是世界真奇妙,而是地球实在是太小。这起跑线眼看着就要挪到咱们淞州。

黎曙光说:你又想说寰球同此凉热?

旷乃兴说:对对对,就是寰球同此凉热。

那边,王栀惠和孙佩佩站在一旁,一边看着刚才偷偷给他俩录的DV录像回放,一边叽叽嘎嘎笑。

旷乃兴略微欠起身,问:笑什么呢,你们俩?

小美女孙佩佩说:两位大叔,跑得不错耶!酷毙!帅呆!就是还稍微差了一点点。

旷乃兴小声嘀咕:娘的!什么时候成了大叔了?!

黎曙光则笑问道:还差一点什么?

孙佩佩说:你们俩应该裸体跑耶!古代奥林匹克参赛的人,都是裸体跑。

旷乃兴反应快,说:是哦是哦,人家古代没有女观众哦!

黎曙光也逗她说:我们今天也没有橄榄油涂身哦!

孙佩佩说:不对呀!谁说没有女观众!雅典奥运会女子铅球比赛不是刚在这里比完吗?就许你们男人来赛,我们女人就不能来呀?落后!

旷乃兴说:对对对,妇女解放,妇女解放!妇女都解放到连奥运会都是女人来张罗了!你们还要怎么着你们?

说说笑笑,一行人起身,慢慢往外走。旷乃兴和黎曙光两人猝然急跑的后遗症还在,腿发软,胸口发热,两个人还浑身滴滴答答汗流不止,一会儿就把汗衫湿透了。

黎曙光的T恤里边还穿了件背心,所以可以把外边的衣服脱下来,凉快了许多。

旷乃兴只穿一件T恤，脱不得，也只能轻微抖动衣衫前襟，一边不断擦脸上的汗，一边说：好想好想打赤膊哦！

黎曙光起哄说：这就对喽！裸露，亮出肌肉块，才是奥林匹克运动的应有之义啊！

出来时他们脚步缓慢，都挑有浓荫的地方走，不敢在烈日石丛中穿行。还是那个王栀惠有眼力见儿，不知何时跑去买了矿泉水来，适时献上。两人一见，慌忙把衣裳整理好，又显出端庄形态，接过矿泉水瓶。此时汗已消散，喝水润了润喉，简直如饮甘霖。黎曙光忙向王栀惠道谢。旷乃兴没说什么，只随意看了王栀惠一眼，见王栀惠正偷眼打量自己，碰了他的目光，迅速垂下眼去，还来了一点微微脸红。她那一低头娇羞，看着也是楚楚动人。旷乃兴忙正了目光，把眼转向别处。少顷，忽然来了精神，边走边问黎曙光：那个"真言之口"的手相算命纸呢？给我看看。

黎曙光说：看什么看！自己不是有吗？干吗非看别人的？

旷乃兴说：看看嘛，借鉴一下。

黎曙光说：刚才不是给你看过一回了吗？怎的，想背下来、把别人的命当成你自己的？

旷乃兴说：嘿！我说你这个人！小气！是互相都看过了，再看一次，咋的，不行啊？你命好，让我学习学习，借借光，托托福呗。

黎曙光不情愿地从贴身口袋里拿出自己的算命纸，一边递给他，一边嘟囔：看得多了，就不灵了。

旷乃兴不管那套，一边走，一边擦着脖子上的汗，一边端详手里这纸算命书。

那是他们从雅典来的路上，路过科林斯运河时，偶然间发现的一处玩意儿。

希腊的科林斯运河是最让他们难忘的景观之一。这条河有"欧洲巴拿马运河"之称。

科林斯运河连接爱奥尼亚海和爱琴海。虽然只有5.5公里长,但水底深度达79米,水面宽才24米,是世界上开凿最深的运河,并且是极少数在坚硬石区开凿出来的运河之一。它将伯罗奔尼撒半岛与希腊大陆分割开来,使得伯罗奔尼撒半岛实际上成为了一个岛。

从科林斯大桥上望下去,一条湛蓝、狭窄的水道,整齐地划过脚下巨大坚硬的岩石地面,简直像刀锋那么锐利,切口齐齐整整,就像大地被尖刀割了一道笔直的口子,海水从口子的一头涌进去,又从另一端流出来。船呢,就被水流从一头拥进去,又被海水从另一头吐出来。就这样吞吞吐吐,每年有不同国家的9000多艘货船和客船被它吞进去又吐出来。如果没有这条笔直的运河通道,所有往来爱奥尼亚海和爱琴海两个海域之间的船队,都要经伯罗奔尼撒半岛绕行。那要费多少油!又耽误多少工夫!

开凿运河这个节能减排的设施,古代人那会儿就想出来了。面对着希腊海上运输业的发展和交通严重滞后的状况,公元前67年罗马皇帝尼禄统治期间就规划出工程蓝图,下令开始挖掘科林斯运河,要使船队在两海之间走直线,不再绕弯。可惜好景不长,因为战乱,第二年就被迫停工,这一停就是近两千年。直到1882年,独立后的希腊政府又想起这事来,决定重新启动开凿运河的工程。他们按照古人当年的设计规划,用了整整十一年的时间,到了1893年,科林斯运河得以竣工。一座公路桥和一座铁路桥同时横跨在运河之上。

这样说来,他们眼前的这条人工运河,在他们到来之前,已经横亘在这里100多年了!

他们现在的车子所走的这座科林斯大桥,也已经有100多年历史了!

他们的旅游车停在科林斯大桥下端的辅路上,导游领大家下车观光。众人来到桥上,盯着脚下深不见底的窄窄海峡,两旁直上直下的山体峭壁,猛孤丁一下子眼晕,像有恐高症的嫌疑。众人无不被科林斯运河两岸刀劈斧削的情景所震撼!那些赫然垂直矗立的土黄色峭壁,要如何开凿轰炸，才能削出这样一个笔直竖立的岩面来？

再看那一线海水，湛蓝的水波缓缓流动，看不出历史更迭的涟漪。风云际会打在海水的脸上，也看不出什么沧桑，依然新美如初，蓝得望不到边。

100 多年前的海水，到现在也许仍然没有什么变化，100 多年的桥，却已经经过二战期间的炸毁重建。

1939 年著名的科林斯大桥战役就发生在这里，当时前来帮助希腊军队作战的英联邦军队，由伯罗奔尼撒半岛向南撤退。德军一个伞兵团在科林斯运河空降企图夺取科林斯大桥，以断英希联军退路达到围歼之目的。希军和英联邦军炸毁了科林斯大桥以赢得逃跑的时间。

结果，科林斯大桥失守，英联邦军队和希腊军队损失惨重。希腊首都雅典沦陷。英军损失近千人，希腊军队损失近 1500 人，德军伞兵仅阵亡 63 人。

旷乃兴和黎曙光在科林斯大桥上逡巡着，试图找到一些当年战争的遗迹。

但是，没有。上个世纪的历史硝烟早已经散尽，只见希腊的晴空丽日下，远处黄绿相间，千亩田畴，数万株橄榄树橙树，散落的村庄，巉岩上的柞树丛……一阵清风吹来，带来橙花的香味。一切都宣示着新世纪到来的一派橄榄枝的和平景象。

远处一条大船正徐徐驶来。离远看，船体很大，很宽，似乎能够塞满整个河道，一进来就会被两岸夹住的样子。一点点离近了看，其实船舷离两边岩石还有很多富余，根本蹭不着。大船还是小心翼翼探测着水势，就像老猫用胡须一点点测试着洞口宽度一样，然后才一点一点、一蹭一蹭地往前拱着前行。微风不起时，水面平静得就像一个镜面，船呢，则像一个拉锁，船行之处，水道先被划开，裂了口子，往两边分，然后在船尾水波又合在一处，仿佛拉链又合上了。

他们就慨叹，都说这人类简直无所不能、无法无天了啊！想把哪个山劈开就把哪个山劈开，想在哪里引出一条河就在哪里引出一条河，想把哪个大陆块孤立就引水把它环绕成一个岛，想把哪些大陆块相互连接就引水开通河道……

这真是希腊人民祖先创造的奇迹和壮举啊！

但是呢，同时呢，要都这样，还要大自然干什么？恩格斯说的人类对自然改造的力度越大，自然对人类的报复越深的理论，不是早晚要应验，而且已经应验了不是嘛！

说这话的是老黄，市府副秘书长黄一发，他逢事就爱抬杠，卖弄点小学问，在年轻人面前捣鼓点辩证法原理。

秘书小严就驳斥他说这是明显的酸葡萄心理。

他们那儿唧唧喳喳没边地议论着，旷乃兴和黎曙光则闲溜达，一起跨过桥面中间轨道，去马路对面小卖铺买烟卷。平素里他们并不抽烟，但旅途之中，寂寞无聊，偶尔有一颗香烟在嘴，那种缭绕之香，嘿！别提了！

两个女的孙佩佩和王栀惠也跟在身后一起来了，要过马路去找厕所。到了马路对面，他们各寻其所，男人买烟，女人方便。

等到他们买完烟，抽出一根来，互相点着了火，狠狠吸上一口，爽！站在路边喷云吐雾，二人无事，随意观望。和平年代的科林斯大桥上，安静怡然。两排四车道的道路，不算宽，往来的车辆不少。这里是从雅典去迈锡尼的必经之路。路旁也有电线杆，水泥管，橄榄树林，还有方便行人的小卖铺。如果没有了眼前这个磅礴的科林斯人工河道作为景观，这座桥就很平凡了。看了一会儿，回过眼来，这时就见路边耸立着一座水泥砌成的、人脸形的大磨盘。那边已经方便完出来的孙佩佩眼尖，说：快来看哪！真言之口！

王栀惠这时也从卫生间里出来，听她这么一喊，不由打眼望去。旷乃兴他们两个都跟过去看。

王栀惠一看，说：咦！奇怪呀！“真言之口”是电影《罗马假日》中的经典场景，怎么跑到这里来啦？

她这一说，大家想起来了，可不，这个叫做“真言之口”或叫做“箴言之口”(The mouth of truth)的人脸大磨盘,在电影《罗马假日》中出现过。“真言之口”实际上是古代河神的大理石面具,教堂为了遮盖墙壁的水管,就把它镶在了墙上。这个面具上的河神瞪着大眼珠子,长着高高的鼻子,还留有长长的胡须,更主要的是张着个大嘴,怪吓人,像要一口吞什么东西似的。在电影里它是一个测谎仪,据说谁要是说谎,只要他将手伸进面具的大嘴中,就会被一口咬住。

他们想起《罗马假日》里那个诙谐而经典的场景:格里高利 · 派克演的美国记者乔,骑着摩托车带着奥黛莉 · 赫本演的安妮公主穿过罗马城里的威尼斯广场,来到了位于万神庙附近的科斯梅迪圣母教堂。他们来到教堂临街走廊一个镶入墙壁的人脸大磨盘石雕面具前,乔对安妮公主说:这是真言之口,如果谁在撒谎,它就会把谁的手咬掉。要不要试试?

当乔把手伸进石像的嘴里时,忽然,他的手被死死咬住,半条手臂也被吞了进去。乔假装惊恐大叫,不知所措的安妮公主顿时惊慌,急忙跑过去想帮助乔把胳膊从那张嘴巴里“拔”出来……

罗马的景点,怎么跑到希腊的科林斯桥边来了?

它是干什么用的? 也是一个测谎仪?

众人正在纳闷,还是黎曙光首先发现了玄机。他看了看河神面具边上的一个带有红色按钮的说明,道:这个真言之口,能够看手相,预测人的命运。只要你在边上这个小孔投入一 欧元硬币,然后把手伸进去,就可以得到你的命运。

啊? 众人都惊异地瞪大眼睛。敢情! 真言之口,变成洋算命机器了啊!

他们都一起笑。黎曙光的孩子脾气上来,起哄催促道:谁来玩谁来玩? 不玩走啦啊!

还是年龄小的孙佩佩最活泼,说:我来试试!

说着拿出一欧元硬币,从旁边那个口里投了进去,接着又将手臂放到河神张开的大嘴里。黎曙光看了看按钮旁边的说明,有多个语种可选择,但没有汉语。于是他选择了“英语”,然后按动了表示“开始”的红钮。

墙上的小红灯一闪一闪地亮了,大嘴里边的扫描机开始“嗡嗡嗡”运行。

不一会儿,里边运行声音停止下来,接着,从按钮旁边的缝里吐出一张算命纸来,上面有手纹印,还有密密麻麻的英文说明。王栀惠想要看看,孙佩佩不让看,一把抢过来,一扭身跑一边偷着看去了。不知是不好意思呢,还是不愿意让别人看自己的命。

王栀惠见着有趣,说她也试试。说完就将一枚一欧元硬币投入进去,重复了一遍上述程序。机器里嗡嗡嗡转了一阵后,从河神面具大嘴里吐出她的命。王栀惠也一把拿过来,只瞥了一眼,就赶紧揣进包里,好像生怕别人看似的。旷乃兴见状,一旁打趣道:怕什么,念一念,让大家都听听。

王栀惠脸红了一下,说:那怎么行!那样就该不灵了!

说着,她又招呼旷市长和黎曙光也算一算。旷乃兴说:算了,这有什么好算的,这种街头算命的玩意,国内到处都有,骗人的。

王栀惠说:反正是个玩嘛!试试吧。这东西,信则有,不信则无。

她说话的声音、语调总是那么和风细雨的,极其温柔体贴,极具女人味,拿捏得恰到好处,软得像男用CK牌子丝绸小裤衩,有一种贴身贴肉的魔力,不光每次旷乃兴都乖乖就范,就连其他的男人比如黎曙光等,也抵挡不住,乖乖地听了她的话去做了。

但是,偶尔一不留神,当她在某种场合不加掩饰哈哈大笑起来时,就露了相,那笑声里的原始本嗓,却是粗犷、狰狞的,夹杂着一丝跋扈与让人毛骨悚然的味道。

那是在后来反目为仇的日子里,旷乃兴才深切体会到。

眼前这个兰心蕙质的王栀惠,体贴地替他们投进了硬币。旷乃兴和黎曙光就分别伸出手去,让“真言之口”给算了一把。

等到手相算命纸拿出来的当时,他们两人就互相看过对方的命运,还相互取笑了好半天。

(那两个女人的命相,到底也没向人公布,不知算的是啥。也许那上面的英文她们没看懂,也不好意思问,所以等着回去自己查字典慢慢看？也许是看懂了,但是算出来的自己的命不好,不愿让人知道也说不定。)

这会儿,在奥林匹亚古体育场跑步累得瘪茄子样,旷乃兴不知哪根筋转轴,又想起来了要看了。

黎曙光递给他自己的算命纸。

见算命纸上是这么写的:

HAND ANALYSER

The mouth of truth speaks to you

You tend to dissipate your energy and lose the concentration you need to think effectively.

You don't like others to rush you.

Your middle age will rich in happiness, material benefits and personal satisfaction.

You keep making mistakes which can jeopardize your future.

You have an excellent capacity for recovery.

You will have to face money troubles but you will be able to manage them.

旷乃兴一边看还一边嘀咕:这家伙,中年以后吉星高照,财运两旺,偶尔有点磕磕碰碰,但有极强的自我修复能力,有时手头缺钱但也总能解决。嗳,我说,这全天下好事净是你的了。

黎曙光得意:那当然。咱是谁啊。一没做亏心事,二没偷别人妻,咱怕谁！怎么算都这个样。

旷乃兴皱着眉头,略感不服地又看了看底下附的坐标图,忽然大叫一声:嗳我说,不对呀!

黎曙光一听,有点紧张,忙凑过来问:怎么了?有什么不对?

旷乃兴指着那个坐标图说:你看你这个人,命运线这么长,活个八九十岁没问题,身体也不错,到了六十啷当岁也没病没灾。你这爱情嘛,好像到了五十来岁还有桃花运,可就是这个“性”嘛……

见黎曙光专注打量图标,旷乃兴故意用手叉开八字,托住腮帮,斜眼撇嘴瞅了瞅黎曙光,若有所思道:你的这个“老二”嘛,很成问题哟!好像到了三十来岁,就没有了什么性趣了嘛!小同志,这是不行的!

说完很是得意地呵呵乱笑。

王栀惠和孙佩佩两人在后边一直跟着,听得笑。这会儿,抢上前来,夺过旷乃兴手里的算命纸争着抢着来瞧。

黎曙光似乎知道他会在这个上面做文章,像是早有准备地说:嘿嘿!那正是我老人家清心节欲修成的健康长寿正果啊!不像有些人,身体相当不好,性欲还十分之高!结果怎么样?生命线不够长了吧?哈哈哈哈!

旷乃兴知道他是暗指自己那张算命纸,也不示弱,道:我那才叫生命诚可贵,爱情价更高啊!可是哪,若为真理故,二者皆可抛。

说完眼神似乎无意扫了王栀惠一眼,却见王栀惠又偷偷拿眼打望着他。不知怎的,这回却是轮到旷乃兴心里“别”地一动,脸有点微微发胀。那个王栀惠又迅速低眉顺目垂下眼去。

恰好他们俩的这一对视被黎曙光捉住。这小子却假装什么也没看见,依旧假惺惺对旷乃兴好言相劝说:禁欲吧,市长同志!为了党和国家的建设事业,请你忘掉周遭一切的女性诱惑,把有限的精力,投入到无限的为人民服务当中去!

旷乃兴边走边反手用手背敲敲黎曙光胸脯说:保重身体吧,建筑师同志!为了创造名垂青史的建筑作品,也请掐断你的尘世欲念,保护好自己的前列腺吧!

黎曙光回手照旷乃兴肩上给了一拳。

旷乃兴假意慌慌地闪了一下。

旁边那女子二人已经笑得花枝乱颤。

旷乃兴也忍不住笑。边闪边想：自己那张算命纸上，生命线怎么就没有黎曙光长呢？身体健康指数也十分之低，性欲指数却超乎寻常的长，都要贯穿生命线了。这能说明什么问题？

还有，自己那张算命纸上指明他将会遇到一次中年危机，但没明说具体是什么。还说他能够“用自己的意志力”顺利地度过去。

这次危机将是什么呢？黎曙光的危机就是“偶尔缺钱”。而自己的危机，又在哪里呢？

15. 真言之口

参观古奥林匹亚竞技场的行程结束这一天，大家回旅店时间比较早。参观的过程都觉得十分快意，在两千多年前的奥运会体育场跑了步，照了相，又集体瞻仰了圣火采集处，看过了宙斯和赫拉神庙坍塌处的断壁残垣，十分震撼十分耀眼。众人心满意足。用黎曙光的话说，“回到起点，方知建筑之本原”。

他们在这里下榻的奥林匹亚饭店离竞技场近，美景怡人，十几分钟回来就能休息，不用再乘车颠簸，所以众人疲劳和腿软一扫而光。晚餐过后基本上就没有什么安排，导游让大家自由活动。明天，众人就将结束希腊访古行程重返意大利罗马，然后从那里绕道回国，今晚正好给大家一个调整休憩时刻。众人都很珍惜，纷纷忙着补做各自要做而未来得及做的事情。黎曙光想要再上街采购一点纪念品，邀旷乃兴，旷乃兴不去，说要回房间打几个电话，处理一下家里那头的事情。黄一发在一旁听说了，就要跟着黎曙光去。二人一同走出酒店门。在大门口正碰上几个年轻人唧唧喳喳出门，问他们去哪儿，孙佩佩说他们要去找酒吧喝酒。那个老黄眼尖，打眼一望他们结伙的人群里只有孙佩佩和秘书小严以及小导游几个，没有王栀惠，于是就明知故问说：怎么，你们王姐没跟着出来？孙佩佩说：王姐说要整理箱子，洗衣服，不跟我们去。老黄意味深长地“唔”了一声。小孩子们对他的话没在意，仍旧嘻嘻哈哈笑着蜂拥着出门，只有年岁较长的黎曙光听出了他的弦外之音。

黎曙光心里就乐，暗想：这窥探别人隐私的心理是人人都有啊！一出门，没人管着的时候，就有机会发作了。这要搁在淞州，老黄在旷乃兴面前可是低溜溜的，一贯像老鼠见了猫，可不敢这么着话里话外有隐喻，给他两个胆子都不敢。

同时又想：留下的那两位，干柴烈火也该点着吧？一路上，就见那个女副处长王栀惠都跟个通红饱蘸的火柴头儿似的，一直追着瞄着旷乃兴，恨不能他身上铺满硫黄，上去一划，“哧儿——”点火就着。那个小美女孙佩佩，开头也一直把苗头盯向年轻英俊的副市长身上来着，没少忍痛、挨冻，寒风瑟瑟中在市长大人面前把外衣脱掉，只穿件小背心吊带装，亮出她诱人的小身材。他们这些男人也跟着眼睛吃冰激凌。据说现在的行市，电视台里的美女们都是给市领导和大款们预备的，一般不是副市级以上不勾引，没有千万以上家财的小老板也甭想近身。具体价码要根据美女自身的年龄大小和双眼皮的宽窄程度来定。他也是听他家里那位在电视台工作的邵宝娟说的，说这话时老婆邵宝娟满脸义正词严，充满鄙夷和不屑，同时也怀有对世风日下的老年式忧心。

那小美女孙佩佩只将外衣脱了几次，就被一旁的大妖精王栀惠给拦住了。王栀惠总是能够有效地把小美女主持人孙佩佩拽到远离副市长旷乃兴的视线，并能成功地把她交付给秘书小严和小导游几个小男生监护保管。王栀惠就像孙悟空保护唐僧，用自己的气味成功地在旷乃兴周围画了一个圈儿，除了她自己能进去，别人，休想靠近。当然，黎曙光他们几个男士除外。

黎曙光他也是个过来人，见了这阵势，难免心里发嘘，心说：这个世道，真没办法。作为杰出人才的唐僧太少，盯上他的妖精太多。唐僧越吃斋戒色，就越是容易被白骨精垂涎。

那个小美女孙佩佩渐渐就感觉出了这一点，眼看着自己累得够呛，还近不了旷市长的身，未免气馁，心想自己是斗不过这个老女人的。毕竟这个团是人家王栀惠她们单位组的，自己只是受邀请对象，在这里没有仗恃，也就别去招惹她了。于是她也就不自找没趣，离王栀惠也远远的，干脆跟年轻人扎堆玩，享受愣小伙子们的众星捧月。

面对女人们暗地里的争风吃醋，那个旷乃兴是个什么态度呢？黎曙光斜眼瞅瞅，唔，看不出来。那小子定力不错，旁若无人，在下属面前仍旧是老大第一的牛哄劲儿，好像对谁都颐指气使发号施令，对女人更是有点待答不理。也许是众人都在身边，比较矜持呗！这不，那个女副处可找到机会，终于单独与旷乃兴留酒店里了。看着吧！好戏还在后头呢！够他一受的！

黎曙光有点幸灾乐祸似的，在心里暗笑。闲暇无聊时，编排一点老同学的八卦绯闻，也是一乐哪！

不过，这也只是在心里编排，或者与旷乃兴见面时揶揄一下他。这种笑话，是断断不能对外人说的。尤其不能从他这个老同学嘴里往外说。这点纪律他还有。

他们这一行人轻轻松松出去玩了，留在酒店房间里的女副处长王栀惠可一点也不轻松，她一个人陷入了空前绝后的、由她自己布置起的、大战之前硝烟滚滚的紧张之中。晚八点一过，女副处长王栀惠立刻显得坐卧不安，心绪不宁。电视虽然开着，但纯粹是个摆设，里面的希腊语和英语节目她都听不懂，丝毫不能缓释她内心的焦灼。她手里拿着旷乃兴的房间号，思想激烈斗争着，几乎陷入哈姆雷特似的经典忧郁延宕中：

to be or not to be ?

去，还是不去?

扰，还是不扰?

这还是一个问题。

这的确是一个问题。

不去，自己这趟干什么来了?

去了，万一得到的效果跟自己预计的相反该怎么办？

女副处长王栀惠陷入肾上腺素分泌过度的紧张和不能自持之中。

她对胜利，并没有十分的把握。

这一路上，对她暗送秋波、疯狂献媚的态度，旷乃兴几乎不加回应。不加回应是什么意思？像是不理？像是默许？像是矜持？像是怂恿？

很难猜得透。至少，还没有发现他对自己有反感和拒斥的表示。

对女副处长王栀惠来说，整个这趟希腊游的一路上，她的感受都与众不同。甚至可以说跟同行人的感受南辕北辙，丝毫没有关联。她不是建筑师，对建筑的认识一般；她也不在奥运办公室工作，对奥运会的兴趣不及他们的一半。

她的心思，也全然不在希腊美景上。

而是全投注在人身上。

确切点说，是在常务副市长旷乃兴身上。

去献媚，去骚扰，去征服。

去为我所用，为我所控。以土地换和平，以身体换职位。抛砖引玉，投桃报李。好风凭借力，送我上青云……

这次出来，能够近距离接触到旷乃兴，才是她的目的；能够擒服这个常务副市长，才是她的动机。别的，都是背景，是她这次倾情演出的陪衬。所以，她才费了好大的劲，才掉包、加塞插进这个队伍中来。

在2004年雅典奥运会体育场，当建筑设计师黎曙光坐在体育场中心的草地上遥想着爱琴海的海水和希腊神话时，女副处长王栀惠则站在水泥台阶的看台中央，耳朵支棱，感官张开，紧张搜索偷觑着常务副市长旷乃兴的一举一动，同时也焦灼地盘算着自己下一步的动作。

2004年8月，在电视里看完雅典奥运会的开幕式后，王栀惠在博客中国网上名为"鱼玄机"的个人博客里写了自己的感想。白天，在单位里，她只是个勤勤恳恳、谨小慎微的人，形象端庄，态度恭良，见人不笑不说话，完全是一个小公务员的勤勉形象。到了夜晚，脱离了公共环境进入私人空间之后，她则换了一副面孔，谑浪笑傲，闪转腾挪，施展伎俩,既是情人床上的荡妇,也是网络博客里的女神。前者让她发泄身体里的能量、以肉身换实利,后者让她呼风唤雨、呼朋引类,满足自己内心的一部分精神需求。

没有人知道她这一点,就连她自己也不能把自己审视得清。当某种生活习惯成为自然之后,就连当事者自身也被蒙蔽了。

看得出这是一个人格分裂的女子。她的人格面具是多重的。

人世间有许多如她这种表面端庄娴静的女子,都怀有巨大的内心分裂的种子,表面贤淑而内心狂野,渴望体验肉体生活的糜烂放荡,对精神生活的高蹈需求又将其欲望压抑在隐秘的层面中。

对王栀惠来说,现实生活是不堪的,充满了随波逐流和顺势而为的势利;个人能力是渺小的,出人头地的愿望实现起来是如此漫长而渺茫;男人也是指望不上的,每一个有权势的男人也只是阶段性地陪伴她成长;网络也只是虚幻的,只是在冥想之中聊解着她的心焦。那么还有什么能慰藉她这个小县城长大的女子的一颗躁动不安的灵魂呢?

心灵世界与现实世界之间的裂隙,似乎难以弥合……

她用“鱼玄机”这个古代才女的面具在网上与人交流,高蹈,温顺,极具才华。一时众生哗然,积攒下的崇拜者甚多,跟她在现实世界里的一贯悄无声息判若两人。

这个袅袅娜娜、风吹杨柳一般摇摆着的女人,时不时低下头来,低眉顺眼一路恭听旷乃兴和黎曙光那两个男人高深清雅的言谈,看着他们礼仪有度的举止,她想插言插不进去,她想插腿也没有空隙,也只能频频做一些媚态而已。

于是,她有时就难免愤懑地想:哼!假如我也有像你们这么高的智商,假如我也有像你们这么好的机遇,我也会去考学、进修、出国,参加干部公选,然后提拔、提干……做一代人中的骄子,那样的话,今天,彼此的位置就调了个儿,就用不着我这样处心积虑向你们献媚,一路上小心翼翼伺候你们。那就该你们跟在屁股后头溜溜地伺候老娘。哼!

唉!可是,命运不济啊!自己没有这样的机会,也没有那么高的智商。

也许有吧。也许自己智商并不输于别人,但是,没有人也没有条件帮自己开发出来。

命定自己已经输在起跑线上。

小县城里的姑娘,煤矿工人家庭出身,又没有好的师资环境,大学考不上,没有一纸文凭敲门砖,向上发展晋升的一切路径等于对自己封死了。

对于她这样一个家庭出身一般、资质平平、仅勉强算有几分姿色的女人来说,出人头地,道路无几。除了身体上的一点本钱之外,别的,真不知还有什么。如果不是过分好强,没有过高的诉求,也能过得个大概不错的平凡小日子。

偏偏,她又是个心比天高的人,不甘心命为草芥。

她的应该是发展智商那部分的心性,就憋足了劲,朝着情商超人的方向发展。

那个"情商",就是知人善用,见风使舵,将身投靠,获取回报。

人世间的尖子,并不总是那些一出生就含着金钥匙的优越者。世间,有许多人,许多女人,都像她一样,智商一般,情商超人。她们靠的,就是修炼。在大众的汪洋大海中艰苦修炼,打磨,然后一溜烟儿剑走偏锋奔到邪路上去,直至最后身陷囹圄自取灭亡。

这个王栀惠儿时上过几年朝鲜族学校。后来就转入普通学校学习,成绩一直不错,从小就一直拔尖,当学校里的学生干部,毕业后只考上一个师专,出来后到县城中学当了老师。可以说她完全接受的文化教育,懂得的也是汉人的那一套:男女平等、修齐治平。

懂得的知识越多,越增加了内心的狂躁。她母系朝鲜族那一方的教育——女孩子就要做一个兰心蕙质的女人,要知书达理,温婉如玉,要好好服侍男人——就不好使了。在这块土地上,要想出人头地,要么就得像男人一样有才干,硬闯,要么就得做孝庄、赵四那种青史留名烈性小娘们。王栀惠从脑子里一大堆混乱的知识结构中得出的结论是:

凡事以实利为先，胜者王侯败者贼。

一直以来，她就忧心，为自己的少数民族身份，为自己的学历低微。她认为，这两点都是让她不能尽快获得提拔、不能进阶更高地位的障碍。她只能郁闷地当着孩子王。

没想到，山不转水转。进入二十一世纪，大批韩国商人进驻北方投资以后，急需翻译人才，她懂得双语的优势得以大加发挥。她先是偶尔给私人公司帮忙当翻译，语言方面的才能得到施展。当那个大腹便便的中年老板诱惑她解衣投怀时，青春年少的王栀惠曾经有过内心挣扎，那时她跟第二个男朋友已经到了谈婚论嫁阶段。但是，当物质和实利上的筹码摆到面前，又是那么唾手可得轻而易举时，她动摇了。女人就是这样，一旦破底，内心防线失守，就会像坐电梯一样，顺势而下，速度飞快。尤其是与要俘获的男人每战一役，都有所得，而自己表面看起来都完好无损。这让她大感放心。以后就顺理成章，成为一种堕落模式。愈堕落，愈快活。

不仅是坐电梯，她的人生，坐的还是过山车，这边低了，那边却转瞬间拉升上去！第一次用身体投资得手后，后来就屡屡跟进，凭借着姿色、年轻、心计，靠着身体的本钱，在权重男人身上下工夫，闪转腾挪，职位一路走高，从公司进机关，从信息科、韩资办、高科技园区管委会、投资处到办公厅综合处……屡战屡胜。眼下倚靠的后台，是副市长蒯广富。

起初，面对满世界流行的林青霞、王菲式的大眼儿美女，还有韩剧里那些人工拉皮、垫鼻子、割双眼皮美人，她除了自惭形秽，并没有意识到自己长相的优势和长处在哪里。

还是她的第一任男友指点、告诉了她。她那个颇有点浪漫色彩的师专男同学，引用了徐志摩的诗给她写下第一封情书：

最是那一低头的温柔，
像一朵水莲花不胜凉风的娇羞。

看了这歪歪扭扭的字迹，她忽然顿悟！真的！在满世界扩散野蛮女友、跋扈媳妇、强悍女人、疯狂男人婆的时代，反过来，再见到一两个有着纯真眼神、明亮额头、美好发髻线、走路弱柳扶风、姿态恭顺如花的女孩子，多么幸运！多么怡人！多么养眼！男人们可有福了！

她那一低头的温柔，像一朵水莲花不胜凉风的娇羞。

从此，她的美和自信，就被开发出来，且被隆重利用，而且愈演愈烈，直到成为杀手锏。

她捕获、猎杀一切男人的杀手锏。

道一声珍重，

道一声珍重，

那一声珍重里有蜜甜的忧愁。

——沙扬娜拉！

每一次，当她把猎物的血吸尽，精抽完，吃得只剩皮包骨头，就会一脚踹开，毫不手软。而且都能踹得比较平和，让对方感受不到被遗弃和受伤害，反过来倒是她哭哭啼啼柔肠寸断，仿佛自己被始乱终弃了似的。也无人追究。

这就是所谓大音稀声吧！人世间那些大妖，往往就是那些才不出众貌不惊人的女人，从不是表面过于张狂嚣张不可一世的女性。就连白骨精都化身成老头、老太太和村姑，才能来骗取同情和信任。

女副处长王栀惠在她自己那个白骨洞方圆几百里天地里，低头一娇羞，就屡战屡胜，从不失手。眼下，她手里蒯广富这张牌，又到了该甩的时候了。

蒯广富不比别人，有权势，表面像佛，内心暴戾，她还是有点怕。须得靠住一个比他更强势的人，方能保全自己安全抽身。

其实，她从一开始就讨厌现时所倚靠的这个男人蒯广富身上所裸露的粗鄙。但是却无法讨厌蒯广富给她带来的巨大利益。

粗鲁和粗鄙,是有区别的。

她是个熟女,有过丰富的经历,能够体会出男人身上这二者细致的区别。

听说你是个外冷内热的女人,我倒要试试。那个家伙说。说这话时是狎昵的,猥亵的,一点没有欣赏和尊重,就连假意的夸赞都没有。

然后四仰八叉一躺,就等着她上来伺候。

用嘴。用乳。用全部……

这让她略微有点不快。

一边做着,一边也在安慰自己地想:怎的,你想利用人家,反过来还想让人家欣赏你?天底下哪有那么些便宜事儿?

知道了这是投资和回报,那就得上。就是厌恶那也得上。

她也知道这个蒯广富还有别的女人,不止一个。她不嫉妒。这个游戏规则,她心里很清楚。只要从诸多利益好处中获取她应得的那一份,就够了。

绝不迟疑,也绝不手软。不贪。也不黏。只有舍弃该舍弃的,才能得到该得到的。

这是她屡试不爽的真理。

现在,蒯广富这只股,横盘震荡整理多时,势头向下,马上就成烂股。真该抛了。

这回,淞州来了新的一把手,强硬派领导人。王栀惠暗中审时度势,感觉到蒯广富提升毫无希望,已经借不上力。而且,她掌握了那家伙许多把柄,经济上的,生活作风上的。这些把柄,被人拿住,世间正道上就不会再有他这个人。那时,她大概也脱不掉干系。

只有找到一个更大的靠山,才能接住她,保护她。

这种想法,真是太天真,太幼稚,也太颟顸。

在淞州,放眼四望,在蒯广富之上的人没有几个。新来的女书记自不必说了,市长程之介日渐式微,用不上。新兴的一只股,只有旷乃兴。

这是未来的一只大蓝筹，绩优股。有可操作性。他来了这几年，没毛病，没见他在女人和经济方面有什么动静。他是肯定要往上走的。无论是在淞州还是回省里，都前途无量。抓住了这只股，甚至都可以做中长线，长期持股，攥在手里，稳赚不赔。

但她知道自己攀不上，难度太大。旷乃兴根本不拿正眼看她。

他眼里没人。更没女人。

这次，是她自己用尽心机，才找到合适借口得以跟来的。在蒯广富那里说是为了替他跟踪，实际上是为了完成自己的使命。

可谓用心良苦！

经过一番激烈的思想斗争和自我壮胆，王栀惠终于决定立即出击！

王栀惠来到卫生间，俯身镜子前，仔细照了照，上下嘴唇用力抿了两下，将口红抿匀。然后出来，抄起搭在椅背上那件烟灰色的薄风衣外套穿上。出门，按电梯上楼，走到楼道另一侧，来到旷乃兴房门前，按响了他的房间门铃。

来之前，事先她已经拨过旷乃兴房间电话，知道他在屋。当旷乃兴那边"喂"了一声后，她没出声，迅速放了手里电话。

旷乃兴在屋里也是刚忙乎完。他往家里那边打过一连串电话，处理了几件事情。先把单位的重要事件询问处理了一下，接着往自己祁阳父母家里打。白天自己手机上有一个未接电话是从那里打来的。家里弟弟旷乃庆一听是他哥的电话，就跟他叨叨诉苦了大半天，说是他们那位台湾二叔也忒不讲究了，认了祁阳老旷家这门亲戚之后，就总找老二旷乃庆帮着办事，一会儿让帮着往旷乃庆所管的企业户里推销产品，一会儿又因为偷税漏税开虚假增值税发票被查出，让旷乃庆他帮忙找人铲平。每次呢，旷乃庆都费劲巴拉帮他托关系、找人，他可倒好，用完人就拉倒，所有的人情，还都得老二旷乃庆这边承着，回头去一一打点，好像谁欠了他的是的。

哥，你说哪有像他们家这样办事儿的？旷乃庆电话里道。

旷乃兴听了，就严重警告他说：我说老二，你自己长点脑子，别跟着瞎掺和，偷税漏税的事情你也敢管？我告诉你啊，商人无利不起早，尤其违规违法的事情坚决不能干！

老二旷乃庆说：不管不行啊！他们家，求人朝前，不求人朝后。求你办事的时候，一天打八次电话，还踏破咱家门槛，都趁我不在家的时候来，拎两盒点心匣子，专门攻咱爷爷，一来就跟咱爷爷诉苦，说在大陆做生意怎么怎么困难之类的。老爷子被他忽悠得心软，我一回来，就催我帮着他办。哥，你说我这也是干没辙啊！我这都是看在咱爷爷的面子上，为了哄他老人家高兴嘛！

旷乃兴说：不管谁说什么，你也得有一条原则，违法乱纪的事情坚决不能干！看来这认亲还招来小鬼上门了呢！

老二旷乃庆说：行了，老大，我也不浪费你国际长途电话费了，你赶快回来，支应他们一下吧！一天到晚破事，我算是不爱管了。我听说，那个台湾二叔已经在你们凇州会展中心承揽下什么工程？

旷乃兴听了一愣，道：什么？你听谁说的？

老二旷乃庆说：我好像听咱爷爷冒出那么一句，具体没细问，好像还要包挺大一个工程。

旷乃兴警觉起来，说：你给我细问问，具体怎么回事。

老二旷乃庆说：好像听爷爷说是还不让告诉你。

旷乃兴说：噢？

正说着，耳机里传来提示音：您的电话卡通话时间还剩10秒钟。

旷乃兴忙说：行了，先这样吧，等我回去再说。跟台商打交道，你自己也多留点心眼，别干出格的事儿。

说完，电话断了。

放下电话，旷乃兴心里隐隐地不安。一提到这个二叔，他总觉得哪里不对头似的。忽又想起自己媳妇倪燕茹也曾经告诉过他，说自从那次在钢子家见过一面之后，那个台湾二叔曾几次三番提出要到凇州家来看望他，看望他这个大侄子和侄媳妇，都被倪燕茹以“乃兴出差不在”为由搪塞过去了。这也是旷乃兴嘱咐过妻子的招数，他告诉过家里人，在凇州,无论谁要找他,想到家去见,一律不开门,不接待,要立起这个规矩,有事白天到单位解决。刚开始也挺艰难,凇州当地大小头头都知道,妈的新来的姓旷这小子挺“各色”,不给面儿。互相间关系都很生涩、紧张。等到旷乃兴真正打开了局面、干出了几件漂亮事儿、拉来了几个项目后,所有的什么“态度专横”“作风武断”“不联系群众”之类也都不存在了。一切都成了廉洁自律、大刀阔斧、处事果断的代名词。无论再干什么,众人也都认可。

现在,凇州当地干部都知道了他这个脾气,再没人上家找麻烦。看来,这个二叔,是另辟蹊径,直接从老爷爷那里打开缺口。那么,他在凇州插手的,又是什么项目呢?那个会展中心,具体分工负责的是市长程之介和副市长蒯广富,他们所属权限范围内的事情不必跟自己汇报。

想到这里,心里难免有几分沉重。

不管是什么,他现在身处异国他乡,一切也都只能等到回去以后再问。

他暗自摇了摇头,索性放下这些心事,进了卫生间,脱衣沐浴,开大水龙头,将白天在奥林匹亚古代竞技场跑出的一身汗迹全都冲洗掉。

“哗哗哗”的水声中,却听房间里的电话铃响了起来。他抹了一把满头满脸的洗浴泡沫,顺手操起马桶旁边的分机话筒来接,“喂——”了一声,没人应答。又“喂——”了一声,对方那边已经撂了。他挂上听筒,心里还好生纳闷,心说:奇怪,难道奥林匹亚这么圣洁的地方,也有按摩小姐电话骚扰?

洗完澡出来,才用浴巾把头发擦干,却听得门铃响。心想这又是谁?想起自己刚才电话里向服务台借过电热水壶,准备待会儿烧点热水喝。也许是服务生给送过来了。也没多加寻思,他就拎起衣橱里酒店预备的白棉睡袍,草草套上,大襟往中间一抿,腰带一系,就走过去开门。没想到,房门一开,站在门口的,却是女副处长王栀惠。他说:哦,是你。有事吗?

却见那王栀惠不由分说,一见门开,嘴里说着“给你送份材料”,然后一侧身就挤了进来。贴着他的棉袍身子挤过来的。

旷乃兴被挤得发愣，站在那里，手足无措了一下，手把着门，仍站着，以为她放下材料就能出去。

那王栀惠走进屋子当央，装模作样将一叠纸放在桌子上，立定，稍停，转回身，“刺啦”将身上罩的长风衣外套甩去，顺手搭在椅背上，“哗——”露出一袭性感夜装。只见她左手扶椅，右手叉腰，单脚鞋跟点地，另一腿屈膝，做了一个狐媚造型，瞅着手持门把柄僵立的旷乃兴，道：怎么？旷市长不欢迎我？人家就不能在你这儿坐一会儿吗？

声音嗲嗲的，娇娇的，软得滴出水来，伴随着一个发情如潮的眼神“啪”地丢过来。

旷乃兴蒙了，像被一只大头鞋击中，脑子发木，只好被动道：欢……欢迎。

怎么，你就这么欢迎人家哦？

王栀惠又一个春潮如水的眼神拂过，击中旷乃兴脑壳。旷乃兴大脑深度缺氧。他这才放开门把手，门在身后自动关合。抬眼看那王栀惠，见那内衣外穿，深眼影，血红唇，一袭黑色真丝小抹胸，丰乳壕沟白花花惊现，下身两条细腿裹着黑色网格状镂空长袜，胯间一抹三角黑，腰间几根吊袜带，细高跟点地足有三寸半，一切皆同A片女郎装扮。

旷乃兴勉强定了定神，对王栀惠道：坐，你先坐。等我去换一下衣服。

说着，拉开衣橱门，拎起挂在上面的几件外衣，准备抱到卫生间里换穿。

王栀惠三寸半高跟鞋点地，“笃”“笃”“笃”一步一扭摇过来，随之带来一股沐浴之后的女人肉香。也不容分说，上来就将他手中衣物抢了去，抛下，没有多余话语，两手揪住他浴袍大襟，用力往两边一扯，“刺啦——”一声，男根就原形毕现！

旷乃兴惊，欲后退，王栀惠寸步不让，紧贴上前，扳住他的身子，把唇凑上，把乳奉上，从喉结部位开始，一路扭肩耸胯，给吻将下来，从头到胸，然后顺势摇曳，摆动，直至跪下身躯，将头埋在他两腿之间，动用口舌，不由分说将市长套住……

旷乃兴的脑子里“嗡”的一声，像给点了根爆竹，一下就炸了！

炸得他满脸乌黑，差点儿魂飞魄散！

登时间眼冒金花，摇摇晃晃，站立不稳。

这种阵势……似曾相识！

当年，他的前妻，那个有着极度优越感的高干子女，就是以跨骑在他腿上的彪悍姿势，一下子把他这匹烈马给套住、降服的。

今天，眼前这个女人，换了利器，她是跪在自己双腿跟前，同样也是来套住自己。

他怎么净碰上如此富有攻击性的女人！

像他这样一个雄性荷尔蒙分泌旺盛的汉子，偏总爱招上具有征服欲的女人向他出手镇压。

说来说去，这是命啊！

宿命的东西，怎生摆脱得了?!

他的身体，刹那之间，快裂成八瓣，东一块西一块。

迅即，他咬紧牙关，用意志力，又把它们一块一块收拢！

恢复成原初的形状。

不顾她已经套住自己，仍一把使劲推开！

虽有些粗鲁，有些粗暴，但是不用力不行，根本抽脱不开。

男人，需要多大克制力忍耐力，才能如此“临阵脱逃”！

女人，需有多大勇气，才有如此豁出去、不惜血本的动力！

她又试图进击。但见他是凛然的，是真的拒斥，不容再战。

她也只好鸣金收兵。

她曾屡试不爽，百战百胜的利器，没想到，如今，到了他这里，折了。

无奈，她只得从他腿间将头抬起。

……

最是那一低头的温柔，

像一朵水莲花不胜凉风的娇羞。

道一声珍重，

道一声珍重，

那一声珍重里有蜜甜的忧愁。

——沙扬娜拉！

……

有一种女人，低下去的头，是不可能轻易抬起来的。

低下头时，她是爱情女神阿佛洛狄忒，是文艺女神缪斯；再抬起头来时，她就变成了嫉妒女神赫拉，复仇女神欧墨尼德斯。

大脑前额叶皮层失控，眼里喷吐着复仇的火舌！被拒绝，就是对自尊的最大伤害。她思谋着今后该如何采取报复手段努力挽回面子。

道一声珍重？

哼！

那一声珍重里头，有着蛇蝎一般的阴冷。

送走王栀惠，旷乃兴惊魂未定，半晌回不过神来。

屋子里，自己身体上，给厮磨了一腿一身的气味。那种肉欲的、极具穿透力的、缭绕不散的气味。

这气味，让他十分的躁动，十分的不耐烦。

他又返回卫生间，脱了衣服，在莲蓬头下使劲冲着。冲掉那种气味，放掉身体里的能量。

冲完了出来，还是觉得那味道刺鼻，在他的身体里、脑海里纠缠不休。忽然间变得不可忍受。

想了一想，他拨通了黎曙光屋里电话。还好，有人，黎曙光接了。旷乃兴问他干什么呢。黎曙光说刚从外面回来，买了一些当地特产，顺便买了几本奥林匹亚的英文画册，正想洗澡上床休息。

旷乃兴说:先别洗了,陪我出去喝一杯。

黎曙光抬腕看了看表说:几点了还出去?你也不看看,都十点多了。

旷乃兴说:让你出去你就去得了呗!还管几点干什么!

黎曙光说:咦,我说你吃枪药了?谁惹你了?刚才喊你出去怎么不去?

旷乃兴说:刚才是刚才,现在是现在。

黎曙光本能地嗅到有哪里不对,揶揄他说:怎么了?程序操作有误,这一轮施工图没搞好?

旷乃兴说:行了吧你!说什么呢!快别废话了,陪我出去走走。

黎曙光说:好好,就陪你这一次。不过说好,你请客啊!

旷乃兴说:小气劲!我请我请,行了吧?

二人说笑间,放了电话。出了各自房门,在电梯门口见了面。黎曙光敏感觉察出旷乃兴有点一反常态,心绪不宁。他也没再问。

二人沿着黎曙光方才回来的路径,向奥林匹亚小镇中心走去。

奥林匹亚小镇的夜晚,静谧安详。橘子树的香气更甜更浓。这是古典的天空,没被污染的天空。夜是一抹宝蓝的色彩,星星像野菊花一样在头顶大团大团盛开。

小镇上的酒吧对着行人街而设,窗口是开放式的,现在还没到深秋,仍可以延续夏天的敞开式销售。一排排木头桌椅摆放在露天里,边上有几个白天用的遮阳伞,现在伞盖已经收拢起来。窗棂下一盆盆雏菊和地丁,开着星星点点繁盛的花朵。三三两两肤色各异的游客,桌前摆放着一杯杯啤酒,间或轻声低语,间或望景发呆。两个巨大的白洋铁皮酒桶支在木架子上,拧开那个像自来水龙头一样的出酒口,冒着泡沫的鲜啤,就从那大桶里汩汩流出,金黄色或深咖啡色的液体,把一个个透明的大玻璃杯灌满。不及小酌,只需深吸一口,空气里就到处都是啤酒的香气。

旷乃兴把黎曙光按在座位上等着,自己抢着去吧台付账取酒。沽酒的是一个金发希腊姑娘，丰满，高大，模样像个掷铁饼运动员。她一边给另一个游客打着酒，一边跟旁边的一个个子稍矮一点的姑娘和一个小伙子说笑。见旷乃兴过来，很友好地冲他点点头。旷乃兴这时的脑子还没有完全从刚才被骚扰的震惊中恢复过来，也就那么心不在焉半梦半醒地问了一句都有什么啤酒。见希腊大姑娘仍满眼堆笑，却直愣愣盯着他，似没听懂。于是又问一遍，用英语，对方似还是没听懂，只睁大眼睛，说了句"What(什么)?"见说话费劲，旷乃兴索性自己在柜台看了一遍，然后指着装黑啤那个桶，伸出手指说来两杯。希腊大妞这回看懂了，确认了一下是"two(两杯)"，然后拿了两个单柄大杯子给他分别灌满，一杯的容积相当于国内这边酒吧里的一扎。旷乃兴掏出钱包来准备付账，问她一声："好嘛取(How much 多少钱)?"大妞先是在柜台上的收款机上滴滴答答按了一通，然后说了一个数字。这回她说的是希腊语，轮到旷乃兴听不懂。他也没细问，就从钱包里抽出一张钞票递上。是美元。他没带欧元，口袋里平常也不装钱，平常到哪儿，都有人接应伺候着，根本没有花钱的地方。这回，临出门，还是妻子往他兜里塞了500美元，让他应个急什么的。他也没有想起去银行换成欧元，反正美元在全世界都通用。他见那个胖大姑娘在收款机上按来按去，好像总算不清，回头又跟旁边那个矮个儿姑娘用希腊语嘀咕着，那个小伙子也来插嘴帮着算账。旷乃兴听说过西方人有计算器依赖症，用脑子不会算账，见两杯啤酒从美元到欧元的转换，就要三个人嘀嘀咕咕来回算这半天，不免觉得好笑。最后希腊大胖妞收了他一百元的票子，打出收费条。旷乃兴也没细问，拿了条，揣了零钱，端了满满两大杯酒走回来。

黎曙光说：买这半天?

旷乃兴说：唉！笨！不会算账。

黎曙光一见这杯口泛着一圈薄薄泡沫的黑啤，先低下头去闻了一下，然后说：嗯。香！正宗黑啤！

端起酒杯，两人碰了一下，然后抿了一口，直沁心脾！黎曙光不由道:爽!

抬头又问:多少钱一杯?

旷乃兴咂摸着刚入口的啤酒滋味,吧嗒吧嗒嘴儿,顺手把收款小票扔给他说:不知道。看样子不贵。

黎曙光一看:嚯!还不贵?!你买的是神酒啊!

旷乃兴疑惑,说:怎么?

黎曙光说:什么脑子啊!你算算,笨法也算出来了,两杯啤酒要90多美元,合700多人民币,等于一杯啤酒将近400块!天底下哪有这种酒!

旷乃兴还糊涂着,说:兴许人这儿的酒就这个价吧!

黎曙光站起身说:你待这儿,等着。

说完,拿着小票又到吧台,指着墙上的价单,跟胖姑娘用英语比比画画说了一阵。胖姑娘仍直愣着眼睛,两手一摊,耸耸肩,做了个无奈动作。黎曙光见状,也不跟她废话,道:去,找你们老板来。说话的语气已经十分愤怒。

话音一落,胖姑娘虽然还继续假装听不懂,后台的老板却不敢听不懂了。只见一个胖乎乎的谢了顶的中年人从后边走了出来,很客气地问先生需要帮忙吗?黎曙光把事情一说,中年人看了一眼小票账单,二话没说,从收款抽屉里拿起八十美元找回给他,嘴里还一个劲说着:“骚瑞,骚瑞(sorry,sorry对不起,对不起)!”

黎曙光回来,将找回的钱还给旷乃兴。旷乃兴吃惊:这么多?那这酒才多少钱?

黎曙光说:合40多块人民币一杯,还便宜吗?比起国内酒吧啤酒来,够贵的了!

旷乃兴说:都说外国人不会算账,我今天是见着了。

黎曙光说:别相信外国人不会算账的邪说。她们不会往外算,却会往里算。

旷乃兴说:得唬就唬,得骗就骗。真是环球同此凉热啊!

黎曙光笑着揶揄他道:还环球同此凉热呢!可不同此凉热,凉热得连这点数都算不过来。

旷乃兴嘿嘿笑说:我这不是对啤酒价格没概念嘛!要多少就给多少,省心。

黎曙光说:才当了个副市长就这样,生活自理能力极端下降。这要是将来当了个副省长副部长啥的,就连自己穿衣服脱裤子也不会了吧?

旷乃兴干笑道:唉。唉。顺势而为,顺势而为。

两人又笑着碰了一下杯,大口喝了一下。一股冰凉黑香的液体顺着喉头涌下,神经里登时像抹了清凉油。

有了这么一个不算愉快却也不算忧愁的小插曲,旷乃兴已经从刚才被王栀惠搅乱的情绪里走出了不少。又大口地喝了一下,直觉得一股清爽的气流往上顶。不由叹了一声:唉!舒服!

黎曙光盯着他,半晌,道:你没事吧?

旷乃兴一愣,抬头看他,说:没事。我能有什么事?末了,又警觉道:你啥意思?

黎曙光抿嘴,乐,摇头:你心里有事!一定有事!瞒得了别人,瞒不过我。

旷乃兴一扭头:嘁!瞎说!我能有什么事!

黎曙光乐,不再问,举杯说:好。没事就好。来,喝酒!喝酒!

二人又碰一下杯,又饮一大口。

清爽的风从奥林匹亚方向吹过来,带来橄榄林里夜的香气,几乎让他们沉醉。

这一路他们有不少结伴喝酒的愉悦,从雅典一直辗转到奥林匹亚,从漂过爱琴海的船上一直微醺进长途跋涉的旅行车里,时间、地点不同,喝酒的心情也会跟着不同。如今他们又来到奥林匹克的起点,竟然又会一起坐到这里悠然小酌。说起来真奇妙!全世界的景点虽不一样,全世界的啤酒都会给人快感,都是好东西。

刚才,那个王……栀惠,就是……那个女副处长,到我屋里来了。

旷乃兴说着话时,也不拿正眼看黎曙光,而是转眼看着别处,是一种很没有把握,无法判定一项事情性质的神情。气氛一下子有点沉闷。

黎曙光听了,先"唔"了一声,心里便明白一些,似乎也跟旷乃兴的情绪前后对应得上。为了解除老同学的尴尬,他便故意调笑着说:那不很好吗?说了归齐,市长也是人嘛!是人就终归是要魅力、吸引别人投怀送抱的。

说完还干笑,抬起杯沿,碰碰旷乃兴眼前的杯,自己小酌一口,却见旷乃兴眼前的酒动也没动,仍旧眼望别处,语调深沉道:我把她赶走了。

黎曙光又"唔"了一声,意识到可能事情不那么简单。不然老同学不至于为这点小事深沉到这种程度,似乎还有一点点忧郁。但这种事,又不便细问,只能由着他说,说什么是什么,说多少是多少。于是只好假装轻松语调调节气氛说:好啊好啊!柳下惠坐怀不乱。好好爱惜自己的政治羽毛。

旷乃兴说:……不全是。我离过一次婚,你知道。跟现在这个妻子结婚时,我发过誓,一定跟她好好过,决不能在爱情婚姻上再折腾了。

黎曙光点点头,表示可以理解。

旷乃兴却摇了摇头:你是没受过挫折的人,不能理解。我一直没跟你说,也没跟任何人说,当年毕业分配已经留在北京,我为什么又选择了回老家学校来读研究生。那时候卓玛一直不同意离婚,她还给我放过话:胆敢跟她分开,就整死我,这辈子甭想在北京混。我想她说到做到,凭她伯父的势力,无论我到哪里,都逃脱不掉的。最后无奈,我只得逃走,自我放逐出京,有点告老还乡、贬谪回乡的意思啊!

黎曙光感到吃惊,旷乃兴在学校时跟那个藏族女人谈恋爱的事他知道,但他头一次听说旷乃兴的这个遭际。于是问道:当时,你就是为了这个才回来的?

旷乃兴说:是。可以说是逃回来的。

黎曙光说:我说嘛,当时,我也奇怪,你在北京好好的,怎么隔两年又回东北了?当时只想着你是跟那个卓玛分手,不愿意在她眼前待了。

但没想到会有这么严重的后果。

旷乃兴说:是。一个全省的高考状元,清华大学高才生,前途无量,毕业留在京城,又跟高干子女结了婚,真是令人羡慕。突然间,却变成一个离婚男人,滚回老家来了!你想想那种落差,真是从天堂降到地狱。

黎曙光说:为什么回老家?没想着到别处去?

旷乃兴说:我是带着保荐研究生的名额先参加工作实习的,两年工作期满后再回校读书。后来把情况跟导师一说,他帮我疏通,正好有个机会可以直接转到新州学校保荐研究生,不用考试。我也没多想,就回来了。假如那会儿让我考试,什么也考不上,一脑子糨糊。

黎曙光说:你的具体情况,那会儿谁也不知,只知你回老家学校来,转了专业,改读经济,当时还有点奇怪,以为你另有雄图大略。

旷乃兴:那时我愧对家人,羞对人世,整日灰溜溜的。每日吃过晚饭,就沿着那长长的铁轨散步,京哈线通往首都的铁轨。人,一旦降到谷底,重回起点的时候,那是什么想法也没有了,就是一步一步地起,一步一步地重新再来。

黎曙光听了,不自觉地复述道:回到起点?

旷乃兴:对,回到起点。回到起点,重新设计自己的人生规划,重新打量自身。从前的一点矜夸、叛逆、浮华,那些无谓的自傲……全没有了。只是以朴素的心态,想一想,他日,我再起来,应该做一点啥,最起码应该做一点扎扎实实的事情,每走一步,都不要白来,都要想着身后能留下点什么。

黎曙光沉吟:你说得对。起点太重要了。起点能改变人的好多东西。

旷乃兴长出一口气,说:是啊!直到时间磨平了一切,直到我现在这个妻子出现在我生活中,生活才从起点之上拉出一根向上的大阳线,才开始稳健、固定地向上直升。

黎曙光表示理解:明白了。

二人都不再说话，而是抬眼望天。听得见森林一波一波滚动绿浪。这是从远古走来的风，也许是从遥远的爱琴海，也许是从古奥林匹亚竞技场，从倒塌的宙斯神庙，从圣火采集地，也许从橄榄林柑橘林里涌来，带着亡灵的气息。又仿佛是带着神谕，神圣又庄严，优雅又惬意，吹拂了几千年几万年，庇护着这一方土地上的人类众生。

旷乃兴话题一转，说：我看到白天古竞技场里那些倒塌的神庙，那些将军布阵一样的石头废墟，很是感慨！看着它们，就会让人想起这样一些词汇：强悍，凛冽，庄严，戎马倥偬，歃血为盟，欢乐，厮杀，酒神莅临……

黎曙光说：是啊！那才是历史的大场面，令人英姿勃发，热血沸腾！

旷乃兴说：你看这小城不大，相貌原始，初看不怎么起眼。可有了奥林匹亚，好像就有了灵魂。

黎曙光也道：是啊！一个城市，就如同一个人，总归是要有它自己的灵魂。有了灵魂，这个城市才能活起来。

旷乃兴道：说到城市的灵魂，我倒想起，你我都分别在两三个城市里待过，生活过，倒是满可以比较一番。你比方说北京，那紫禁城和四合院就是它的灵魂；再比如说省城祁阳，那里的清朝开国皇帝的皇宫和陵寝、上世纪五十年代大机器工业时代的车间厂房就是它的灵魂。你们扬州，那二十四桥也是它的灵魂。“青山隐隐水迢迢，秋尽江南草未凋。二十四桥明月夜，玉人何处教吹箫？”可凇州呢？凇州随处一片苍白！不知它几时才能找到自己城市的灵魂。

黎曙光说：我看你啊，老同学，你是对什么事情都是操不完心，对什么事情都要有你的执著。你是居庙堂之高而忧其民，处江湖之远而忧其君哪。

旷乃兴：是啊。我是进亦忧，退亦忧。

黎曙光：然则，何时而乐也？

旷乃兴：其必曰：先天下之忧而忧，后天下之乐而乐乎。

二人遂抚掌大笑。

哈哈。

哈哈。

黎曙光:像是说禅啊!

旷乃兴:哪里有禅。真正参禅就好了,也得一份清静。说起来,还是一颗入世之心。

黎曙光:还有救世之态。

旷乃兴:对了。咱们这一代人,就是免不了一腔济世情怀。

黎曙光感叹一声:空有情怀,也无济于事啊!

旷乃兴白他一眼,道:你是不是被凇州的复杂局面吓怕了?

黎曙光说:我有什么怕?大不了,我再回我的建筑设计院去就是了。我倒是担心你啊,搅得这么深,什么时候才能回去?

旷乃兴说:我来的时候就没想着要回去,这不,把家都安这儿了,老婆孩子也接来,就是表明我铁定在这里干事情的决心。

黎曙光说:你呀,少来!我没吃过猪肉还没见过猪跑?我虽然没当过官,但是"铁打的衙门流水的官"的道理还是知道的。没听说哪个外派干部会在下边干一辈子。

旷乃兴说:那你今天就算见着了。我跟你说过,我是降落到人生谷底以后起来的,奢望不多,矜夸不多,就想扎扎实实干几件事情,希望每一件都能对凇州有益,都对老百姓有益,每一件也都能让我自己有成就感。一晃,你也来凇州不少时间,一切你也看见了,在中国,要想做成一点事情,该有多么难!不要说在中国,就说在凇州这么个小地方,要想真正有一番作为、替老百姓干几件好事实事,也不是那么容易的。我们没有赶上二十多年前那个吞吐天下的激情改革年代,跟广东珠江、深圳那些开放前沿比,凇州几乎被落下了二十年。但我们这一代人却是改革开放的受益者,顺水顺风地上学、读书、工作,读完了中学读大学,读完了大学又能出国深造,没经过什么磨难,几乎是躺在父辈的功劳簿上享受了现成的一切,顶多,也就是遭受一点点爱情、婚姻、工作升职上的不如意,比起前人经历的时代动荡历史风云来,简直是九牛之一毛,根本不值一提。现在,我们有能力做事情了,就有责任,有义务,鸟雀反哺,为父老乡亲打造更好的生活,让他们在这块土地上欢乐享福。如今呢,淞州城有中央振兴东北老工业基地的政策以及奥运会赛事协办城市这样的机会,这可是一次历史的机遇,我们必须抓住,也一定要抓住!否则,小小的淞州不仅会被时代洪流甩将出去,而且跟南方城市的距离会拉得越来越远。老百姓仍将在下岗低保落后的穷困日子里挣扎。

黎曙光长叹一声说:唉!我说市长大人,不说淞州还好,一说起你的淞州,你看你,立刻就是一副为天地立心、为生民立命的态势。好!不错!向你学习!看来我黎某人这辈子啊,是做不到达则兼济天下喽!我也只能是穷则独善其身,好好设计好一两所房子而已。

旷乃兴:那可不对!一座伟大的建筑,何尝不是名垂千古、为往圣继绝学、为万世开太平的功业?咱们都一样,都是想帮淞州铸造城市的灵魂,也是铸造自己的人生价值坐标和灵魂。

橄榄林中清风拂面,在夜的寂静里却如此扣人心弦。冰凉爽口的酒,在血管里奔涌一圈后,这会儿,又返回喉咙口、脑仁儿、脚底板、手掌心……一切有神经末梢存在的地方,都开始有点微微发胀,发热,那热劲儿逐渐蔓延,蔓延,到腿上,到腰上,说不出的舒坦、松弛,神经放松,飘飘欲仙。俩人仰望星空,陷入漫长恬适的发呆微醺状态。

此时的旷乃兴已经完全忘记方才的烦扰了。橄榄树在夜风中轻轻地摇曳。奥林匹亚古典的星空,荡涤心灵。他忽然觉得通体无比清澈,褶褶皱皱、大脑皮层里的回弯,都像被人用酒精擦拭过一遍、用酒精给洗过了似的,分外明朗。仰望苍穹,不禁想起德国伟大哲学家康德老人的诫命:有两种东西,我对它们的思考越是深沉和持久,他们在我心灵中唤起的惊奇和敬畏就会越来越历久弥新,一是我们头上浩瀚的星空,另一个就是我们心中的道德律。

良久,旷乃兴转过头来,问黎曙光:你说,是否,只有在希腊这种古典灿烂星空下,才会产生康德那种诗意的伟大命题?

黎曙光说:是的。上帝在我头顶,道德亦存我心中。

旷乃兴说:是啊！自律之人,必有自慰之道。

黎曙光瞪大眼睛,看着他说:噫！微斯人，吾谁与归?

旷乃兴道:噫！吾与斯人归!

说罢,看着黎曙光。二人抚掌,哈哈大笑。

笑声在奥林匹亚明净的夜空中悠扬飘荡开去。

第五章　横槊赋诗

16. 重新上马

希腊的阳光荡涤了心中的乌云。回到淞州，旷乃兴黎曙光他们都倍觉身心清爽。力量和激情重新回到了身上。

更让他们感到高兴的是，淞州东湟河新奥体中心项目经过方案调整后重新上马。与此相关的东湟河会展中心二三期扩展工程招标也如期举行。

昨天的一切，好像都归置于零。一切回到起点，从头重新开始了。建筑施工队伍重新进驻工地，机器也重新拉回施工区，开始昼夜不停轰隆隆运转。水泥厂启动运行。民工队伍驻扎进工棚中。宁静多时的南湟河工地上又出现一片热气腾腾的场面。黎曙光又回到他的工地办公室，没日没夜坚守在第一线，不断跟前方施工监理和项目部主任协商调整着计划，穿上工装戴上安全帽，到工地现场去解决问题。

与先前相比，现在时间对他们来说显得更为紧迫，工人们必须加班加点昼夜轮流倒换、24 小时不停止作业，才能严格保证工期。在又一个严寒的冬季歇工期到来之前，他们面临的困难还有许多。他们必须先解决掉图纸重新调整后所带来的新的施工难度，才能保证来年春天下一步施工计划的顺利进行。他们现在所要克服的建筑难度，除了体育场去盖以后，体育场上方敞口部位的重新调整、钢结构的复杂编织收拢，以及划分出各个独立区域空间后重新安装空调等机电线路的改变之外，随着进度的加快，他们还将要面临着建筑后期体育场外壁贴膜的难度、安装看台上座椅的难度、安装液晶大屏幕的难度，以及控制交通安全，保证能够在尽可能短的时间里疏散观众的难度。要安装上符合人体工程学原理的九万多个椅子,需要用到十几万个螺栓,全部要由工人手工完成。椅子的内部要有通风管路和电源连线,从下部可输送冷暖风空调并可临时为手机充电。两块大屏幕离地有40多米,每块都有一套四居室的面积那么大。体育场的外膜也要一块一块手工固定,要能够防火阻燃、绝缘,还要通过充气后不会破胀漏气的测试考验。即便是焰火落上或者鸟类的尖爪把它抓了一个口子,也能保证不会像汽车轮胎那样瘪下去。

建设这样一个二十一世纪的新地标,必须将所有建设者的潜力发挥到极致。它不光是对这个建设群体才华和智力的考验,更像是对人的心脑血管系统和心脏灵活泵血程度的考验。压力让每一个参与者都不敢有丝毫放松。工地实施严格的管理和质量监督制度,每一只螺栓、每一块钢梁、每一道外膜的每一道工序,施工者都严格记录在案,即便过了一百年之后也可以追溯到它的具体安装者是谁。

黎曙光感觉自己整体是处在一种莫名的亢奋状态,饥饿、困倦、劳累似无所感,目光炯炯,脑子急转,大脑就像连续开机工作时间过长、开启程序过多的电脑一样,关闭起来十分艰难,并常常有将欲死机卡壳的嫌疑。即便是在夜半,脑屏区域中的某一小块仍然白屏闪闪发亮,没有褪黑素来有效覆盖它。睡眠成了大问题。以前不管怎么说还能够在困倦之极时睡着,如今睡也是醒,醒也是醒,梦与真混淆。只要眼睛一闭,脑子里就开始放电影,放的还都是工程图纸的场景,睁开眼后连他自己也搞不清究竟是睡着了还是根本就一直醒着。然而他却感觉不到疲劳,内心里依然满足。有了前段时间工程瘦身去盖停工的艰难考验,现在,再来什么苦,对他来说都是可以承受的,都感觉不出苦来。他乐此不疲。巨大的热情支撑着他像一架机器一样高速运转着。有什么比看到自己的理想一步一步实现更能点燃热情的呢?

淞州市委市政府班子里也高度统一了思想,要把淞州奥运工程建设放到打造"新淞州、大淞州"的整体战略高度上来认识,要认真贯彻落实党中央的各项方针政策。在南湟河新奥体中心主体育场重新开工仪式上，市委书记霍秋林头戴安全帽，率领一班人亲自到场，并在现场动员大会上发表动员讲话，高度评价了凇州奥运建设前期工作，充分肯定了建筑施工人员的成就，并表示，这样一个利国利民的伟大工程，市委市政府全力以赴予以支持。同时也勉励同志们再接再厉，克服困难，一定保证工程按期完成。

台上站着的一干领导中，常务副市长旷乃兴也头戴红色安全帽陪侍左右。望着眼前一台台整装待发的钢铁大机器，已经露出三分之一整体骨架形状的高耸的钢筋水泥体育场雏形，还有那一群群民工，一张张虔诚的黝黑的脸，一副副单纯兴奋的表情，他的心里感到一丝欣慰，同时也有一丝丝怅然。如果没有这么多挫折、风波，没有这么多争议，体育场没有中途出现变故停工呢？体育场全部骨架结构现在是不是已经完全都已支起来了？中间这一停工，那些机器和施工队伍遣散然后再重新聚集，耗费的人力财力损失也是不小的。但是，大到一个国家，小到一个地区的发展建设，不能只算经济账，不算政治账。政治账的计算原则也是为了更好地筹划经济账而出发的。黎曙光的那个观点在这里也同样适用，那就是建筑是一个现实主义的东西，总是要有变化的。对此，我们必须保持理性的头脑和现实主义的态度，要用科学发展观来看问题。况且，这还不单纯是建筑本身的问题，这是一个世界性的政治经济发展协调统一问题，是全球一体化带来的新的世界发展态势的改革变化的大问题。节能减排，保护环境，维护自然生态的平衡和发展，是当今人类面临的共同任务。没什么好说的，顺应时势，迎接挑战，适应变化，方才是我们的各项工作之本，尤其是各项经济建设方针之本。

听着市委书记霍秋林膛音洪亮中气十足的讲话，他的精神气儿也为之一振。霍书记的讲话是有号召力和鼓舞力的，比起从前白书记的绵软、平和、求同存异的语气自有不同，霍书记首先是让人感觉她自己满怀信心，斩钉截铁，不容置疑，铿锵有力，听众的信心也容易被唤起。他也在私下里悄悄比较着霍秋林和白宏臣这两个一把手，对他来说是两个差不多同龄的长者，首先在形象上，两个人就是截然相反的类型。

当然，不光是指男女性别的不同，而主要是指气质，以及气场。对，每一个人都有环绕周身的一个“场”，这个场的辐射面和涵盖能力是不一样的。有些人的“场”只能笼络住自己，有些人的“场”勃然强大，能笼络覆盖住周遭一切事及一切人。霍秋林就是那种气场比较强大的人，与白宏臣的外柔内刚气场绵薄截然不同。前任书记白宏臣外表看起来比较柔软、甚至有点孱弱，给人一种平易近人比较书生气儒雅的印象。霍秋林不同，霍秋林是个厚味的女人，体型庞大，如果她的年龄再大几岁，就可以比得上美国前国务卿奥尔布赖特那个胖大老太太。但她看起来比美国那老太太更有活力，肌肉结实，腿脚灵活，厚重的身躯并不造成行动的障碍。她办事雷厉风行，说话简洁有力，很能压得住阵脚，有很强的威慑力。只要她往会场当中一坐，那就构成天然的中心，首先是一种身体远红外线的辐射，就把座下或台下一干人等都罩住了。在工作作风上，她也更果断、明朗，更能够体现民主集中制原则，当面充分听取大家的意见，形成决议之后坚决落实执行，不打折扣，没有什么虚与委蛇讨价还价的余地。

对于这一点，旷乃兴是比较赞赏的。他自己也是个喜欢“阳谋”而讨厌阴谋的性格。如果说白宏臣擅长打的是太极八卦 ，那么霍秋林来的就是少林的硬拳，硬碰硬，针尖对麦芒，剑刃对刀锋。白宏臣推手的时候，有许多克制，内敛，气场不向外恣张，有时甚至是隐忍，属于以静制动，以阴制阳，推来揉去，稳步徐行，避实击虚，灵巧多变，一招一式沉稳凝重，从始至终无一闲招空式。偶尔卖个破绽，是为让对手上钩，时机火候一到，届时再行收官。灵动飘逸的轨迹，玩起来非常的赏心悦目。而霍秋林呢？金刚之劲，硬打硬进。顶、抱、提、跨、缠，刚烈雄健，挨、撞、挤、崩、撼，朴实简洁。呼吸吐纳，攻守兼备。快而高的惊人攻击能力以及迅捷的回防速度，都让人叹为观止！

如果白宏臣和霍秋林碰到一起，两个人搭档，会怎么样呢？这个念头在旷乃兴脑中一闪，觉得不可能，却又忍不住想下去。这两个人若碰到一起，是不是就会像现今流行的什么《狼图腾》里写的那样？女的，像是狼群里领头冲锋陷阵带头掐架那个，弱肉强食，拧住对方脖子往死里打！男的，殿后，军师角色，扭转乾坤拿大主意的主，隐身于狼群之中，瘸腿瞎眼儿、瘦不啦叽，瞅准时机将尖嘴猴腮贴在地上打一声长长唿哨集结号，众狼立刻集体奋勇向前挺进！

想到这里，忍不住笑，觉得这样的联想有所不恭。回头一想，如果都用动物比喻，那么自己又能算是什么？恐怕当不了狼，因为不太喜欢攻击性。顶多是一条狼犬，德国黑背，或者大丹，优美、活泼、可靠，聪明，举止有仪，风雅有度，是最受欢迎的犬种，已被确认为最好的工作犬。

这样一种评价也未免太自恋点了吧？

嘿嘿。嘿嘿嘿嘿嘿。

旷乃兴用心底的几声讪笑结束了自己的漫无边际的自由化思考。这种个人化的、漫画式的思考，是不符合一个共产党干部的标准的。应当像鲁迅先生讲的“榨出自己皮袍子下面的‘小’”一样，把所有的个性化思想都榨将出去。

到现在旷乃兴也不知道该怎样评价霍秋林，也不知一个恰当的相处距离是什么。跟前任书记白宏臣的关系刚刚磨合出来，刚刚到了顺手的程度，他便调任走了。现在，跟一个女上司共事，这对于旷乃兴来说，的确还是一个新课题。这位老大姐来了之后，曾经找旷乃兴谈了一次话，对他的才能和工作表示认可，认为淞州缺的就是像他这样有能力有知识有干劲的年轻干部，“我们老了，将来，整个天下都将是你们这代人的。”说到最后，霍秋林这样结束了谈话，并且走过身来，友好地拍了拍旷乃兴的肩膀。

旷乃兴知道，虽然霍大姐也列在出生于五十年代那代人门槛，实际上比自己大不了几岁。她这样划出边界，不光倚老卖老，加重权威，同时也是提示，代际更迭是不可僭越的等级秩序。即便是干部公选考试提拔上来的年轻主力，也必须遵循这一自然成长法则，妄图擅权越位或者跳空高开什么的，根本就是不可能，急是急不得的。这个军人家庭出身、十八般武艺都练过的铁腕女人，懂经济，有智慧，无欲则刚，六亲不认。上任第一天，第一次全体党员干部大会上她就明确表示，希望全体党员干部一心一意干事业，全心全力谋发展，共同筹划凇州未来发展事业的大局，而不要把精力纠结在不必要的人际关系往来上。我不欢迎任何人到我这里来“汇报”“走动”，也请不要告诉我是谁抵制我、反对我，不愿意我来凇州。我不想知道。甚至，谁要是说了，我会怀疑你别有用心。我希望，大家拧成一股绳，有话讲在当面，共同为凇州谋发展，扫清不必要的是非，把心思多放在干工作上，同把凇州的事情做好。

她在台上讲这些话时，旷乃兴甚至都听到了一旁的程之介心里的怦怦乱跳。他看到程之介一个劲地端起茶杯来往口中送水，以此来极力掩饰其内心慌乱和面露羞赧。显然，程之介事先所做的一切手脚，霍秋林都是知道的。她实际上就是在向这位市长表示，自己不想计较，也不计前嫌。

霍秋林这一番话，果然起到安内治外之功效，将一个地区主要领导人更迭前后经常会出现的相互参本、重新站队的现象遏制住了。以后再没人敢去她那里打小报告。别人不找她，并不意味着她不去找别人。她布置工作，下达任务，从来不分时分晌，想起来就做。时间一长，众人就领教了这位铁娘子的工作狂作风，没有休息，只有工作，深更半夜想起一个议题来也会把人叫到一起开会。她自己聪明，就特别见不得不聪明的人做事，劈头盖脸批评起下属来毫不客气。几个回合下来，凇州干部谈起女书记来集体色变，有点喜忧参半、苦不堪言之意。他们却也不能不佩服，这位新一把手的到来，把凇州的经济工作、城建工作都往前推进了一大步。无端的是非少了，工作任务增加，成效也确实明显。

现在，旷乃兴率领指挥一批人马又着手对凇州城市快速轨道交通线网规划进行修编，邀请各路全国顶级城市交通规划专家聚首凇州，为凇州市快速轨道交通线网规划修编把脉。为唱响“绿色奥运、科技奥运、人文奥运”的主旋律，凇州市、区两级政府启动实施了重点道路立交桥和小区街巷路的改造工程。凇州市政府斥资 2.5 亿元改造道路交通网，新修立交桥过街天桥20多座，改善机动车道和非机动车道的路面结构，改造连接大马路的街巷胡同400多条。比较典型的改造工程是东湟河会展中心附近立交桥，这座上世纪八十年代的建筑，作为城市重点交通枢纽，已经不适应当今的承载能力，如今按计划进行了大规模的整修重建，改造过后的立交桥将是双层六车道结构，可使南来北往的车辆顺利通行。旧城区的街巷路也都重新进行了铺设，人行道新铺砌了预制混凝土路面，仅这一项就花费了2000余万元。这些城市交通改造工程都有效地提高了道路的承载能力，提升了城市的整体形象。

奥运交通问题是个大问题。在希腊参观时他们就听说，雅典2004年奥运会体育场开幕式结束后就遇到了交通麻烦。停车场离出口有一段距离，那天正赶上下了点雨，观众出场时遇到拥堵现象，VIP的贵宾摆渡车和普通的交通专线车都跟不上，致使前来观看开幕式表演的某国大使和大使夫人在雨里淋了好半天也上不去车，秩序一度十分混乱。凇州在交通规划实施过程一定要避免类似情况发生。

现在，以南湟河新奥体中心体育场为核心的辐射状“三横三纵”几条城市交通网线也将上马，整个城市将借奥运协办的东风，努力发展地下交通网络，除了有地铁一号线直接到达奥运主会场外，还架设轻轨，主要用于城郊之间和城市间的交通。届时，凇州将和整个工业走廊的交通线网紧密地衔接在一起，通往省城的轻轨铁路时间将会缩短在半个小时之内。

对于一个有理想有抱负的人来说，人生总是无穷动。新的课题总是随时随地摆在每个人面前，总是要人不断接受历练和考验。旷乃兴必须要有所准备。

凇州市电视台《奥运你好》专题节目里，女主持人孙佩佩正跟特邀嘉宾、“东方地平线”的中方总设计师黎曙光做一期访谈节目，就广大市民关心的南湟河新奥体中心重新上马开工的问题发表看法。他们这档节目是市委宣传部钦定的重点，将它放在凇州卫视黄金时间段，就是要保证节目的权威性、导向性，同时也要提供大量资讯，在全国人民面前体现淞州市人民参与奥运的热情。

80后美女主持人孙佩佩和英俊的中方总设计师黎曙光共同坐在一张藤桌两端，面对镜头，面对座下几十名现场观众，侃侃而谈，解疑答问。

孙佩佩今天穿了一件桃红色的连衣裙，一张漂亮的卡通娃娃脸上充满热情，眼睫毛修饰得很用心，用睫毛膏拉得很长，大眼越发有神，双目炯炯发亮，忽闪忽闪直逼敬爱的黎曙光老师，在镜头前表现出一副衷心崇拜、专注倾听状。黎曙光则穿一件洁白的衬衫，衬得白皙的肤色越发洁净，每每一笑，含蓄，纯净，优雅有致，回答问题也十分简洁、干练。谁也不知道，曾经，在几个月前，面对自己的作品不能保持最初完整的设计时，他有怎样的心中滴血、眼中流泪的痛苦！经过漫长的休整期，他才自我调整、平静下来，才能够对这一切应对自如。

而80后美女孙佩佩，也是在今天早上之前，才开始崇拜、敬佩上这位黎曙光老师。确切点说，是才开始真正认识、了解了一点这位黎曙光老师。虽然她天天在奥运工地内外、工程各种协调会场内场外采访、厮混，而且她还曾经跟敬爱的黎曙光老师有过一次不短的希腊之旅，然而，有那么一句老话是怎么讲的来着？“心里没有，眼里无视。”对，就是这个意思。她的眼睛，一直以来总是盯着身边的名人、大款、官员，对黎曙光这个临时外来户没有什么认识，不知道他究竟是干什么的，他有多少钱，他相当于多大的官，他干的事情意义有多大。在希腊，她的眼睛盯上了年轻有为的常务副市长旷乃兴，一门心思靠前，想俘虏市长赢得好感，没想到让那个老女人王栀惠给拦了一道，看得紧紧的，没法得手。无奈，她只好作罢，只得很是无趣地跟秘书小严几个生瓜蛋子厮混了一回，讪搭搭回来了。

直到昨天晚上，她临上轿前现扎耳朵眼，为完成编导指定的今天现场主持的任务，才连忙开夜车找材料，熟悉今日的访谈对象黎曙光。她在互联网的谷歌和百度搜索引擎上一查，哇！不得了！她这才知道，黎曙光的名气有多大！他的名气有多么的值钱！他的这个建筑设计行业有多么的值钱！他做的这个活儿“东方地平线”有多么的值钱！以前总跟着一起天天叨唠着“东方地平线”、“东方地平线”，也知道了它的政治意义什么什么的，还总在那个支起一半架子的工地上转来转去没少出入，但就是没有个具体而感性的认知，一切还都是抽象的，对她孙佩佩来说是遥远的，跟个人没有关系的，报道它也跟报道天上出现个狮子座流星雨天象差不多，甚至还没有报道狮子座流星雨更能引起她的兴趣。

现在，通过了解黎曙光，她才猛然发现，这个“东方地平线”竟然离她这么近！竟然这么具体而微、完全具象、完全可以核算成人民币或者美元的价值来看！并且，把这些钱、这些工程款造价按材料上写的百分比划拨、作价到黎曙光身上，她一下子就得出黎曙光的身价来了！

她一下子就明白这个体育场、这个黎曙光是怎么个价值了！就像一部电影大片，她要先知道李连杰、巩俐、金成武、刘德华拿多少片酬（不不，这些人都太老了！她不太爱去关心他们），她主要得知道心中偶像章子怡、徐静蕾、周迅、赵薇等几小花旦的片酬得多少，然后才能反向推断：哦！她们竟拿了这么多钱！这部大片一定也花了不少钱拍的！得去看！快去看！然后她才肯掏腰包，才想急切去一睹究竟。

要不然，对她们这代独生子女群落来说，一个人的抽象价值，该怎么看得出来呀？一个人的价值，不就体现在身价上吗？身价是什么呀？不就是价钱吗？她得先知道价钱，然后才明白价值。

多么简单的换算原理呀！

她为换算出了黎曙光老师的身价而激动！十几个亿的百分之几，该是几呢？美元还是人民币？现在的兑换比例是多少？哎呀太激动了！简直算不过来了！她一边搜索浏览，一边暗暗后悔：怎么早没发现这个秘密呢?！早知道的话，自己应该把目光更多地投注到他身上一点，更垂青他一点。

现在，坐在演播室里，与黎曙光老师就坐面对面。怎么看，黎曙光老师身上怎么笼罩着光环,耀眼的光环:清华大学毕业,留洋海归,最年轻的总设计师,身价过千万。随便设计一个什么,银子就来得哗哗的,比李连杰他们打打杀杀来得容易多了!

想到这里,小美女主持人眼睛里就汪着一泓春水,心里颤哆哆的,脸上还要装出无比端庄严肃的样子,开始了她的访谈提问。

孙佩佩:请问黎曙光老师,您对“东方地平线”的“去盖”是什么看法?

黎曙光:我们已经习惯了,这种事情非常有可能发生的,要有现实主义态度。“盖”并不是核心,去掉也不是失去一切。多了它,造价也是业主分摊。没有它,就会省钱。实际上从体育场的竞技功能来讲,都是室外的,不需要盖。我在网上也看到有许多民间人士表示反对去盖,还有一名前卫建筑设计师的态度言辞最为激烈。建筑是各种社会因素的集成,不全是由建筑师来控制的。这一点我们必须清楚。“盖”本来就不是体育场最主要的东西。

孙佩佩:您认为建筑到底归为艺术还是归为科学种类?

黎曙光:建筑不是科学。在国外,它被归为文化艺术类。这是因为,人人对这个对象都可以有自己的判断,它不是唯一性的,每个人都有自己的独解。判断影响着发生的结果。我们通常听说,电影是一门遗憾的艺术,或者长篇小说是一门遗憾的艺术,因为一旦创作出来之后,就已经不能更改。建筑也一样,也是一门遗憾的艺术,因为建成之后,也很难再更改它。人总是有他的局限,总是有想象所延伸不到的地方。所以,在其创作的过程中进行某种修改,这也是非常必要和十分正常的。

孙佩佩:黎曙光老师,您认为建筑跟文学、雕塑、绘画有什么不一样的地方?建筑到底是什么?您能给我们一个定义吗?

黎曙光:雨果说过一句话——“文学杀死建筑”,这句话说得十分精辟,它提供了建筑的一个发展脉络。

早期的人类建筑,像巴黎圣母院等地方,除了供市民做祈祷、是人类接近上帝的地方,它本身还记录人类的思想、科学和艺术发展成就,这些人类成就和思想都凝结在建筑上面,在建筑上获得永久性。人人都会到建筑里来,都会看到,神的意愿,圣主的思想会获得最广泛的传播。因为,那个时候人类的印刷术还不发达,全靠手写,传播数量有限,也很容易被销毁而失传。而在那个时代,建筑却是坚固的,尤其是西方的石头建筑,它就代表着永恒。附着在它身上的物质,无论是具象物还是抽象物,都更易于流传和延续。《圣经》里的故事都是以绘画或者雕塑的形式刻在教堂的墙壁上。

到后来,情况就变了。印刷术的出现,使文字不必要依赖于建筑,一切异端思想可以通过印刷物得到最广泛的传播,它们可以藏在某个不为人知的角落里,体积微小而数量巨大,润物无声而气势磅礴。从那时起,建筑里面容纳的东西就开始分崩离析,纷纷分离出去成为各子种类。你比如以前一起为教堂做活的米开朗琪罗和拉斐尔、巴赫他们,米开朗琪罗就由石匠而变成雕塑家;拉斐尔原来是画教堂彩色玻璃画的,也变为独立的画家;而为教堂演奏教堂卡农曲的乐工巴赫从此蜕变为令人尊敬的音乐家。

而用文字书写记录下来的《圣经》,也作为文学故事同时也作为宗教经典文献出现。人们再也不用去仅仅是看图说话或看着雕像来意会或想象。建筑的功能得到了削减。文学的力量增大,因为它是一种包含了视觉、听觉、嗅觉、触觉、想象、理解在内的(也就是西方人通常所说的"联觉")更高级的艺术门类。文学所能表达的东西更复杂,它对欣赏者的素养要求也更高。

当这些功能都被一一剥离出去以后,这样一来,建筑它又回归到本原,回到起点,首先,建筑的属性,首先它是要给人的生活提供遮蔽的,供人在里面生存生活学习等等。这是作为建筑的一种最基本的功能性的体验。其次,它的空间属性则在于,人类除了满足基本的需求以外,还需要在建筑里面得到某种精神性的体验。现在,它的这种精神体验性的功能受到了挑战,人类可以从另外的方式上更轻易地获得,比方说文学。文学可以通过印刷书籍、通过互联网随处欣赏，它是流动的，简便易携，成本较小；而建筑，仍同那些人类最初的古老艺术一样，要到实地观瞻，它是固定的，就像我们都常听的，“建筑是固定的诗”，进到它的里面欣赏，花费的代价成本就比较高。但同时，高额的成本也更增加了它的庄严性和隆重性，这就像为什么，当有了电影拷贝、有了电视这些手段后，我们仍然还要到现场去看话剧、看舞剧，要看真人表演，是因为我们对它心怀景仰，需要前去，以朝圣的心情，大家共同围坐在一个剧院里共同欣赏，在满足自身心理需要的同时还要满足一个人类的“乐群性”。建筑提供了这一场所。

从现实的角度来说，建筑从政治层面的意义讲，是综合国力的体现，是一个国家富足丰稳强大的象征，从技术层面上来说，是新技术新材料新手段的展现。我们的“东方地平线”，就是要综合体现和努力满足以上这些元素。

孙佩佩：黎曙光老师，您说得很好。各种艺术门类各有自己的特点和优劣，是不能够完全互相取代的。那么，您认为中国的现代建筑已经达到了一个什么样的水平呢？

黎曙光：中国当代的建筑水平还只是一个初级的水平，几十年来一直是一个封闭的系统。新中国成立后我们切断了跟传统的联系，我们一直都是只跟苏联学习，最典型的就是北京城里五十年代的十大建筑，包括人民大会堂、中国历史博物馆、北京火车站、民族饭店等，都是为了庆祝新中国成立十周年而打造的，只用了一年的时间就建设完成，创造了世界建筑史上的奇迹。改革开放以后，国门打开，我们把各种国外青春期的东西一股脑引进来，国内建筑界很有新鲜感，同时也无所适从，在仿照外国样式打造我们自己的建筑时，每个东西都很不成熟，表现尴尬，呈现出囫囵吞枣状态。

过了二十年以后，现在我们回过头来做反思，我们要充分肯定这一阶段跟西方的交流和沟通，年轻的一代在不断地做着探索，探究建筑整体中有关中国性的表达问题。但是我们也必须清醒地认识到，在国际平台上我们还远没有达到跟国际系统相匹配的程度。当然这跟政治体制、技术条件等等有关系。我们承认还有差距,但不一定就是永远要落后。

中国目前是一个热点。中国的问题最多,解决问题中也容易出现精彩的东西。西方是成熟的体系,平稳的结构,没有太多的热点,无论见到什么大家都早已经不吃惊了。所以在我们这里,无论出现多么大的争议、争吵、讨论、修改,都是正常的。

孙佩佩:说得好!黎老师我想再问您一个问题:您认为您这一代建筑设计师,跟上几代建筑师比起来,有什么特点?

黎曙光:我觉得我们这一代人躬逢盛世,国力强盛,底气很足,有了很好的学习机会,年轻时就出国见了世面,少了一点妄自菲薄心态,也打消了文化自卑心理。比方说我当年在德国学习,租住在市民公寓里,过着一种安定的生活,有一种平和的心境,不是旅游者,不用走马观花,而是可以放慢脚步细细学习,观赏。无论是走在菩提树大街,观望它的勃兰登堡门,参观它的博物馆,还是去它的市场里闲逛,都觉得很自然。跟外国人交道多了,觉得大家都是人,只不过是生活环境不同罢了。在那个阶段,交流屏障就没有了。这为以后的跟西方建筑师之间彼此的合作打下了良好的基础,有一种平等和开放式的交流和讨论氛围。

孙佩佩:好。谢谢您!您和德国建筑师合作设计的"东方地平线",也增加了我们民族的自信心和集体荣誉感。同时也是我们淞州人民的骄傲。再一次感谢您到我们的节目来做客。

节目结束后,现场观众都涌上来跟黎曙光合影、让他给签名。栏目组也盛情邀请黎曙光留下来共进午餐。黎曙光说自己工地上的事情还很多,待不住,还是急着要走。孙佩佩不依不饶,绝不放过机会,不住嗲嗲恳求说:黎老师,您若不吃这顿饭,我可就太没面子了!我们的台长和副台都嘱咐我一定把您留下来。我们台里还有很多你的 Fans 想要见您呢!您这一走,我的工作任务没完成,挨领导剋可怎么办哪?

说着说着，还真哼哼唧唧的，扯着黎曙光的衣袖，扭动着身子，有点眼泪马上就要掉下来的意思。

黎曙光无奈，不忍心让面前这个卡通娃娃脸儿失望，于是只好勉强支应着，跟着去吃了这顿饭。

这下把个孙佩佩乐的，一蹦老高！唧唧喳喳的，酒桌上下，人前人后，到处都看她撒娇作嗲的人影。这顿饭的规格很高，台长、副台、主任都亲自作陪，表示对“东方地平线”总设计师的敬佩。孙佩佩莺声燕语把这些中老年同志们哄得个个都很高兴，众人把酒也喝了许多。唯有黎曙光感受平平，推说下午有工作，基本上滴酒未沾，他的那份酒，全由孙佩佩代喝。对这些媒体活动，他一向不感兴趣，如果不是市委宣传部门下达的一个任务的话，他肯定不会来。对于媒体人，他就更没兴趣，自己家里就有一个媒体人，烦还都烦不过来呢，连带着对她们那一整个行业的人，都谈不上有好感。所以在饭桌上他的总体态度都比较矜持，甚至微微有点傲慢。

没想到这更激起了孙佩佩的敬佩。孙佩佩以前见到过一些稍微有点头脸的名人，对电视一律崇拜，一来做节目就张皇、兴奋，有的老男同志还主动要求能不能给化化妆，镜头前遮一遮脸上的皱纹和褶子？见到那副巴巴的样子，害得她们这些小丫头把对名人的神秘感和崇拜全打消了。而黎曙光不咸不淡，不卑不亢，甚至还有点拒人于千里之外的态度，真是与众不同！让人尤其是让孙佩佩佩服、着迷，甚至差不多须仰视才见！她心说我怎么才认识到黎曙光的价值啊！晚了！太晚了！这要是在去雅典之前就知道的话……那么，那一路上，还不早把他拿下?!

孙佩佩看到做完节目后现场观众都围拢上来要求合影签名留念，甚至台里摄像都要求他给签名，这才知晓了黎曙光在群众中的分量。尤其是操控室里节目编导一句话，说：哎！这个帅哥长得像裴勇俊哪！更是让孙佩佩醍醐灌顶、大吃一惊：我说怎么看着眼前的黎曙光有点眼熟呢！那眉眼，那长相，阴柔的气质，儒雅的仪表，清朗的外形，还真的是《冬日恋歌》里那个男主角的样子，裴勇俊，韩国当红人气明星，中老年妇女的杀手，红遍亚洲尤其日本、东南亚一带。听说他刚刚完成的婚外恋电影《外出》又赢得了不俗的票房，马上就要拿到中国来上演了！那可是她孙佩佩心目中的偶像！天王级巨星！

完了完了！乱了乱了！越联想越是把现实和想象混淆不清了！

孙佩佩目不转睛盯着黎曙光，眼里“突突突”冲他放高压电。黎曙光坐进车里，用车钥匙打着火，告别要走时，碰到孙佩佩迷离的眼神，他没明白什么意思，边往身上系安全带边问：怎么，还有事吗？

孙佩佩假装突然缓过神儿来，说：没有，没有。黎老师，我可真佩服您！您有这么多崇拜者，真比明星还大腕！

黎曙光说：哪里的话！干我们这一行，哪有什么明星不明星一说。说完，黎曙光笑笑，露出一口整齐的白牙。

看得孙佩佩怦然心动！那种笑意，嘴角弯弯的，也像裴勇俊。

她还注意到黎曙光开的是一辆奥迪 A4 车。似乎，这不是一般人能开得起的。

孙佩佩的心里又“嗵——”的一声。血往上涌，脸蛋都绯红燃烧起来。

她不知道，那只是淞洲奥协办借给黎曙光开的车。旷乃兴看他来回跑省城和淞州之间的高速，总是一辆旧捷达，不方便，也不安全，于是特批给黎总一辆。

黎总的黑色奥迪 A4 车，就在孙佩佩心怀不轨的注视中怡然驶出电视台。

一群红男绿女，扛机子的，拿话筒的，手拿记事本、捏着录音笔的，聚集在淞州新奥体中心工地上，进行一次大规模的集体采访。这是省里宣传部门和省文联、作协组织的全省作家艺术家以及新闻记者奥运联合采访团。淞州奥运不光是淞州的事，也是全省人民的大事。宣传奥运，关心奥运，是每一个宣传工作者和媒体工作者应该自觉承担的责任。

淞州市委宣传部门负责接待，同时邀请了主管领导常务副市长旷乃兴以及奥运办主任黄一发等出席。众人先参观，后座谈。一大群人在南湟河新奥体中心工地门口领了安全帽，交谈着准备进场。随后而来的副市长旷乃兴也从车里下来，跟省委宣传部来的领队握手，领队又将就近站着的几个有头有脸的省里来的记者作家介绍给他，旷乃兴就例行公事地一一握手问候。一个头发毛毛糙糙、脸颊布满蝴蝶斑的中年女人握住他的手说：嘿！旷大市长，怎么，不认识了？

旷乃兴仔细一看，发现竟是黎曙光的妻子邵宝娟。原来她也跟在这采访队伍里来了淞州。只见这邵宝娟上身穿了一件宽松肥大的、大概只有商场的中老年柜台才能买到的海蓝色带黑点的府绸短袖外罩，下身穿了件宽摆的铜棕色长裙，脚底是一双黑色坡跟皮凉鞋，衣服下摆松松垮垮耷拉在裙子外面，分外透着寒碜、老相，乍一看，不像三十六七岁壮年，怎么瞅怎么也有五六十岁的样子。尤其混迹于一帮唧唧喳喳小美女帅哥的队伍中，越发地像他们的老大妈。旷乃兴可真没想到，才几年工夫不见，邵宝娟就老成这个样子，跟他记忆中的那个黎曙光媳妇判若两人。难怪他认不出呢！

旷乃兴于是忙握住她的手笑说：哦，邵大主持人！哦，不对，现在是不是时兴叫“编导”或“制片”了？我说邵导，怎么你也屈尊来我们这淞州小城？

邵宝娟反应快，马上接话说：怎么，不欢迎啊？有道是山不在高，有仙则名。这淞州有了你这个大市长在，就是再小那也算名城了啊！

她这么一说话，旷乃兴才又听出点邵宝娟的味儿，机敏，快捷，抢白，速度快，嘴巴不饶人，说话像打机关枪一样，你说一句，她保管有十句等着你呢，谁也甭想嘴上吃她豆腐。这也是从前他们那些理科男生最激赏学文科女生的地方，词汇量大，形容词多，说起话斗起嘴来每出新意、总是一套一套的，不由不让他们佩服。邵宝娟一显摆起嘴上造句组合词汇量功能，北大才女的光环立刻显现在自己头上。旷乃兴这才确定这还是从前那个邵宝娟。于是他顺势夸奖道:邵大主持人还是那么才思敏捷,出语不俗啊! 怎么样,见到曙光了吗? 这个“东方地平线”可是你老公的作品啊!

邵宝娟笑道:工作场合,觐见市长比见老公重要,他呀,就往后摆摆吧!

旷乃兴说:好! 是一个合格的媒体工作者! 这样吧,今天参观采访结束,就别回去了,晚上我安排一下,叫你嫂子多做几个好菜,请你和曙光都到家去,咱们几个老朋友一块儿聚聚。一晃可有好几年不见了。

邵宝娟说:可不是嘛! 自打你们家搬到凇州,跟倪燕茹我可有日子不见了。不过今天不行,改日吧。今天我得跟回去,家里那头还有好多事情等着我呢。回头替我问候倪燕茹。你们多咱有空回省城,咱们再聚。

旷乃兴说:哦? 那怎么行! 好不容易来一趟,你不见我们,曙光你总得见吧!

邵宝娟说:咳! 老夫老妻的,有什么可见的。见面机会有的是! 得在一起待一辈子呢。

旷乃兴打趣说:嗳,可不能那么说。“暂别离”时间长了,可容易成“劳燕飞”哦!

邵宝娟说:放心,飞不了,翅膀早退化了。

正说着,旁边有人叫旷市长,旷乃兴赶紧说:这样吧,你先跟着采访,去工地转转,待会儿咱们再见。

邵宝娟也忙说:好,你先忙着。回头见。

说着,就随人群走进工地。

两三年的工夫不见,他们彼此都发现对方老了。说不上是从哪里,从皮肤皱巴巴缺乏油脂分泌的状态上,从头发枯干的形状上,还是从来去匆匆的仓皇奔忙的步履上? 青年时代的朋友,黎曙光、旷乃兴、邵宝娟,还有倪燕茹,一起一路走来,一直没断了联系。先是在学校里邵宝娟与旷乃兴、黎曙光他们认识,旷乃兴跟他的前妻卓玛相识,几个人彼此之间也认识。旷乃兴的妻子倪燕茹算是后进入他们群体的。彼此的心路历程,彼此的成长经历,他们算是互相知根知底的。能走到今天,大家算都比较有成就,没有被时代洪流抛下,也算是不容易。

南湟河工地上的项目经理已经换了人,如此高强度的工作,以前那一个经理吴大为已经扛不住了,“东方地平线”停工期间,他就已萌生去意,说自己已六十出头,想好好休息调整一下。年纪不饶人,这么大难度的工程,老头儿也实在吃不消。重新上马后再邀请他回来,他没有答应。考虑到他的实际情况,也没再勉强。新换的这个,外号詹姆斯,本名叫詹默泗,五十来岁,曾参加过多项援外建设工程,阿拉伯国家以及非洲的一些国家都去过,也主持过大型国内工程建筑,有着丰富的经验,精力也更充沛。这个人比较敢说话,风趣幽默,有点举重若轻的态势,不觉得他身上扛着什么压力。

人只有到了这个时候,才看出“年龄”这个东西的优势。一过了五十,每长一岁,精气神儿就下降一格。年轻就是要好一些,抗压能力强。

詹默泗一路领着记者作家们在工地上各处走,参观,一路回答着他们七七八八奇形怪状的问题。关于工程的意义、难度、技术团队和施工队伍的不容易等等,一一用事实列举。

一个身材非常瘦削、十分骨感的晚报女记者提出想深入工地体验生活,问詹总能不能给她在工地上找点活儿做,詹总问你会做什么?搅拌水泥、焊接钢管,你做得了吗?骨感女记者说自己可以留下,给工人们做饭。

詹姆斯上下瞅她几眼,说:如果工人们吃你做的饭,就都不用干活了,都饿成皮包骨,出来直接到T型台当时装模特去算了。

众人听了,都跟在后边哈哈笑。

一个面色白皙的戴眼镜作家说:詹总,我们可不可以留下来单独采访一些农民工?

詹姆斯说:那有什么不可以?随时都可以。不用问,我都知道你们这些人要写什么,无非是写底层,替农民工说话,工头拖欠他们工资,他们干活苦,吃得不好,劳动条件差,受城里人歧视等等这些。我没说错吧?

戴眼镜作家说:嘿嘿嘿嘿,也不全是。反正,总得写出点特别的来吧。

詹姆斯说:什么特别的?说好话现在是没人信了,所以你们这帮会写字的人都血丝忽拉往上比画,单挑那些阴暗打眼的地方下笊篱。咱就说那拖欠工资吧,原因很复杂,是因为资金不到位,比方说,我们现在的这项工程,由于政策和某些技术方面的原因,资金也没有整体一步完全到位,而是分期分批来。大的发包商拿不到钱,但是活还得揽,还得干,自己先期垫钱也得开工,所以就欠小承包商的钱,小承包商呢,就一层层拖欠下去。不是像你们说的都被小工头揣腰包里不给工人发。针对这些问题,国家也正在讨论拟定出台新的《劳动合同法》,要从政策制度上扼制住源头,保障劳动者合法利益。

这时,几个正在工地上拧钢筋的民工见他们一大群人端枪扛炮地过来,将镜头对着他们,工人们立刻抬起头,脸上露出憨厚的笑,推推搡搡扭扭捏捏摆起姿势来,任由着他们照。看样子是见这场面多,有了经验。一个小民工模样的人摆完了姿势坚持了一会儿,然后还特地跑过来到摄影记者跟前,让把照片给回放一下自己看看。

詹姆斯指着他们,道:你看,工人们有多乐呵!谁能写出这个时代的快乐民工,谁就抓住了改革开放时代的主旋律。他们不像一些报纸上宣传报道的,总是哭哭咧咧,喊爹骂娘,不是跟工头掐架,就是手里拿菜刀去跟老板讨还工资。好像城里就是地狱,城市人都是恶魔。其实不是那样。他们能够从乡下进城,找到工作干,都是一些有胆量、有志气、敢闯世界的人。尤其是能在奥运工地干活,他们自己很高兴。他们感到很荣耀,很有成就感。再者说了,这城乡差异、地区差异,哪里都有。你别说乡下人到城里受歧视,就是俺们东北人到了北京,也发不好卷舌音,也要被嘲笑;北京人到纽约,也一样听不懂说话,找不到厕所。

众人笑。跟在他身后的祁阳电视台记者邵宝娟,将这些话全都记录到本子里。

看完了工地，然后众人聚集在会议接待室里听主管副市长旷乃兴和奥协办主任黄一发介绍情况。

这个接待室也非常正规，圆桌形式，所有材料数据图像都是电脑PowerPoint 软件演示，大屏幕显示。进去一看，只见大屏幕上面已经打出会标：

“新凇州，新奥运”大型采风活动情况通报会

暨奥运选题作品策划会

会议由市府副秘书长、奥协办主任黄一发主持。凇州常务副市长旷乃兴做专题汇报讲话。旷副市长先将凇州作为奥运协办城市的几大特点、几大要求、要完成的几大任务向作家记者们汇报，然后接受在座诸位的提问，回答一些大家关心的问题。除了奥运场馆建设外，作家记者们最关心的，还是农民工问题。在党中央号召的建设和谐社会、关心民生精神指导下，农民工问题正在成为社会热点。

有记者问旷市长，南湟河工地上的农民工工资会不会拖欠？建设完了之后，会不会遣返他们？

旷乃兴答：这个问题，市里有关部门负责人已经多次表示，奥运工程建设农民工工资的支付有保障。凇州市不会在奥运会期间劝返农民工。如果愿意，他们将继续留在这里从事其他行业的建设工作。这一点请大家放心。

立刻有人跟上来问：旷市长，那是不是说，奥运工程建设农民工工资的支付有保障，而别的建设工程农民工工资的支付就没保障，或者不一定有保障？

旷乃兴笑说：提问的这位，有博士学位吧？逻辑学学得不错啊！

大家“哄”的一声笑起来。

旷乃兴说：我就料到有人会这么说。这纯粹是一个逻辑游戏，而跟命题本身的正确度无关。有些命题，正向推理成立，并不意味着，它的反向推理也一定成立。你不能用一个并不成立的反向推理来推翻其正确的正向推理。我们说奥运工程建设农民工工资的支付有保障,并不代表着说,别的建设工程农民工工资的支付就没保障或者不一定有保障。这是两码事,各有各的处理方法和解决方法。我想这么个简单的道理,诸位应该明白。这是一种偷换逻辑概念的说法,是无理的狡辩,也是说话者本身思路不清的表现。这种说法,今天在我这里说说可以,回去就不要写到你们文章里了,免得混淆了视听,搞得那些没有你们智力水平高的老百姓糊涂。

又有记者问:旷市长,省委省政府提出关注民生政策,宣传部门也给我们提出要宣传底层、写底层。我想请教您,您身为市长,以你们凇州来说,如今怎样看待底层问题?

旷乃兴说:到现在,我还没有接到文件指示,给规定一个具体什么叫作“底层”。底层难道就像你们写的那样,单单是指进城民工吗?咱们这城市下岗工人还算不算了?城市低保人口还算不算?新一届中央政府把解决农民问题放在首位,取消农业税,解决他们的医疗和养老保险问题,这是一个利国利民的政策,八亿农民有福了!同时,我们的工人问题也不能忘记,尤其是我们东北,重工业基地,无数产业工人的前身也是进城打工的农民,他们为我们新中国的建设、为我们的改革开放做出了贡献,也做出了牺牲。这二十几年来,改革开放沿海经济得到发展,而内陆的国有大中型企业遭受了危机。企业的转产改造,大批产业工人下岗,首当其冲日子变得不好过的,是我们东北,是我们凇州!你们说,我们这么些没有工作、拿不到退休工资、医疗和养老都没有保障的下岗工人算个什么层?我也看到过一些你们“写底层”的东西,我不懂文学,这方面还得请教在座的北大才女邵宝娟专家。邵宝娟来了没有?

随着他的声音,底下传来一声“来了”,说着,邵宝娟站起来一下,冲众人点了点头。

旷乃兴说:好。我要请教邵专家,我记得以前不叫“写底层”,记得以前毛主席那会叫作“文艺为工农兵服务”，我说得对吧？

座下邵宝娟接了一声：对。

旷乃兴说：我就是很看不懂，要是为工农兵服务的话，咱们这“工”和“兵”都哪儿去了？只剩下一个为“农”叫屈？你们现在的写底层，是写在哪个“底”上？把城乡差别对立无限夸大，夸大农民对城市的仇恨、在城里遭受的屈辱，把城市当敌人，把城里人一律当仇家，农民工的日子过得比旧社会还黑暗，还苦，这就是所谓“底层”？写底层就是这么个写法？文学我虽然不懂，但是我也知道，新中国成立五十多年，改革开放二十多年，人民的生活是蒸蒸日上的，吃饱穿暖不再挨饿受穷。你们那样的描述根本不符合事实。

中国，本来就是一个农业国家，中国的城市化道路，才开始没几天，中间还饱经挫折和反复，也才勉强发展到现在，距离现代化城市的目标，还相差很远。我们的祖祖辈辈，不也是从一点点脱离土地、从乡村走向城市、从当农民工做起的？靠这一代人一代人的打拼，才将城市雏形一点一点建设起来，才完成了每一个个人和家族的城市化过程。对于新一代农民工来讲，到了异地异乡，面临许多新生活的困难，这并不需要大惊小怪，所有的困难，都需要一步一步努力去克服去解决。

你再听听我们城里的工人老大哥怎么说：农民还有自己家的几亩地，农村城市化过程中，他们被征了地，还能拿到一大笔钱住进新楼房里，将来看病、养老，都够用了，可是我们工人有什么？一下岗回家，买断工龄，就什么也没剩下，原来厂子解散，看病就医无处报销……同志们，我们城市里的劳动者、我们的产业工人也不容易啊！这五十多年来，是他们一砖一瓦建设起社会主义新中国的城市，如今，他们老了，也同样面临着困难，衣食住行，看病就医，也都有很多难题需要解决。

所以，我就希望你们这些掌握知识话语权利的人，要实事求是，别总是肆意夸大城乡冲突，加剧矛盾。城里有的那些特困人群、低保户的生活水平甚至远远还不如那些农民工。问题哪里都有，都需要一点一点合理有效地解决。不想着去抚慰、去劝解，一味用形容词煽风点火、夸大其词,你们说,那样能解决问题吗?

我希望在诸位的作品里看到的不光是发牢骚、夸大阴暗面,哭哭啼啼、哭天抹泪,仿佛全民族都得了抑郁症,也不希望看见人们似乎全都对社会充满仇恨、怨怼。我更希望,在你们的作品中看到光明,看到我们的人民乐观向上的精神,看到他们在逆境中求生存的勇气。

事实上,只要你们不再闭门造车,亲自出来走一走,看一看,你们就会看到,生活是沸腾的,人民是欢乐的,国家和人民对未来是充满希望的。不管是写"底层"还是"高层",我都希望你们能把全中国人民乐观向上的精神表达出来!

一席话,赢得众人的热烈掌声!

散了会,旷乃兴送众人出去。见邵宝娟也要走,他叫住邵宝娟:嗳我说小邵,你怎么也要走?你不等着跟曙光团聚一下子?他今天没在现场,在市府那边有个会。待会儿我让倪燕茹先过来陪你,等晚上一块儿请你们两口子吃饭。

邵宝娟:不去了。你见到他告诉他,我来过了。

旷乃兴:嗳我说,这就不对了,都到这儿了不见面怎么成?而且连个电话也不打?

邵宝娟:我们俩,各忙各的,习惯了。家里那边还有事,我得赶紧回去。

旷乃兴:各忙各的?这可不好。一家人嘛,太独立了,可不是个好现象啊!

邵宝娟:惯了。再见吧旷市长!咱们回头再见。

说着,伸出手,跟他匆匆一握,接着急忙跑去集合赶大轿子车。

望着她远去的背影,旷乃兴若有所思,又不自觉地摇了摇头。

17. 衣锦还乡

淞州崔英姿老崔家这几天可风光透顶了!

奥运长跑冠军崔国旦马上就要回来省亲！

你道那崔国旦是哪个？那个小名叫崔狗蛋、大名崔国旦的奥运冠军不是别人，却正是凇州球迷协会会长普拉尼也就是崔大柱的独生儿子、凇州二人转剧团过气女星崔英姿的亲大侄子、凇州红旗小区大脚崔老太太的亲大孙子！

哎哟！老崔家有人得了奥运冠军喽！可不得了哦！

电视里直播雅典奥运长跑决赛那天，凇州电视台知道本市出身的选手崔国旦初赛合格进入决赛，他们就派员特地到新建起的这片红旗小区，在居委会会议室里支起机器，把老崔家一家人以及街坊邻居都组织起来集中一块儿观看，然后进行现场录像。之所以要选址在社区居委会会议室里集体观看，是因为能把规模动静造得大一点，也显得凇州人民对奥运赛事的普遍热情。若是光在老崔家的屋子里录，显得有点片面性，像是老崔家人自己家的事，与别人无关似的。现在不是，现在这奥运是全凇州人民心目中的大事，人人都关心。尤其是有自己家乡运动员参赛的项目，那就更得全都趴在电视前瞪大眼睛看了！当然了，谁也不能保靠那崔国旦就一定能拿冠军。但万一拿了呢？不得在第一时间捕捉下众亲人、乡亲们激动的笑脸啊？电视媒体的一般原则不就是“事发当时，一定在场；宁可多余，也别错漏”吗？

老崔家凡能走得动道儿的，包括崔老太太、崔英姿，还有崔国旦他爹崔大柱也就是普拉尼全来了。就连那多年瘫痪在床的老妹儿也坐在轮椅上给推了来。家里还有一个崔英姿的瘸子丈夫孙二东，叫他来他不来，说是自己一个外姓人，不愿掺和老崔家的事，你们自己家得冠军就自家人偷着乐去得了，把那么些其他人都忽悠进去干什么？还上电视让全体人民都知道，不嫌寒碜哪？

说完，那瘸腿儿一骗，照常蹬上三轮车小蹦蹦到长途汽车站拉黑活去了。

把个老婆崔英姿气得呀，手指着他的背影骂：你说你这个瘸子！倒霉的瘸子玩意儿！会不会说两句人话啊你？

气归气，她也是拿瘸子丈夫没办法。自打在煤矿工伤下岗以后，瘸子孙二东的心态就变了，自暴自弃，阴阳怪气，冷嘲热讽，对社会上的正常人充满仇恨，充满强烈的索取心，对谁都没个好脸，好像觉得这世界上一切人都该他的欠他的。尤其是眼见得老崔家忽忽悠悠蒸蒸日上，崔英姿越来越一手遮天，不把他当个老爷们看待，他在家里的地位每况愈下，孙二东心里更是不平衡，那嘴上也就冒不出个好话出来。两口子吵架成了家常便饭。

想当年，年轻时崔英姿嫁他那会儿，孙二东小伙儿也正经是一表人才，模样周正，浓眉大眼，脸色黑参参，典型的东北小伙儿，一看就挺打人。而且人属于国营厂矿工人，收入稳定，比起那些大集体的工资高，在普通老百姓眼里更有地位。崔英姿那时还刚参加县剧团，没成名角呢，家里经济条件又不好，父亲早逝，寡母拉扯着一大家孩子艰辛熬岁月，找对象也不敢条件太高。听介绍人说了孙二东的条件，再见面一见人，假装扭捏了一下，回头就表示同意了。两家定亲时老孙家还给崔家不少彩礼。这些钱后来都被崔老太太贴补到用来照顾残疾老闺女、给儿子普拉尼娶媳妇的花销上。随后崔英姿跟孙二东的婚礼也办得排场热闹。崔英姿小鸟依人，两个人婚后过了一段短暂的甜蜜时光。可惜啊，世事多变，时光荏苒，随着崔英姿的走红、孙二东的受伤下岗，一切就都变了。二人吵吵闹闹，日子在困境中挣扎着向前。

眼见着孩子一天天长大成人了，凇州县级市也升级为地一级了，崔英姿也年老色衰从剧团歇业回家练摊了，孙二东锻炼着能蹬三轮车拉黑活赚点钱了，家里也动迁分了宽敞住房了，原以为这样日子就可以平静如常了。“哪想到那个瘸子玩意儿心里更加愤愤不平了，你说我嫁了他这么个东西是不是倒了八辈子血霉了？”

这段顺口溜有点像赵本山的小品段子，是崔英姿一跟孙二东吵架不顺心的时候回娘家叨咕的。她娘崔老太太就劝闺女：唉！过日子，哪有舌头不碰牙的！这么些年都凑合过来了，尽量往好了归置吧！

崔英姿也就无奈迁就着。

除了这个姓孙的女婿外姓人不愿意来，还有一个外姓人也不愿意来。那就是奥运冠军崔国旦的亲妈耿彩凤也不愿意来。耿彩凤自打跟崔大柱也就是普拉尼离婚以后就很少见他，更不愿意跟他们老崔家一家人走动，嫌别扭。普拉尼那么个不着四六、以当球迷为业的东西，坑了她一辈子，也让她怨恨一辈子。夫妻离婚那会儿，狗蛋虽然名义上判给了他妈，但那时他早已经在凇州少年体校住校生活好多年了，很独立，除了听教练的话，其他基本上跟谁都不亲也不近，家里人他除了还认从小把他带大的奶奶外，对他爹普拉尼和他娘耿彩凤都谈不上太多感情。做父母的唯一职责就是每月按时交纳孩子在体校的生活费。这次一听说孩子要拿世界冠军，母亲耿彩凤的反应不是那么强烈，虽然心里边也挺骄傲，但也知道自己并没有出多少力，功劳里边没有自己什么份，所以也不想去跟着沾这份光。再说她也已经又嫁人，就更不愿意跟以前的婆家往一块堆儿凑合。

耿彩凤这一不愿意来，她前婆家人那里倒还没怎么样，电视台那边先着急了。电视台主管文教的副台长亲自出面，打电话说合邀请，说你看，这万一你儿子获了冠军，录下了观看比赛实况，那是要向全市全省以及全国人民播的，可这奥运冠军母亲不在场，那也不对个劲啊你说是不？

崔狗蛋他妈耿彩凤说：有他爸一家在场就得了呗！干哈还整那么全？

副台说：那不对啊！直播奥运夺冠场面，宣传奥运冠军，那造成的可是政治影响啊！这不单单是你们一家的问题，是关系到整个凇州形象的大问题。到时候，你们家崔国旦要真成了奥运冠军，哎，咱不说是冠军吧，咱就说是亚军、季军，过后一定还得宣传他刻苦训练为国争光的精神哪，这都离不开父母老师教练的培养，到时候还得找你。你就说这一省出一个奥运冠军，容易吗？别说一省了，就说一个国家、一个地区，出一个冠军容易吗？不容易！这奥运冠军，咱哪能让人看着是出生在破烂摊的棚户区里，又是父在母不齐、出自于一个单亲家庭呢？那对凇州的负面影响该多大！对全世界的影响也不好。所以啊，你赶紧，什么也别说了，打扮得利利整整的，跟着来看现场直播吧！

狗蛋他妈耿彩凤仍然犹豫着，说：要是为了孩子，倒也没啥。我就是烦见他那老崔家一家人，那个大姑子、老婆婆，没一个好饼！我早跟她们打架打够了！

副台说：唉！那都是多少年前的老皇历了！现在你们的身份，都共同是一位奥运冠军的亲属，别的，就先别考虑了。多为孩子想想，多为国家想想。再则说，你就是这会儿不来，早晚得露面，等着回头还得上家采访你。

崔狗蛋他妈一听：得得得，我还是去吧！可别上家来闹腾！我现在这老头子脾气大着呢，可不愿听谁当面提起从前的事儿！

好说歹说，总算来了。

就这么着，满朝文武聚齐，端坐在红旗小区居委会会议室不大的屋里，激动兴奋地等待着观看决赛场面。会议室椅子不够用，特地从小区物业那边搬来了几个。电视机也是借的，提前从凇州市电视台里特地拉来的，四十几英寸松下大彩电，挺富贵。原本想从隔壁街坊邻居谁家借一下吧，可一溜的穷人家庭，谁家也不趁这么大的，都是小不点小不点，看着不爽气，再说离远了人也看不清。

崔家老婆婆和大姑子见了从前的儿媳妇和前嫂子，客气地点点头。那普拉尼见了前妻，心情也挺复杂，原先还有点羞愧啥的，觉得自己长年累月在外边看球整事，总不顾家，太对不住妻子儿子，心里还总惦记着，一有点钱就想着接济一下他们娘俩。等到儿子长大成人离开凇州进了省队，有了工资补助费，不用家里再拿钱，父子亲情这根弦也就不牵那么紧了。等到再听说前妻也已经改嫁他人，普拉尼的心里彻底凉了，知道跟前妻这根亲弦也最后断了。以后也就再没了来往。

这回，前夫前妻再碰上，属于无可奈何，为了一个共同的革命目标，不得已而为之。普拉尼偷眼溜一下前妻，见她捯饬得挺利落，头发梳得溜光水滑，连一根白的都没有，也不知是染的还是天然的，脸皮子也挺滋润，鼻子下边那块还抹了点红嘴唇，看样子比跟自己过的时候要好。普拉尼不免心里有点黯然，好像还萌生些醋意，看样子她现在嫁的这个人比自己有能耐，把日子给她提供得不错。这让他心里多少有点不得劲。在普拉尼这个球迷会长的小心眼儿里，似乎离了婚的前妻也应该还算是个妻，还是一家人，应该跟自己同呼吸共命运，一直也打光棍、吃了上顿没下顿接济才对。现在她这个样子就是背叛，明显的背叛！就是以再嫁人的方式向自己报复示威，就是无情无义地甩了自己！

他这么想的时候，早就忘了当初正是他自己不管不顾丢掉老婆孩子甩了这个家。

崔大柱脑子里就有点邪火起来了。见了耿彩凤面，带答不理的，连一句“来了”之类的打招呼话都没问，就唬着个脸，绕开前妻，隔远远地找地方坐了。

那耿彩凤见了普拉尼，也是满身心的别扭和不对劲。再一看眼前这个人，脸上皮肤松弛，皱纹堆积，眼睛本来不大，这回眼皮全耷拉下来了，变成一双小三角眼，再配上那满头白发苍苍啊，整个一个六十岁老头了嘛！其实两人一般大，都离五十岁还有一段距离呢。几年不见，怎么就造这德行呢？耿彩凤就心中暗合计：你说我怎么年轻时候就瞎了眼，嫁了这么个玩意儿？

其实她都忘了，年轻时普拉尼也长相不错，他们儿子现在的模样就是他爹昨天的底版。耿彩凤结婚早，二十出头就嫁了普拉尼，到 23 岁生下儿子崔狗蛋，到现在年纪也不过就 44 岁。那普拉尼大她一岁，也就 45，正是男人的好时候。不知怎么就把自己个儿糟践成这个熊样？

要说呢，普拉尼没心情打扮自己，那是情有可原的。这阵子全国体育界都集中精力参加雅典奥运比赛，没有什么球事，球迷协会会长普拉尼难免就临时怀才不遇、歇业在家，除了整天找几个狐朋狗友喝酒解闷，也没有什么见人的冲动，更提不起兴致来梳妆捯饬。你等着，一旦那全国的职业足球联赛开始，等到凇州著名足球协会会长普拉尼天天出镜的时候，你看人哪，立马就精神！修须、染发、置装，发型一定要染烫成著名球星普拉蒂尼那样式的，置装一定要世界假名牌。人普拉尼会长在场地边上一站，手里红旗一挥，场上观众欢呼人浪立即被组织起来，而且一浪高过一浪！锣鼓喧天，红旗招展哪！普拉尼那叫一个叱咤风云！简直比场上球星还显眼！哪场实况转播不得专门有个机位给他留着、专门拍摄他老人家的特写光辉形象的？只可惜老婆耿彩凤不看球，自家老爷们儿风光的时刻她都赶不上，她看见的，都是他在家里横躺竖卧不着四六的二皮脸形象。

偏偏电视台的编导不放过这对冤家夫妻，招呼着让崔国旦的爹妈、奶奶往一起坐，说是坐在一起的话，到时候照起来，给镜头方便。普拉尼不愿意动，但还是拗不过电视台人员的指挥，于是很不情愿地坐到前妻身边来。前妻看样子也不乐意，见他过来，还下意识地往旁边挪了挪身体。

普拉尼注意到了这个微小动作，心说你挪什么挪？臭老娘们儿！谁稀罕你哪！

两个人就僵着，硬不棱登的，直着腰，梗着脖，开始了观看他们共同孕育出来的儿子拼搏奥运冠军的过程。

人世间的感情，本就怪异。原本骨连骨、肉楔肉的一对男女，一旦分离，形同路人还不说，甚至连路人都不如，满是戒备和怨气。

一到比赛开始，发令枪响以后，座下观众就把身边的人和事给忘了，全神贯注为跑道上的运动员焦心。就见那崔国旦个儿不高，浑身是劲，小腿嗖嗖紧捯，在一群人高马大肤色混杂的运动员的围裹当中，奋力冲将出来，一路领先向前跑着。崔国旦他娘耿彩凤看得着急，不由攥紧了拳头，呼吸急促，紧张得直站起来，拍着大腿，喊：儿子，快点！再大点步！你快甩开他呀！后边的老黑快要跟上来了！

那普拉尼也站起来跟着喊：稳住稳住！对！轧道！不让他超过去！对对！好小子！步子再迈得大一点！

旁边的邻居们也都纷纷站立起来，跟着拍腿，喊叫：快啊！再快点啊！追上来啦！

一片令人窒息的紧张气氛中，中国选手崔国旦终于率先撞线，冲到终点！

哗——整个屋子都沸腾了！大家跳脚，叫啊笑啊，欢呼雀跃！

跨过终点线的奥运冠军崔国旦，扬起满脸青春灿烂的笑，挥舞双臂，向看台上的观众致意！

会议室里的观众都过来跟老崔家人拥抱，握手祝贺致意！

冠军崔国旦，身披五星红旗，绕场环跑一周，接受数万现场观众的欢呼祝贺！

会议室里崔国旦的妈激动得热泪盈眶，哗哗哗哭得泪人似的。普拉尼在一旁一边拍巴掌，一边不住用手掌抹起脸上的泪花。

电视镜头那边就用两个机位，“唰唰唰唰——”把这一切欢庆场面悉数记录下来。

街坊邻居们也高兴啊！早忘了摄像镜头的存在，尽情地跳，笑，叫，互相捶捶打打，就像他们自己家孩子获了冠军似的。他们一边额手称庆，一边向老崔家一家人表示祝贺，同时也怀着羡慕的心情，唧唧喳喳道：哎呀妈呀！你瞅瞅人老崔家一家人，闺女闺女瘫巴，女婿女婿瘸子，儿子儿子打离婚，就这么抽抽巴巴一家子人，你说说，人下一辈人竟然就出了一个奥运冠军！最后把白种人和非洲人都落下了，真是争气啊！你说说，这是咋整的？真是祖坟冒青烟了哈！

崔国旦的大姑崔英姿一听就不乐意了，高声嚷道：啥玩意啥玩意？再说一遍！啥玩意冒青烟哪？那有能耐你们家也冒一个试试！我那大侄子有天赋、有本事，为国争光，是勤学苦练得来的好成绩！咋的，叫你们这么一说，好像一股烟儿就能给燎出来，这不是放屁嘛！那叫啥？那叫奥运冠军！全世界就一个，你们知道不？

周围人忙打圆场说：不是，俺们不是那个意思。俺们意思是说，这孩子是有能耐。

崔英姿脖子一梗说：那当然了！小时候，体校教练来挑运动员，俺大侄子那时候才八岁，教练让一大帮孩子一起跑，俺大侄子一抬脚就跑第一。教练一看打头那小孩,精瘦精瘦的,个儿也没有别的孩子高,可他咋那能跑呢?跑起来不费劲,一点不带喘的,把后头一群孩子落老远了。教练就上来捏巴捏巴俺家孩子腿,又让脱鞋看了看……

邻居打岔说:那还让脱鞋干哈?

崔英姿白了他一眼说:这还不明白?看看平脚心还是洼脚心呗!

普拉尼一旁插话说:扁平足……

崔英姿把身子一耷搭,不耐烦地低声道:我知道叫扁平足!用你多嘴!然后又大声对邻居道:你说,那要是一个大平脚心人能要吗?走道都走不远,别说赛跑了!人教练各方面一看,俺孩子全合格。得,带走了。哪想到能在全世界跑个第一!

邻居说:是,打小就看出来狗蛋那孩子有出息!

崔英姿不乐意,说:啥玩意狗蛋狗蛋的?别再叫咱孩子小名行不?咱孩子现在是世界冠军,那要考虑国际影响!大名崔国旦!记住喽!

邻居点头哈腰说:崔国旦崔国旦!

转头悄悄嘀咕:这家大姑奶奶脾气这个大哈,惹不起!

另一个邻居说:那可不嘛!有道是,姑姑疼侄子,疼起来不要命。比疼自己孩子还邪乎呢!

等到电视里边冠军颁奖仪式开始,崔国旦穿好红白相间的运动服重新神采奕奕出场时,会议室里登时安静下来。人们肃穆以待。这时,运动场上广播里传来播报成绩的声音。当听到说第一名"崔国旦"时,崔国旦从低一级台阶一跃而起,跳到领奖台上,身体那个轻盈啊,简直像只矫健的羚羊!

他举起双手向观众挥舞致意。

会议室里的邻居们也跟着兴奋地鼓起掌来。

崔国旦与亚军和季军一起站在领奖台上,接受奥委会官员给颁发奖牌,献上鲜花。他们的头顶还戴上橄榄枝花环。接着,奏国歌升国旗仪式开始了!会议室全体人员都自觉地起立,共同迎接那一个庄严隆重时刻的到来!

“起来！不愿意做奴隶的人们！把我们的血肉，筑成我们新的长城！中华民族……”

当熟悉的国歌旋律奏响，五星红旗在那块遥远的希腊土地上冉冉升起时，他们的心哪，都共同震颤了！他们看到，出自他们家乡本土的奥运冠军崔国旦，在一片红彤彤国旗颜色衬景叠加之中，一派玉树临风，挺拔茁壮！他以手抚胸，深情瞩目，庄重地向国旗行注目礼！当那铿锵的旋律一点一点上升越来越高昂时，崔国旦竟情不自禁闭了闭眼睛。一个特写镜头推出，众人看到他的眼角幸福地流出了眼泪！

会议室的老乡们突然也都鼻子一酸，也都不自觉地跟着流起了激动幸福的泪水！

当音乐最后奏到“我们万众一心，冒着敌人的炮火前进！冒着敌人的炮火前进！前进！前进进！”时，他们就含着泪水，一起跟着大声唱出：我们万众一心，冒着敌人的炮火前进！前进！前进进！

然后哗哗鼓掌。

一时间，凇州红旗小区居委会会议室里成了欢乐振奋的海洋！

随着特写镜头的推进，崔国旦那青春生动的面庞一次又一次回放、出现在众人面前，会议室里的崔国旦爹妈普拉尼和耿彩凤看得心里一颤悠，又是一颤悠。他们好像从来没有这么细致地打量过自己儿子。既熟悉又陌生，既幸福又羞惭。儿子那鼻子眼，那轮廓，分明是他爹普拉尼，也是他妈耿彩凤的眉眼轮廓，却又谁也不是，就是一个他自己。早已沉潜多年的父爱母爱忽然间又返涌上来，普拉尼的眼眶又一次湿润了，耿彩凤也又一次泪眼模糊。这时候，这个时候，前夫前妻俩的内心竟不约而同涌起一个念头：自己这辈子，有了这么个儿子，值了！这会儿，就是让他或她去死，也值了！真的是值了！

凇州的奥运冠军崔国旦在赛场努力拼搏为国争光，回国后受到了层层嘉奖。这不，先在省里边接受省委省政府领导接见表彰，之后，马上就要回家来见父老乡亲啦！

老崔家这一家人这个激动兴奋哪！人一得了冠军，不光在外人的印象里就不一样，就是在自家人的眼里也大不一样，就好像这崔狗蛋不是从他们老崔家一碗饭接一碗饭、吃着高粱米干饭贴大饼子熬小鱼长大出去了，而是一个似曾相识的不认识的人。如今他们也跟其他追星族一样，久盼之后马上要见到冠军真人，那份喜悦自豪和期盼溢于全家人的言表！尤其是，这一年多孩子在北京奋战奥运，他们家搬了新房孩子还一次没回来过。嘿！你说说，这日子，可不就是好戏连台，哪儿哪儿都发生变化，哪儿哪儿都是拔了节地往上冲、拔了节地甜不是吗?!

老崔家一家人早早就接到市里来人通知，市委书记霍秋林，常务副市长旷乃兴，市委宣传部长、市体育局局长等市里主要领导，要来家看望奥运冠军崔国旦。冠军崔国旦到时候将由凇州方面去车从省城接回。来人通知家里好好准备准备，届时，电视台还要来人现场录像。

这次他们再让崔国旦的亲妈耿彩凤来，人说啥也不来了。老崔家人一方面埋怨这老娘们儿不是个东西，孩子得冠军这么大的事还不愿意出来给捧场，一方面，他们也能理解，孩子他娘对普拉尼的恨和怨还未消，对他们老崔家一家人的怨气也还未消，不愿意打照面。他们一合计，不来就不来吧！反正狗蛋他娘上回对着镜头把那些感激的拜年话都说完了，说得呱呱的，那叫一个好！那叫一个情真意切！有水平！有档次！代表了凇州父老乡亲们的心声。别看咱凇州的老百姓受教育程度不高，可是政治素质那就叫一个高！只要面对镜头、报纸采访，那小嗑都一套一套，小嘴叭叭的，全说的一个模式，绝对不带走样。

这回准备接受市委领导慰问的，就一水儿都是老崔家自己人。

一大早起来，大姑奶奶崔英姿就楼上蹿，楼下跑，从这个楼洞到那个楼洞，先帮老妈家那边扫地叠被拾掇屋子，然后才回自己家开始化妆捯饬。他们家在红旗小区分的房子，崔英姿和瘸子丈夫俩先是抽号抽到了五号楼二单元六层，区里为了照顾崔老太太和瘫巴女儿那个低保户，又给了那娘俩分了个五号楼四单元一层，因为一层进出门方便，二是跟她家大女儿崔英姿家就隔着一个单元，来回可以照顾着。所以每次崔英姿回老妈家来,总要出来进去上下折腾。行啊,就这样也知足了,这两处房是怎么捣乱作弊倒腾来的,只有他们家人自己心里最清楚。

崔英姿先在自己家里把自己个儿描眉擦粉打扮好,接着又督促瘸子丈夫孙二东也赶紧穿衣服打扮,一块儿跟着过去。孙二东不耐烦,说不行,今天自己还得出去拉活,你们自己老崔家的事,自己热闹去吧!我不去。

崔英姿说:看你个熊样!带你去是瞧得起你。不去拉倒!蹬你的三轮车去吧!

孙二东说:你们自己上电视耍活宝去吧!脸抹得那么白,像吊死鬼似的,寒碜吧啦的,谁爱看咋的?

崔英姿说:我当吊死鬼我愿意!让你看啦?不爱看别看!行啦行啦,赶紧走,滚犊子!出你的苦大力去!瞅你那点能耐!一点不长出息!

话不投机半句多,三句话没说两句肯定就能戗戗起来。崔英姿知道是老崔家娘家这边日益红火,作为丈夫的看着心里不平,自卑。可是男人没能耐也不能总拿老婆撒气啊!通常她都是息事宁人,赶紧把个瘸子撵走。眼不见心不烦。

崔英姿把自己穿戴好了,这才又过老娘这屋,把老娘和老妹俩吃过饭的碗筷都收拾了,又帮老妈和瘫在床上的妹妹穿戴捯饬。放眼四望,待会儿把接见地点放在老妈这边屋里略微显得有点寒酸了,什么像样家具都没有,录出像来也不好看。但是自己那边六楼太高,没电梯,老太太上去费劲,老妹妹轮椅更没人给抱上去。

你说谁出的幺蛾子非到家里来录像干什么?真是忙叨人!崔英姿一边手不得闲,帮老妈拢着头发,一边嘴里叨叨几句。

她老妹妹在一旁,坐轮椅上,一边自己梳头,一边插嘴说:到家来也不是什么坏事,听说市里还要给一大笔奖金呢!

她们老妈就一旁叮嘱:别眼睛总盯在钱上,动不动总钱钱的,就不能找点别的嗑儿唠?

崔英姿笑说:还是咱娘有觉悟哈。

帮老妈梳完了头,又往那白发苍苍四围喷了喷摩丝。老太太呛得闭了闭眼,笑道:我都这么大岁数了,喷那玩意干啥!别整的跟小年轻似的,锃光油亮,像刚从豆油缸里钻出来。

崔英姿说:娘你就放心吧!不能啊!这不是打扮利索点,好让你大孙子看着奶奶年轻嘛!

一提到大孙子,老太太老脸又乐开了花:我那大孙子啊,真是填和人!你看他那得了冠军,人家当场啊,一采访,一问,他就说,我要感谢我奶奶和我教练,是他们辛辛苦苦培养我长大成了冠军!你看看,这话说得多好!真是没有忘本啊!

崔英姿不以为然地说:那也不对,光说感谢他奶奶感谢教练,层次太低,他应该说感谢党感谢政府啥的。

崔老太太一听有点不乐意,说:那有啥!孩子想咋说就咋说呗!一小他妈把他生下来就扔给我,是我把他一把屎一把尿给带大的,你说这孩子关键时刻能不感谢他奶奶吗?

崔英姿说:感谢他奶那是应该的,但是,他也得跟人别的冠军学学,得往大了说点。显得咱也有点政治水平。嘴边上的话,事先得练练。

老太太说:那玩意儿,咋想就咋说呗,那还能造假?

崔英姿说:娘,人那可不是造假,是个形象问题。那可是当着全世界人的面,不是咱自己个儿人在家里说话,不能说小时候您总教他的那个,那个什么“长大挣钱给奶奶花”!待会儿啊,等电视台的镜头对准您老的时候,娘,您可也别忘了带上几句感谢党、感谢政府、感谢人民,政府给了咱好生活,咱要知恩图报啥的。

老太太老腰板一挺,把大闺女的手一拨拉,说:知道!不用你告诉我!这些话,打过去忆苦思甜那会儿我就会说!

崔英姿说:嘿!瞅您这老太太!说着话还硬挣起来了!

这边娘几个修饰着,那边普拉尼也推门到了。崔英姿检查了一下他的形象，埋怨他没把头发染一染烫一烫，“瞅你那样，哪像国旦他爹，简直像他爷爷！连胡子也不刮刮，成什么样子！”

普拉尼嘿嘿笑说：昨天晚上喝酒去了，早上起得晚，没来得及。

崔英姿提醒她弟说：我告诉你啊，酒要少喝，你别年纪轻轻喝出个中风后遗症来。

普拉尼说：没事。哪儿那么邪乎呢！

说着，找把小剪刀，进卫生间，对着镜子一根一根剪他的七长八短的胡碴去了。

老太太一旁叨咕：快五十的人了，一点都不让人省心，你说说。

早上九点二十分，奥运冠军崔国旦被安排先期到达家里，跟亲人见面，然后十分钟后等待市里有关领导到达。

崔国旦回到陌生的家，推开新居的房门，看到了白发苍苍的奶奶，看到了英姿挺拔的姑姑，看到了苍老落魄的父亲，看到永远是一副常态的轮椅里的小姑，一股暖融融的亲情扑面而来。本想顺势表达点什么，但看到电视台镜头绕到正面黑洞洞对准自己时，冠军的表情有点僵硬，马上变得矜持起来，跟亲人的感情也表达得大打折扣，只叫了一声：奶奶，姑，爸，小姑……然后就不知道该说什么好。

要说呢，还是人老太太行，人那老太太见到大孙子一激动，就把镜头给忘了，呼扇着大脚片子上去，摸摸孙子的脑袋，摸摸他的脸，再抓起他的手，看也看不够，一边上下左右紧着胡噜着，一边口口声声：我那大孙子嗳！奶奶可想死你了！然后就鼻涕一把泪一把，开始呜咽。

崔国旦受了感动，一时也忘了录像机存在的事儿，说了声：奶奶，我也想您啊！然后，一边抬手给他奶擦眼泪，一边自己的眼圈也红了。

他爹普拉尼这时也红着眼圈，上来使劲拍了拍他的胳膊，然后又双手抓住他的肩膀前后摇晃了几摇晃，什么也没说，算是用肢体语言表达了爷儿俩的温暖亲情。

电视台第一时间录下了冠军跟亲人相见的感人场面。到时候能不能用得上还得另外说着。

上午九点三十分整,市委领导一行人在区长老常的陪同下,准时来到红旗小区奥运冠军老崔家。气氛场景很快向规定的情境转移。

在场说话的,领导方面,只有一把手霍秋林。别人,都没有资格。老崔家这一方面,电视台安排下祖孙二人是主角,别人,都往后撤。霍秋林先是握住崔国旦的手对他表示祝贺,祝贺他取得奥运冠军,为国争光,为凇州争气。全市人民都要向他学习,学习他这种拼搏精神。

崔国旦说:谢谢霍书记!

接着霍秋林又握住崔老太太的手:老人家,你辛苦了!感谢你培养出这么个好孙子!我们都要感谢你!凇州人民也要感谢你!

老太太张大缺牙的嘴,笑着说:谢谢霍书记!俺们一家要感谢党!感谢政府!感谢教练!

霍秋林记性好,事先做了功课,见到站在后排的普拉尼,主动过去跟他握手说:你就是那个著名的球迷协会会长普拉尼同志吧?

普拉尼受宠若惊,忙说:是,是!

霍秋林说:这些年你们球迷协会为凇州的体育事业出了不少力,功不可没啊!凇州人民也要感谢你们。2008 年奥运会,凇州是足球比赛协办城市,你和你的球迷协会还要继续努力,营造良好比赛氛围,体现凇州人民的精神风貌,也表现出奥运文明精神。

普拉尼说:是,是!感谢书记还记得我们!我们一定不辜负领导们的希望!

旁边的区长老常这时插嘴介绍说:霍书记,咱们红旗小区是建设奥运精神文明示范小区,我们组织市民学外语,教育大家建立良好的文明行为,不随地吐痰,上车要排队,不乱扔垃圾。就连崔大妈也是居民业余学外语班的成员哪!

霍秋林一听,说:好啊!我们就是要让奥运文明精神走进千家万户。

区长老常说:崔大妈,您老把刚学会的英语给霍书记表演两句。

崔老太太欢喜着说:行!行!我就给大家说两句:来是“卡母”,去是“够”,见面“害楼”“嚎肚油肚”,感激的话要说“三克油”。

霍秋林带头鼓掌说:好好!说得不错!

老太太一听,要活宝逗乐成功,满脸皱纹乐开了花。

在见面现场,区长老常又代表政府将五万元奖金送到崔国旦手中,勉励崔国旦再接再厉,跑出好成绩,争取在2008年北京奥运会上,在咱家门口再拿冠军。

崔国旦表决心说:我一家不辜负大家的希望,要为凇州争光!要在奥运会上得好成绩!

从老崔家出来,市委一班人在区长老常陪同下视察红旗小区。

小区里的各项设施,比白宏臣走的时候又增添了许多,也完善了许多。在省长的钦点下,如今这里成了全省的棚户区总体改造的样板小区,市里追加了投资,一排排粉红鹅黄的板楼,原来是平顶的,现在根据节能减排的需要,进行了平改坡改造,新加了绿色坡型大屋顶,延长了雨檐的宽度,整体外墙壁也加了一层新型涂料,以满足冬季保暖、夏季散热的需求。粉墙绿顶,绿树红花,现在整个小区的颜色可谓是七彩斑斓。小区的绿地和公园建设颇有成效,在来往交通的中心位置,修建了一个巨大的下沉式广场,广场上有各种西方人物雕塑,显得很有品位,供市民健身休闲。秋天的上午,这里市民比较悠闲。小区广场的一大堆健身器械旁,许多老头老太太在那里抻腿伸腰。居民的活动场地除了这里外,一座苏州园林式小区公园也正在修建,工地已经圈起场子,假山石都已从南方拉来备好,挖掘机正在掘地三尺打造人工湖,亭台水榭的图纸已经贴在工地展示栏上。

区长老常又领各位领导来到小区中心的商业大棚,这里有几百个出租摊位,可以进行商品和小食品经营,可供几百人上岗再就业,同时也满足附近居民区日常生活需求。他们又来到位于小区内部的居委会活动站,看到这里挂着的打造奥运精神文明示范小区牌子。居委会主任王大妈接待各位领导,并向他们介绍了教市民学外语、讲究文明礼貌、不随地吐痰、在公共场所要排队等等，体现“新凇州，新奥运”崭新精神风貌的情况。

市委书记霍秋林听了汇报后，频频点头，称赞凇州的棚户区改造事业搞得好。她指示，要把各项利民利国的基础设施进一步建设到位，以民生为本，得民心，顺民意，解民忧，实实在在领导人民奔小康。把红旗小区打造成适宜创业、适宜人居、适宜人的全面发展的小区。

一圈视察下来，众人都感觉整个小区的气魄，比起那些高档商品房地区也宏大多了！成为示范样板区，当之无愧！

陪同霍秋林视察的领导班子人员当中，常务副市长旷乃兴心里最感慨。光阴易逝，四时运转。是他眼见着、亲历着这个小区从无到有、又一天天展现如此庞大面貌的。他还记得那个冬夜，他从台北被急速召回，平息球迷骚乱、深夜探访南湟河棚户区，第一次见到老崔家一家人——大脚老太太和崔英姿、崔大柱；他也记得那个南湟河棚户区拆迁时，又是老崔家这个钉子户在拆迁工地踞守、上诉、讨价还价，跟政府打官司；也记得凇州“三大战役”中，为了这项民生项目红旗小区的上马，他是怎样顶住压力，筹钱、做规划，呕心沥血力排众议；更记得红旗小区落成剪彩之时，自己陪同白宏臣前来，那个民众欢庆扭着大秧歌敲锣打鼓的场景。

如今，一切艰难都已经逝去。一切皆已尘埃落定。白宏臣业已升迁，今天他陪同来的是一位女书记。整个凇州的变化，快啊！整个中国的变化，也快啊！

好像在这变化之中，自己不知不觉，就老了。是心经过磨砺，有点变老了。

与凇州相邻的北江市，台湾二叔旷正茂开的“撒姑啦”日式料理店里，康大光、蒯广富、王栀惠、程小强、旷正茂几个人推杯换盏相聚正欢。说是料理店，其实是酒宴休闲一条龙客栈，完全按日式风格豪华装修，如今已经发展成北江市的最高档娱乐场所。“撒姑啦”日式料理店位于城中心偏北一点的区域，邻近北川河岸，前几年台湾二叔旷正茂刚来此置地创业时栽种下一片桃林，如今已经接了地气，长得十分茂盛葳蕤。每到开春季节，河岸和庭院里的粉红色的桃花盛开，把天地打点得一片绚烂，桃花的美妙程度，正可以仿冒樱花。这个“撒姑啦”(日语“樱花”的音译)店名由此而来。店里明面上就有五进深院落，后面纵深处藏着什么机关，就完全深不可测。饭店除了正厅外，后面一律是格子拉门包间，榻榻米，软绵绵的小曲，服务员跪式服务，席间还有日本歌舞伎表演，演员全来自于本地。后面院落，捏脚和按摩服务则在另一层包间。

今天这场官僚和商人的聚会中，只有王栀惠一个女人，她的打扮也很精心。王栀惠浓密油黑的秀发，分成中分向后拢去，在脑后下端梳起一个髻，额前没有一根刘海，充分暴露出她光洁的前额和美好的发际线。尤其是她那眼睛向下一耷，显示其谦恭、柔顺的姿态时，她的眼睛细小的缺点就不见了，人们看见的，就只有她高耸的鼻梁、尖尖的下颏、光洁的额头，和美好柔顺的发际线。这个熟到已经要烂的熟女，非常知道自己身上哪部分才是打动男人的要点。今天她特地穿了一件经过改良的韩中混搭的衣服，领口处有点像韩服抿大襟样式，但胸口以上部位开襟很低，似露未露显出浅浅乳沟，雌性荷尔蒙就从那里浓烈散发出来，令周遭男人不可自持。熟女坐在副市长蒯广富身边，时不时借斟酒机会有意无意往蒯广富身上蹭一蹭，直蹭得酒至半酣的蒯广富浑身直起静电，恨不能马上结束宴饮，先扯上一个无论什么样的雌性上床解解痒再说。

坐在他对面的忠实马仔、市体育局局长康大光明白领导的心思，但是他还必须掌握好火候，要让领导先忍着，还必须把整个程序走完，把自己的目的达到，然后才能提供给上司单独寻欢作乐时间。要把老家伙的根性挑起来，又不能让他先放了精神头儿软下去了，那样的话事情就没了心思办。这个节奏的确很难操控和拿捏。康大光和王栀惠这两个，如今一个是导演一个副导，一唱一和，引着这幕戏向他们需要的方向发展下去。

台湾二叔旷正茂举杯敬酒,感谢众人的鼎力支持,感谢各位领导把会展中心二、三期工程交给他们来做。他已经和程之介儿子程小强联手低价拿下了地块。中间的积极牵线人,是市体育局局长康大光和市府综合二处女副处长王栀惠。他们二人从他这里拿到的好处,自不必言。今天这个饭局,是他为表示谢意才摆上的。看那女人低眉顺眼却也秋波涟涟给蒯广富忽悠敬酒的姿态,他就明白了两人关系不一般。

程之介的公子程小强举杯敬蒯广富一杯酒,说:叔你把工程交到我们手里,你就一百个放心!我家老爷子那里,我也已经跟他说过了,他也大力支持。他还让我凡事多向你请教。

蒯广富说:哪里哪里!有道是,将门出虎子。有程市长把关,任何事情都能解决。我蒯某将来还得仰仗程大公子哪!

一句话说得程小强心里舒坦。

那旷正茂也赶紧插上几句说:我那大侄儿也跟我叮嘱过,要多多请教蒯市长。

蒯广富说:不敢不敢!旷市长可是风华正茂,前途无量,是当然的梯队后备接班人,我们这些人,都老朽啦!

王栀惠适时给蒯广富又斟上一杯酒说:市长您就别自谦啦!谁不知道,在凇州地面上,论起搞市政、搞城建,您才是呼风唤雨,是当然的老大!来来,咱们敬市长一杯。

康大光一旁也积极响应:敬蒯市长一杯!

蒯广富面已经带酡红,抿一口杯里的酒,放下杯,道:山外青山楼外楼啊!这老大可随便称不得,要说老大,那还得是程市长。不过呢,要论起工程上的事情,在凇州的地面上,我还是能够做得了几分主的。

康大光拍马屁说:岂止是做得了主啊,大哥你简直是一手遮天!

蒯广富瞪了他一眼:嗳,话可不能这么说。上边还有市委市政府呢。党的领导还要不要了?

康大光频频点头:对对。大哥说得对。

这时那王栀惠也撒着娇,将身姿倾斜过来,恰好在蒯广富的视线里能看见她衣领下乳房的位置。王栀惠以手摇晃他胳膊，嗲声嗲气说:大光他说得没错。在我们眼里，你就是天！是我们大家仰仗的青天。你就不用过分谦虚啦！

旷正茂也赶紧接话说:那是那是，谁不知道蒯市长是清正廉洁的好干部？就连我家大侄儿，动辄还夸起您，说凇州的市政建设能有今天，管城建的蒯市长功不可没！他这才让我直接来找您，说有什么事情，您一说就算！比他亲自说话还要算数！

蒯广富已经被忽悠蒙了，找不着北，赶紧说:哪里哪里！能够结识二位，也是蒯某三生有幸！你们这日田清源公司可是强强联手啊！来来，我敬诸位，先干了这一杯。

酒足饭饱，该进行下一个程序。旷正茂陪程小强往东楼包房走，康大光陪蒯广富歪歪斜斜转往小楼深处西配殿。那王栀惠完成自己的计划，知趣地找借口闪出去。康大光边服侍市长在榻榻米上更衣，边回答蒯广富问话。

蒯广富问:都安排妥了吗？

康大光说:妥了。就是台湾那个恒元万氏集团还来纠缠我们，说是他们合同上事先有协议，东湟河会展中心一期工程开发完毕后，二、三期他们有优先开发权。把工程给了日田清源公司，招标不透明，是违反协议。他们还说，如果不撤回日田清源公司的中标协议，他们将去法庭上告我们。

蒯广富系上和服浴袍的带子，“嗯”了一声，说:你告诉他们，我们是完全按照规定履行招标程序的。那个台湾恒元集团是旷乃兴引进的项目，如今接手二、三期工程的又是他旷市长的台湾二叔和程市长的公子。事情闹僵了，对谁都没有好处。

康大光答应了一声，道:我知道了。

这时只见格子门一拉开，一个扮成日本艺妓的女子跪在门口，点头哈腰说了声:藕夹妈稀麻死(对不起，打搅了)！

康大光一看，说了声:进来吧，好好服侍客人。转头又对蒯广富说了声:大哥你先忙着,我到旷正茂那边有点事。

蒯广富说:去吧。

康大光退身出去。

打扮成日本艺妓的小姐匍匐着,移到蒯广富膝前来,一头拱进他的大腿间……

康大光反身看了一眼关闭上的格子门,心里有了些许轻松。他心里说,老东西!就怕你不要。只要你做了就好。到时候咱们谁也别想逃得了干系。我这条小鱼,后面牵着你这条大鲨鱼,到时候,谁也跑不了。哼!走着瞧!

18. 北大女生

省城祁阳电视台曾经的王牌主持人邵宝娟这一阵子的心情非常糟糕。她现在的事业也遇到坎儿了,迈不过去。就卡在这儿了。一不小心,就四大皆空,一切全毁。

电视台实行末位淘汰制,连续几档节目收视率排在末尾之后,她已经走投无路,面临或者内退或者转岗的抉择。这会儿,她背水一战,最后一搏,独立制作一档《幸福指数》民生新闻类节目,希望能够绝处逢生,挽救自己于惨败的境地。

最糟糕的还不光是这个,最糟糕的是为了咸鱼翻身,她还豁出了身家性命,在没有任何资金后援和企业赞助背景的情况下,竟然用自家的房产抵押,从银行贷款作为节目组先期的资金投入,率领自己组建起来的班底强行上马。就是说,如果节目播出后效果达不到预期,资金收不回来,贷款不能按期还上,银行将会把房产收回拍卖。她所面临的,将是从此没有工作失去家,流落街头,在自己的家乡成了荒冢野狗的命运。

连带着的,还有她的老公黎曙光和儿子小波。

她把他们的家,也整没了。

到现在,她还没有把房屋抵押贷款的事情告诉老公黎曙光。不用告诉他，事先告诉他也没用，他也不会变出钱来帮她脱离险境。就是事后告诉他也没有用，除了生气、吵架、着急上火，不会有其他的效果。她决定一直瞒着，直到五年的贷款期满，到时候把款一还完，银行的账悄悄一铲平，房子往回一收，就完了。就当什么也没发生。危机过去，到那时候她的节目也已走上正轨，两不落空，皆大欢喜。如果节目的盈利效应好，收视率高，台里给的广告点数多，说不定两年就能收回投资，就可以提前还款。那样，就更神不知鬼不觉，黎曙光两年以后从淞州回来就更不可能知道了。

所以，到了淞州，从奥运工地采访结束后，她也没有给老公黎曙光打电话，而是直接跟着大轿子车返回省城，回来就一头就扎进棚里，闷头编辑整理素材。见老公，并不是此时她的人生需要，从生理到心理，都没有那份需求；走出困境和低谷，才是她此刻生命之急需。

当众人从淞州奥运工地出来往集合处走的时候，有那么一刻，邵宝娟也曾产生了联络一下老公的想法，这个所谓“联络”，也无非就是一个简单的“告知”，告诉他她来过了，马上又要回去。家里一切都挺好，让他放心。邵宝娟一边走一边掏出手机，手机滑盖已经打开，想了一想，却还是犹疑着，不肯去拨那串熟悉的电话号码。拨了，通话了，又能怎么样呢？也不过是哼哼哈哈那么几句，况且她还必须说谎言，把自己眼下的困顿遮掩过去。那么，还不如不说、不通话的好，不说，还能免得露馅儿，还能隐蔽得更长一些。想必黎曙光也未必会对她的到来产生欢喜。他忙。她也忙。忙得没有一分钟清闲。再说有什么可见的呢？老夫老妻了，见了又能干什么？他们俩，结婚十几年，就迅速滑入老夫老妻状态，就像一对熟悉的陌生人，也像一对陌生的熟客，彼此既感知到对方的存在，又感觉不到对方的存在。尤其是黎曙光进驻淞州工地、双方两地分居以后，就更都习惯了没有彼此的生活。

这样好。这样最好。夫妻双方各忙各的，彼此两不相扰，帮不上什么忙，也不捣什么乱，有跟没有一个样，见跟不见一个样。

想到这里，她还是毅然决然把手机收起来，跟着采访的大轿子车回了省城祁阳，着急忙慌地来赶制下一期《幸福指数》节目。

“时间就是金钱”，这是二十多年前改革开放初期宣扬深圳效益的一句名言，到了这会儿，二十多年后，在媒体里在电视台得到应验。她们这些媒体宠儿，新闻界的“无冕之王”们，如今也要遭受市场的检验，也要经历金钱的窘境。一切都以金钱为量化指标来核准。邵宝娟这节目组的租棚费、租机费，都精确到按天、按小时、按分钟收费，更不要说找选题、搞策划、雇人、记者跑外、每天的交通餐饮费等等。一档节目，要以资金打底儿来推动，再以收视率点数分配广告数额来回收资金。改革以后，台里各部门各单位实行单独成本核算，再没有过去年代录影棚随便用、机房随便占的美事。要想做出一栏精品，没有资金的援助，真是举步维艰。

但是，没有人给她策划的这档节目出钱赞助。邵宝娟找来找去，想来想去，就是找不出来，没有这方面的人脉关系。在台里工作了十来年时间里，她竟然没想到给自己储备下一些大款，以备节目不时之需，比如地产商、烟厂老板、酒厂 CEO、企业高管之类，平时多多结交联络，以做人物访谈的方式帮助对方做广告，到了战时，人家好“啪——”的一声拍出钱来，几十万上百万，拿去！不用还了！支持社会文化建设，是我们企业应有的职责！

想想，那该是一种什么局面！

可惜她清高，不屑，没动那个心思。

干了这么多年节目，她最多结交下的就是一批知识分子、精英人士，有思想、善表达、纵横捭阖、谈玄论道的人物，一大批作家、批评家、大学教授、社科院研究员。可是他们有用吗？一点也用不上，别说出钱赞助，请他们来做节目时往往还问:给不给报打的费？

一档节目的风格，就是制片人的风格，一档节目的意旨，就是制片人所要达到的意旨。最初那会儿还不叫制片人，还没有开始允许独立制作，那时还叫“编导”，编导的宗旨就是节目的宗旨。她这个身兼编导和主持人于一身的北大女生，尤其喜欢批评臧否的言论，力图在节目里呈现非同一般的思想高度。于是做客她的节目的嘉宾就往往围坐一起，面对镜头侃侃而谈，讽刺幽默，针砭时局，含沙射影，皮里阳秋，春秋笔法，微言大义，节目赢得了不少回头客，也引起一些不必要的歧义和争论。节目被叫停整改过两次，但还是又上了，从晚九点的黄金时间给调整到夜里十二点，也叫晚上零点。即便这样，仍旧有一群忠实观众追着赶着跟着看。还真就是有人喜欢。那时还不叫“收视率”，那时就叫一个简单的词儿：喜欢。有人喜欢，节目就有了活下去存在下去的依据。

那个时代，是一个多么好的时代啊！回忆过去，她常常在心里这么感叹。其实供她可回忆的过去相当之少，也就是那么风头正健的短暂几年。那正是一个人们务虚高蹈、喜爱清谈的年代。她赶上了那个激情四溢也是谵妄年代的尾声。她和她的那个年代一起爆得大名！她务虚而超拔，宁静以致远，兢兢业业，耕耘不断，从介绍书讯推介好书，到嘉宾访谈纵横捭阖，最后变成有现场观众参与的天下大势辩论节目，无所不辩无所不讽，成为一档影响绝大的文化类节目。喜欢她的栏目和不喜欢她的栏目的双方评价都很强硬，节目的总体效果基本上是悲欣交集，喜忧参半。

邵宝娟对于节目会带来什么“悲”和“忧”的反响并不自知。处在极度自我膨胀的上升时期的女主持人只记得好的一面，只记得节目带来轰动性影响爆炸性影响的一面。她的脸蛋红扑扑，她的眼睛亮晶晶，她跟在场的嘉宾观众一道坐上过山车，呼啸着轰隆隆地急速不可遏止地向前！迂回！翻滚！俯冲！扭转！拉升！直到箭一般地冲向终点！

邵宝娟请来的嘉宾多半是八十年代的青年才俊那一批人，那群在年龄上大概能算作她的哥哥姐姐大叔大婶的那一批人，她喜欢和崇拜他们，喜欢跟他们一起浮游在天上，以发散性的思维，以天马行空的态度，运用种种矜夸、隐喻、排比、拟人等修辞手段证明他们思想的深邃、词汇量丰富、语言表达流利。而那些更老一点的知识分子，经历得更多，也就看透了更多，对时局和世相有着清醒的判断，他们长得像佛，说话也像佛，说话圆通，开口哈哈哈，闭口呵呵呵，都从鲁迅先生的批判文章里得出了教益，话语里面绝不会有关键词，他们不符合邵宝娟主持人的口味。

镜头前那些才俊、那些文史哲专业毕业的专家学者们，长相不一、郊寒岛瘦、面白颀长、飘逸俊朗，这些新中国建立以后才出生的一代人，生在红旗下，长在幸福中，脑袋里一出生就被装置好了符合时代的运作程序，而后，在经历过大时代的波折，并顺势而为，下载了一些西洋补丁之后，程序在脑海里开始剧烈地自我冲突。程序总是在力图自反。而他们没有认识到，任何程序，从设计的那一天起，就基本上是无法自反的，否则，唯一能达到的后果，就是崩溃。无论早期的 WPS 还是"瘟斗丝叉屁"（Windows XP），都只能是不断增发补丁，用来修补漏洞，而无法彻底来自己否定自己，自己轰毁掀翻自己的程序。除非，来一次病毒攻击。

他们于是就把自己也没理清的混沌懵懂的死机原则，带到节目中来，带到镜头中来，带到辩论现场上来。自己蒙了，把观众搞蒙了，把主持人也侃蒙了。

他们不再满足于单纯探讨艺术哲学、文学的基本原理、历史的正义……这些他们拿手的认知视阈内的东西，他们崇尚于涉足不同领域，到处发言，寻找社会热点，标新立异，抢占制高点。当一个商品和市场经济的社会刚刚到来时，邵宝娟的节目里最先兴起讨论，姓资姓社，姓公姓私，并引用马克思的话语"资本来到世间，从头到脚都滴着血和肮脏的东西"作为批评导言。一栏读书节目担起了财经节目的职责。她以为她愤世嫉俗，在参与时代风云际会，实际上是半梦半醒，一知半解，糊里糊涂，满头大汗出错牌，竭尽全力帮倒忙。当整个国家经济都在沸腾运转，勇敢向前，在沸腾地唱多，都在做多时，她却不知不觉成了一个"死空头"，极力看空，跟这个时代潮流远远相悖。一切商人、发了财的人、淘了第一桶金的人，都成了她和她的节目嘲讽批判的对象。

她和她的嘉宾们排比造句，对于形势和现状的估计评断看似气壮山河,咄咄逼人,实质内容中空,不堪一击。他们不能够切切实实从社会文化发展角度,从大众文化发展解析角度分析问题,拿出事例、数据,不能用调查研究结果来做出结论,因而总是看着那么虚浮,结论总是飘在半空中。没人是超人,每一个学者本身,也都是术业有专攻,有自己学术上的特长,同时也有学识上的盲点以及认识上的误区。并不是人人都是思想家,人人都是哲学家。一个真正的学者、精英、知识分子,阐释一种观点时,总归要拿出证据来,用证据说话,用调查分析的求证方法证明自己每一个论点的准确性。

而邵宝娟作为一个文学系学生,这方面的根底就更加薄弱,诸多经济学社会学理念并不是她能够理解的,更谈不上掌控和运用。中文系是万能的吗?当然不是。中文系的学生果真是万金油、无所不能无所不会吗?当然也不是。即便是北大女生,也概莫能外,也不是全知全能的。然而,她却牢记了他们老师课堂上的一句话:文学的第一要义,就是同情弱者。只要做到了这一点,就永远政治正确。

好!不管她的认知水平落后了时代多少层,不管她有多少不理解不接受的东西,只要她可着富人进行抨击,永远以穷人的代言人的面目出现,就总没有错!她和她的嘉宾无情嘲笑和抨击这个时代,甚至借用了狄更斯《双城记》里的名言,用以表达自己盲目的积郁和忧愤之思:这是最好的时代,这是最坏的时代;这是智慧的时代,这是愚蠢的时代;这是信仰的时期,这是怀疑的时期;这是光明的季节,这是黑暗的季节;这是希望之春,这是失望之冬;人们面前有着各样事物,人们面前一无所有;人们正在直登天堂,人们正在直下地狱。

然后他们又进一步发挥道:这个时代,人们更务实而不是务虚,更低回而不是高蹈,更喜欢鸡毛蒜皮而不是山高水长,更娱乐、更休闲、更大片、更网络、更游戏、更楼市、更汽车、更股票、更基金、更 GDP、更 CIP,学者和准学者们的思维更简单、更快捷、更扁平、更圆滑、更笑不露齿,更富不露财、更评书讲坛化、更讲坛评书化、更婊子牌坊化、牌坊婊子化、更帝王宫廷、更才子佳人,更老子庄子装孙子,三国红楼上西天……

他们在喋喋不休夸夸其谈时，颇有点众人皆醉我独醒、出淤泥而不染的意思。未必就有人听懂了；未必就没人听得懂。她的讥讽牢骚怨尤满腹，只是加速了自己节目的灭亡。

他们谈论的话题，太宏大、太雄伟、太磅礴，很快超出了自己认知的边界，超出了个人学科所能梳理判断的范围，每每只要是话匣子一打开，大话放出去，就洋洋洒洒满腹经纶离题万里收不了场。他们不再是就一本书来展开讨论，而是以诗人的方式和诗兴的语言来议论社会政治经济法律问题。他们只有文史哲的底子和一点点马克思主义哲学的基础知识，却也敢于来辩驳如此专业化的问题。他们就只好靠各种不当的比喻，比方说这个社会的道德症结是“婊子”与“牌坊”、“蓝色”与“黄色”等等来鱼目混珠，生硬连接，以制造逼真而耸人听闻的效果；再有就是有话不好好说，能用单句的尽量不用单句，而是用拗口的复句，把观众绕蒙，一句话里会频繁使用“不但……尽管……而且……然而……”多重关联词，七扭八转，把话说得不像个话、把句子搞得不像个句子，谁也不知道究竟是要说“不但……而且”还是想说“尽管……然而”，把电视机前全体老百姓都绕糊涂以后，他们这才勉强掩饰得了尴尬，方才把舌头收回、妥帖安置回口腔。

很快就有几期节目出现了场上失控的局面。众生声哗，众口不一，激烈辩论，现场观众踊跃提问和抢话筒发言，活跃程度上煞是好看。然而，由于节目立意不清，指向不明，让人觉得场地中心站着的那个邵宝娟主持人就像个女大傻子，她不能够探测出今天要讨论的话题的深度在哪里，尽管也事先做了功课，然而，涉及企业金融股改姓资姓社这些问题，还是太陌生了，她不知道问题的理论深度在哪里，不知来宾究竟说的是什么，观众提问时的说话漏洞在哪里，也不知道一言出口之后，带来的后果是什么，更无法得出总结性的言论。所以，场上的主持人所起到的作用，只能是点名叫谁谁谁发言，见哪位观众言辞过于激烈对嘉宾不恭，只能强硬打断，夺过话筒。结果就是场上辩论得一团乌糟，听众一脑子糨糊。在后期制作时再使劲删掉嘉宾某些过激言论。从这些支离破碎的剪贴中仍然会觉出节目编导思维的混乱，控制场面的乏力。

作为一种大众传播媒介，电视谈话类节目，本来就风险与机遇并生。控制得好，组织得好，节目会向着一个正确的目标前进。组织得不好，效果适得其反。尤其是辩论风的流行，十分令人不安。领头的是学生大专辩论会，刚刚出现时让人眼前一亮，等于是对年轻人演讲和口才以及思辨能力的公开训练。形式非常新颖、独到，也果真辩出一些后来的名嘴名主持人。演变到后来，却有点无事生非，纯粹为辩而辩，为作秀而作秀，胡乱设定命题，然后预设出正反方答案，强行辩论。有些命题，可以辩，而且应该辩，理不辩不清，话不说不明；而有些命题，本身就已经是社会公理，作为社会已经认可并秉持的一种价值观，却还要拿来辩，就显得强词夺理，有悖常识。它的正向命题成立，反向命题就必定不成立。然而，那些脑筋进水的制作人为了制造噱头，硬要反方也说出个道理来，怎么能够令人信服？除了混淆视听，破坏社会公理之外，没有任何好处。可怜那些打着黑领带、扎着黑领结、头一次上电视露脸的稚气的大学生们，为了赢得成绩，事先背下大量论据，把一些歪理邪说，也给说得咄咄逼人，在镜头面前理直气壮抢白、辩驳，作秀表演得兴高采烈，搞得人不人鬼不鬼，简直是非不分。

还有比这种害孩子方式更糟践人的吗?!

邵宝娟的节目，搞蒙的是成年人群。人们听了她栏目里专家的议论之后，基本已经搞不清自己所身处的是个什么时代。“说了这么半晌，这个时代到底是好是坏呀？你倒是给我们说说。”现场观众这样急切地质问着嘉宾。那个秃顶戴眼镜的嘉宾就不卑不亢地答道：福兮祸之所伏，祸兮福之所倚。

他这样的回答，当然不能让简单淳朴的观众满意。直到有一期录播时，一位观众与嘉宾发生口角，嘉宾当场摔话筒离席，观众和观众之间为争话筒出言不逊，发生肢体冲突，场面上一时极度混乱……直到这个时候，节目寿终正寝的时刻也就到了。

节目做到了这个分上，被叫停和取消一点也不过分。这不是节目的问题,而是节目的制作人、主持人脑子出问题了。

但是,节目被叫停不是用的这个原因,用的原因是末位淘汰制,就是说这个节目的收视率不行,排在了末尾。

季度排行榜登出的当日,邵宝娟气冲冲理直气壮地去找台里,义正词严道:谁说我的收视率不行?这么多观众参与,都现场打起来了,还能说收视率不高吗?你们的收视率统计准不准哪?别是有什么猫腻吧?数字是可疑的,数字是不准确的。你们那套收视率测试系统有没有偏差?有没有可能弄虚作假?精神的价值根本无法用数字准确测量!

台领导不跟她较劲。现任台领导知道她是在编的老人,北大女生,资格老,学历优,前市长不远千里进京招聘回来的,做的一档节目,又曾经是王牌,牛气冲天,各种奖项被她拿遍了,脾气大一点也属正常,基本上是被宠出来的,跟台领导也敢拍桌子说话。如今那些招聘来的人员就不敢,招聘人员哪个见到领导不是溜溜的,卑躬屈膝,巴巴地好好表现,希望能有正式转正那一天。台领导有自己的管理韬略,他们不从正面去给员工刺激,只是用规章制度说话,他们让她自己去选择。末位淘汰制和全员合同制不是谁脑门子一拍制定的,是经过各方面批准、台里职工大会全体通过的。定了,就得执行。

接见她的那个副台长说:这样吧,邵宝娟同志,针对你的问题,台里也慎重研究过了,你一直是台里的骨干,又获得过很高的荣誉,在行业系统也是有影响的先进模范。看在这个分上,我们就再给你最后一次机会。你看能否彻底调整一下节目,让它更接近大众,接近民生,争取下一次考核过关?

我调不了。邵宝娟斩钉截铁地说,我没法调!

邵宝娟说这话时态度强硬,底气十足。她根本不知道自己为什么要十足,而且究竟十足在哪儿。可能就是副台给她前边戴的帽儿太高了,把她忽悠得太高。不说这话还好,一说这话,一时竟勾她想起了过去,她竟有了几分飘忽感。

坏就坏在这份飘忽感上。副台接下来的话，就是落在地上滚过来的一排滚地雷，轰隆隆炸响，让她失去最后迂回喘息的机会。

副台说：既然这样，该怎么办，你也知道。根据台里条例管理规定，收视率排在末尾的节目要淘汰，这是没有什么可商议的。那么人员怎么办？你可以自己选择。作为一个国家单位，我们无权开除人。如果最终实在无处可去，不合格员工，无法上岗人员，可以到服务中心，每月拿 80% 的基本工资，三个月以后仍然不能上岗，减为 50%，以后次第降低；或者，如果你选择调走我们也会帮助你联系，可以到更适合自己发展的岗位上去工作。

邵宝娟蒙了，耳朵里有点耳鸣，听不清话。说实话，她并没有去关心过新的管理条例，因为觉得那个跟自己没关系，也并不晓得其中的详细内容是什么。

这会儿，她还说什么呢？说什么都没用了。话说到这里，她没辙，没有再辩驳的理由，也没有再辩驳的机会。

怎么可以这样？怎么可以这样？

她想不通。实在想不通。这是她人生遭受的第一次打击。

从小到大，一直就是三好学生、优秀员工，从小学到大学到参加工作，一帆风顺，天之骄子，北大才女（对了，就是最后的“北大才女”这一条，把她推上了自我认知的顶峰），这些帽子伴随着她，戴在她头上，美丽骄傲得像个人间公主。即便是台里新的规则制度出台，她也没往心里去，她对形势的认识还相当不敏感，一点没有危机感。管你台里怎么改革、调整，整了谁，也整不了她。全国最高学府出来的女才子！市长亲自前去招聘请回来的！节目曾经是台里王牌！她有什么下岗的后顾之忧呢？即便曾经由于太露锋芒遭受过上面敲打警告，要她适当收敛一下，但那毕竟还是在说明她节目的受关注程度高啊！

如今却以收视率低的说法“咈叽——”一锤子就给敲打下去，让她无论如何没法接受。

直到节目停播的决定下达了，她还都一直都不知道自己的毛病在哪里，自己节目的弊端在哪里。台里用收视率说话，她在心里是不服气的，不认为那是一个原因，肯定是那些真正收视率不高的栏目硬往下挤她，有人用数字作弊。要说有什么不好，顶多，是现场观众抢话筒发生肢体冲突不太好，嘉宾摔门离席而去也不太好。可这些毕竟在后期制作中都是可以剪辑掉的呀！

人生最痛的不是摔跟头，而是找不出自己怎么摔的跟头，摔在哪里，为什么摔。

节目被停后的邵宝娟有很长一段时间思想震荡，想不开。她闹过，不服气，找过人，说情，都没用。她无措，哭泣，头一次感到惊慌。

回去跟丈夫黎曙光说，黎曙光此时正处于冉冉上升阶段，听了她的哀怨和牢骚，却不痛不痒地说：算了，停就停了，可做的事情很多，再找一份别的事情做。

邵宝娟说：说得轻巧！我这么多年的心血啊！说没就没了。

黎曙光说：那有什么，再从头干起嘛！实在不行，就休息。我养活得起你和儿子。

邵宝娟说：屁话！谁稀罕你养！

是的，下岗停职的问题，不仅关乎工资奖金等物质问题，更主要的是精神问题，等于是抽走了她生命的支柱。工作是她生命的一部分。她是从这个工作体制里面长大的，不可能离得开体制，更不可能离得了工作。

她不认输。她不能倒下。想她一个堂堂北大女生，当红花旦，当年的电视台台柱子，如今落到这般田地，搁谁，谁也不能承受，谁都会感觉备受打击。

她找到当年的老领导哭诉，控诉电视台收视率的不准确，以及他们对她的迫害。前任市长梁老早已经从位置上退下来，现在只挂了人大副主任一个闲职。见到当年自己亲手树立起来的标杆，如今到了这步田地，老领导心里明镜似的。他多年做这项管理工作，有经验。他知道，收视率还只是一方面，主要是不合时宜，是大势不好，“读书开卷”大势已去。梁老一言出口，也跟邵宝娟的丈夫黎曙光一样，也只能鼓励、劝导年轻人，凡事看开些。毕竟只是一档节目嘛！这个不行，换一个做。

邵宝娟带着哭腔说：梁市长，我就是不服气，我的节目究竟哪点不好？究竟有哪里不如别人？像他们那个生活档的娱乐节目，一群下三滥耍活宝逗贫嘴，还排在了前五名。那样就叫好吗？

梁老说：大势所趋，大势所趋啊！我们的影视节目也要看到人民群众多方位的需要，也要逐渐满足他们。当然，通俗绝不是低俗，要严格把握好界限和尺度。管理一个台，也得顺应时势，也不易啊！说实话，小邵，我也一直关注你的节目，曾听你在一期节目里说过，在一个知识分子都假装集体弱智、群体撒娇卖乖的时代里，你说你一骑单乘也要和这个时代的媚俗斗争到底？

邵宝娟说：是。我说过。

梁老说：说得好！精神可嘉！你们学文学出身的人，都喜欢以屈原自况，说些香草美人、众人皆醉我独醒的话。千古文人诤谏梦啊！中国如今在变，跟以前大不一样了，跟几千年几百年以前都不一样了，不再是封建社会传统庞大的文官体系管理着几万万农民，整个社会体制、国家运转机制都发生了改变。光有文人是不行了。现在，我们面临的任务是发展经济，需要的是懂技术有知识的管理人才，尤其是懂经济的管理人才，要让国家尽快发展起来，强大起来，让农民都富起来，人民都过上好日子。社会发展，总会遇到一些新问题，看我们采取什么态度来对待。比方说，你们在节目里冷嘲热讽着商人为富不仁，批评酒厂老板做的铺天盖地的广告，致使酗酒人数上升，酒后驾车事故增加。我想，这就是以偏概全。二者之间并没有一个直接的关联。喝酒的副作用只是一方面，它的正面作用，酿酒厂满足人民生活发展需要，拉动内需，提升人民生活质量，这没有什么错嘛！你在这边批评着，而主频道那边，酒厂和药厂几家大的盈利企业竞标黄金时间段广告标王。全台多少口子人，一年就靠人家吃饭呢！这不全让你给搅局了？能不能换一思路，比方说呼吁社会建立一个合理有效的激励机制,通过实行免税政策,让富人积极投身于文化投资事业和慈善事业,来帮助那些困难中的穷人,我看,这才是一条正路啊。

邵宝娟说:是。您说的我明白。

梁老说:小邵啊!你是个聪明姑娘,有毅力,有才干,相信你会正确认识当前的困境,把挫折当动力,重新起步。我们的文化建设、文化批评的目的也一样,批评的目的,是为了更好地重建。面对同一件事物,批评者的身份不同,出发点立足点不同,得出的结论肯定也不一样。你想想,从这个意义上思考一下,自己的思路、对现实的判断思考,是不是都有需要改进的地方?

邵宝娟说:您这么一说,我明白了。

梁老语重心长地说:小邵啊!你还年轻,今后的路还长。从头开始嘛!重打鼓另开张,做一档新的节目。面对新情况、新任务,我们都要学习,都要重新努力学习啊!

重新开始,哪那么容易?

他们那一档节目原班人马分崩离析,各寻去处,有哥们儿姐们儿关系好愿意一起合作接收的,就给收留在各个节目组打杂,再也没有原来自己做主时的风光。再见面时,大家互相调侃说,这是“逼粮(良)入仓(娼)”。

邵宝娟呢?她也不能例外,先找到一个去处再说,管它什么节目组,只要能有人收留她,只要暂时不下岗,有得节目可做,就是好的。她不能去人才服务中心,没法跟那些烧锅炉的打杂的大爹大妈在一起。怎么说,她也得上一档节目来做。

她这次去求梁老,还真是起到了效用。梁老极其负责任,给管业务的副台长说了一下情况。副台看在老领导的面子上,把邵宝娟的工作安排了一下,几个频道一考量,一频道、新闻频道、文艺频道、体育频道、经济频道她好像哪也不靠,各频道都有各频道的专业人才,所谓术业有专攻，她这么一个文学系出身的人算什么呢？确实不好办。而且，无论从年龄还是资历来说，都不可能是个跑腿打杂的，好歹也得给安排个位置。想来想去，让她去新开不久的“时尚购物”频道，本来是隶属于经济部的，好在购物方面要求的专业性不强，是个女的就应该热爱购物逛街，邵宝娟应该可以胜任。

于是跟频道总监商量，把她调过去，让她当个了副编审。安排得够适宜的了！就这样，邵宝娟仍感觉不满意，并且跟总监和编审多有矛盾和龃龉。

你们口口声声说是这是一档“提升八百万祁阳人民生活品质”的时尚类节目，实际上还不就是替商家做变相广告、不就是电视购物吗？邵宝娟义愤填膺。平时她都懒得逛街，她对首饰香水珠宝不感兴趣，如今要让她搜街，在电视上向人推荐哪里有什么东西打折，哪个店里淘宝又发现了新玩意，哪家的产品售后服务怎么好怎么好，这可真是扯淡，让她大受折磨。尤其是，跟时尚沾边的东西，什么意大利米兰时装周，什么今夏流行色，什么最新男装中性化款式等等这些，她简直一窍不通，简直落伍，简直老土。还有什么短信爆料平台“发现一个小吃店”、“中街有个限量发售店”、围巾搭配、信用卡省钱、手机防骗招数等等这些，简直是扯淡，浪费她的智力和时间。她一个堂堂北大女生，怎么能来做这些个玩意呢？怎么能混迹于一群小丫头蛋子中间来做这些个一点没有技术含量的节目呢？

这后一点，邵宝娟觉得自己是降低了身份，才是致命的和关键的，才是导致她心理失衡的重要因素。但是她忍住不说，不把这个原因向外人说。

进了时尚频道，她才知晓，如今的时尚语言怎么说，时尚服装如何搭配，才知道时尚主持人小姑娘们的世界多么花花绿绿！放眼一望四周围，原来早已经是莺歌燕舞。就在她自闭、得意、以自己为圆心画圈的这么些年，电视台已经来了不少新人，都是些有门路，受过专业训练，跟她一样受过完整教育的人，而且，人家都是广播传媒大学正宗播音系毕业的，形体梳理得当，发音字正腔圆，拿起来就能用，立起来是根棍儿，不像她，属于赶鸭子上架，文学系转行，现学现卖。

可那又能怎么样？没受过正宗播音训练，她还不是一样红火、风头正健红翻天？在她当红那个时代里，那个沸腾的年代，她眼里没人，目空一切，全台独一份，学历最高北大分来的台柱子，招人爱，有人疼，最受宠。她的心理年龄、记忆波段也永远停留在自己年轻时期，总停留在自己全台最小、最可人的时段，对所有的人，都不屑，所有的台里男男女女的花边新闻、八卦逸事，都不屑，通通不感兴趣，她只顾沉浸在自己的世界里，只顾膨胀自己。

再抬头，等到她能够抬起头，用心看，随便打量一眼四周围的时候，她发现她已然成为了老大姐，已然成为过时人物。时过境迁，如今在前台工作的人，已经是又一代人。甚至，又两代人。那些70后，甚至连80后都毕业参加工作了。她们正是她当年的二十出头的好年纪，莺莺燕燕，唧唧喳喳，蜂飞蝶舞。她往她们那里一站，整个就是一块陈旧幕布在陪衬她们的鲜活娇艳！简直是有点“沉舟侧畔千帆过，病树前头万木春”的意思！这简直是一个强大的讽刺！一根针从她眼里直插到心底！

不感兴趣的事情，硬要做，本来就勉为其难。在年轻人面前的自惭形秽更让她抬不起头来。失落感打击得她稀里哗啦。但她不这样说，不强调这个理由，她在请辞、退出栏目组时却说：“一个花里胡哨的《时尚购物搜街》不需要智商。只要是个家庭妇女就都能干得了。”

她这样一说，得罪了大多数人，大大伤了同志们的心。没人愿意再要她。去找台领导，领导也头疼，看在是老人儿的面子上，想法再给安排一次。副台说正好，十三频道新开辟一个旅游频道，正在草创时期，需要人手，你做电视节目经验丰富，你去试试。

哦，已经开到第十三频道了。邵宝娟心里暗自嘀咕。在她刚来那会儿，台里只有三个频道，就那样节目还做不满，如今，却已经开发到了十三个频道，扩容四倍！形势大变了啊！频道就是资源。如今各个电视台都在抢占频道，哪怕没有节目，也要先占上。

这回给她的头衔不小，当副总监。按理说该满足了吧？草创时期，白板一块，说涂抹成什么颜色就是什么颜色。然而，她跟主管旅游频道的总监又发生了矛盾，两个人的打造理念不一样。总监要把旅游频道打造成跟旅行社联网的一种形式，播旅游风光片，招募旅游团，从订酒店机票等方面，从商家和旅行社那里拿回扣。邵宝娟的策划案上，却是兴致勃勃，想把旅游频道做成类似于《寰宇地理》或《探索》那样的国外名牌节目，有档次有文化。

选题策划会上，两人发生激烈的争吵。邵宝娟讽刺总监的计划，冷笑着说：如果电视台都做成像你这个节目，都去拉客人、搞旅游折扣，那还要旅行社干什么？

总监也针锋相对地说：对。我是没你有文化，是没你有品位。你行，你厉害，你北大出身，比我们能！我不知道像你说的那么做好？买现成的风光片，拾人牙慧，是没意思。但是，要拍成经典片，钱呢？钱从哪儿来？一个摄制组出去要花多少钱？卧底等待拍出一个经典镜头就得花多少钱？拍完以后投资怎么收回？你有吗？你能吗？这些你都考虑过吗？

邵宝娟强词夺理说：不管怎么收回，节目也不能做得太平面、太滥。简直是浪费频道资源！

这话又伤人又刺心。最后结果，当然是不欢而散。

散的，肯定是她邵宝娟，走人的也是她邵宝娟。既然想不通，就退出去吧。要来的人有得是。节目试行初期，当然还是简单可行、便于操作的方案能够得到通过。起点太高，平地起高楼，谁也架不起来。

邵宝娟这次之所以敢跟旅游频道总监拍桌子论理，还因为她身后又有了一档节目在接着，这回是文艺频道的一档娱乐节目《艺术前哨》。既然有“艺术”两个字，看起来总要跟文学艺术什么的沾点边吧？一定可以做出品位来！人家一来找她，她就高高兴兴应承下来。制片人是她原来《读书开卷》的编导助理，当年还是个毛头小伙子呢，现在，这家伙也重开门面，自己挑大梁了。小伙子是自学成才的，进步飞快，他看中了老大姐邵宝娟的才气,主要是她的人脉资源,这回请她来当编导兼主持人,两人合作肯定能做出一档好看又有品位的节目。

能够重回排名前三的文艺频道,挨近自己的文学艺术正宗专业,并且,重新出镜,回到摄像镜头前,这一切多么让她心仪并且满意！她觉得自己简直神思飞扬神采奕奕,脸上层层叠叠白腻子一打,镜头前大白光一照,两片嘴唇叭叭叭一开,嘿！过去时代的感觉整个全回来了！

可坐在监视器面前的制片人却怎么看怎么不对劲,怎么看怎么别扭。

所说的《艺术前哨》,实际还是明星八卦,重点立意还是在挖掘名人隐私,尤其是挖掘哪个当红明星人生最难过最低潮的那一段,抖搂出来跟观众分享。名人圈里谁跟谁恋爱不重要,分手才重要;谁跟谁结婚不重要,离婚才重要;谁赚了多少钱不重要,砸进去多少钱才重要。谁谁谁身材好三围飙不重要,谁捅了“艳照门”马蜂窝才重要！一句话:我们就想看着名人倒霉！我们就要分享名人倒霉！我们普通老百姓,都不爱看谁太张狂了,谁大把大把搂着我们纳税人的钱,回过头来还敢跟我们撂脸子,那怎么行！小样！看惯得你！还没王法了呢！我们就想看张狂的、当红的人倒霉,看他跟我们一样也是吃五谷杂粮长大、也有不顺心如意的时候,也上当也受骗、也求人也低头、也得宫颈癌食道癌、也有不孕症、家里也有傻儿子傻闺女、也嗑药也嗨、也被网上传了隐私照……我们才高兴！我们才乐意！我们才能找到心理平衡,才能一掬同情泪、才能心里大大释怀:唉！原来人生都有不如意！原来人生在世都是沧海月明珠有泪,蜡炬成灰泪始干哪！

谁说娱乐不流泪？流泪也是娱乐,而且是娱乐的更高级方式,是我们解颐解闷平衡内心的最好方法。一泪解千愁。一泪解千忧。就让我们看着名人滴下的泪水而心旷神怡、优雅自得、风情万种、意气风发、壮志凌云、比上不足比下有余地去生活吧！我比名人更健康！我比名人更倜傥！名人们那鳄鱼的眼泪啊！铺就我们平头百姓奔小康的路啊越走越宽广！

流泪。流泪！一定要流泪！给大特写。照欲哭无泪、涕泪横流镜头！

我们不挠胳肢窝，硬让人乐，而是要捅大鼻涕罐，让人哭。

你看那港台主持人，小S、吴宗宪什么的，镜头前打情骂俏，坐嘉宾腿上，把女脚模丫子抬高，一直举伸到嘉宾眼巴前，挑逗，引诱，简直无所不用其极。俗。低俗。恶俗！我们要坚决制止！坚决抵制！一定要高雅。要端庄。要流泪。

流泪是高雅。流泪是智慧。

每来人必流泪。

节目做出几期，很快效果上去。

来此做过节目的明星们人气大增，新片、新碟、新书都销量大增。他们都很配合，很合作，很默契，知道电视这种大众媒体的巨大影响力，他们都有专业素养，都能很好地控制面部肌肉，适时分段做出含泪——欲哭——哭的中段——哭的后半晌——哭的尾部等各部分表情，完全听从指挥的调度，完全按照事先的部署，执行策划不走样，酝泪方式不重复。

整体效果出奇地好！没出几期，节目就爬上了收视率第一。

明星们的认识上去了，但邵宝娟这个主持人实在有点不相配。越来越不相配。越来越拧巴，跟明星们的状况不搭。时下都流行“混搭”，即便是来个“混搭”她也不搭。镜头前的邵宝娟，拘谨，老成，持重，眼圈不红，眼眶干涩，只是按照事先预备好的文案问题提问、诱导，明星的泪水已经适时而出，她自己眼里却一点要滴水儿的迹象都没有。制片人看着都急死了：哎哟喂我的姐姐，你这么一本正经地端着，自己都不哭，那让观众怎么哭啊？

邵宝娟说：他们那点小破事，值得流眼泪吗？我哭不出来。

制片人说：求求你了我的好姐姐，你就先给我们流点水儿出来吧！这样才好让观众们眼泪一齐涌啊！

邵宝娟义正词严：什么话！我流不了！

制片人说:流不了,怎么办?

那还能怎么办?请自便吧。眼泪像大鼻涕罐一样说流就流出来的主持人有的是。会煽情的人有的是。哪缺你一个邵宝娟!你以为你是谁?还在耍大牌?地球缺了你就不转了吗?

命运之门,又一次对她关闭。曾经当过红星的人,肯落草在人门下,就已经很低头了。究竟,还要让她把头低到哪里去呢?

邵宝娟异常怀念“读书开卷”那段岁月。

每一次做这些不情愿的节目,她的内心都有激烈的自我挣扎。这不是她要做的。与她的理想,相去甚远。

十几年时间,像做梦,风光还没有享受完,就逆转,一切都变了。

人的大脑中部有一段记忆旋涡,他如果在什么时段成名、辉煌,其记忆和心智,多半会停留在那个地方,不再容易往上长,不可能走出那个旋涡。这就可以解释,为什么,童星无论长多大,都永远是成人世界里的儿童,恃娇怙宠,一副弱智的神态;为什么年轻时成名的作家,往后无论怎么写,都超不出那一时期的业绩,总沉浸在过去的回忆里絮絮叨叨;在某一时段成名的当家花旦、当红小生,其艺术水平,也是摸爬滚打,总在成名期附近绕小圈子。

邵宝娟的大脑记忆旋涡,严重迟滞在她的当红时期。拔不出来,走不出来。即使遇到困顿、面临下岗失业,仍然走不出来。在她刚刚参加工作的那个年代,毕业生国家包分配,中文系学生是万金油,出来什么都能干,他们最愿意去、最吃香的地方是政府机关,其次是报社杂志社。电视台还不太被人所认识。最初,她被前市长从北大招回来到祁阳电视台后,先是当编辑。那会儿的编辑权力大,融合了现在制片人和编导的全部功能。偶然一次,播音员(那时还不叫主持人,只叫播音员)生病出不了镜,邵宝娟临时顶替上去一次,没想到播出效果还不错。从此她就对明晃晃镜头下的播音发生了兴趣,一定要亲历亲为,把这块儿的事儿一起拿下来。

她就开始狂练普通话。其实早在北大读书的时候，她就暗地里偷偷学习北京话，费力地发着那个北京儿化音，努力纠正自己的外省口音。这是每一个外省来的女生为打消自己对北京城的自卑，都必做的举动。然后她们回到家再见朋友同学时就会说：我并没有说北京话啊！我这不过是近墨者黑而已。

现在，她要上镜了！光学会说北京话还是不够的。还要学会发播音员的标准音。她通过一门远房亲戚，联系到本省话剧院的一个老演员请教，然后每天晨起，跑步到小公园里，在僻静无人处，嘴里含着石头，练发声，尽量把口腔张大，学习用腹部呼吸。那情景，比在校园里晨读、背外语还要虔诚，还要用功。果然，功夫不负有心人，没出多久，她的普通话就已经说得相当漂亮，一点方言痕迹都没有。偶尔说得急，会有个别“ZH”“ Z”平卷舌不分，但是，这也成了特点，成了父老乡亲们认同她的地方，令她有股子说不上来的亲和魅力，更像他们的邻家闺女。

那是她绚烂的当红花旦生涯。因为走红，让她变得漂亮了。其实，她本身也不难看，明亮光洁的额头，一笑嘴角两个梨涡，很可爱，很俊俏。再加上很青春，才二十出头，就更招人喜欢招人爱。青春就是无敌杀手，是美容良药。青春的脸蛋水分充足，红润细腻，吹弹得破，睫毛漆黑，忽闪忽闪，脸面上轻轻扑一层粉便得了，哪里还用卷什么睫毛、抹什么胭脂、打什么腻子、抹什么昂贵的美国进口粉底 benefit 牌子的猪油膏！

邵宝娟以她青春的面庞，选题的恰当，工作的用心，分外得意受宠。她就越发气抛如虹，一飞冲天，牛势收也收不住。荣誉接踵而至，台里收视率最高的节目，德艺双馨模范，最年轻的市政协委员、全国三八红旗手，省委宣传部挂号红人……荣誉来时，简直劈头盖脸，容不得她假装谦虚客气躲闪。

一片赞扬声中，她的智力飞快成长，她的自信也在不断增强。她指点天下，睥睨众生，啸傲全球。没有什么国家事天下事不在她的视阈中，没有什么地球人不在她的捭阖里。她学着那些北大才女们的特有方式,学会了抽烟,咕嘟咕嘟地抽烟,烟瘾还很大。人们见到她成熟版的形象,往往是会议上一手提烟,一手抚案,下颏上扬,听到不耐烦时抬手往当空一劈:你住嘴!先听我把话说完!

何等的潇洒气派!

才气和豪情分毫毕现。

她那短暂的事业上风头正劲时代,也是她跟黎曙光俩过着捉襟见肘生活的时代。

生活是贫寒的,但也是快乐的。有了憧憬和理想,别的可以一概视而不见。

她不管家。她不理财。家里像个猪窝,日子过得像猪在拱圈。

两个人像两头猪。添了孩子,三个人像三头猪。

儿子一出门会这样向小朋友炫耀:“妈妈是电视台著名播音员,爸爸是建筑研究员设计师。我妈是北大女生,我爸爸是清华男生。”

她听了,简直乐开怀!这还不够响亮吗?妈妈是北大女生,爸爸是清华男生,简直天造地设,人间绝配!还不够响亮吗?还不够豁亮吗?已经顶天了!还要怎么样?

不管世道千变万变,她的心中挺拔一根支柱:北大女生。

北大是北大的通行证。

北大是北大的座右铭。

“北大女生”是她的命。

在生活面前,命定她不能永远静心而知足。

她只能高于生活,而不能跟生活相对接。

现在,世道不古。她这个北大女生也不得烟儿抽了,也不得不面临着要下岗的选择。

怎么办?文艺频道的娱乐节目,也做不下去了。她果真要沦落到和那些大爷大妈门房打杂的烧锅炉的一起挤到服务中心去吗?

当然,有些人不在乎,服务中心就服务中心,档案挂在这里,自己出去挣外快，干别的活赚钱。

她不行。除了电视，她不知道自己还能干点什么。再则说，人要脸，树要皮，她折不起这个面子。

过去永远成为过去，沉寂在记忆里，尘封在一盒盒老式的节目录像带里。也许，百年之后，甚至千年之后，才会有研究中国当代电视发展史的人，钩沉辑佚，挖坟盗墓，也许还能挖掘出她所属的电视台、她所主持的节目在二十世纪后半叶电视普及草创时代的价值，重新评价她们那批创业者的价值。

可如今，有谁还记得她呢？那个曾经走入千家万户、说话嘴皮子倍儿快、邻家闺女一样的主持人？

过去的辉煌，已经无法搬来对冲今天的工资。

她的落魄和焦虑已经挂了相。她的头发乱蓬蓬，她的脸上乌糟糟，她的双眼饱含黄疸血丝，蝴蝶斑已经悄悄爬满了两颊。她整个人实际上已经呈现严重内分泌失调，忧思恚怒，肝郁气滞，肝脾两伤状态。她沉浸在焦虑躁郁中，孤独自闭，把自己关在家中一星期，不下楼，不见人，不接电话，不与人联系，不洗脸，不梳头，躺着，起不来；起来了，走不动，不知道要干什么，不知道该往哪里去。她的浑身肌体的兴奋度降到最低点，她的免疫力降到最低点。怎么办？怎么办？一次又一次失败的打击，让她经历最沉痛的内心挣扎。事业跌落到谷底，人生也就降落到谷底。她的人生是以事业为基石、以事业为唯一价值衡量体系的，现在，把这块石头抽离开去，哪怕这块石头只是微微一颤动，也会震得她魂魄分离。一个从来都一帆风顺的红苗子，在人生的第一个挫折面前，投降了，缴械了。她觉得一切都无法面对，无法面对众生，无法面对父母，无法面对自己。老公呢？老公在离此不远的遥远处，正忙于他自己的新事业，似乎比自己还要焦头烂额。跟他说他也帮不上什么忙。她忧思无尽，心情抑郁，胸口一阵一阵痛意袭来。越想越是往死胡同里钻，想到最后，甚至就连死的心都有，心想自己若眼睛一闭，身后的这些烦恼、没有出路的烦恼就都没有了吧？人前抬不起头来的失魂落魄之相也就不存在了吧?

想着想着,果然一幅死后的祥和图景展现在自己眼前,金光万丈的样子。她就闭眼冥思着,享受这暂时的心静。猛不丁的电话铃响,将她的幽思打断。她不耐烦地瞅了瞅座机来电显示,见是母亲家的号码。她没有理,而是继续妄想下去。母亲家的电话铃声锲而不舍,直至把她逼得无奈地从床上起来,拿起了听筒。还好,不是什么父母亲身体不好或者儿子学习方面的坏讯传来,是母亲把她惦念,一听她接电话,母亲说:干什么去了这一礼拜也没见你人影?打电话手机也不开?问你们单位,说你休假了。究竟出了什么事情?

母亲的话语,唠叨又充满疼爱,散发出袅袅亲爱的人间烟火,冲散了她此刻满腹的怨尤悲哀不祥之气。她撒谎说,这几天感冒了,头疼得厉害,一直在家里吃药休息。母亲立刻担心地说:感冒了?严重不严重啊?一个人在家能行吗?要不我和你爸过去照顾你?

邵宝娟忙说:不用啊,是小毛病,已经好得差不多了。

母亲执拗地说:那不行!曙光不在家,你一个人待着我可不放心,这万一烧大发了,连个给端杯热水吃片药的人都没有。等着,我过去,陪你上医院啊。

邵宝娟忙劝说:妈,你可别来了,我真没事儿。要不这样,我过去吧,待会儿到您那儿吃晚饭。

母亲说:行。我和你爸做好了饭等你。想吃些什么?

邵宝娟说:啥也不想吃,煮点粥就行了。

被迫着起身、开机的邵宝娟,现在必须打起精神,稍事修整,洗脸擦面,仍然恢复成像个电视主持人的样子回家去见父母。无论怎么样,无论发生了什么事,她都应该自己的事情自己扛,不应该让年迈的父母替她忧心。

出了门,茫然彳亍在大街上。原来外面如此秋高气爽,倒显得躺了几天的屋子像个狭窄囚牢。她像一个久居洞穴的鼹鼠,一头冬眠的北极熊,被迫着醒来,有点战战兢兢、不胜惊奇地打量眼前这一方阳光灿烂的世界。世界没有变。世界阳光普照。世界在她眼前，就在一小时前却还如此黑暗。城市熟悉而又陌生。绿草蓝天，河水轻盈，小鸟在天空愉快地歌唱。沸腾的车流，川流不息的人海。车水马龙，人来人往。人们脚步匆匆，人们步履闲适。小孩子在草地上踉踉跄跄奔跑着学步，老人拿着蘸水毛笔在水泥路面上画着颜体大方块字。一切都那么安详，一切都那么简单幸福。

望着蓝天，迎着微风，走投无路、失魂落魄的邵宝娟感觉到一丝丝舒爽。好像情形并不是那么糟糕，没有人跟她一起感觉到糟糕。这么多年来，她在天上飘，钻在她的象牙塔里，好像从来没有很好地脚踏实地打量一眼街景和市容。就在她的忽视之中，城市变了。城市以惊人的速度在发生着变化。人的心情也随之变了。只不过这变化体现在她身上却微乎其微，她并没有心思去关注去体会。

时间快到晌午了。肚子里的饥饿引她走到小公园门口那个卖煎饼果子的小摊前，准备要一个摊鸡蛋卷煎饼。邵宝娟平时由于工作忙，心思全在做节目上，她从来不讲究吃饭质量，通常都是吃工作餐盒饭，怎么快怎么来，得对付就对付。早上上班走得急，小摊前买上一根油饼油条边走边啃的情况也很常见。煎饼果子小摊前边有几个人在排队，看来生意相当不错。两个小孩子在小摊车周围跑来跑去嬉闹，那个摊主妇女还不时吆喝他们别乱跑，小心车子撞上。邵宝娟觉得她眼熟，好像她占在这个小公园门口位置上卖煎饼果子有好几年了。从前她记得看见的是一个小孩在围着车子跑，现在变成了两个。看着这个颧骨上团着两块红的风尘仆仆的妇女，她的思绪飘忽开去，她就暗自思忖：假如有一天，自己真是没了活路，下岗自谋职业了，也来卖煎饼果子，能不能活下来呢？

咬了一口松脆的煎饼后，她给自己的回答是，能！别人能做的，自己肯定也一样能。这个年轻妇女，过去在卖煎饼果子，今天仍还在卖煎饼果子，孩子从一个增加到两个，很知足，很快乐，一点没有怨尤，那么自足快乐地活着。自己是谁？是什么人？一旦没了饭碗，没有工作，下来摊煎饼果子靠双手挣钱劳动养活自己，又有什么不行的呢？

生活的意义到底是什么呢？首先是活着，生存，然后才是快乐，安康，创新，富足。这么普通的真理，不是把她所要求的高蹈、骛远的目标和真理都给涵盖了吗？

她一边思忖着，一边认真吃完了这个可口的煎饼果子卷鸡蛋。这几天一直食不甘味，吃过饭还是没吃饭她也记不得了。这会儿，心情平静下来，一个普通的煎饼果子却也咂摸出滋味来。

吃完了，抹抹嘴。耳听得哪处却有悠扬的琴声传来？循声走去，却是过街地下道里，一个小伙子在吹萨克斯管，一曲《回家》。那个大学生模样的小男孩（她想她真是老了，见到二十出头的小青年，就会本能地联想到她儿子，本能地称人为小男孩），长得眉清目秀，头发油黑油黑，软塌塌，有一绺还搭在额头前，更像是个艺术院校的学生。他在面前摆上了一个洋铁皮饼干桶，桶里有零星的毛票和硬币，路过的人随意地往里放上几毛几块。男孩并不注意来来往往人群的走动，也不去看谁扔下的钱多少，而是专注凝神地吹着萨克斯管，音符袅袅飞升起来，飘拂弥散在地下道里，弹射在四壁后再打回来，共鸣效果特别美妙。邵宝娟驻足，在离男孩有一米多远的对面停下来，专心地听着，心里还在想，能吹这么好听悠扬的萨克斯管，怎么还会在地下道里吹？

男孩的心思很单纯，并不在乎别人怎么看，好像也不多想，只管吹，只顾沉浸在音乐世界里，仿佛吹奏本身就是莫大的享受，只要能吹奏就是莫大的满足。他虽然并没有朝她这边看，但是却意识到了有人在倾听，所以也就吹得格外认真卖力气。

一曲终了，邵宝娟长长地出了一口气，心情似乎也明亮不少。她走近前去，弯腰在盒子里放上一张十元钞票。小男孩这才抬起眼来，腼腆地朝她笑了一笑。邵宝娟也朝他笑了一下。然后慢慢转身离开。却听得身后萨克斯管再一次吹响，这次却是一首她永生难忘的歌曲，*Sailing*（《远航》）：

I am sailing, I am sailing
home again'cross the sea.
I am sailing stormy waters,
to be near you, to be free.

I am flying, I am flying
like a bird'cross the sky.
I am flying passing high clouds,
to be near you, to be free.

Can you hear me, can you hear me,
through the dark night far away?
I am dying, forever crying,
to be with you;
who can say?

悠远的曲调,让邵宝娟的心弦一下子被拨动了!她已经伸腿迈在台阶上,这会儿却抬不起来脚,被那曲声牢牢粘在原地。从前,那还是在年轻的时候,在校园里,唱这个歌的歌手 Rod Stewart(洛·央都华,二十世纪六十年代英国著名摇滚歌手),曾经是她和黎曙光的最爱,他那沙哑苍凉的声音,撩拨起他们少年强说愁滋味,也有一份穿越大海走进未知征程的憧憬和期盼。他们牵手坐在未名湖边,随身听的耳机分开,一人一个,听着这沧桑的歌词,苍茫的意境,嘴里吟诵着它意译过来的歌词。

直到这时候,她才又想起了黎曙光,她的丈夫、老公、亲人。想起他们共同的青春,想起那时假期短暂别离后开学迫不及待到一起的情景,她用《诗经·郑风·子衿》表述自己的思念之苦:青青子衿,悠悠我心。纵我不往,子宁不嗣音?他就吻着她满脸思念与娇羞的泪痕,然后快速调皮地重复她的话说：你那青青的衣领啊，深深萦回在我的心灵。虽然我不能去找你，你为什么不主动给我音信？

现在，她已经不想他了。很少想到他。他是他，自己是自己。想了也没用，想了也解决不了任何问题。岁月令他们早就没了单纯的少年情愫，剩下的就是现实人生，对他们这两个心高志远的人来说，不是柴米油盐的日常人生，而是兼济天下、实现自己人生价值理想的高蹈人生。他们在各自拼搏的道路上展翅高飞，越走越远，别说思念接吻，就连牵手也想不起牵了。

我在穿过大海远航，想要重回故乡，
乘风破浪，只为向你靠近，到达自由之乡；

我在穿过云朵翱翔，像那鸟儿张开翅膀，
劈云斩雾，只为向你靠近，到达自由之乡；

你可曾听到我的歌唱，可曾听到我的迷惘？
路长长，夜茫茫。
我命垂危，人世凄凉。
有你相伴，宛若天堂……

落魄时节，绿树成荫的一刻，在地下道里偶然听到《远航》，邵宝娟竟不禁潸然泪下！不知为什么，她总觉得这是冥冥之中的一股力量，在召唤着她，提示着她。这时候她还不知道召唤、提示着她的是什么。我在穿过大海远航，想要重回故乡，乘风破浪，只为向你靠近，到达自由之乡；路长长，夜茫茫。我命垂危，人世凄凉。有你相伴，宛若天堂……

《远航》的曲声一直伴随着她走出很远很远，仿佛一道谶语，袅袅不散……

邵宝娟的新节目《幸福指数》上马了！缘起竟是母亲的一席话，不经意的一席话，惊醒梦中人。那天回到家，回到母亲家蹭饭。黎曙光不在家的日子，她常回母亲家吃。那天她到家时的心情已经好多了，被萨克斯管儿的音乐沐浴过，被街上的人群感染过，心里有点像水洗过似的，去除了许多抑郁和悲哀。她帮着家里的老阿姨一起择菜做饭。母亲家里从前一直反对雇保姆，两位老人说自己还干得动活，家里出来进去有个外人，不方便。这两年父母年岁大了，过了七十以后腿脚也不太灵便，好说歹说，才使他们同意，从父亲乡下老家找来一个老阿姨帮他们忙。说起来可笑，老阿姨也有快七十岁了，身体倍儿棒，比她父母身体强壮多了，人很和善，一脸佛相，做的饭菜也比邵宝娟母亲做得好吃，全家人都很满意。她是一个远房亲戚介绍来的，知根知底。老太太没有老伴，几个女儿都出嫁，一个儿子在省城里打工，老太太想离儿子近点，又不想给他添麻烦，就答应来邵家帮忙，收拾收拾屋子，做做饭什么的。

等到饭菜做好，晚饭端上桌，儿子小波也放学回来，一家人团团围坐。邵宝娟还陪老爸简单喝了两盅。全家人边吃饭边看电视，正好是晚七点半开始的本地民生新闻。那个小女主持人她见过，台里新来的，长着两个兔牙。她正在报道的又是本市某某小区一起入室盗窃强奸案，好像那个小区离母亲家住的这个地方不算很远。母亲看了一眼，就让换台，说不看不看！看多了不敢出门，半夜睡觉做噩梦！你说现在这个电视新闻也太不像话，总是血丝忽拉的，全是揭短，揭阴暗面，前两天连杀人剖尸过程也全给演上了，说是“现场复原”，你们台里也没人管一管？

邵宝娟说：这不是能吸引眼球、提高收视率嘛！

母亲说：吸引眼球也不能那么吸引，像揭开下水道盖，搞噱头，追求刺激。这么大个城市，整天怎么就到处就是杀人抢劫强奸？就没有好人好事了？

父亲这时笑着接话说：你看你妈，觉悟多高！不愧是老共产党员啊！

母亲说:你说我说的有没有道理？反正那些整天扒皮抽筋的节目，我是不愿意看，我也不愿意让小波看见。你们电视啊，还是要做一些让人看着喜兴、高兴的节目。

老爸接口说:对，对，也就是光明的、阳光的、正面的，好人好事。

邵宝娟听了，眼前一亮，说:咦？你们真是这么想的？

母亲说:这还能有假？不愿意看就是不愿意看嘛。

邵宝娟又转过头来问家里的老阿姨:阿姨您说呢？您愿意看什么样的节目？

老阿姨说:我就愿意看见谁在这个城市里找到好工作了，发了财了，想看看哪家儿女更孝敬父母，谁家孩子更有出息。

邵宝娟还有点不相信地追问说:您真是这么想吗？没有骗我吧？

老阿姨说:这孩子！我这么大岁数骗你干什么？我们老了，活一天少一天，谁不愿意看喜兴的子孙兴旺的事？谁愿意看那些整天耷拉个脸子、抢天嚎地的？丧气！

邵宝娟思忖着说:唔。有道理。我怎么没想到呢！

说完，饭碗一推，站起来要走。母亲问她着什么急？她说，妈，我得回去，有了新想法，我得立即把它写出来。我想试试，能不能打造一档新的“民生新闻”节目，就按你们说的，专门表扬好人好事。

母亲说:那敢情好！老百姓准愿意看。写东西也得吃了饭回去再写。

邵宝娟说:不了。我立马就回去。

说着，急匆匆扭头就走。母亲在后边嗔怪说:这孩子！风风火火的！没个稳当劲儿。

父亲在一旁笑呵呵说:这还不都像你？

母亲白了他一眼:我的闺女，咋，不像我还能像别人啊？

言语之中满是骄傲和自豪。从小到大，邵宝娟就是在父母的这种骄傲与自豪语气之中成长。她的心里，也从不敢辜负了这片骄傲和自豪。

上新节目，说起来容易，做起来难。回去以后，她先列出了一个选题策划案，但是也并没有十足的信心保证这个节目能受欢迎。人生是什么？幸福是什么？老百姓爱看什么？究竟需要什么样的节目？自己的节目从前总是倾向于对世相挖苦讽刺，对这些问题漠不关心，还认为自己是在行使知识分子和一个媒体人对社会批评的责任，到后来甚至一意孤行，闭门造车，孤芳自赏，无端讥讽挖苦得大发了，并没有注意到它带来的严重负面结果。看来遭到老百姓腻烦和逆反、收视率下降也是必然的。

以前她总不服气，从台里找原因，从收视率统计的阴谋性、不准确性上找原因。如今静下心来，从头思考，的确存在这样那样的问题。时代变了。我们这个经济飞速发展的时代究竟需要什么样的电视节目？主宰媒体的究竟是什么样的收视率？看到那些节目里整日价挖空心思，播出强盗土匪杀人越货、老百姓怨声载道的节目，法制热线重点不在讲解法律，而是在于还原犯罪现场，成了犯法教科书；打着“心理热线”旗号的节目成了暴露隐私、夫妻吵架离婚、插足的第三者和原配老婆对簿公堂的大本营，吵得那个热闹。

她手拿遥控器，挨个翻看着那些个频道，看着看着，她也觉得不对劲了。如果所谓“收视率”，就是被动收看这些节目，那么，我们这个社会，光明在哪里？幸福在哪里？还有没有亮点了呢？为什么就连像自己母亲和保姆那样的人也会对此感到不满？经济发展了，GDP 增长了，国民对未来的信心真就下降或被传媒播得看似下降？马路上街道里果真就天天上演充斥着杀人越货兄弟阋墙？

她陷入深层思考，并不断去查资料，悉心做社会调查，想找出问题的症结所在。美国前总统肯尼迪的一番话似乎解开了问题的答案，“GDP 衡量一切，但并不包括使我们的生活有意义这种东西”随着社会经济的发展，关于幸福的概念和定义业已发生了改变，政府要解决有关福利政策、人口流动、就业状况、出生率、环境污染、经济自由、贸易保护、税收政策等等问题，而作为一个媒体人，促进提高人民生活质量、提升人们对未来的信心、提高社会凝聚力，这一点职责是永远不变的。

确定了这一点，她心里有了谱。接下来，她仔细认真研究了收视排行榜，确认了自己的选题想法，等到这一切工作都结束，她才对自己即将上的这一档节目的前景充满了信心。甚至连主题词她都想好了，《幸福指数》，“关注民生，关注幸福。传递人文关怀，打造幸福人生”。她要拉起队伍自己来做，自己做制片人，集编导主播于一身。

递交上去的选题方案很快得到了领导层的通过。台里对她的计划很支持，鼓励她大胆去实施。只要你的节目好，观众爱看，我们肯定会隆重推出的。台里领导说。但是，意向上的支持，并不等于资金就有保证。具体运营当中遇到的最大一个问题是需要钱。她从来没有自己筹措过钱，也没有考虑过节目原来是靠钱支撑推动运作起来的。这回可是扎扎实实让她经历了一把。台里不会再给拨钱，需要自己去找。各部门都是独立核算，片子做好后由台里回收，按收视率算点，予以结账清算回款。什么都需要钱。租机器需要钱，做后期剪辑租机房需要钱，职员的劳务费需要钱。出去采访交通费吃饭打车需要钱，找新闻爆料奖励需要钱……一分钱难倒了英雄汉。更何况她还不是英雄，她只是暂时落难处于人生低谷、处在待业边缘的一个中年妇女或者一个“准中年”女人。

她把她的“幸福方案”四处跟人游说，逢人便讲，跟那些她认为能够拿出钱来投资她帮她的人讲，人们纷纷表示赞赏，表示支持，认为她的看法高，她的主意妙！是该拨正了！他们说。是该让人民看到一些人世间的光明和希望了！他们说。你这是在替天行道，在替老百姓做好事！他们说。

他们一听说需要资金运作，听她刚刚透露出来一点想要借钱、想要拉钱的口风，就急忙往后缩，那些夸她的、表扬她的、从前跟她有过交往的同学、同事、朋友，一听说要投钱，就都纷纷改口，说，嗯，啊，这个，不太好办。这档节目的预期应该说不是很好，不如娱乐节目有效应。还是慎重，别轻易上马吧！

她的自尊和自信，也就随之一点点塌陷、降落，刚刚起飞，却又中途折了翅膀，一点点又要降落回原地了。

这不行！这怎么行！

她咬咬牙，豁出去了！谁也不求，就靠自己，靠抵押房子，贷款，这档节目也要上！

一个制片人什么样，一档节目就什么样；一个制片人的思想、精神风貌是什么，就会控制节目朝哪个方向发展。

《幸福指数》节目如期播出了。效果出奇地好！

人们又看到了社会的光明，看到了人间的希望，发现了生活中的美满与幸福。人们同时也看到了人与人之间的真诚友善和美好。

人们看到了笑脸。拾荒者在八月清风中的明媚笑脸。他们大大方方，翻着垃圾桶，捡拾着路人丢弃的矿泉水瓶子，像是捡拾到宝贝。镜头对准一个正在归类三轮车里拉的废品的中年拾荒人：你觉得现在的日子幸福吗？拾荒人眯缝着小眼笑着答：幸福！咋不幸福呢！俺从农村来到城市，现在俺媳妇孩子也跟来了，孩子还在城里上了小学，俺有吃有喝有住，俺很幸福！捡破烂有什么不好？靠自己双手劳动挣钱，没有啥见不得人的！俺听说就连国外也有丐帮，听说总统到时候还跟他们拉选票呢。

镜头又对准一个走街串巷蹬三轮车收废品的老者：大爷，你觉得幸福吗？老者张开没牙的嘴，笑着说：幸福！啥幸不幸福的？有吃有穿就是幸福！说着，又蹬上三轮车，一路吆喝着："收废品嗳——"坦然而去。

人们也看到了知足。镜头一：一对菜市场卖菜的年轻夫妻，小两口面带微笑唱收唱付，忙着过秤、递菜、收钱。身旁，孩子在摇篮里甜蜜地睡着。挨着旁边，还有一个戴红领巾的上小学的孩子伏在一个倒扣过来的菜筐顶上在写作业，菜市场的嘈杂声丝毫也影响不了她的专注神色。问起他们：你们幸福吗？他们开心而知足地笑：我们儿女双全，有什么不幸福的！我们现在多劳累，多挣点，攒钱将来供孩子跟城里孩子一样上大学，受最好的教育。

镜头二：一个汽车修理厂的打更大爷，乐呵呵跟来来往往的邻居打着招呼，还免费帮他们照看、修理自行车。问起大爷，您幸福吗？大爷说：啥？你问幸福？我这一把老骨头，没想到还能赶上今天的好日子，知足啦！儿子买了房，把我和老伴接到城里来住，我也不能总闲待着，这不，找点事情做，手里头还有点抓挠。

人们还看到了快乐。镜头一：一个的士司机，拾金不昧。失主领回失物时，表示要现金酬谢，被的士司机谢绝了。“遇到谁，都会这么做的。能替人解点忧，我自己也快乐。”他说。他的话，朴素而真诚。

镜头二：一个海外华人、第二次来大陆献血的 RH 阴性干细胞捐献者，跟被捐助者见了面。脸上的那种惊奇、幸福感，十分打动人心。“我觉得这没有什么，自己只不过是献出很少一点血，却能够救活这样一个小生命，我感到十分神圣，也十分快活。”他说。

…………

他们都是普通平凡的人，甚至还可以称之为是一些穷人，一些生活在底层的并不富裕的人，然而，他们却活得比富人更感觉到幸福，比那些地产商、CEO、银行经理、IT 业白领人士更感觉到快乐。他们不担心投资风险，不担心存款贬值，每个微小的进步都值得他们欢欣，些微梦想的实现都让他们感到愉悦。他们的幸福指数，远远高于那些贪得无厌、只知索取、不知奉献的人。

“我们的社会不缺少美，也不乏善，更不是没有幸福，而是缺少一双发现美的眼睛，而是缺少发掘善的心灵，更是缺少打造幸福快乐的心胸。”这是邵宝娟在节目最后所做总结里的一段话。《幸福指数》节目先是在生活频道里试播，几期过后，收视率扶摇直上，爬升第一，赢得一片赞誉之声。节目很快向综合一频道黄金时间转移，代替了原来那档揭露阴暗面的市民猎奇节目。

节目主持人邵宝娟，也终于回到熟悉的镜头前！昔日的主持人大腕,也终于重回电视一频道!

邵宝娟深深感慨!她尝到了时代改变的滋味。这滋味尝得这样苦涩,让她以倾家荡产作为筹码。时代也以一种不可逆转的力量,使她从云端降落到地面,将目光真正注视打量芸芸众生。她的心灵更笃实,她的神经也更坚强了。她有点凤凰涅槃浴火重生的味道。她为自己绝处逢生而快慰,而庆幸!

这些,他知道吗?黎曙光知道吗?

他什么也不知道。也不是她有意瞒着他,而是没必要说。说了也没用。他帮不上忙。

虽然生活在同一个家里,他们却早就忙得彼此就像路人,家就像旅店、宿舍。甚至连抵押房产,她事先也没跟他说。等钱收回来,再赎回来就是了。有什么大不了的。自己家里的事情,自己还做不了主吗?难道还用和他商量?况且,当初这买房子的钱,有绝大部分,是卖掉原先台里分给自己的公房的钱,应该属于自己的功劳。黎曙光在家里大事上一般都由妻子说了算。

她也不是没想过,万一这节目砸了,收视率上不去,广告点数不到位,投资收不回来怎么办?

能怎么办?那也没什么了不起的,不是还有黎曙光没失业吗?不是还有他能挣钱吗?这几年,他挣的钱逐渐超过自己,拿到的奖金、设计费逐渐比邵宝娟挣得多,一旦邵宝娟这边不行,接不上捻儿,一时半会儿,他也养活得起她们娘儿俩。

她这么想着,是为了给自己安慰,为了给自己的大胆行动增添一点壮胆的动力。

节目收视率上去了,她也快累倒了。起点太高,每天半小时的节目,从采到编到播,两个人根本盯不住。又招了一个播音员轮班,一人一礼拜轮换。她事必躬亲,追求细节完美。她常常感到睡眠不足,失眠,心慌,胸口疼,胸闷,喘不上气。有时还常伴有疼痛,不知是哪里,从后背到前胸串着串着的疼痛。到台里医务室拿了点药,安神片之类的,医生说就是累的,亚健康,时髦病,精神压力过大所致。自我调节一下,减轻压力,就啥事都没了。她心说:说得好听!自我调节,减轻压力,我调节得了吗?我减得轻吗?谁家的房子抵押在银行里谁不压力缠身谁能减得轻?!

眼见得回款一点一点打到她的账面上。她的嘴角才露出了一丝丝笑容。

此时她把家忘记了,孩子忘记了,丈夫也忘记了。她在求生挣扎中想不了那么多,顾不了那么多。她只想先解决财务危机,先解决事业危机。

从凇州采访回来,她立即一头钻进机房,编辑刚采访来的素材。现在凡事都要讲究效率,这机房也是按小时租用付费,简直是周扒皮,他们就像给地主家干活。她全神贯注地编着,抓紧时间,手不得闲,眼不得闲。手机“丁零”一响,一条短信进来。一看号码,这又是她的搭档,那个广播学院刚毕业不久的小伙子发来的。这小孩是她亲自从一群来找工作的大学生里挑来收下的,学习成绩不错,性格活泼快乐,属于那种阳光男孩。小伙子聪明,跟了她没多久,很快就能上道,明白她对节目的要求和旨意,镜头的角度选取和光线运用都很合她的心思。业务很快就熟练起来。她还有心培养调教他,熟悉整个节目制作的全过程,以后就可以和自己轮流主持,也能把压力分担一下。小孩到底是小孩,没事儿热衷于发短信逗闷子,那双手,如果不是在摄影机器上,肯定就在手机短信按键上,再不就是电脑游戏键盘上。这不,又发来一个解闷解颐的段子:

投身电视英勇无畏,趾高气扬貌似高贵,其实工作极其琐碎。为了生计吃苦受累,鞍前马后终日疲惫。领导挑刺照死赔罪,点头哈腰就差下跪。日不能息夜不能寐,急活一来立即到位。屁大点事反复开会,一年到头加班受罪。劳动法规统统作废,身心憔悴无处流泪。工资不高经济崩溃,抛家舍业愧对长辈,身在其中方知其味。我们哪有社会地位,全靠傻傻自我陶醉。

看完以后。她笑了笑。最近以来她难得有笑意。她笑这个编段子的人很有智慧。一看就是个电视职业人编的,深知个中三昧。看来这个行当的人都差不多,说是无冕之王,背后里遭的罪、受的累,常人很难体会。

她抬手给小搭档回了一条短信:看过。基本属实。然后又把手机放一边,赶紧埋头继续工作。

编辑机上播的是刚刚采来的凇州奥运民工素材。一群民工正蹲在地上平整地面,镶嵌看台上的地砖,见他们扛着机器过来,其中一个小民工仰起脸来,脸黑黑的,牙齿焦黄,他快乐地招呼说:大姐,给俺照照!你们照完了俺娘在家能看见不?

邵宝娟说:能!我们这是上卫视的,全国人民都能看得见。

小民工说:大姐,啥叫卫视?

邵宝娟说:就是通过卫星转播和接收的电视节目。

小民工"嘿嘿"笑着说:哟嗬!是吗?俺都能上卫星?太厉害了!

镜头一转,是她在采访另一群正在绑钢筋的民工。一个中年民工脸上也带着傻傻的却是灿烂的笑:在这里干活我们很高兴!将来我要告诉我孙子,这个全世界最大的体育场里有你爷爷在这里干过活。

她手拿话筒在一旁问:你们在这里干活,觉得苦觉得累吗?

一个操着冀中口音的民工回答:不苦,也不累。俺们在家干活,起早贪黑爬半夜种那点地,也挣不着什么钱,不比这累多了!这多好,能倒班休息,还能开工资,可比俺干农活强多了。

看得出,他们说这话时都是由衷的、真心的。

看着素材,听着他们朴实的话语,看着他们一点不掺假的笑容,她就知道,得!这期又成了!心里头的得意,那份成就感、满足感,溢于言表。手底下的按键剪辑动作也快了起来。

猛不丁,旁边的手机铃声响了起来。她瞟了一眼来电显示,不是台里来的，陌生电话，好像还是外地。她没空，不想接。不重要的电话，等到出了这个周扒皮付费机房再处理，免得占用时间。可是电话还挺执拗，丁零零响个不停。邵宝娟只好拿过手机，打开滑盖，“喂”了一声，里边传出一个清脆的女声：你是邵宝娟吗？

是。你哪位？

她把电话撂在桌上，按了免提键，一边说话，一边双手还忙着在编辑键上敲敲打打。

我想找你谈谈。

哪位？什么事？

邵宝娟有点既漫不经心又不耐烦。现在的垃圾电话挺多，不是保险公司推荐业务就是银行骗钱的。见对方磨叨不守规矩，打电话不先自报家门，她就没了耐性。

我是淞州电视台的。我叫孙佩佩。我和你老公好上了。我想跟你谈谈。

邵宝娟愣了一下，手不动了，十指弯曲呈静止状悬在键盘上方，眼睛也直勾勾地盯着屏幕上的闪烁。电话就那么撂在桌上，静无声息，空气在里边穿梭，流动，带来人生不祥之气。

愣了有那么几秒钟工夫，邵宝娟回过神儿来，按掉免提，用手拿起电话，对着送话筒，道：说你姓名！

那边说：我叫孙佩佩。

邵宝娟说：好。孙……孙什么？

对方说：孙佩佩。

邵宝娟用鼻子哼出一声，说：哼。你要怎样？

孙佩佩说：我爱上了你老公。我们已经谈婚论嫁。请你把他让给我……

后面又说了些什么，邵宝娟记不清了。合上电话，脑海中有很长一段时间空白。

她唯一能意识到的是，她的家里出问题了！

一直被她忽视的那个后院，起火了！

这可真是的，一波未平一波又起。她现在的全部心思都在工作上，都在处理事业危机上，从来也没想到自己家庭会出现变故。在家里，在与黎曙光的关系中，她仍然怀着莫名的优越感和一向的散漫，并不觉得会有婚姻危机的来临。而对事业上的危机感，她却总显得异常敏感，有点风吹草动就立刻坐不住。家就像她与生俱来的一个器官，正常健全的器官，平素里并不感觉到心脏、肺、血管的存在，只有出了问题了，运转不正常了，器官才会以它自己的方式，尖锐疼痛的方式，来向主人报警。

但是，通常来说，这时候，就已经晚了。

家，和谐甜美的时候，就是一朵静静的花，散发出怡人的温馨；危机四起的时候，也是一个潜伏的雷，有摧毁一切的爆炸当量。

现在，这个雷，炸了。

转眼间，她的身体，就被炸得七零八落。

整个人都要灰飞烟灭！

19. 午夜广场的探戈

淞州市红旗小区下沉式广场上的地灯惨白，贼亮，是那种一排四个灯头的钨碘灯，在离地一尺左右的高度，从草丛中探出头来，与地面成30度角，分别从几个不同方向昂头向上探照。灯光准确地捉住了崔英姿不停旋转的两条白腿——那两条腿，除了明晃晃的白，也说不出太多的什么来，勉强可以说得上是纤细、匀称。

当然，还比较长。超过了一般淞州女人通常的腿的长度。贴在大腿根儿部位吊着的几缕碎布，随着身体的摆动起伏荡漾，仿佛多年老店打出的陈酿幌子。那却是一条时兴的劲爆天鹅裙，超短，飘逸，人一转起来，裙子下摆“沙拉”“沙拉”绽开，一闪，一闪，闪出了两条修长的白腿；又一闪，一闪，闪出了里边平角螺纹镶有蕾丝花边的真丝底裤。一条猩红色的真丝底裤。不是火红、殷红，也不是橘红，是猩红，故意与绿底白花的裙子颜色戗着茬儿，猩出一股狠歹歹的情色。

周围一群看热闹的民工受不住了，简直看得要喷鼻血。他们是一群正在给小区花园施工的民工，夜晚闲来无事，专门跑到人多的地方来看热闹。他们或蹲或坐在广场边草地和水泥地上，大张嘴巴，喘着粗气，一只只冒火的眼睛，直勾勾瞄在崔英姿的裙底，随着她不断变换的身形，打出一道道血红炽烈的追光。

群众却对此嗤之以鼻。群众就是那些穿着松松垮垮的大背心、大裤衩前来跳舞的红旗小区的正派居民。他们三三两两，搂搂抱抱，踢踢踏踏，懒散挪动着脚底下的舞步，眼光乜斜，态度倨傲地瞟向他们俩——崔英姿和她的男舞伴，那是一个陌生男人，不知打哪儿来的，霸着老崔家大丫头跳了不少时候了，别人一点插缝隙上前的机会都没有。那对妖冶俗艳跳舞的男女，众人把身体的距离拉得与他们俩远远的，似乎成心让他俩在明晃晃的灯光下单独现眼出洋相。

这是红旗小区里新兴的一项娱乐活动，有人把它归结到体育运动，有人把它归结到文艺运动，不管怎么说，总之吧，就是活动身体的运动，其意义，跟小区里那些图书阅览室、棋牌室里功能并列，都是打造奥运文明景象，改善和提高人民群众业余文化生活水平。

面对着周围群众的白眼，崔英姿和她的舞伴对此却浑然不觉，或者是根本不在乎。他们是故意用身体来找灯光的，故意让自己的双腿甚至全身都暴露在明晃晃的光照下。崔英姿依旧转圈儿，飞快地转。其实也不怎么快，只是紧赶慢赶倒腾着双脚在旋转，尽可能通过旋转的力量将裙裾更多地张开。她的舞伴，那个永远穿着黑色紧身衣裤的男人，干练，精瘦，浑身哪儿哪儿都绷得紧紧的，殷勤环绕她的裙裾伸手抬腿、扭胯耸腰。从后面看，男的简直是要屁股有屁股，要腿有腿，像是个专业舞蹈演员，他的拉丁舞姿也很标准，耸、抖、贴、揉，动作跨度大，每个细节都做得很到位。但是，离近了瞧，却会发现，他脸上的皱纹已经不少了，看样子总归也要有个四五十岁。

崔英姿呢？老崔家大丫头呢？神采奕奕，目中无人，忙着在灯光明亮处掀动自己雪白的两条长腿，抖动肌肉显摆着她的童子功，那是在二人转剧团练就的一身劈腿下腰的好功夫。暗夜的灯火让她身上流光溢彩，把她四十七岁肌肉的无情下泄完全遮住，只露出一身高挑好身材。她几乎是没穿袜子的，是的，裸着腿，光脚，穿着一双肉色的圆口拉带皮鞋，是半高跟，比起真正的国标舞蹈鞋还差有一两寸的高度。跳交谊舞的水平比她拿手的二人转抛手帕跑圆场功夫差一点，也就是个大众拉丁舞蹈培训班肄业水平。

这又有什么关系呢？崔大姑奶奶就是靠一条劲爆天鹅裙，两条大白腿，以及猩红色底裤的春光乍泄，就花枝招展地把众人目光勾住，就成了广场上的绝对女主角。男的，当然也就跟着沾光，成了广场上的第一男陪跳。

这个红旗小区中央下沉式广场从建成那一天起，就是中老年闲人的集散地，不光是他们小区的人，周围别的住家居民晚上没事也爱到这里，便宜，热闹，敞亮，白玩白看不花钱。年轻人当然不屑于来这里，他们的休闲娱乐场所是酒吧、迪厅、量贩式卡拉 OK 歌厅。那里喧闹、昂贵，要价不菲。淞州城里有钱有势的中年人，休闲寻欢也自有按摩桑拿洗脚屋，或者郊区的温泉度假酒店，谁能平白无故跑到这廉价的、近乎没有成本的露天广场？只有这些上了岁数的城市低收入者阶层，才会成天到晚泡在广场这种开放式的空间，耗在这里晨练、打牌、跳舞、遛狗、遛弯，消磨时光和宣泄欲望。

别的就不说了，单说夜晚的广场舞吧。每天都是从晚八点准时开始的。每晚八点，非常准时，看完中央一台的《新闻联播》和《焦点访谈》（淞州人不知怎么回事，这两年变化特别快，一下子从贫困户变成小康居民，摆脱贫困了，有闲钱了，买基金了，关心时势政治了，关注管理层每天有什么新政策出台要影响他们的基金净值下跌了，所以对国家大事尤其是财经新闻格外留心，这两个节目几乎每家必看），拾掇好了饭桌，关好电视机，然后就掐着表，匆匆出门，直奔广场中心地段灯光明亮处而去。那里，激动人心的音乐已经响起来了！

红旗小区居委会与小区物业达成协议，每晚由物业管理处派了专门人员负责拉电线、放舞曲。管理处的那个秃头男人每天都会早早地骑自行车赶过来，到达人们跳舞的广场中心地带。这里有十六根气势宏伟的高大巴洛克式廊柱，它的上边顶着几个绿色大气包，很像俄罗斯东正教堂的圆顶，但其实不是，只是一种没有用的装饰。一群群白色灰色羽毛的鸽子在里边出出进进，撒下一片一片的鸽子屎。廊柱旁边，是能够同时容纳一千多人翩翩起舞的巨大空场。白天，鸽子们在这块场地里练脚、觅食，到了晚上，这儿就成了中老年人类男女双双暧昧牵手、贴身贴肉、活动筋骨的娱乐场所。

秃头管理员每次都要从旁边一个值班的小屋里牵出电源接线板，然后将插座连接到一个老式收录机上。那本是广场养鸽人值班的屋子。每天晚上，鸽子们回笼以后，养鸽人都会用清水将广场水泥地面的鸽粪清洗得干干净净。被水滋润过的地面总是散发着某种动人的气息。

是啊，这里虽说是淞州棚户区改造工程的居民搬迁地区，说白了也就相当于是城市贫民区，但是它的小区环境建设并不很落后。非但不落后，而且还超前，成为全省棚户区改造的样板区后，各项建设投资相应增加，花园小区建设初见成效，花园绿地面积十分庞大，成了那些自己花钱买高价商品房住的人也要羡慕、也要眼红的一个地方。因为那些万恶的地产商剥削人的地方，才不舍得留下大片空场用来绿化呢，恨不能每一平米都盖上房子，好用来按平米卖钱。而红旗小区就不，红旗小区留出了能盖十栋楼那么大的面积建设出了一个巨型广场，取名“街心花园”。它有方圆，有纵深，有层叠起伏。那些颇似看台的一级一级的水泥石头砌起的花坛、水榭，在冬季枯干的时候，变得斑驳、沧桑，很像古罗马的斗兽场。乍一看去，视觉上显得非常震撼。西边转角处砌起几个红色小尖顶的鸽子窝，窝的背面镶嵌着意大利铁艺花窗。广场东边错落有致的喷泉、水池、雕像，完全采用古希腊风格。那个狩猎女神的水泥雕像上，常被鸽子给屙一身的屎。鸽子也不知为什么，特别喜欢站在雕像的头顶上排泄。

种种堆砌到一处的异国风情，气势恢弘，铺排讲究，同时也是杂花生树，不伦不类。初来乍到到这个广场的人，都止不住笑说：这是到了世界上的哪儿啦？这儿除了不像中国，说它是外国的哪儿都成。

后来人们才知道，这片小区，是由黑龙江的开发商建造的。他们把黑龙江老毛子的建筑风格原封不动带到凇州来啦！

怪不得呢！人们啧啧称赞。干脆，让他们把凇州的穷人区都建成黑龙江、都建成苏联得了！住在这儿都跟待在哈尔滨似的。

再说那个负责放乐曲的物业管理员。他把那个老式的仿佛当年黑白电视机那么大的收录机，放到廊柱脚下贴边不碍事的地方，然后从放满盒式录音带的大书包里掏出一盘曲子，塞进录音机里插好，准备迎接跳舞人群到来。世界早都进入数码时代了，他还在用卡式盒带播放音乐！想想，不愧是城市贫民区啊！落后得跟什么似的。曲子也是中老年人们所熟悉的，从郭兰英、王昆的老歌，到邓丽君、费翔、毛阿敏的演唱，应有尽有。不需要什么专业舞曲，只要能成调子的乐音便能就合着舞动。

但有一点，这里边绝对没有什么孙燕姿、周杰伦、刀郎、刘若英的歌，就连王菲、孙楠、那英都没有。凇州人的记忆，通通都留在了上个世纪八九十年代，或者是五六十年代，苏联俄罗斯歌曲盛行的那个年代。新人新曲他们凑不上，不熟悉，听不惯，踩不上点。

晚八点钟，只要音乐一起，人们就会自动从四面八方聚拢过来，各自寻上自己的搭子，跃跃欲试着上场。

多么好啊！夏天的夜晚，月光明朗，大地浩瀚。微风吹来，天地间一派宁静安详。广场上那些冬青、雪松、苜蓿、蔷薇、紫荆、垂柳、洋槐，接足了地气，在夜晚偷偷地铆足了劲的竞赛飘香。物种们繁殖很快，仿佛不到一会儿工夫，就已经把街心花园广场点缀得芳草萋萋，杨柳依依。据说这方广场下边原来是个垃圾场，土质十分肥沃。这里的地下水也比较适合于灌溉农田。

前来跳舞的，大多数都是住在红旗小区里的人们。据统计目前这里已经住进几万人，并且规模还在扩大，将来要形成十几、二十几万人的卫星城。他们穿着一点也不讲究，动作也很随意。男的穿着大背心大裤衩，有的人甚至还趿着拖鞋，跟出入菜市场没多大区别。女的也不打扮，素面朝天，肥大的衣服里边连个胸罩也不戴，一派家庭妇女习气。说是在跳舞，倒不如说是在走步，只不过是变成双人走的形式。有的是男女搭配，有的是两个女的搂在一起。倒是从没有看见两个男的搂在一起的。他们的手和手有意无意搭扣摩挲，脚和脚踢踢拖拖挪动磨蹭，激流情欲在暗中涌动，脸上却是一副见男不是男、见女不是女的平板表情。瞅那一个个神情漠然的样子，简直就跟从前参加扭大秧歌、打太极拳、打鸡血、喝红茶菌一般，免费集体性群众运动，不干白不干，去晚了就没份。

鸽子在头顶咕咕叫。狗狗在脚下汪汪窜。夜幕下的大都会，劳动人民的寻欢作乐，兴致盎然，单调如水，经久不衰。

突然，有一天，崔英姿就率领她的男舞伴杀将出来，把原本宁静气氛给惊扰、打破了。两人浓烈的表演作秀气息，逼得人喘不过气来。灯光下一大片最光滑、脚感最好的位置被他们占据，整个广场上的风头也被他们两个抢去。人们虽然还在随音乐做着跳舞的动作，心思，却全然不在自己的舞步上，全被广场中央这一对给搅散了。

一看他们就是有备而来，事先经过排练、预演，统统都练好了之后，才来这儿显摆、现眼的。那个崔英姿，他们知道，认识，老崔家的大姑娘，白天在五爱市场练摊，倒卖衣服，晚上就跑这儿来练腿练肉。那个男的，哪儿来的？不知道。干什么的？不知道。两人什么关系？不知道。干吗要穿成那副德行、跳成那副样子？不知道。统统都不知道。想不明白。也不过是夜晚纳凉休闲的群众性广场舞罢了，有什么必要穿得那么正规风骚？你就说那个崔英姿吧，那叫个什么玩意？也有点太过分了，虽然知道你美，长得漂亮，徐娘半老美人迟暮一点显示不出来，长相年轻，看着也就像是个三十来岁，但是，大庭广众之下，人过中年的女人还在裸肩露背，下腰踢腿，透着寒碜，透着惨烈，透着人生最后一搏的老不要脸。那个男的呢？扭着大屁股，腰胯甩得像抽了筋似的。又不是电视里的交谊舞比赛，并没有镜头对准着照你，扭那么欢实干什么？

尤其是那崔大姑娘的旋转，完全是无谓的，没必要，多余。她好像特别喜欢做旋转动作，那种无谓的旋转，比方说，录音机里唱到“真的好想你啊，你在我的睡梦里”，好像是一个军人妻子思夫的歌儿，唱到这个旋律的时候，有必要接连转上五个圈，旋转360度乘以5等于1800度吗？或者，“1979年啊，那是一个春天，有一个老人，在中国的南海边画了一个圈”，她就真的原地画起圈来，双脚飞快地倒腾，脚跟顶脚尖，把自己身体使劲顶起来转，转得像个没头没脑的陀螺。

尤其是，每当旋转，她的裙裾都就势张开，完全无遮挡地，面对着那些仰视的面孔张开，与其说是毫无防范，不如说是毫无羞耻。

——那些仰视的面孔，是小区里那些干活的民工。那些脏兮兮蓬头垢面的民工们真是聪明，他们选取了很妙的角度，一律坐在地上，都跟草丛中探出的地灯的高度相一致，正好是从下往上窥视的角度。他们是如此安静，乖顺，自动地，整齐有序地坐在水泥地上，忘记了蚊虫的叮咬，忘记了潮湿的沁浸，简直物我两忘，甚至屏气凝神，就等着她旋转那个时刻的到来——像孔雀开屏一样。

他们并不知道雌孔雀不开屏，开的，都是雄的。每当那猩红底裤一露面，他们的脑袋就“嗡——”的一声，血直往上涌，嘴也合不上，口角微微露出些涎水，看得直愣愣，一动也不动。

这种免费观看的底裤，比起其他娱乐活动，比如说去旁边的地下录像厅看非法黄色录像，或者去哪家隐秘的洗脚屋找小姐，更诱人，更魅惑，更安全，更自由，更引人入胜，更想入非非。

她的旋转，就是为了亮出底裤来对民工展览吗？看来暴露狂和窥阴癖最可以互相心照不宣。群众不由得对民工和他俩同时嗤之以鼻。群众虽然也是早先从民工一点一点变来的，但是他们获得城里人的身份后，就已经对后来者感到不屑，好像这城市就属于他们这些先来者似的。后来的人，就没有必要前来添堵捣乱，分他们热乎乎的城市生活一杯羹。

群众悉心观察打量过，崔大丫头和那个身份不明的男人，神情和关系都挺暧昧，说不清道不明。每天晚上，人们都看见他们分头而来，女的从一个方向，步行走来，她家就在这小区院里，而男的从另一个方向，从大门口外边骑自行车过来，看来不是这院里的人。他把车骑到这里以后二人会合。男人先把车子停靠在廊柱旁边，是一辆26飞鸽牌自行车，很旧。车筐里有水，瓶装矿泉水，还有擦脸毛巾，都细心准备了两套，他一套，给女人准备一套。他们都是在家里穿戴披挂好了才来，不是到了这里登台前现换的。

很难想象，穿着一身劲爆天鹅裙的女人，是怎样一步一扭招摇着走来的；也很难想象，穿一身紧身跳舞演出服的男人，又是怎样将丰厚绷紧的臀，压在生锈冷硬的自行车皮鞍座上，一路迤逦而行。男人的自行车旁边，就是一个公共昼夜停车场，那里奔驰、宝马、陆虎等好车应有尽有。他的自行车大大方方地泊靠在它们旁边，没有丝毫自卑的表现，在女人面前，举手投足，很绅士，很温存。女人呢，看来也乐得享受这份若有似无的关怀，心安理得，怡然自乐。

现在，这会儿，华灯初上，夜晚的幕布拉开。乐声响起。他们先在广场中央立定，亮相，男女手臂上扬，身体拉出一个架势，完全是正规表演前的模样，一上场就先声夺人。不像别的跳舞男女，哈着腰，驼着背，男的揪住女的，脚底一出溜，互相薅着衣襟就滑进场地中央去了。他们这对狗男女，做完亮相定格，就蓦地挥臂耸腰，爆发力很强地动作起来，肢体幅度很大。只要一动起来，就完全不管不顾，即刻进入状态，就仿佛这世界上只剩下他们两个人。仿佛，他们就是这露天广场上的王子和公主。不，不，也许应该说是皇帝和皇后。除了舞蹈，他们好像什么也看不见，什么也听不见。周围人的冷眼，民工的窥视，他们好像统统都看不见听不见。他们完全沉浸在自己的舞蹈世界中。

他们在自己的舞蹈里睥睨世人，笑傲众生，自给自足，相互挑逗，在卑微中起舞，在自信中亢奋。他们的低语没人能听得见。他们的对视没人能瞧得清。实际上，他们既很少低语也绝少对视，他们互相只用身体进行交谈。他是她身体的实际操纵者，他的手指像点穴，点哪儿哪儿开。旋转时，他的左手轻轻一推，右手高高擎起——她就乖乖转过身去，让身体打旋。双方身体的接触点，现在只是她握住他的一根手指，而不是全部手掌——以他的手指为轴，开屏旋转，这样她在晕眩之中的旋转方向才不至于太过偏离。

他的手指，她的手指，半含半握，半紧半松，隐秘暧昧。现在，说话成为多余，舞蹈就是他们的交欢语言。他们把臀耸得更厉害了，他们把胯扭得更邪乎。跳到《蓝色多瑙河》里的快拍时，男人箍着女人的腰疯狂旋转，周围灯光刷刷连成一片，简直不知今夕何夕，今年何年。一瞬间他们就仿佛有了凌波之姿，有了凌空之势，双双堕入美妙的晕眩。

崔英姿和那男的个子差不多一般高，所以，男人腰以下的支点，只能顶到她肉乎乎的小腹（肉乎乎，这就是非专业舞蹈演员的体质特点）。崔大丫头觉出了他的摩擦和崛起，兀自脸红，没有闪避，而是亢奋，动作更加隐蔽，俯仰离合皆是欲。

他们明修栈道，暗度陈仓。

他们在公开的半明半暗的交欢中，把舞蹈进行到底。

简直太不要脸了！这个老崔家大丫头！

早有人通风报信，把这消息传达给了她的瘸子丈夫孙二东。孙二东没言语，悄无声息，瞪了一双绿豆似的眼睛，每晚赶来，埋伏在暗处打量，妄图抓到双方搞破鞋的蛛丝马迹。

可是，没有。太难了。连续几日扑空。大庭广众之下，跳跳舞，活动活动身体，似乎也没有什么出格的。

孙二东并没有失去信心。是狐狸，总要露出尾巴的。他想。每天，他都坚持盯梢，等到跳舞开始半个小时众人都渐渐入境之后，他开着他的黑三轮"摩的"，悄悄赶来，跟我军前哨英雄似的，把车停好，自己隐身埋伏在阴影草丛中，只露两只狼眼，暗中监视舞台上的场面。“摩的”装饰得很好，是他心爱之物，就像战士的枪，作家的笔，赚钱糊口的家伙什，擦得锃亮，保养得很好，一小串风铃，两面小旗帜，一面是国旗，一面是奥运会会旗，都是居委会发的，他把它们插在车子前风挡上，风一吹，风铃欢唱，旗帜飘扬。那是他的怡然自得信心和乐趣。黑“摩的”被抓过两次，又很快赎出来，他有残疾人下岗证，国家有残疾人照顾政策，治安队对他网开一面。整顿治安交通环境，也多是市里“严打”的时候才抓，平时睁一只眼闭一只眼就过去了。跟治安人员斗法，是他的一大乐趣，跟踪盯梢的生活，也给他的生活增添了一抹亢奋的颜色。

崔英姿呢？崔英姿并没有感觉到危险就埋伏在草丛附近，她和她的男舞伴还兀自忘情地跳着。

习惯是一种巨大的力量。几次过后，周围旁观的群众也就习惯了。除了抢风头以外，崔大姑娘这对男女并没有妨碍到谁，倒是招来的看客越来越多，攒足了夜晚广场上的人气。每晚，只要他俩一来，广场上的兴奋度就能饱和。民工越聚越多，管音响的秃头物业管理人员，也越发敬业起来，甚至悉心搜索来好多专业舞曲带子，让广场上的舞步变得丰富又复杂。

一种莫名的兴奋，在广场四周围荡漾。每晚八点，人们都急切盼望着这一时刻。同时，也自觉不自觉地盼着崔英姿他们俩，像盼着明星出场。埋伏在暗中的孙二东，也像看惯了一种程序似的，盼望着他们俩的出场。如果哪天他们偶有不来，他的联想登时会更坏：是不是这对狗男女跑哪儿睡觉去了？是不是这会儿已经钻被窝了？想到这里他简直心如刀绞，心乱如麻，牙齿咬得咯咯直响，简直就像发烧打摆子。等到一会儿见他们姗姗来迟，他的一颗心方才放下。哦。他们还在这里。他抹了一把头上的汗说。臭婊子！吓了我一跳。他在心里毒狠狠地骂了一句。

渐渐地，人们习惯了崔英姿他们的华服，适应了他们的舞姿，甚至，在他俩的舞姿里，恍惚还看见了维也纳新年音乐会上的舞蹈演出，看见了电视里的国标舞蹈大赛的表演。那些表演太华贵,太遥远,人们根本没有眼福观看。好了,现在,有了他们,把舞蹈的真人秀送到了自己面前。

人们也不得不承认,俩人的舞姿确实比别人跳得好,是专门练过的。那个男的,据谁说是好像在电视里看过,是哪个国标舞大赛的评委。对于两人关系的最新猜测,说是那男的有可能是舞蹈教练,就是那种凇州市面上最近兴起的业余交谊舞拉丁舞培训班。崔英姿好像是他那个班里的学员,虽然看起来她腿上没有肌肉,脚背线条也不够高,跳舞的难度系数也不大,也就是个中偏上水平,但是还蛮灵巧,矫健,有悟性,身手不凡。另外她皮肤的白劲可真让人羡慕,白花花的,简直像奶油雪糕。还有那一把小腰条,那个岁数还能保持苗条,真不容易。至于说内裤嘛,看惯了,也不觉得扎眼。甚至,人们觉得,绿色劲爆天鹅裙,原本就应该配猩红色底裤。

人们有时也不免偷偷跟他俩学两招。不光滑动简单的"平四""慢三",偶尔试着比画来一两下阿根廷探戈。难度很大,确实不好探,脖子快速扭动时容易抽筋,踢腿时,稍微扬得高一点,就能听到膝关节"嘎巴"一声。人们就心里感喟:不是所有中老年人类,都能招架得住探戈——那种在娘们儿身上做文章的玩意儿。人们有点服了他们了,暗自佩服,渐渐不再疏离,跳着跳着,会向中心靠拢,主动接近他们。

可广场中心那俩人似无感觉,只在他们自己有限的活动半径内专注地跳着。慢三慢四、国标、伦巴、桑巴、爵士、恰恰、摇摆、阿根廷探戈……舞蹈越来越复杂。广场成了他们公开炫技的场地。他们身体趋近,摩肩擦背,大规模摇臀,狂野而暧昧。他们在不易被人察觉的视线和角度里,触抚,沉浸,飘逸,投入,亢奋,自如。他们,在群众赞扬称羡的目光里,越发飞扬,燃烧,娴熟,默契,旁若无人,探囊取物。

他们欲望喷薄而出。肉体水到渠成。

夜风沙沙。这是一道不见光的风景。这是一片见光死的奇观。它陪伴人们熬过盛夏,驱走溽热。

忽然地,他们就不来了。崔英姿和那男的失踪了。不见了。在农历七夕那天,他们突然双双失踪。

广场上跳舞的人们就像被闪了一下,很费解,很不习惯,仿佛一下子失去了什么,但也不知道究竟失去的是什么。来的人见广场中央空空落落,不免都是一副怅然若失的样子。

要说这一年的农历七夕也过得怪,早早地,报纸上就铺天盖地地造势炒新闻,说什么有政协委员呼吁,要把农历七夕打造成中国式情人节。消息层层下达,还要在群众中举行民意测验。红旗小区物业还挺当回事,发送选票让每户居民填写。居民们就笑,说:真逗,还情人节呢!七月七牛郎织女鹊桥相会,人家那是两口子的事儿。什么情人?咱中国有几对情人?难道鼓励我们都去找情人不成?

他们就怀疑那些什么什么代表是商家的托儿,比方说卖玫瑰的、卖情侣表、卖钻戒的商家,事先给了委员们什么好处,托他们来提交这项提案的。“我们举双脚赞成”,他们调侃着说。

情人不情人的先不说,广场上那一对男女从场地上消失了,却是事实。他们不打一声招呼就消失了。他们的不告而别,就如同他们的不请自来,实在是显得没有道理。舞场一下子变得晦暗,没有人气。人们无精打采,唉声叹气,脚底下的步子又变成懒散拖沓,仿佛又恢复了以前疲沓倦怠的老秩序。

可是,经过破坏后的老秩序,还能再恢复成原样吗?

人们无从抱怨,也无从诉说。因为他们不能明确说出这舞场上失落的究竟是什么。就连看热闹的民工也不来了。那些脸色黝黑、头发长草的小区民工们,哈欠连天,望了几眼场上磨蹭着脚步的肥衣肥裤大爷大妈,就都无精打采怏怏悻悻地纷纷离去。等待他们的,将又是漫漫长夜录像厅的闷热和工棚里的寂寞。

那个秃头管理员播放舞曲的热情也锐减。许多时候,他索性连舞曲也不放,改放小电影,诸如防艾滋病宣传片,纪念抗战胜利60周年打仗片等等。一块发黄的、颤抖的银幕挂在廊柱之间，黑压压的人群摇着大蒲扇，挤在正面和反面有一搭无一搭地观看。这情景仿佛一下子让时光倒流，回到了贫穷落后的上个世纪六七十年代。银幕上不清晰的影像，草丛中飞来撞去仓皇的蚊虫，都让人们颇不耐烦。这热天儿，只要不动起来，中老年人类绵甜的血液，肯定要成为蚊虫可口的牙祭。

就在崔英姿那对男女离去的那段时间，也曾有人试图挺身而出替代他们的角色，霸占他们的位置。然而，没用。所有的努力全都失效。比方说，那个不知从哪来的看起来十分年轻的大眼睛女子，化着很酷的浓妆，穿三寸高的高跟鞋，上身一个小吊带背心，下身一件艳粉色大褶喇叭花及膝裙，粉墨登场，招摇出现。不断有男人请她跳舞，她就挽上他们翩翩跹跹，莺莺燕燕，翻转飞腾在碘钨灯下。她也学着从前崔英姿那个样子，没事儿就转、无谓地旋转，转得天昏地暗，也让裙摆“扑啦啦”张开，起伏有致，亮出两条银光闪闪的玉腿，青春长腿，以及底裤，纯白色的三角内裤。

她跳得很好，很不错，无论被哪个男人上手，她都能跟对方配合很熟练，很协调，很风情。她的那个裙摆也很扑啦啦，她的那个底裤也忽悠悠，她的那种艳粉色的裙裾在灯光下也极其耀眼刺目。

可是，不行，怎么跳，都没有那个劲儿。无论她怎么风骚，搔首弄姿，矫揉作态，却都不是那么回事。哪么回事？人们说不清。民工们说不清。但是他们心知肚明。他们已经认同和默许了从前崔英姿那一对男女先入为主的舞蹈风格——一对一的固定舞伴，一对一的虚拟交欢，一对一的风骚、激情、浪漫、璀璨，一对一的红雨翻腾、秋波暗转，一对一的回光返照、最后一搏的娇妍与妖艳。

他们只是一对一地彼此彼此。跟别人，跟任何一个他者，都没有关联。

一对一，可能是最美、最让人艳羡、最遭人嫉妒、最惹人联想的人类情感。谁都可以上手的，那是婊子，毫不值钱。民工们虽然不懂，他们嘴里说不出来，但是他们在心中已经颇有领会。在经历过那对男女之后，他们心里已经有了关于风骚的范本模式。他们的胃口已经被固定，吊高。别人，谁来，再怎么着，他们也不认。

那对男女的失踪，大概也就是两个星期之久。两个星期，够长的了。北方的夏天，转瞬即逝，总共也才有多长啊？

谁也不知道，这期间，究竟发生了什么事情。

崔英姿和舞蹈教练，激情所使，将探戈舞步跳到了自己家里，避开众人，在没人处互通款曲。当瘸子孙二东闻味跟踪而来，狂敲自家门怎么也敲不开的时候，舞蹈教练慌乱至极，衣柜窗台乱躲一气，崔英姿这时却有大无畏气概，她就决定破釜沉舟，跟瘸子今天把话全说明白。瘸子敲门破口大骂，正后撤助跑，预备撞门之时，不想，崔英姿从里面“哗啦”把门打开，瘸子孙二东正好扑空一头撞进屋里。恼羞成怒的他抬眼望到舞蹈教练，二话不说上去就是一拳，野蛮人动粗，打得舞蹈教练后退着身子踉跄几步。这时崔英姿“嗷”的一声上来，用整个头和身子往他身上撞，口里骂了声：臭瘸子我要跟你拼命！咱们明天就到法院去离婚！

事情的结局，是两人大打一架，崔英姿提出要离婚，无论瘸子搬来自己娘家人还是居委会的人来，谁来调解说和也没用，就着这一仗，她是铁了心要散伙了！瘸子也被她撵出家去。他不同意崔英姿离婚的要求，没办法，两人只好暂时分居。瘸子孙二东这才得知，那个舞蹈教练是个单身男子，属于钻石王老五级别。原先老婆也只是红杏出墙，也并没有到谈婚论嫁的地步。他这么一闹，倒是把自己老婆活活推到人家怀里。瘸子孙二东懊悔不已，却又不甘心平白无故被人给戴了绿帽子。他就自我撕扯着，住在郊区一间跟别人合租的小平房中陷入痛苦之中。每天除了蹬三轮挣糊口钱以外，闲下来时瘸子的主要任务，依旧跟踪盯梢自己媳妇的举动。

离开那个下沉式广场中心很久了，其实也没有很久，也不过两个星期，半个月而已，在他们自己感觉当中已经显得相当漫长。崔英姿和舞蹈教练终于又在午夜广场上重新露头。一直落寞的众人一见，精气神儿全都陡地往上一提——舞场上，确实太需要明星了！无论多么大的场子，大到国家，小到广场，都需要个别领军领袖式的人物，用他们的个人魅力和感召力，用他们的激情和热度，感染照亮芸芸众生。

民工们兴致勃勃，重新回到广场边的水泥地草丛旁，重新将身形降低到跟地灯一般高矮，重新目光齐刷刷、热辣辣，等待着熟稔的底裤模式重新上演。寂寞已久的群众也在热切以盼。他们自觉自动地把那块地方让出来，那块最最光滑的水泥地面、那个最最亮堂的舞台中心，自觉自动腾让出来，等待他们心目中的明星重新登场。

他们来了。他们重新登场。他们举手投足、他们踢腿下腰……怎么，他们的举手投足、他们的踢腿下腰，怎么看起来跟以前有点不太一样？

虽然他们来了，虽然仍像以前一样的跳着，舞着，然而，分明有什么东西是不对头了。是什么东西？也说不清。反正是觉得哪地方跟从前有点不太一样。

那对男女，崔英姿跟她的舞蹈教练，外表跟从前毫无二致，老崔家大丫头，还是绿底白花劲爆天鹅裙，那个男的，也仍旧是黑色紧身衣，头发也还是用摩丝打理得根根不乱，然而，就是让人觉得两人跟以前不一样。他们虽也在跳舞，肢体的紧张程度，却远不如从前。他们似乎都有点漫不经心，三心二意，充斥着身体密码互相破解后的无限倦怠。崔英姿不再轻盈，舞蹈教练不再紧绷。崔英姿慵懒怠惰，脚步尽量平移，少了许多旋转。即便偶尔转一下，也是转得勉强，难看，身体滞重，转得差强人意，似乎随时都能绊个跟头。舞蹈教练的手指暗号的推助显得有气无力，腰和屁股懒洋洋的，腰胯耸动马马虎虎，脸面颈部爱甩不甩。两人的身体偶然接触碰撞时，能看出女的一点都不再为之战栗、激动，满脸都是漠然，仿佛无意间触到了一根棒槌。她的不激动、不激励、不唤起，搞得那男的也发蔫儿，整个人显得没阳气、没精神，无精打采。

他们的身体，像海啸过后疲惫的沙滩，满目疮痍。

尤其是，女人的底裤颜色明显褪色，从那里散发出的气息不再撩拨人心。民工们凭借雄性动物的敏感，从那里似乎嗅到某种真实交欢过后的蹂躏气味。

才仅仅半个月，怎么就有如此大的变化？半个月里，都发生过什么？下过两场雨，刮过一场未遂的名叫“麦莎”的台风。台风贴着陆地的边缘行走，很快拐到渤海湾附近的大连海边去肆虐，只是象征性地在身后给都市遗下几场小雨。雨过天晴，地上的蒿草又猛然蹿出一尺来高。割草机在嗡嗡嗡嗡勤快地工作，阵阵香气从广场四周围袭来。青草的香味永远一成不变。可是，下过雨跟没下雨的季候，总归也是物是人非的感觉。

难道人的感觉会变得这么快吗？仅仅才半个月而已。半个月。却已经是汗湿溻透了脊背。半个月前的衣服被盛夏的汗水浸得已难再穿，勉强穿出来，也已是没款没形，漂白发皱，透着穷酸寒碜。半个月前的人们已经被连日来的闷湿浸得浮肿虚胖，微微发酵出一丝丝苦夏的蠢相。

半个月以后的舞仍同半个月以前一般跳着，只是不咸不淡。崔英姿和那男的，似乎有点无奈，又似乎在等待。在消磨中等待、虚耗，在虚耗中等待、消磨，似乎不知该如何完结。看得出，他们的身体已成强弩之末。每一次都像是恓惶的告别。第二天，却又来了，勉强地移动腿脚。观众们，似乎也看出了几许苗头，却又很快习惯了这种勉强。人活世上，不总能随心所欲、率性起舞，早晚有一天都要堕入半死不活的勉强。不管怎么说，只要他们还在，仍旧照常到广场来，便是好的。

所不同的是，现在人们已经消除了畏惧，也失去了崇拜，已经勇于跟这男女俩一同舞动在广场中央。人们也已经仿照他们的样子，把复杂舞步学会了不少。现在，失去了激情的他俩已经不再是广场中心的绝对主角。

就这么蹉跎着，一晃，已经进入秋天了，又到了这个城市最美的季节。红旗小区的苏州园林式公园快建好了,街道外语班的老太太们也学会了不少单词,诸如“这里是厕所”“那里是饭店”“你要去哪里”等等。在每月11号的排队日,人们上公交车都知道要排队一个挨着一个地上,而不能蜂拥着一股脑上前。随地吐痰的人在逐步减少,因为城管增加了罚款力度,努力纠正这一陋习。学校里的小孩子们在老师的指导下正在逐步习惯说“你好”“谢谢”“对不起”“再见”。是学会用中文说而不是用英文。我们用自己母语说文明话语的习惯尚未养成,说起来有点悲哀,这回,借着打造奥运文明的契机却是一个很大的促动。奥运文明的新风正在吹进城市的每一个角落。

从西南边刮来的秋风把城市的天空托举得很高,很高,树上每一片叶子都在阳光下油光闪亮,一片耀眼的怡爽。微风夜寒,广场跳舞的人们已经穿上了薄呢裙和厚外套。而他们,崔英姿和那男的,却还是穿着一成不变的夏装。那一套已经穿了一夏的靓装,在秋天的灯光底下看着怎么那么薄相?不仅仅是薄相,又分明像是命薄、情薄。

九月中旬中秋节这天,正赶上一个星期天,红旗小区管理处破例让人们可以在广场上尽情狂欢,可以跳舞跳到夜里12点。平常,为了防止乐声扰民,物业管理处规定,每天跳到晚10点钟就必须收曲结束。

这一天,按照民俗习惯,注定将是一个群众性的狂欢节日。夜晚广场上聚集的闲人满满当当,来望月的、遛狗的、消食儿的、跳舞的、看热闹的,人声鼎沸,喧声连天。还有一家超市将卖剩的月饼拿到广场人多的地方减价推销。狗狗们欢快地汪汪狂叫,鸽子被惊得扑棱棱地盘旋乱飞。月亮隐进云层,乌云在广场上空愉快地翻卷游动。俗话里说中秋节的月亮是“十五不圆十六圆”,这个道理在凇州这个纬度特别能应验。

舞曲还是从八点钟准时开始播放。群众演员首先鱼贯入场。群众一点都不客气,密密匝匝,挤挤擦擦,互相都有点不待见。群众跟群众彼此相像,你我不分,黑压压一群,转不过身,有时难免发生身体碰撞,偶尔,还会发生一些小的口角。跳着跳着,广场上的个别老舞迷就止不住郁闷，眼光不住地往碘钨灯照射的中心方向扫，看看那个劲爆天鹅裙和两条熟悉的大白腿来没来。领舞的一来，广场上的人众才能分出三六九等，跳舞的层次档次才能逐级拉开。

可惜，没有。这场浩大的群众狂欢仪式上，群龙无首，一片模糊，简直可以说是没有任何亮点靓腿可言。一个小时过去了，直到9点半钟，崔英姿那对男女还没有来。老舞棍老舞迷们就止不住失望，心说，难道：他们又要玩失踪？

还好。尽管来得晚，那两个人终于也还是来了，在接近10点钟的时候。群众演员的热身早已经热得火辣辣的。崔英姿那两人一来，群众眼前一亮，身体一勃，立刻用舞姿掀起新的波澜。那两个主角也没想到广场今天是这副饱和样子，也受了感染，丝毫没犹豫，一个亮相就扭了进去，毫不谦让地占据了中心位置。崔英姿今天头一次换了一件宝蓝色的舞蹈裙，掐腰，大摆，下面缀满金光闪闪的亮片，一转起来，像裹在金子里飞。众人的眼球简直都要给晃瞎了！那个放舞曲的秃头管理员，本来已经要打瞌睡，忽见他们来，立即如同打了鸡血般，兴奋无比地按下录音机停止键，立马改放难度大的表演性质的舞曲伴奏带。

这是一场多么激动人心的宏大集体舞情景啊！天空为幕布，大地成舞台。崔英姿跟男舞蹈教练在中央灯光明亮处领跳，周围人一圈圈里三层外三层跟着移动，旋转。就像经过导演事先编排好了似的，他们一来，广场舞的人群立即主次分明，秩序井然。从三步四步缓步交谊舞开始。欲望全落在腿上，心情全收在腰间。随飒飒的秋风起舞，随看不见的明月招摇。随树枝的摇曳、秋虫的低吟逐渐高亢。

今晚他们俩发挥得可真好。崔英姿跟那个舞蹈教练，轻灵，飘逸，似乎找到了最初的他们自己。他们都有点含情脉脉，还有点魂不守舍。他们时不时深情凝视，好像舞蹈语汇已经不够用，他们必须用彼此对视的眼光来表达。人们的心思也随着他们的舞步激动、明媚、思绪飞升。人们这会儿还不知道，就连他们自己也不知道，这将是他们广场舞蹈生涯的告别演出。

逐渐过渡到快节奏的水兵舞、摇摆、伦巴、桑巴、爵士、探戈。这是他们俩最拿手的，最能炫技的动作。广场上只剩极少部分人能跟上了，偌大的场子几乎又成了他们两人表演的舞台。围观的人群却没有怨言，心甘情愿晾在边上。毕竟，很久没有看见这对男女明星跳得这么敞亮、痛快、酣畅淋漓，即便是站一边看着，心里也舒坦。

最后一曲探戈舞曲响起。崔英姿这时已经完全进入状态，香汗淋漓，身体的每个细胞里都是鼓点，野得有点收不住了。她亢奋地甩头，大规模摆尾摇臀，扭胯贴近。舞蹈教练的情绪也被她挑起，也亢奋得如同踩了电门，浑身每一处关节都在剧烈耸动，完全被舞蹈节奏所控制。他们已经完全物我两忘，一切只在不言之中。他们将两人刚才在家的床上舞蹈语汇拿到广场上大庭广众之下来继续发扬光大。崔英姿盆骨夸张耸动，趋前贴近舞蹈教练的小腹，臀部一摇一摇，做着虚拟摩擦。舞蹈教练也摇臀摆尾，节奏一致步调一致迎接着。蓦地，只见那崔英姿大胆疯狂，突发奇想，丧心病狂地来了个顶极动作：左脚点地，右脚高举，抬起白花花的大腿，去盘缠住舞蹈教练的下半身！

这个动作简直突如其来，太狂野了！作为探戈舞蹈中的高难度动作，也只能在电视荧屏里向舞蹈比赛评委们炫技表演，却怎能在大庭广众之下，对广大手无寸铁、毫无抵抗力的老百姓们真人秀呢？

就听广场上的人“嗷——”了一声，然后又急遽安静下来。人们都屏气凝神，瞪大眼睛，盯着他们的下一步举动。

男的也被崔英姿的举动搞得一惊，毫无防备，却还是下意识地伸出手去回应。他的右手在女人的腰后一托，同时左手高举，完成一个接续造型动作。本以为她会马上松开、赶紧下去就完了。谁知崔英姿还不善罢甘休，就势将上身往后一仰，双手一松，左脚跟离地后翘，将全身重量，一下子全留在箍住男人腰的那条大腿上。

怎生得了！怎生得了！毫无默契、毫无准备的男人，不提防会是这样，心里一惊，手一软，没有托住，脚底下就势一滑，眼见着女人就后仰着倒下去了。是整个背部着地，重重地、结结实实倒在地上。直至倒地，崔英姿缠着他的那条大腿始终都没有松开，一直死死缠着，钩着男人的身体随之倒下，轰然倒下，倒了个正着，结结实实压在她身上。

多尴尬！多丢人！两个大活人，活生生压在一起，倒在广场中心最明亮的地方。还好，男人到底是专业演员出身，有一身好功夫底子，在倒地两秒钟之后，他就“腾”地跳了起来，在众人还没有来得及看仔细的时候，他已经一下子跃起来，假装没事人似的，然后，伸手去拉地上的女人。

崔英姿的立起就显得比较艰难，迟缓。看起来她摔得不轻。她是慢慢站起来的，先是缓缓蜷起双腿，坐起，表情痛楚，龇牙咧嘴。男人用目光朝她示意一下，她就迅速把痛楚表情收回，瞬间就收敛了回去，做出一副平静状。然后，她就着他手臂的力量，很缓但是很坚定地站了起来。

他们都假装不在意，也没有互相安慰。男的搂着崔英姿的腰，像是从后背托扶着她，慢慢地向停放自行车的广场廊柱边走去。众人看见两人走到自行车旁，男的用钥匙开了车子，什么也没说，推上，女的在一旁，脚步一顿一顿地跟着，显然步子不太利落，却也慢慢挪蹭着，双双走出人们的视野。

观众们盯着他们撤离现场，无数双眼睛落在他们的背上。他们是一起推着车子往同一个方向走的。崔大姑娘，好像还一瘸一拐。从他们的背影上，人们这回看清了，这已是两个多么衰老的身形！他们早已不年轻了。其实群众早就知道这对男女已经不年轻了。不知为什么，当他们在夏季的广场燃起一段青春还阳之火，当沉闷的广场被他们的激情照亮时，众人还是忘记了他们的年龄。

他们渐行渐远，渐行渐远。舞曲也一点点进入到弱声阶段。人们的舞再也跳不下去了，他们有点意兴阑珊。狂欢的人群逐渐散去。午夜的钟声在广场上空响起。这是个水晶鞋变脚丫、美丽公主变回灰姑娘的时刻。月亮终于从云层里探出头来，一层金属般的铜红色清辉瞬间洒满了大地。

看着这一切，瘸子孙二东在广场树丛暗处发出狞笑。

是他在地上事先洒上了机油。洒过之后，轻轻拂上一层尘土，滑滑的，表面上一点也看不出来。他已经干了几天了，在他们最习惯露脸露腿的那一小块地中央，被灯光覆盖着的那一块显眼处，平时都是被他们独霸着的，群众也让与他们这两个主要演员独霸着的，孙二东悄悄在那里做了手脚。别人知不道，别人也不会受到伤害，那块地方就是他们俩的，那一对狗男女。他就等着看他们的笑话。摔！摔死个驴操的。摔成个瘸子，腰肌劳损、腿折骨折，看你们还怎么发骚！看你们还怎么摽在一起跳！

终于，这个机会来了！终于，他们自投罗网！孙二东等了这半晌，他们一直蔫了咕唧地跳，半死不活，没有大跨度动作，脚步拖拖拉拉在地上磨蹭，总也滑不倒，总也摔不伤。哼！这一天终于到了！让你们逞能！让你们还光天化日的大腿缠在身上做出发骚动作！该！纯粹是活该！不管摔的是谁，不管是男的也好女的也罢，他希望，这么一来，不把他们摔成重伤，也得摔成个半瘸。他心里说，好！这回扯平了。这回咱们可扯平了！都瘸了。都残废了。谁也别再瞧不起谁。谁也别再看低谁一等。

望着远去的一对男女，孙二东的心里充满了复仇的快意。

第六章　上善若水

20. 一夜迷情

孙佩佩在一种十分特殊的情境下走入了黎曙光的生活。

要是没有那场党费风波，没有情绪的波动和万分的不顺意，不是因为情绪又一次落到低谷，黎曙光也不至于那么脆弱，守护不好自己的情感防线，让孙佩佩那么容易破门而入进入自己的生活。

孙佩佩在电视台做过黎曙光的专访后，才把目光聚焦到他的身上，逐渐发现了他的价值。原先她对黎曙光并没有上心，不只是没上心，根本就是没上眼儿，眼皮儿根本不往一个建筑设计师身上撩，而只撩名人政要、官员大款。只不过因为那次要做采访，才想到要事先认真去查他的资料。这一查不要紧，一下子才知道他的名气有多大，做的事情有多大，挣的钱有多大！

再回头打量他，看他的长相气质，看他的衣食住行、看他的穿戴，怎么看怎么跟以前不一样，几乎可以说是怎么看怎么舒服，怎么看怎么锦衣玉食有形有款！他进出开的是奥迪车，穿的是“暇步士”和“鳄鱼”，身上散发的香水味是“古驰”，戴的是不是劳力士呢？离得远，看不清，有点不好确定。那么就只有靠近，再靠近一点去观察、体会喽！

孙佩佩想要接近黎曙光，那她可有的是机会，而且有正当理由和身份，随意出入于黎曙光身边。无论是工地上，还是会议室里，抑或各种应酬宴请上，只要有黎曙光出现，她都会像个影子似的跟随出现。

开始，黎曙光还并不在意，也没有什么感觉，见面也不过是笑笑，打个招呼一闪而过。无休止的会议讨论和没完没了的设计方案修改中，偶尔，能走出房间来呼吸一口新鲜口气，仰望一下凇州的蓝天，再回头瞥一眼卡通娃娃似的大眼美女，随意聊上几句，也养眼悦目，是一个不错的休憩。尤其，在某些应酬宴请场合，这个看似什么也不放在心上的大眼美女，还能想到要主动出面帮自己挡挡酒什么的，更让黎曙光觉得这个小丫头还行，眼睛里还挺拿事儿，也不光是只想着她自己。黎曙光对她的好感陡生，但也基本上是客客气气的，不远不近，保持着一段礼貌而安全的距离。

他想保持距离，人家小美女可不这么想。小美女一定要贴近再贴近，靠近再靠近，一定要跟擒获对象保持零距离甚至负距离，只有那样方才如意。这小美女可不是王栀惠那老美女，不太讲究什么“犹抱琵琶半遮面”那一套，那些东西都过时啦！过气啦！慢节奏，慢半拍，和这么个飞速发展讲效率讲速度的数字化时代怎么相配？观望到了好的对象，不赶紧下手，被别人抢先了那岂不是追悔莫及？

一种强烈的占有欲、见到好东西立刻就想占为己有的情绪擒住了小美女。小美女就总跟在年轻英俊的黎总身边黏糊来黏糊去，而且目光如炬，火舌喷射，直筒筒放电，打得黎曙光经常一激灵又一侧歪的，但也隐含着一点点秘密的快意。毕竟这不是高压电，击不死人，而只能让人感到浑身麻酥酥。按说黎曙光觉察出情况不对后，应该尽量躲避，或者是用更加冷淡的态度予以形体上的拒绝才对，但是，人性都是有弱点的，有一两个美女粉丝崇拜自己，暗恋自己，时常环绕在身边，散发浓烈的荷尔蒙刺激因子，总归是好的。从异性激赏、崇拜的目光中，让他能获得士气，加强自信。只要这种崇拜暗恋别达到骚扰程度，别干扰自己正常生活就成。自己若想有意疏远人小美女，对她来一点言语提醒什么的，万一反过来，人孙佩佩不承认是对自己有好感，那不是闹了个自找没趣吗？

尤其在这个时候，工地上苦战尤酣的时候，黎曙光感到太疲倦了，承受的压力太大了，也太需要安慰了。需要从各方面，得到利好消息，给自己鼓劲，打气，从中获取自我认知。对于美女孙佩佩闪闪发亮的如炬目光，他就没有去平息，反而用含蓄的微笑予以纵容。

如果没有那个意外事件,对于他这样一个优雅而又自律的人来说,可能也就是品尝激赏目光也就完了。事情就不会进一步朝下发展。至少,他还会有抵制的力量,抗拒孙佩佩诱惑的力量。

那个事件一出,他真感觉是压力到了极限。他必须得有个出口,必须得宣泄一下,否则,他真要崩溃了。

他二人关系的性质,很快出现了拐点。

淞州南湟河工地上的调整施工紧张进行着。没想到,省建筑设计院那边,平地又起波澜。单位来电话通知,让黎曙光马上回去一趟。在新一年的保持共产党员先进性教育活动中,有同志又拿他当年所谓"擅自"参加淞州奥运场馆设计方案竞赛问题说事儿,认为黎曙光同志不符合党员标准,一味为自己沽名钓誉,无组织无纪律,不积极参加学习,组织观念涣散,不按时交纳党费。经查,该同志已经有六个月党费没交。按照《党章》规定,党员连续六个月不交纳党费,就被认为是自行脱党。现在他作为不合格的典型,情况已经被汇报到上一级党组织部门。省厅派督察员下来了解情况,要对他们院的先进性教育活动进行检查并对查出的有问题的单位和个人进行批评教育。

黎曙光一听:什么?六个月没交党费?自行脱党?

当时他头"嗡——"的一声就大了!二话不说,开车直往院里奔。

建筑设计院这边,一把手书记陆文誉的火也大了去了!院里这件事情根本就没跟他说,经由洪肖奇的手就直接捅到上头去。待到上边跟他核实了解情况并决定派督察员下来时,他气得直骂娘,狠狠一拍桌子,大叫:这个他娘的洪肖奇!绳(什)——马(么)——东——西!这要碰上"文革",肯定比姚文元还流氓败类!

老陆平时风范很优雅,有老一代党务工作者的端庄和矜持劲头,说话很少带粗口。这一回,也实在是气得不行,不骂简直不能解心头之恨!他让党办秘书把洪肖奇叫来,待他一进门,劈头盖脸就是一顿骂:你说你这样做对谁有好处?对院里的工作有好处吗?咱就不说家丑不可外扬吧,这么大的事情,你处理得符合组织程序吗?你向谁汇报过?经党组讨论经过我这主管书记同意批准了吗就你就往上报?

那个洪肖奇不慌不忙地说:陆书记,当时上头催交材料,您又恰好不在。底下各支部报上来,我就把情况汇总了一下,先跟督察员说了说。也不是一个正式的报告。我也没想到事情有这么严重。

你还没想到?你说,这整个院里,还有你能没想到的事情吗?现在好啊,搞得全院保持党员先进性教育活动都不过关,要重新来。我说你什么意思啊?看到这种局面你就如意了?

洪肖奇做出一脸委屈的表情:陆书记,我不是那个意思……

那你是怎么个意思啊?要搞掉他,直到把黎曙光搞死拉倒?就你那点小心眼,你当我不知道是怎么着?《党章》里是明文规定,党员连续六个月不交纳党费,就被认为是自行脱党。但是,你别忘了,前边还有一句"如果没有正当理由"。人家黎曙光有没有正当理由?就算是他忘了交,负责收党费的人干什么去了?难道不能提醒吗?支部书记党委委员干什么去了?也没人提示提醒一下吗?我看你们是成心的,挖了坑让人往里跳!

洪肖奇还想狡辩,说:陆书记……

陆文誉一摆手:我不想听你解释!现在再说什么都晚了!我告诉你说,如果黎曙光这次有什么麻烦,第一个要做自我批评、做检讨遭撤职的,就是我们俩!你和我,谁也别想摆脱干系!

洪肖奇讪搭搭出去了。陆文誉仍气得呼哧带喘。这可真是庙小神仙大,池浅王八多!以前他一直在政府机关里工作,虽说大半生以来也经历过不少党内斗争、办公室里的争斗,以及基层官员跑官要官等等党风不正现象,但情况跟形式还是与这里大不相同。类似建筑设计院这种知识分子成堆的地方,情况尤其复杂。个别人学风不端正,心态扭曲,小世界里钩心斗角,大的利益争端不多,就常拣鸡毛蒜皮零碎小事下手,今天你告他抄袭,明天他咬你帮闲,后天又出来个什么新"左"派后骑墙之类……总之,都零零碎碎,复杂松散,拿到法庭上组成专家组陪审团，都不好认定原告被告谁对谁错。每逢有这种大规模的党内学习运动，就成了广大党员干部积极整顿思想作风、认真学习反省检查的好机会，也成了极个别人借机诬告、陷害，实施打击报复的机会。

今天这件事，可真是让陆文誉长见识了。

洪肖奇这种不择手段、鸡贼性质的打击报复，已经明显让陆文誉极为鄙视。让他这么一搞，院里的局面一时很难收拾。

针对建筑设计院汇报上来的本次保持党员先进性活动中有党员不过关，特别是黎曙光同志组织纪律性涣散、连续六个月没交党费的事情，上边并没有立刻给定性，也没有立刻做出结论。事关重大，这是关系到要给一个同志处分的大事。按《党章》规定，党员有解释和申辩的权利，还有申诉的权利。他们立即派督察员下来进一步调查了解情况，也要听取黎曙光同志本人的解释。

黎曙光说：知道洪肖奇无耻，却不知道他无耻到这种程度。

老陆说：别着急。小黎，你坐下，慢慢说。

黎曙光这才把事情原委从头道来。

那个所谓“擅自”参加凇州新奥体中心方案设计的事情，已经是老话重提，事情早已经过去，凇州新奥体中心也都已经盖成一半，没必要再解释。关于他连续六个月没交党费的事情，却甚是冤枉。

以前，在研究所时，一直是支部组织委员小范负责收党费。因为党员人数少，黎曙光他们室就跟老干室和收发室组成一个联合支部。老干室的小范平时各方面表现还算不错，腿勤手勤，这个支部组织委员选她出来干，也是因为她不搞专业设计，也没机会出差，在家驻守的时间多，平时有个通知组织学习、发放学习材料之类的事情，就由她来干。小范是个分来没多久的大专生，学校里入的党，学文秘的，能分到建筑设计院来谋一份差，不容易，据说好像是哪个领导家的亲戚，给安排在老干室里，优哉游哉挣一份工资。

小范之前的支部组织委员、已经退休的老王在的时候，党费是平均每三个月他统一收一次，也不是每个月由每人主动去交。因为，建筑设计院的设计人员不用天天坐班，人员流动性又比较大，经常有人出差出国，人们互相之间经常碰不上。想要每个月都找人收钱，又要把钱收齐，不容易。所以，每个支部基本上都采取了稍微变通的方法，由组织委员一次收三个月的，然后他再辛苦点，逐月向党委部门交上去。

不知道外单位的党费都是怎么个交法，反正，多年以来，建筑设计院已经形成了这样一个习惯性收法。对此，大家都比较认可。洪肖奇心里也是清楚的。

小范接任以后，继续采用了这种方法。所不同的是，她嫌总催人找人交钱麻烦，就想了个办法，一次收齐半年的，然后由她每个月向上一级部门交上去。

要按她的想法，原来还想每次收齐一年的党费，然后她自己就省事了。用她自己的话，省得自己天天像个催债鬼，一见了面就总追在人屁股后边要钱。“同志们都烦我了，见面就要收钱。这要是见面总给人发钱多好耶！”小范唧唧喳喳，去党委那里向老洪交费时，还这样邀功请赏似的说。老洪就谆谆告诫说：嗳！话可不能这么说！按时交纳党费，是每个党员应尽的义务，也是组织观念的体现。

她一次收齐一年的计划之所以没有成功，是因为遭到了设计人员们的不配合。一次收齐一年的，有的职称高的老同志，一次就要交出一千多块钱，相当于当月工资的三分之一。老同志们不习惯，他们还是要求，一次少交一点，多收几次吧！

也有的老党员同志对她这种做法表示出质疑，严肃指出：事情不应该这么做。原先一次收三个月的，倒还情有可原；这下可好，要一次收齐一年的！你省事了，我们还干啥？不是没事儿干了吗？作为党员，还是要每个月自己按时自觉交党费。

小范听不进去。作为一名新党员，她组织观念以及经验作风都有待于学习加强，在这方面远不及老同志。她还在背地里直撇嘴：哼！小气！就那么点钱，一次交完也是交，每个月交一次也是交，背着抱着还不是一样沉？好像谁占你们便宜了似的！哼！老同志，真是划不开拐！唉！得，这下我还得总费劲，见天价追着屁股要。

所以，黎曙光所在支部的党费交法，目前还维持在每半年交一次的规律上。

黎曙光驻扎淞州工地后，组织关系并没有临时转过去淞州那边，而是仍留在单位这里。所党委老洪这边曾问过他需不需要转过去，他去问那边的负责人黄一发，黄一发说，转不转都可。我们这个淞州奥协办是个临时性机构，你的关系过来，也还得落在市府那边，不太好归口。你单位离得近，平时有什么活动回去一趟也不费多大工夫，所以还是不用转了吧。

黎曙光就把这个意思跟所党委说了，他们也表示同意，就没有临时转走组织关系，他交党费以及参加各种政治学习还是在单位这边。那次他回单位时，遇到小范收党费，小范就说：嗳，黎老师，您这挺长时间才回来一次，我看，要不这样吧，您就交足一年的得了！我也省事，免得总找不着您。黎曙光于是就交足了一年的。至于这“一年”是从哪儿开始到哪儿结束，他也没有记。他们在支部里都习惯了由组织委员收党费，所有底单也都在组织委员那里，到时候她就会来收的。后来他再回单位开会办事，小范也没再向他收过，他自己也从没想过这事。

对于一个忙忙碌碌整日加班赶点奋战在工地的人来说，光阴似箭，一晃就一年。一年时间也就是一转眼的工夫。当小范又一次去所党委办公室集中缴党费那天，正巧洪肖奇在那屋里。只听见负责收党费的老洪问小范：都上来了吗？小范说：没有。老洪说：还差几个？小范说：就差黎曙光的没上来。他总不在家，没碰见人。老洪说：你再打电话问问，他什么时候回来，再收一下。小范说：好。

这段对话结束，二人把手里的党费交接清，谁也没多想什么。

而一旁的洪肖奇一听，却假装漫不经心问了句：黎曙光的组织关系还在咱们这儿？

小范说：没听说转出去，反正他一年多前还是在咱这儿交的党费。

洪肖奇一听,“一年多前”,他忽然心里一动,脸上不动声色,嘴里“哦”了一声。

洪肖奇跟黎曙光并不属于一个支部,平时政治学习并不在一起。

从老洪办公室回去以后,洪肖奇以“打破所际界限,实行支部共建”名义,请第二支部的组织委员小范同志来办公室谈谈,有什么设想,顺便也把她们支部的党员自然情况登记簿以及党费交纳记录等等也带过来看看。

那小范没心眼,天真,还真以为自己要得到重用了。是副院长要找她谈工作,帮助出主意想办法耶!小范战战兢兢,头一次走进副院长办公室的门,内心倍感荣幸和受宠!她坐在沙发上,诚惶诚恐,答非所问地献计献策,驴唇不对马嘴回答着副院长的问题。乖乖地拿出自己记录党费的小本本来,放在副院长桌上。同时还还有点炫耀自己小聪明似的说:洪院,您看我工作多认真耶!每个人的交费记录都严格记录在案,给组织和个人都节省了不少时间哪!

洪肖奇就嘴里“嗯嗯”“啊啊”,一边翻看记录,一边支应着,说:嗯,不错,工作做得细,我们就是需要这样认真负责的年轻人!

小范被他夸得美滋滋的,说:谢谢洪院夸奖!

洪肖奇的眼神,迅速掠过本子上黎曙光党费记录那一页。一看,上一次交费是在一年多前,从那个截止日期算起的话,接下来的没有交费时间,应该有……已经有四个月多一点!

他的心里“咚咚”狂跳!

他感觉到自己血往上涌,几乎都听到了自己的心快从嗓子眼里蹦出来的声音!

小范这时跟他说了句什么,他根本没听到。

小范见他那么愣神、一动不动认真看的架势,半天没搭理她,心里也有点毛了,忍不住又追着问了一句:洪……洪院,有什么问题吗?

洪肖奇这时才回过神来,强压住自己的情绪,忙发出“哼”“哈”两声鼻音,算是支应,然后说:好。很好!哦对了,你去把五楼那个六设计所的小鹏叫来,他也是支委,咱们一起坐下商议商议,你们俩正好认识认识,以后就由你们两个支部联合共建。

小范说好。

起身出去,同时还纳闷:打个电话叫过来不就完了吗?干吗还要我现跑一趟?

小范刚走,洪肖奇就迅速起身,到了隔壁秘书处,没用别人帮忙,自己亲自到复印机上复印了一份小范本子上的党费记录资料。

等小范和小鹏一起回来时,他已经端坐在副院长的大班椅上,什么都没发生一样。

然后,他就等啊等啊,私底下憋足了劲儿,简直就像等待自己偷偷买的彩票中奖一样,等到党员保持先进性教育活动开始一个月后,也等满了黎曙光正好六个月没有交费。六个月期一满,他立刻把这件事情捅了出去!

在这等待的一个半月多时间里,他简直可以说煞费苦心,紧张之极!他密切关注着黎曙光的动静,只要他一回来,洪肖奇就立刻找理由把小范支走,支出去,让他们两个没有碰面的机会,小范也就想不起来要去收他的党费。

这期间黎曙光一共回单位来四次,前两次是集体学习,洪肖奇就派小范一次是出去到家里走访看望几个退休老干部,一次是出外参加市里的一个"保先"动员大会,有效地避免了两人在院里的碰面机会。后两次黎曙光回单位来,就更是碰不上小范,小范被洪肖奇找了一个名义给派出差到南方,与机关的党务工作人员一起,去考察兄弟省市单位的支部共建活动去了,从广西桂林一直到考察到江苏南京,历时半个多月之久。

等到小范回来,黎曙光的六个月不交党费的罪状就已经积攒得时间已到,木已成舟。告黎曙光的匿名信开始狼烟四起,省里院里所里都有。黎曙光六个月逾期未交党费,以及黎曙光当初未经院里批准、擅自参加凇州新奥体方案竞赛的事情被捆绑在一起,以无组织无纪律的名由上告。

在督察员下来督促清查这件事情后，洪肖奇这时又装模作样，指派黎曙光所在的研究所党委去查。这一查，当然要查到小范那里，底单上一对，果然，黎曙光没有交党费已经到六个月。

于是，下一步，洪肖奇就趁书记老陆不在之机，以院党组名义，打了报告上去，将那匿名信里诬告的事情凿实。

这一下，麻烦了！

如果事情已经按规程进行到了这一步，那么，谁也不能袒护，超过六个月不交党费，按照《党章》规定，是要给处分的。

什么叫处心积虑啊！

什么叫恬不知耻啊！

洪肖奇这种做法简直令人心寒！

就连陆文誉那样的多年搞党务工作的老同志，也从未见有人拿党费这个事情做文章，来对同志实施打击报复的。

督察员把这一情况调查清楚后，如实汇报给上边。上级党组织要求建筑设计院各级党的部门和相关责任人要层层做检查。不管是谁的责任，都要做出深刻检讨。建筑设计院党的组织存在问题，这一点肯定是无疑的。尤其是党的基层组织，组织观念和纪律性不强，管理松懈，党员自身素质需要提高，需要整肃纪律，重新学习《党章》，明确党员的权利和义务，这是必须着重要做的工作。

在有督察员参加的全院党员大会上，书记陆文誉同志首先做检讨：这件事情，各个方面都有责任，首先我要带头检查！是我们的工作做得不细致才导致了今天这样一个结局。黎曙光同志一贯勤勤恳恳、尽职尽责工作，他抛家舍业、呕心沥血，长期奋战在凇州奥运工地上，我们应该向他学习！但是，由于我们这边基层党组织工作的疏忽，也由于黎曙光同志工作忙的原因致使他的党费逾期忘交了。为此，黎曙光同志已经在支部会上做了深刻检讨。他所在的研究室支部，也应该做检讨！而最应该检讨的，就是我！是我对不起曙光同志，服务和管理不到位，没有保护好、爱护好我们的广大设计人员和科技工作者,辜负了全院广大党员同志们的信任和重托。为此,我也诚恳希望同志们批评我、督促我。同时,我也诚恳接受上级党组织部门的批评！有什么处分决定,我都愿意接受!

黎曙光在支部联合会议上做了检查。就自己迟交党费一事,做出深刻检讨。自己诚心诚意接受组织上的批评。不管客观上是什么原因,自己作为一名党员,主动交党费,是应尽义务,也是组织观念的体现。工作忙不是借口,如果确实忙,回不来,也应该委托其他党员代为缴纳。自己一定深刻吸取这次事件的经验教训,要加强学习,用一名共产党员的标准严格要求自己。

最后在多方尤其是院领导陆文誉的主动担责和争取下,黎曙光同志属于确有证据证明因特殊原因未按时交纳党费,在批评教育的基础上保留党员身份,并将党费进行补交。

建筑设计院的保持共产党员先进性教育活动重新开始,继续往后推迟学习半年。

黎曙光所在支部书记也受到批评。尤其是支委小范受到严肃批评,被撤销了支部组织委员职务,并责令她在支部联合会上做检讨。

小范对院里批评不服气,会议结束后,找到老陆这儿,一边哭得呜呜呜,一边数落:要早知道这样,我先替黎老师垫交一下不就完了嘛！你们干吗呀你们！这不是明摆着欺负人嘛!

陆文誉严肃地说:糊涂！党费是能代交的吗？组织上对你的批评那能叫欺负人吗？你们哪,就是学习不够！回去,好好重读《党章》。

小范还是不服,大叫:我知道这都是谁干的！就是那个洪肖奇！因为知道黎老师多长时间没交党费的人,除了我,没别人！这一切,肯定都是他干的!

小范就从头到尾,把那个洪肖奇干过的事全都抖搂出来,洪肖奇如何从小范那里查的交党费的底单,如何总把她支走开会出差,不让她跟黎曙光老师碰上面以便收不成党费,等等。这些也是小范过后反过劲来，一点一点寻思源头的时候，才把事情穿成一串给联想明白的。

怪不得，小范说，最近一段时间好事总轮到我头上，自打进了院里以后，我就没轮上过出去学习开会旅游什么的，可最近呢，总是频频让我去，还说是院里副院长亲自点名，我还以为自己表现好，惹起领导重视了呢！哪承想，洪肖奇是想陷害我！也陷害黎老师！陆书记，你说他咋这么缺德呢！

老陆摆摆手：这件事情我们还要进一步调查。范平平同志，你也是一名共产党员，要用党员标准严格要求自己，首先应该反思一下自己在这件事情上有哪点做得不对，而不是总找客观原因。你先去吧。记住，回去不要乱说。

小范心里正赌着气呢，岂能不去找人撒撒火！她一出去，见人就说，逢人就讲，诉说自己的冤屈，也把洪肖奇做的损事抖搂个底儿朝天。反正她已经这样了，她想，反正自己已经挨了处分，那个洪肖奇把她害成这样，她还怕他个啥！

副院长洪肖奇成了人们背后唾斥的对象。众人都知道事情是他做的手脚。院里党员人人对他侧目，像看待一个瘟神一样看他。而那洪肖奇自己还不知，还以为自己整人成功，黎曙光虽没有被开除党籍和受到党内警告处分，责任都被老陆给抹平担下，但还是把那姓黎的小子整得蔫不叽叽的不太好受。洪肖奇未免有点洋洋得意。

殊不料，群众的眼睛是雪亮的！建筑设计院的广大党员群众是有觉悟的！通过这件事情，结合着他多次为自己牟取利益而阻挡别的同志上项目的事情，广大建筑设计师们越发认清了洪肖奇这个人的本质。在半年之后的党员保持先进性教育活动结束人人过关评议中，洪肖奇没能过关，被撤离了岗位。那已经是后话。

淞州方面，旷乃兴和黄一发听说这个事情后，大为惊异。真乃天下奇谈！他们说。怎么会出现这种事情?!

建筑设计院的党员保持先进性学习重新开始，集中开会学习密度加强,这一整顿,就是大半年,凇州这边奥运工地也到了关键时期,黎曙光离不开。他这样频繁地两头跑,怎么能吃得消?

旷乃兴就建议把黎曙光的临时组织关系转到凇州来,他们这边的保先活动刚刚开始,黎曙光可以编进市府秘书处支部,跟那里的党员同志们一起学习。

但是,市府副秘书长黄一发犹疑着说:这个时候,再说把黎曙光的临时组织关系转到凇州来,恐怕会有难度,那头会说有逃避原单位群众领导批评监督之嫌。

旷乃兴也感到有难度。于是把情况向一把手霍秋林做了汇报,请求她的帮助。

霍秋林一听,也大感惊异,说:天下竟会有这种事情?!这也就他们那种知识分子扎堆儿的地方,才会想得出来、干得出来。黎曙光这么个兢兢业业的好同志,整天披星戴月,为我们凇州的建设做贡献,这种同志,我们应该尽全力支持他、爱护他,让他更好地完成建设任务。这样吧,建筑设计院那边,我去跟老陆和省建设厅协调,就让曙光同志到我们凇州这边来参加学习。

经过协商,省厅和建筑设计院那边同意了凇州这边的建议,黎曙光同志的临时组织关系放到凇州,跟这里的同志们一起参加保持党员先进性教育活动。

从单位把关系拿回来那天,正好是一个星期五。市府副秘书长老黄把黎曙光的组织关系介绍信交给相关负责人后,就告诉黎曙光说:行啦,没事啦!晚上哥几个喝喝酒,过过周末吧。

他没敢说要给黎曙光"解解忧"什么的,而只轻描淡写说喝点酒过周末。老黄是历经多次党内整风学习运动的"老运动员"了,对这种事情有经验,对此时黎曙光的心情也有充分的体察和理解,知道他肯定是相当地不好受。尤其像这种经历简单、从学校里毕业出来的尖子学生、优秀设计师,属于从小到大根正苗红、顺风顺水,没遭受过什么挫折,心理承受能力脆弱,不像他自己这种从基层一点点熬上来的老家伙禁折腾。猛不丁来这么一下子，这白面书生肯定是受不了。所以他就尽量大事化小，避重就轻地说晚上要找哥几个聚聚，乐和乐和。

黎曙光不置可否。没说行，也没说不行。

到了晚上，黄一发、旷乃兴、孙佩佩、黎曙光，还有黎曙光的小助手——一个大学毕业实习生，几个人一齐聚到市府东沟招待所吃饭。找的都是熟人，免得生人在场，黎曙光放不开。除了黎曙光那个男大学生助手外，其他几个都是出行希腊罗马那一拨的。老黄还想了想要不要叫上王栀惠，又一想，算了，还有旷乃兴在场，别惹得头儿不高兴。作为一个多年的市府副秘书长，他有着比狗还灵敏的鼻子，本能地嗅出旷乃兴跟王栀惠之间有哪里不对味儿。两人在希腊奥林匹亚酒店里肯定是发生过什么，而且还应该是朝着不太好的方面发生的。从回来以后旷乃兴对王栀惠视而不见，甚至有点避之唯恐不及的冷漠态度上，以及从王栀惠偶尔见有旷乃兴在场时那躲躲闪闪、有点不自在的表情上，他判断出来，他二人可能是在哪里结下梁子了。他也就别不识眼色，硬要给领导添堵。所以，从希腊回来后，在旷乃兴面前，他连王栀惠的名字提都不提。

市府东沟招待所是本市一块风水宝地，坐落在离城区 30 公里处，占地 800 多亩，上风上水，紧临南湟河，远眺碣石山，深藏于一片原始森林之间，蓊蓊郁郁。山的余脉延伸至院中，环山引湟河水建成一湖。绿草萋萋，流水潺潺，环境优美。一座座红顶白墙的二层小楼隐没于绿树丛畔，湖边还设置了满族风情的四合院落。各处规划，相得益彰。这是八十年代撤县建市时的班子相中的一块地皮，请人来规划设计成这么一处气派而有风格之地。在旷乃兴看来，淞州市唯一可以拿得出来表扬的建筑，就是这个东沟招待所。后来一问得知，当时请的是一个曾经规划设计过海滨城市青岛的设计师。怪不得，打眼一看，风格有点熟悉，确实有点像青岛的味道，属于中国风，德国味。

再往深处走，则有一排西洋风格的裙楼和会议大厅，布局有点乱，与前边的主色调不相搭。旷乃兴第一次来此时,曾问过这是怎么回事,招待所所长说:这排洋楼是后加的,为了迎合后来的某位领导口味。旷乃兴“哦”了一声点头,表示理解。建筑本身就是一个现实主义的东西,这一点,随处都可以验证,尤其在中国。还好,因为这套后加的西洋设备隐得比较深,并不影响观瞻,没有破坏整体布局风格。

黄一发车在前边带路,引众人驶进这套西洋裙楼当中。他们进了一个罗马风格的宴会包间。老黄也真是煞费苦心呢,为了让黎曙光忘忧,特地选择这里,希望借此回忆起众人那次愉快的欧洲之行吧?巨大的圆形穹顶悬挂下来瑰丽的宫廷吊灯,四周花里胡哨,装饰着不少的壁画浮雕。身材高挑的帅哥美女在一旁侍应。开了一瓶中南海特供茅台。美酒佳肴接连送上,黄一发、旷乃兴使劲营造气氛,说话,调笑,并让孙佩佩和小助手两个年轻人频频举杯敬黎曙光老师。

黎曙光明白他们的好意,也就强打起精神支应着。开始还心情郁闷,无精打采,几杯酒精下肚,神经兴奋起来,也就暂时抛开一切烦扰,专心吆三喝四跟年轻人拼酒。到了最后,眼见得人都直打晃了,却还在抢酒瓶往杯子里倒,拦都拦不住。一数,三瓶茅台都已经喝得见了底。

心情不好,就容易醉。黎曙光明显不胜酒力,但是看那微醺的状态还不错。老黄一看,达到目的了,黎曙光已经放松,头儿旷乃兴也喝得比较尽兴,差不多该散了。黄一发就问黎总还行不行?能走吗?不想走就安排住下,等明儿一早醒了再走。黎曙光不干,醉眼迷离、半梦半醒的样子,却很坚决地说一定要走。不在这儿住,要回去。

黄一发就征求旷乃兴意见。旷乃兴说:回吧。回去也好,到家就踏实了。这样吧,分头送一送。

于是,黎曙光乘老黄的车,再搭上孙佩佩,一起回城。小助手搭乘旷乃兴的车回去。

到了市中心黎曙光的住处,司机和老黄搀着黎曙光上楼进了屋。孙佩佩也跟着进来。中途黎曙光停车下去吐了一次,然后就一直昏睡,到这会儿他也仍然在酒后昏沉中,记忆飘忽,时断时续。

老黄他们安置好黎曙光，把他放置在床上，躺好，又从饮水机里接了杯凉水放床头。然后问他：黎总，那我们就回去了。你一个人，行吗？

黎曙光趁着这会醒过来的空当，说：没事。你们都回……回吧。谢谢！

老黄一看，他说话还清醒，还知道说谢，估摸着是没事了。于是就吆喝司机一同下楼。转身一看，那孙佩佩没有要跟着走的意思，就问：佩佩，你不走？

孙佩佩说：我再等一会儿，给黎老师烧点热水喝。你们先走吧。

老黄说：你一个人走，能行？

孙佩佩说：没事。甭管我了。

老黄说：好吧。

然后不再问，转身下楼。

心里却在说：好戏又开场了。唉！

不知为什么。心里一时还有点酸溜溜的。

老黄一走，孙佩佩立刻就感到自由啦！

黎曙光正酒醉昏睡在床上，人事不省。现在这整个屋子、整个人，简直都属于她了。

哇！太好啦！

孙佩佩兴奋得原地转了个圈，乐得手舞足蹈。

要先从哪儿视察起呢？她环视了一下周围，倒背着小手，踮起脚，迈着猫步，抿着嘴唇，含着坏笑，东翻翻，西看看，打探人家底细。有点像《重庆森林》里王菲进入小警察梁朝伟的家，乱翻乱动，把人家当自己家，就像做游戏，比较好玩。

打开他的电脑。下拉菜单，没有什么私人情书之类。

拉开抽屉，再往床头柜看看，里边没有避孕套、药物工具之类。

嗯。证明这个人身边没有女人。

书，高头讲章，堆满在书柜里，多半是建筑方面专业的，她看不懂。随便从一长溜书脊上摸了一把。

照片，相框，他儿子的，一个帅气的阳光男孩。鼻子、嘴长得像他，眼睛不像。可能像他妈。哦？怎么没有孩子他妈的相片？哪儿都没有。看来他对他老婆不重视。也许是二人感情不和吧？嘻嘻。

唱碟，CD架，一大堆古典音乐碟，巴赫、李斯特、肖邦、莫扎特。她扒拉着看了看，手指在上面轻轻一弹，都是她望尘莫及的大师作品，听过的不多。

五斗橱。衣柜。拉开柜门，衣服都整齐地一件件叠挂。白衬衫，能有一打，熨烫挺括，衣领笔挺，挂在一个个阔大的衣架上。哦。他喜欢穿白的。

她用手轻轻一拂，像弹琴一般，撩过那些柔软的质地。

羊绒衫，都叠得像百货商场售货柜里那么整齐，一层层码放在案板上。

牛仔裤，也是叠着放的，有七八条，水磨蓝色。

羊皮衣，黑色的和棕色的，真是好皮子，摸一把，柔软得像丝绸衣服。休闲西服，长呢子外套……一件件质地优良，手一触，都有飘拂之感。

讲究！这个人，真够趁！

不过，这些衣服摸着好，也没看见他穿上后怎么打眼啊？

可能是自己以前没太注意到吧！

厨房整洁。咖啡壶。呵呵，看来他还用咖啡豆磨咖啡现煮呢！她和她单位里的人只喝速溶咖啡。

卫生间宽敞。备用毛巾也是成摞叠放，柔软的珠光纯白色。孙佩佩上去摸了一把。洗脸池下方一个藤条筐，用来搁放用过后待洗的浴巾毛巾。拿起他的剃须刀瞄了瞄，是一种三头剃须刀，电视广告里做过的，最新款式，世界名牌。一瓶男用香水，上面标明那牌子是“古驰”。孙佩佩拿起来，往镜子上喷了喷。闻了一下，又赶紧用手扇去。

查过之后，她很满意。嗯哼。不错。她心说：这个男人，归我了。

这个房子，和这个人。都归我了。

这个房子嘛……挺大的耶！是市里是给他临时住的呢还是就分给他啦？两室一厅，哦，要是加上旁边那个饭厅的话就是两个厅，有一百多平米吧！这样的房子，又是在凇州市区中心这么好的地段，要按商品房的价格计算，得好几十万哪！

这个人，身家肯定比几十万还要多了去了！她算过，按照工程造价的百分之五打到他身上，怎么也有上千万哪！

千万富翁，还能这样有型有款，哪儿找去？让我撞见啦！真是可遇而不可求！

耶——！

孙佩佩一个高蹦到他床上，乐得人仰马翻，四脚朝天。

黎曙光是后半夜醒来的。口渴，渴得厉害，火烧火燎的，好像在沙漠里，嗓子眼要冒烟，五脏六腑都要冒烟。这么一渴，愣是给渴醒了。睁眼一看，四周围很暗，只有床头灯亮着。他把眼睛眯缝了眯缝，又重新微微张条缝，想要细看一看这是在哪儿，自己又是怎么躺到这儿的。一扬手，身边触到一物，扭头，一看，啊！吓他一跳！

孙佩佩躺在自己身边！

黎曙光"腾——"地一下就坐起来了！他看看自己，浑身一丝不挂，光溜溜地盖了一床被子。这下他更蒙了！更不知所措。赶紧伸手，去床边椅子上够到自己的衬衫，穿上。手指都紧张得不好使。还没等把扣子扣好，旁边孙佩佩就醒了过来，睡眼惺忪地问他：你醒啦？

说着就起身贴了过来。一看，也是一丝不挂。

黎曙光忙闪，说：怎……怎么，你怎么在这里？

孙佩佩一边更紧地往上贴，一边娇嗲嗲地说：我怎么在这里？你忘啦？昨晚你在东沟招待所喝醉了，老黄我们几个人送你回来的。

黎曙光说：哦……

他这时才一点一点想起昨晚上喝酒的事情。只记得中途叫过司机停车，蹲在路边吐了一回，至于后来，怎么到的家、怎么开的门进的屋……就一律都什么也想不起来。

醉酒后的记忆一般都断断续续。

此刻,他在自家床上,赤身裸体,仅披上件外衣,正被同样也是赤身裸体的美女孙佩佩两条光滑的玉臂缠得不能动。不光是玉臂,就连那滑溜溜的小身体也顺势缠上来。

我……黎曙光手扶着箍在自己脖子上的玉臂,想把它们撑开点,缠得太紧了,有点喘不上来气。

我……我对你非礼了吗? 黎曙光轻声说。

孙佩佩笑。头一次听到有人这么说话,会用这种口气问。

非了。

她说。她一说完,就毫不费力地翻身跃到黎曙光身上,不由分说耳鬓厮磨起来。

黎曙光一个大活人,哪受得了这个! 况且,正处于酒醉的后半段,是非不清,黑白不明。肌肤相亲的感受,搞得他一股阳火"腾"地就起来了。刚刚披上的衣服也算白穿了,重新又被剥得一丝不挂。酒的余兴和朦胧,让他一次次冲动地崛起。连他自己都感吃惊。那孙佩佩,更能折腾,身体像个曲别针一样,随意弯曲,折回,上下左右,怎样都行,怎样都来情绪,怎样都有娇声。

方才趁黎曙光醉着昏睡的时候,她就曾经上去试了一试。那东西醉酒不举。没得逞。她自己就只得下来,讪讪地百无聊赖地睡过去了。如今见他醒转过来,岂能放过,岂可清闲轻省了他!

于是,就使劲地不要命地用。

他二人几个回合大战,直到天明。

然后他便跌入沉沉的黑甜乡,开始了不要命的睡眠。

这通睡,是几个月以来的第一通好睡! 不不,是几年以来的第一通好睡! 确切点说,应该是自从他被旷乃兴拉着上了他那艘战船,开始参与进凇州新奥体中心设计之后,这漫长时间以来的第一通好睡! 一直往下跌,向下坠,直跌落到睡眠最底层,通达黑甜乡的最深处。直睡得气贯长虹，睡得气冲霄汉，睡得酣畅淋漓！睡得五脏六腑都像是颠倒重置，睡得整个人都像是获得了新生！

睡得就像死过去一回一样。死得透透的，把每个细胞都停滞、休眠一遍。然后，再重新翻转、激活过来。

重新再活转来的时候，好像他就已经不是原来的那个他，他已经变成另一个人，连他自己也不认识的另一个人。

这回，黎曙光是彻底地醒了！酒醒，梦也醒了！

待他早晨（其实已经是接近中午时分）醒来的时候，他的脑筋，不光是脑筋，浑身上下，都像被酒精彻底擦拭洗涤过一遍一样，浑身的机件、油泵、油压、三滤什么的各处亮亮堂堂，上下通透，整机闪亮。就像一辆上路太久行驶里程过多的好车，由于缺乏保养已经疲惫不堪，甚至看上去破旧不堪。现在，经过这一夜的淘洗，酒精的洗涤、做爱的洗涤，肮脏的油泥积尘全部都被擦拭掉，车体焕发出整体锃亮的光彩！所有的不快，单位里遇到的不快，工程中遇到的麻烦，家庭里遇到的烦恼，整体都一扫而光！

真好啊！

真是忘忧啊！

醒来一看，身边已经没人。孙佩佩不知什么时候已经悄悄走了。除了被翻滚揉皱的床单、自己凌乱丢弃一地的衣裤外，其他，没留下任何痕迹。昨晚的气息似乎还在，却又被太多的太浓重的酒气给覆盖。

太像一个梦。不真实。

那个女人，留在他身体里的感觉，也没什么印象了。似乎也是梦中所为。

究竟怎么回事？

头一次出轨的男人，丝毫没有经验，感到有点心虚，感到对一切都没有把握。他想试探一下，想确认一下周围到底发生了什么事情。

于是他躺在床上打电话，给旷乃兴，给黄一发，想进一步探探虚实。他们一听是黎曙光的声音，都问他怎么样了，休息过来没有？听那语音都很平静,就像什么也没发生过一样。黎曙光也就用平静的声音回答,没事,啥事都没有,一切都正常。昨天喝多了,不好意思啊!给你们添了麻烦。旷乃兴黄一发二人都嘱咐他好好休息,今天周末,就不用去工地,自己在家调养将息。

黎曙光坐起身子,又给老婆邵宝娟拨了一个电话,说是双休日加班,回不去了。老婆可能此刻在机房,说了声,知道了,没事我挂了。就啪的一声切断电话。还是那不耐烦的口气。

嗯,好。正常,一切都很正常。

黎曙光放下心来。转念又一想,那么……孙佩佩,是真还是假?她真的来过了?昨晚真的自己是跟……跟她整夜折腾来着?

突然间,就感到这个事情是如此不确定。有心想打个电话,调出孙佩佩号码,末了,又犹豫了。想了一下,还是放下。

起身,洗澡更衣。吃过简单的早餐后,直接奔工地。临出门时打电话叫保姆来,把屋子彻底清扫收拾一下。

他们这些技术团队高工的保姆,都是由凇州奥协办统一给安排指派来服务的,费用由政府统一出。包括他们在凇州这里的住房等等一应生活设施,也都是政府方面负责给配备。他们在这里工作,没有一切生活方面的后顾之忧。派给他们的保姆都经过专门培训,十分敬业,也很负责。孙佩佩看到的黎曙光屋子的洁净度,那都是保姆的功劳。

一上了工地,黎曙光的脑子里立刻被工程的信息包围,简直无暇他顾。但是,他还是有意无意,用眼角逡巡,扫视,在寻找什么,在寻找着身边的缺失。

他一直也没想好这缺失的到底是什么东西。

直到,直到这一天全忙完下来,飞速运转的大脑平息下来,黎曙光又将疲劳过后的身体安置在床上之后,他才想起来,他是在寻找什么,原来他是在寻找孙佩佩。

怪了!今天一天他也没看见孙佩佩的人影。

往常,很长时间以来的往常,就有这么个人,他身边一直就有这么个人，她每天都围绕在自己身边晃，都在自己视野之内，距离不超过一百米的地方，每天都想办法出现在那个地方，出现的频率达到自己习以为常的程度。那时自己对于她的出现是习以为常、视而不见，认为可有可无。

直到有这么一天，也就是直到昨天晚上，那个人，那个女人，跟自己零距离甚至已经负距离以后，突然间就从他身边缺席，就从他的视野里逃脱了。直到这时，那女人才给了自己一个惊诧，才迫使他意识到，哦，原来还有这么一个人，还真有这么一个人呢！她的存在，无比重要，她的出现，对他来说变得不可或缺。

有一个地方，是一切欢乐与罪孽之渊薮。那里十分敏锐又十分钝感，十分火热也十分冰寒。选择了它，也就选择了重生或终结。进入了它，也就进入了涅槃或毁灭。

黎曙光如今就掉入这深渊里。沦陷，沉迷；不知所终，不知所往。

偷情是快乐的。偷情的快乐常常都在突破禁忌中。

虽然还是在冬天，万物凋敝，大地严寒，黎曙光却分明嗅到了青草甜香的气息，草木葱茏的气息，他闻到了春天的味道，听到了大地解冻，河流奔涌，万物复苏的震耳轰鸣！伴随着孙佩佩小鸟般嘤嘤嗡嗡的鸣叫，他青春的记忆复活，爱情的记忆复活！

他像一个被这个快节奏的时代给搞得失忆的人，如今，在这非常态的爱情里，记忆又复活了！关于青春、音乐的记忆，关于家乡、爱情的记忆，全都复活！全都返回到他身体里来。

这爱情就像一株忘忧草，让他忘记所有劳累、烦恼。现实里的一切不快与龃龉都可以忽略不计。剩下的，就只有欢乐，欢乐，生而为人的欢乐，巨大的身体上的欣快和愉悦。

一切都是慢节奏的。音乐。做爱。一切节奏都由他来掌控。

这次，以及往后的许多次，他都是清醒的，清醒地进入，清醒地缠绵，清醒地挥洒满腔憋闷已久的柔情。旷世柔情。他骨子里就是一个柔情的人。不是做出来的，天生就是。

这个肤如凝脂、面若施朱、浑身光溜溜的柔若无骨的小姑娘啊！捧在手里，就像一枚瓷器。让他感到珍惜，感到疼爱，爱不释手。同时也感受到一点点面对青春胴体时的自惭形秽。

面对这样一个青春胴体的鲜嫩，才知道自己已经有点上了年纪。

咖啡在桌上冒着悠悠的香气。唱机里放着巴赫、李斯特，他们的《哥德堡变奏曲》《爱之梦》。繁星满天。月光大地。深邃而平静，稳重而内敛。无限上升的“卡农”①，从绚烂复杂归回到平静朴素。丝绒般的音色，宽展的柔情，融化了他长久以来对爱情已然冰封的心灵。他的手指在她白如凝脂般的肌肤上触抚，伴随着那一首华丽大幻想曲《钟》，李斯特的升 G 小调，6/8 拍，左右手交替演奏，速度很快，相隔的十几度的跳跃，用来模拟钟声，钢琴家都用它来炫技。如今，这旋律仍在他左右手间迅速穿梭，激情在指尖尽情流泻。他仿佛又回到了过去，回到了家乡，看到瘦西湖，银杏树影里，一个苍白抑郁少年，头发略微卷曲，在专心致志练琴。千里烟波，暮霭沉沉楚天阔。今宵酒醒何处？杨柳岸，晓风残月。二十四桥明月夜。玉人何处教吹箫？

他的手指更婉转流利，弹奏，在她身上，混沌蒙昧处，一一开掘。技法眼花缭乱。他的万般好处，缠绵，对她来说，太慢，一切都是慢节奏的，需要细细品，细细玩味，她却领会不了，更无福消受。这样一双弹琴的手，后来去画画，再后来成为建筑设计师——也仍然是画画，不过画的是立体多维交响建筑，用砖混、用钢筋水泥这些坚硬材料，在大地上画出或水波荡漾或剑鞘冲天的人造风景图。

他的所有这些，他所受的教育，他所受的专业训练，品位，志趣，都与她，与 80 后美女孙佩佩相去甚远。但这不妨碍她的撒娇，她对他的征服与占有，她以千娇百媚、鹦鹂婉转来赢得他的娇宠。

---

① 卡农(Canon)——复调音乐的一种，原意为“规律”。字面上意思是“轮唱”，出现于十三、十四世纪。一个声部的曲调自始至终追随着另一声部，数个声部的相同旋律依次出现，交叉进行，互相模仿，直到最后的一个小结、最后一个和弦时融合在一起。

一局暴风雨般的爱事做完，他起身，去厨房，磨咖啡豆给她煮咖啡。他那么一丝不苟又饶有兴味，细细地研磨，孙佩佩看得感慨。他可真有耐心啊，她心里说，他哪里来的那么大耐心？要是换了她，烧开热水，往杯子里一冲，就完了嘛！一杯速成咖啡，与他现磨出来的咖啡滋味能相差多少？她不懂。

她横躺竖卧，懒洋洋，偶尔哼唧一声：老公！把这个给我拿来！老公！把那个东西递给我。只这一声声“老公”，就把个黎曙光哼唧得五迷三道，飘飘欲仙。可怜他这辈子还没听过这样的嘤声，还没有赶上过这样的呼唤。他和妻子，属于上一个时代，还是那个时代的方式和叫法。如今，补上了。孙佩佩把这一切时代的时髦的功课都给他补上了。他成了一个全乎人儿。他感觉他现在才成了一个全乎人。什么都体验到，什么都不缺。他需要有女人的媚声媚态，撒娇发嗲。以前在老婆身上没体会到，如今把这种种缺憾都补齐了。

孙佩佩恃宠怙娇，把他指使得滴溜乱转，她自己只是享受，听歌，闻着厨房里飘来的越来越浓的咖啡香味，等着他待会儿给端来伺候她。乐曲仍在响着。她虽然没有接受过古典主义熏陶，但她不缺乏感受能力，那些柔曼的、无限回环的曲子，勉强能听得进去。但是不知道怎么的，就是不能够打动她的心。不一会儿，就有点不耐烦，于是忍不住，打开电脑，从网上搜索视频歌曲演唱，随意找到一个，她熟悉的 S. H. E 的《不想长大》，点击，开始全屏播放。那三个打扮成公主般的小女孩就蹦跳着出现在她面前。她爬起来，穿着他的白衬衫，也不穿底裤，裸露两条修长的玉腿，扭来扭去，伴随着乐队的歌声唱，沉浸在 S. H. E 那三个小女孩的演唱意境里：

为什么就是找不到无邪的玫瑰花
为什么遇见的王子都不够王子啊
我并不期盼他会有玻璃鞋和白马
我惊讶的是情话竟然会变成谎话

这不是唱，几乎就是念，就是说，是 RAP，饶舌。歌曲没有起伏，没有高低难度，很容易唱，朗朗上口，是个人都能够会说，会呱唧呱唧数落着讲。

黎曙光用托盘端了两杯咖啡进来，把咖啡放下，然后坐在沙发里，她对面，一边喝着咖啡，一边看着她，充满一种迷恋，溺爱，不像看着情人，倒像看着小女儿。听了她嘴里念叨的歌，他摇头，无奈，半是欣赏半是嗔怪：你都多大了还唱这个？

她不理，兀自扭着小屁股，晃着玉腿，眼睛盯着屏幕，嘴里依旧在那儿念念叨叨数落：

我不想我不想不想长大
长大后世界就没童话
我不想我不想不想长大
长大后世界就没有花
我不想我不想不想长大
我宁愿永远又笨又傻

她又蹦又跳，扭得越发起劲。黎曙光笑，双手挠头，放下，听了一会儿，问：你知道这中间几小节的主旋律是谁的吗？莫扎特的 G 小调第 40 交响曲。奇怪，怎么给插在这儿了？

她仍旧不理，依旧随视频做复沓式吟咏，同时增加了手的动作，比比划划，更加大声：我不想我不想不想长大，长大后世界就没童话；我不想我不想不想长大，长大后世界就没有花……

黎曙光抓狂。他是头一次听到这种青春式童歌或者叫 80 后的歌，没有旋律，只有节奏。这就是新一代人，在电脑网络游戏《魔兽世界》中打大的一批人，在她们的世界中，没有旋律，只有节奏，是那种快速的、飞扬的、震荡电子游戏节奏。黎曙光的那些打动心弦触动灵魂的古典乐音，对她们不起作用，根本倾听不进去。

他想引领着她，或者强迫着她，进入到他的“慢”当中来，让一切都慢下来，慢下来，细细体味，浸透到音乐中，跟随着他的品位，体会禁忌破开时的惊颤悸动，享受肌肤相亲的每一寸甜蜜与快感。她却不行，实在是慢不下来，不合他的节拍。她总是要不得闲的，床上表演技术动作，俯仰离合，弯曲腾跃，莺声燕语，吹箫弄曲，是艳情光碟和网络色情影片的路子。她就像一个体操运动员，身体几经磨炼摔摔打打，早已末梢神经迟钝，对外部世界封闭，无论疼痛还是快乐都永远无法通达她心底。

没办法，她们这一代人，网络和视觉媒体发达时代长大的一批人，早早就什么都明白，什么都看过，什么都尝过了。唯一不知道的，就是怎样去用心，要用心灵去体会和感应。

他是一个很挑剔的人，不那么容易被征服和占有。要想赢得他的心，靠什么呢？青春美貌当然很重要，是前提。青春无敌这不用说了。但是要想将他这只股票彻底套牢，长时间持有，不动些手段还真不行。她还有一个重大本事，那就是装乖。她发现，其实，对付这种老男人，征服这种大过自己十几岁的老男人，其实很容易。其实，她不被需要做什么。在他面前，她只要乖，或者装乖就行了。只要她一乖，他好像就很满足，像是有了宠物，有了玩伴，就完全的知足。

除了装乖，她再发上一点嗲，只要一发嗲，他就更是要乖乖败下阵去，百依百顺，要啥给啥。她就能如愿得到她想要的。一开始是礼物，各种小礼，女孩子们喜欢的，比方说，一瓶香水，或丝巾，纯粹巴黎产或意大利产，价格不菲。一条铂金项链，张曼玉做广告的那种。后来，他嫌跟她一起出行逛街不方便，就索性给她卡，让她自己去刷。

在这方面，他是慷慨的。不很在意，甚至，有小小的成就感。因为他是男人，他愿意为自己的女人支付账单。况且，以他现在的收入来说，这点小礼，实在不占什么百分比。

对于这一点，孙佩佩很满意。她的终极目的不就是这个吗？其实，要单就他的床笫之间的技艺水平来说，跟她前两任男友比起来，她的评价，黎曙光的动作难度系数比较低，如果满分是10分的话，勉强可以打上个6分。但是他的情调和财富，却可以把余下的4分补齐。

这个男的，嗯，看来还行！出手大方，不抠门儿。看他满不在乎一点不打愣送她卡、送她东西的样子，这点东西，对他而言也就是老虎身上拔一根毫毛，也就是个小小不言吧！他的家财有几千万，肯定是没跑了。于是她对他更黏糊，更用劲，更往他这干柴底下添烈火。最初她也只不过是想征服他玩玩，试一试自己的魅力，顺手牵羊从他身上获得一些虚荣和物质实利。现在，她得到了，目的也已基本达到，然而她发现，她的这种需求正在不断扩大，以至于她不想撒手、妄想独吞、不想再与人分享他。并且，的确，她也得承认，自己有点从心底里喜欢上他。就是两块石头在一起，时间久了也会焐热乎，更别说是他这么好的、有名有钱有社会地位的一个大活人！

事情很快向着离她初衷很远的方向背滑去。她发觉自己逐渐真心喜欢上了他。这不符合她以往的脾气。

他二人逐渐如胶似漆，似乎有点一日不见如隔三秋的意思了。

对于黎曙光来说，这是一场禁忌之中的游戏，除了要谨小慎微、在周围的人那里别露出马脚外，在妻子那边，黎曙光也多少有点心虚，内疚。自从跟孙佩佩好上以后，有好几个周末，他都以工作忙为借口没有回那个家、回省城去了。现在他把省城祁阳与妻子的家叫做“那个家”，把淞州城里的这个与孙佩佩偷欢的小巢叫做家，一回去就说“下班回家”。这完全是不自觉的，无意识的，却体现了深刻的心理变化。

他打电话回去，要跟妻子说，这礼拜还是回不去，工地上要加班。实际上是要留下来陪孙佩佩过生日。妻子在电话那头一听，口气仍然是冷冰冰、不耐烦的，仍然是忙碌已极的口吻，说：不回就不回吧。没事我挂了。说完就“啪——”的挂断，与以往的任何一次没有不同。他刚开始还担心妻子会问，会怨，还担心妻子会听出他口气或情绪上的变化。可是，没有。他不回去，没有任何障碍，也没有任何变化。这让他比较放心，一时塌下心来。同时，又略微生出一点别样感觉：妻子对他是不在意的。妻子对他是不上心的。有他没他一个样。回不回去一个样。妻子对他的这种冷冰冰和不耐烦，将延续到他们生活的始终。他想。他一这么想的时候，忽然万念俱灰，忽然就有点惧怕和恐慌起来。

以前他从来没有这种感觉，或说从来没起过这个念头。两人之间的这种生活方式，他都已经习惯了。可是，现在，这个念头一起，恐慌就像冬季野地里的漫天大火，那些干柴荆棘和野草根，都夹杂在这火里无比凶狠地燃烧起来，烧得他心痛。他忽然间感到了痛。他们还都年轻。他想。他们还都只有三十多岁。他没法想象以后漫长的人生中，他们将在这种氛围下过日子，他将和邵宝娟在这种压抑、忙碌、焦躁、不耐烦中过日子。而且，基本上是没有性的日子。有没有爱？也不好判定。他现在感到一切都是那么的不好判定。

妻子邵宝娟的电话忽然就断了他的念想。本来有所内疚的他没有能够获得有力的支撑，他于是就继续破位下跌，顺着下降通道，迅疾而有力地滑下去，滑下去！愈滑愈快乐，愈堕落愈快乐。

他彻底放纵在孙佩佩身上，一个光溜溜的柔若无骨的小姑娘，那种丝绸睡衣缠绕的女性氛围和气息……都让他一天比一天更沉迷。孙佩佩缠得他越来越紧，两个人的关系开水煮蛋到了沸点，那些谈婚论嫁的言语在孙佩佩嘴里便脱口而出。黎曙光并不觉得有什么突兀，他只是含糊其辞，并不给她承诺。但在心里，已经觉得，是时机了。到了该把从前的婚姻、把自己旧有的生活了断的时候了。

是的。爱到尽头，覆水难收。这歌唱得不错。

即便没有孙佩佩，他想，也是早晚的事。他和邵宝娟分手，也是早晚的事。孙佩佩，只是一个强有力的促成因素而已。

至于离婚后会不会跟孙佩佩成婚，他没有想。想不清楚那么远。他现在要做的，是了断一段情结。一段郁闷。一段烦心。一段牵扯。一段瓜葛。一段死去的枯藤。那上边，再开不出新鲜的花朵来。

他必须了断，不能再拖了。他打算下一个星期天回去，回去要跟邵宝娟谈谈分手的事情。他要好好地跟她谈谈。为此他已做足了心理功课，夜半难眠之际，已经盘算好了即将遇到的各种情况：当他提出这个要求后，邵宝娟会有什么反应，她的娘家人会有什么反应，双方的单位会有什么影响，孩子怎么办、财产怎么分……他都一一想到了，比他设计“东方地平线”想得还复杂，还细致，把枝枝蔓蔓、可能引起的纠纷、各种细节都想到了。最好的办法，他想，是自己净身出户，把一切财产都留给女方，这样他的心里会略感宽慰，会获得一点道德平衡感。如此一来，邵宝娟那边的阻力也应该相对减少。

他白天忙工程，晚上想细节，与妻子分手的细节，还要抽空与孙佩佩偷欢享乐，做床上伸展运动，分外的熬煎，使他很快就瘦了，脸瘦成了一小条，然而精神仍旧是紧张与亢奋的，目光炯炯，像一口气吃了 15 棵人参，走在野地里发出灼灼的亮光，浑身带电发出的灼灼亮光，简直都能吓死野外的 15 匹狼！他在心里给自己点燃了大战前夕的硝烟烽火。只等着冲锋号一响，就扑到前线，奋不顾身、舍生忘死，毅然、决绝地打响第一枪。

是时候了。他说。黎曙光说。

是时候了。她说。孙佩佩说。

他们俩都各自在自己心底说。

于是，他们就按照自己各自的目标悄悄出发开去。

他们所要奔向的、要针对的目标却不约而同指向一个：邵宝娟。

21. 风声鹤唳

旷乃兴的台湾二叔出事了！

他是随副市长蒯广富被双规而浮出水面的。

一封告状信，告到新州省纪检部门，附带着还有一盘温泉安乐窝里的男女淫照寻欢图像。图像中那男的，是凇州市主管城建的副市长蒯广富。女的，是市府综合二处副处长王栀惠。告状人，是台湾恒元集团总经理万宏耀。告状缘由是揭发在凇州东湟河会展中心二、三期招标过程中，主管负责人蒯广富营私舞弊索贿受贿，在恒元集团违心送上贿款后，他又违反当初协议和承诺，擅自将地块以低廉价格转批他人。

那个“他人”不是别人，正是淞州市常务副市长旷乃兴的台湾二叔旷正茂与市长程之介的儿子程小强联手经营的日本日田清源公司。

消息一出，淞州震动！

第一时间得到蒯广富被双规消息的是淞州市市长程之介。蒯广富上午刚在市城铁规划协调会上讲完话，号召大家要着眼目前经济建设城市建设大局，要加强廉洁自律，要反腐败要廉洁奉公。待到讲话完毕，掌声一落，他便出门下楼，准备赶往南湟河区另一会议上给基层党组织做开展党员先进性教育动员报告。秘书提着公文包在身后紧跟着。二人刚一出电梯口，就被早已等候在那里的省纪委的两个人拦住，确认是蒯广富后，二话没说，就给带走。跟任何人都没有打招呼，连家里也不让通知。他身后跟着的秘书一时愣在那里，干愣愣看得直瞪眼儿。

马上就有人给市长程之介通风报信，说是情况不妙。蒯广富这一被带走，淞州可就要出大事！

市长程之介听了，惊慌失措！

下手这么快，突如其来，简直还没有准备。

但是，准备又能准备什么呢？其实，他也能感觉到，这个蒯广富身上的问题很多，但凡管工程的人，哪有一个是干净的？但究竟他的问题有多大，陷得有多深，他并不了解，蒯广富也不会让他了解。他知道，“双规”之后，检察院马上就会介入，接着就是立案批捕。

程之介强迫自己静下心来，迅速思索：他蒯广富身上能够牵连到自己的，都有什么呢？想不出，枝枝蔓蔓的，太难捋了。唯一可以得到安慰的，是自己在金钱方面跟他没有什么往来。这一点，他可以有保证。他自己本身，不是一个贪财的人，钱并不重要，权才是最重要。如果整个淞州市都能听候在他的指令下，那么金钱的事情就是小事一桩。其他彼此间工作上的往来，有一些违规处理之处，那也是在所难免。为了党的利益和群众的利益,偶尔打打政策擦边球的事情,各级基层政府都偶有发生,算不得大过。但不知除了违规之外,蒯广富还有多少事情进行了违法操作? 一旦违法,那就没救了。

这么一想,他又紧张起来。蓦然想起通风报信的人说,蒯广富的被揪,好像跟东湟河会展中心招标的事情有关,是被台湾人给告倒的。前些日子,听自己儿子程小强念叨过,他和一个什么人联手的公司,有意要拿下会展中心那块地。程小强好像还向他问起过除了蒯广富外,还有谁具体分管那个工程。他当时还斥责儿子一顿,告诉他别手伸太长,一个那么大的电讯公司给了他,上市圈钱什么的还不够折腾的? 差不多就行了。程小强也就没再提。如今,程小强要搞会展中心地皮的事情不会真跟那个蒯广富有牵扯了吧?

想到这里,他心里一紧,赶紧给程小强拨电话。电话那边,传来声色犬马的嘈杂背景声,中间还夹杂着女人的一两声浪笑。臭小子! 都什么时候了,还乌烟瘴气待在欢场上泡! 程之介气愤,叫程小强出来接听电话。程小强还有点不乐意,说爸,有什么事情你就说吧。程之介厉声喝道:让你出来听你就出来,废什么话! 程小强不知老头子哪股气儿不顺,赶紧从按摩床上起来,在下半身缠上一块浴巾,又拧了刚刚骑在身上的小玉春脸蛋子一把,这才蹩着腿,晃儿晃儿地走出,走到外廊僻静一点的地方。刚刚对着电话说了句:爸……

程之介那边劈头就问:东湟河会展中心那边,你跟蒯广富有什么交易没有?

程小强大大咧咧说:咳! 那老东西! 铁公鸡路过也要拔毛。他揩了我们上千万。

程之介一跺脚:什么? 唉! 你呀你! 我说你这不争气的东西! 我告诉你,那蒯广富已经进去了! 你们,你们,都好好给我等着吧! 你等他交代出来,你们,一个个行贿罪,都该蹲监狱进大牢的货!

程小强吓得一哆嗦,赶紧问:什么? 什么……进……进去了? 爸! 爸! 爸你可一定要救我,这事与我……我,无关。

程之介说:瞅你那副熊样！听着,这两天你给我好好在家待着,哪儿也别去,谁电话也别接,等我动静。

程小强哆哆嗦嗦,下半身立刻抽抽瘪回去,说:好好。爸,我听你的。

台湾恒元集团老总万宏耀,如今出此下策,实属迫不得已。

恒元集团可以说对于凇州今天的发展功不可没！他们所投资承建的东湟河会展中心一期工程,当初正是由常务副市长旷乃兴一手给牵线搭桥建立起来。有了它,才有了原来老体育场的拆除、新奥体中心在南湟河地段的重建,以及南湟河原址五万平米连片棚户区的拆迁改造,也才有了凇州的一系列的城市新貌的今天。城市的面貌正在按照他们的最初的规划远景一步一步落实。可以说当初台湾恒元集团在投资兴建会展中心时,对于它的短期获利并不抱奢望,更偏重于它的中长期效益。但是,哪承想他们赶上了好时候,这两年,随着北方经济的回暖、机械制造等传统产业逐渐成为全国的龙头之后,企业对商业会展的需求也越来越高,会展业如雨后春笋般发展起来。等到他们的东湟河一期工程完工,酒店商场等旅游配套设施也逐步齐全投入使用之后,迅速取得效应,回报率比预期要超出许多。恒元集团深感欣慰,他们决定进一步做大做强,继续开发二期、三期工程。

按照最初的合作方案和承诺,台湾恒元集团在出资开发了东湟河会展中心一期工程后,对于周边地块的开发以及今后的二、三期工程有优先竞价权,并且可以享受土地价格上的进一步优惠。而在这时,瞄准这个地块的商人也不计其数,见到这里发展得好了,人人都想叼这块肥肉,想从中分一杯羹,竞标投资者趋之若鹜。在恒元集团的告状书里说,具体负责东湟河会展中心这项工程事务的主管城建副市长蒯广富借机抬高地价并向恒元集团索贿。恒元集团无奈答应了他,交付贿款后,蒯广富却拒绝履行诺言交付土地,转而把地块以低价拍给了以日籍台湾商人旷正茂为首的日本日田清源公司开发。万氏集团一怒之下向有关部门检举告发了蒯广富。

说起来，这是个简单却又牵涉太多的案子。不光牵涉到奥运工程，还几乎与市里几大领导都有瓜葛。事发以后，省纪检部门非常重视，在查清蒯广富确实有索要、收受贿赂的证据后，马上把他双规。并立即向淞州派去由省纪委副书记牵头的调查组，要求调查组一定要全面查清会展中心蒯广富索贿受贿案问题。

在省调查组来找相关人员谈话、了解情况之前，程之介先紧急启动，摸清底细，为了儿子，安排部署应对措施。他先从蒯广富的马仔、市体育局局长康大光那里了解了详情，得知不光程小强，这个案子里还有旷乃兴的一个什么台湾二叔也参与搅和进去了。程之介就明白，这一定是老狐狸蒯广富做的扣，让他们这些人都往里钻。现在，他这个市长还有本市常务副市长的亲戚都卷在里边，再想要不受牵连，是不可能的。

康大光劝他说：程市长，蒯市长这一进去，这个线团可就攥在人家手里头了。而且，这个线团，还给打上死结。现在唯一能解开的人，就是旷乃兴。只要他那根线头一抽出来，这团线，立刻就散。台湾恒元集团当初是他给拉来的，据说总经理姓万那个家伙跟他交情不浅。旷乃兴要是出面劝他们撤诉，就说给蒯广富那笔钱，是正常回扣，是他们主动给的，然后也是他们自己没兴趣再做会展工程二三期，先撤出来，才有了后来的日田清源公司正常投标获得地块。这么一来呢，就可以大事化小，小事化无，完全是一场误会。咱们哪，就管保都没事。完事以后，咱再从其他方面给恒元集团一些补偿，不就行了？自古道，民不告，官不究。尤其台湾同胞，骨肉兄弟，互相支巴打起来，对谁都不好。咱双方都各让一步，保管全没事，人人皆大欢喜。

程之介气愤地说：什么屁话！你当人都是你呢！小脑发达，大脑平滑，猪脑子！这种事情，是儿戏吗？恒元集团既然白纸黑字连录像带都一起送了来，那肯定就是坚信能赢，要一门心思把官司打到底了。也不知你们合伙把人忽悠成什么样,人才痛下这个杀手。

康大光说:市长你别急,你听我说。还有啊,咱们这边那个撬行的小子,就是夺了人台湾恒元集团生意的,不还是旷乃兴的什么二叔吗?这就好办!他总得救他二叔吧?他二叔行贿千万,蹲大狱也够蹲上个几年的。只要跟那个二叔旷正茂串供好,双方一口咬定,他们日田清源公司拿到会展中心二、三期地块,完全是按正常手续竞标,不承认给过蒯广富好处费,小强这边,也咬住,他们调查组就没有什么办法。

程之介听了,若有所思地点点头。

事已至此,还能怎样呢?为了儿子,也只能是采取先保全,后牺牲的策略。先要稳住阵脚,把方方面面工作都做到,旷乃兴那边,台湾恒元集团那边,旷乃兴的台湾二叔那边,还有关在里边的蒯广富那边,工作都要做到。他奶奶的!这个蒯广富真不是个东西!胆子也忒大了!这么复杂的扣,他也敢结!

如果不能保全,如果,旷乃兴不肯出面,说合不成,恒元集团那边不肯撒手,台湾二叔那边也抵挡不住,蒯广富那边也全招供,洪水来了三面墙倒,最后浪涛直逼程小强,那就得采取牺牲策略,牺牲一个蒯广富,把他做掉,把这条线索当腰掐断!

线索一断,往下查不下去,所有罪状都归他一个人身上,这事就算就此了结。

……但是,这个"牺牲"恐怕很难实施得了。那个蒯广富,他很了解,狡猾奸诈,是一条疯狗,不是那么好对付的。他预先不知给自己留下几个活口呢,哪一个活口都不太容易那么完全封住。

程之介第一次找到旷乃兴谈话的时候,旷乃兴心里着实吃惊不小!他没有想到事情是这个局面。程之介是第一个、在第一时间跟他说这件事的人。他是有策略有部署地说的,将这件事的严重后果、对淞州的影响、对他旷乃兴本人的影响,一一夸大道出。他说:这件事情的出现,对整个淞州政局和奥运建设的影响,都是极其不好的,对于你本人的影响,也是相当不利的。处理不好,外界和淞州老百姓会骂淞州的奥运工程是个腐败工程、黑洞工程,淞州的领导班子是个严重腐败班子,尤其是,这项工程还是由你一手提倡,当初的项目就是由你出面牵线找来台湾万氏集团投资的。你的亲戚二叔又卷入这个案子里,还是重要责任方,这一切,都对你的个人威信和形象造成了很坏的影响啊!所以我们要行动起来,立即做工作,尽快杜绝最坏后果的发生,把事情的负面影响降到最低限度。

旷乃兴沉住气,听着,保持不卑不亢的神态。末了,在听完程之介想要他去做什么之后,他语气平静地说:程市长,谢谢您来告诉我这些。我相信,事情的真相会水落石出的,该谁负责,就是谁负责,我们都不能逃脱干系和责任。至于我那个本家二叔,他也应该知道,自己做了什么,就该承担起相应的责任。

程之介也没逼他,知道事情来得突然,他需要时间消化。

走出程之介房门,旷乃兴的心里也在狂打鼓,浑身都在发紧。

又一场雷霆暴雨来了!而且,比前几次来得更猛烈。

这次,由于台湾恒元集团以及那个二叔的缘故,事情跟自己有了瓜葛。看来还是很大的瓜葛。

可究竟是怎么一回子事?他不知道这件事情的底儿到底有多深。

还记得在希腊出访时,弟弟旷乃庆电话里提过一嘴,说台湾二叔在淞州接了个什么工程。本来想着回来后要问问的,结果一忙,就忘记了。二叔也从没有主动找过他。他也没有主动去过问。如今,这个时候,更不能去问。现在从程之介口里他知道了,二叔参与的,就是东湟河会展中心二、三期那个地块,也就是他原来请来的台湾恒元集团万先生投资的那个工程。那边的工程,作为当初的淞州"三大战役"之一,前一把手白宏臣在的时候,已经明确分工给程之介、蒯广富具体负责。现在,主要负责人蒯广富被双规,程之介提出让他找恒元集团老总万宏耀说合撤诉、找他自己二叔串供,统一口径。对了,好像程之介也提到他儿子程小强也加盟进二叔的公司。

麻烦！不是一般的麻烦。复杂！也不是一般的复杂。

这个时候，这种关键时候，他什么也不能做。只有坚守本职工作，静观其变，坚信谁的责任，必定要由谁来承担负责。

刚一进到自己办公室门，就听电话铃响。是家里弟弟旷乃庆打来的。弟弟说台湾二叔已经从程小强那里听到风声，想让哥哥给打听打听具体怎么回事，到什么程度了。想让他帮助给求情活动活动。旷乃兴厉声告诉二弟少管，别有事没事跟着瞎掺和。出了问题，该怎么解决就怎么解决。到时候，二叔只能上调查组说去。

二弟旷乃庆也一副不高兴口气说：哥你少跟我发火，是我愿意管的吗？那个二叔算摸透咱们家底细了，动不动一有求什么事，就直接打电话给咱爷爷，再通过咱爷爷来命令指挥我们。哥，你说，我能怎么办？我愿意管他那个闲事？他挣了钱，一分钱也没给我们，他出不出事跟我们有什么关系？这也是爷爷嘱咐我找你的。要不然，我才不稀罕管呢！

旷乃兴缓和了一下语气说：那什么，你也好好劝劝咱爷爷，给他多讲一讲利害关系道理。

距市区几十公里外的市府东沟招待所深处的一个二层小楼里，副市长蒯广富被单独关在这里写材料。被双规以后，他也在处心积虑，考虑着对策。蒯广富认为自己手里捏着万无一失的两张牌，一张是程之介，一张是旷乃兴，无论怎样，这两个人都肯定要出面救人。不救？好，大家就同归于尽！你们两家谁也别想得好。他暂时还是采取拒不交代问题、死扛的策略，等待着外面的营救动静。坦白从宽，牢底坐穿；抗拒从严，顶多三年。不知从哪里他听说了这套贪官们总结出的对付纪检部门的经验。如果外面还没有动静的话，他就要给他们施加一点压力，采取第二步，挤牙膏式坦白交代，每次都放一点风出去，示意自己掌握着程之介、旷乃兴他们的把柄，逼迫着他们赶快来捞他，再不捞，就全说出去，那样的话，对大家都没有好处。

中间替他往外散风、走动、斡旋的人，不是他老婆，也不是别的亲信，而是王栀惠。就是录像带里被拍了个正着的女副处长王栀惠。她怎么那样倒霉，跟蒯广富没上床几次却正拍了她？其实不是。其实万宏耀他们手里还有蒯广富跟电视台女主持人、当红电影女明星睡觉的其他录像，甚至还有他找“鸡”、让发廊小姐给推油的实况偷拍。那些录像，他们都没有送交，他们最后唯独选了蒯广富跟机关女副处长王栀惠上床这个送交上来，似乎更能说明问题，证明蒯广富不是简单的道德败坏、作风问题，而是在乱搞男女关系之上更加了一层利益结盟，是共同腐败。

王栀惠这个疯狂的女人，白天很傻很天真，夜晚很黄很暴力，看似聪明，实则蠢笨，除了将身投靠、赚取蝇头利益好处外，不讲政治原则，缺乏是非界限，大是大非面前白瞎了一双眯缝小眼儿。这个时候的王栀惠本身已经处在严密监控之中，然而她却鬼迷心窍，舍得一身剐，搅和到捞蒯广富的活动中去。她认为只要蒯广富一没事，自己就会跟着没事。如果蒯广富不出来，她自己也将干系难逃。她的升迁、房子，她的 N 多次帮他们作案，她帮着牵线日田清源集团公司竞标、共同分得贿款……所有这一切，都跟蒯广富有关。抖搂出来，除了等着判刑蹲牢、没收财产，别无他路可逃。现在她与其说是在救人，还不如说是救她自己。

另一方面她自己同时也想好了后路，办好了全套移民加拿大的假护照签证手续，似乎随时可以上飞机出逃走人。但是在出逃之前，还想侥幸，最后赌一把。事情还刚刚开始，还只是露了个头，只要蒯广富还没有被立案，就可以挣扎一下，最好是最后没事，能放出来，自己也能够全须全尾待在淞州地面上，继续优哉游哉过着好日子，这是上上选。否则，即便是偷逃出境，在那边的日子，想必也是整日如惊弓之鸟，好不到哪儿去，这辈子，基本上就算毁了。还是想法能留在祖国为好。

她的梦幻的几近幼稚的想法，听起来可乐，但她自己却信以为真，根本不知什么叫天网恢恢，疏而不漏。

于是王栀惠多方游走，带着若干个不同号码的手机，买通看守，通风报信。

她替蒯广富从里边放出风声说:他并没有索要收受台湾恒元集团的贿赂。他的耐心是有限度的。

程之介一听,明白蒯广富这个信号的意思了。他现在还在扛着,还在有耐心留给他们前去解救。不过这个“限度”很快就要来临。不光是他自己的耐力有限度,调查组也会给他规定一个限度,决不会太长。程之介的心里未免起急。现在所有的肯节、所有的关键点、事情的拐点都在旷乃兴身上,都押在旷乃兴身上,他在台湾恒元集团那边不动、在他台湾二叔那边不动,就谁也拿这个事情没办法,他们就只有等待调查组来调查取证,就只有坐以待毙。

程之介耐心说服,派出王栀惠上场,去劝解旷乃兴。他听程小强提到,在他们的交易里,除了康大光,剩下就是这个女副处长参与了全过程。程之介现在想利用这个王栀惠,把所有的底细都兜给他,都告诉给旷乃兴,对他晓以利害,明确告诉他,他那个台湾二叔是打着他这个侄子的名义去疏通、贿赂蒯广富的,若还是眼瞅着眼下的局面不管,那就让他自己看着办吧。

王栀惠从程市长那里得令之后,迅速想了一下,调整了一下表情,随即拨通了旷乃兴电话。没有接。又打旷乃兴秘书小严电话,问旷市长在吗?说有事找旷市长。小严认识她,一起去过希腊,就没多问什么,把电话转接到旷乃兴里屋办公桌上。王栀惠一听那里边出现旷乃兴一声“喂”,她便嗲声嗲气道:旷市长呀,忙吗?我是王栀惠呀!咱们能出来见个面吗?

旷乃兴一听是她,道:有什么事情,就在电话里说吧。

王栀惠说:电话里说不清。必须见面。

旷乃兴道:如果有电话里也说不清的事情,我看那就不必说了。

王栀惠赶忙赔笑道:别呀,旷市长,我可有重要的消息要禀报,一定要见你。

旷乃兴看看表说:也好,你到我办公室里来吧。

待王栀惠过来，一进门，小严把她领到里屋，然后退出去。旷乃兴示意她坐，然后说：过一会我还有个会。有什么事，简短说。

王栀惠原本还想把眼神打点成幽怨点的，本想以情动人，牵动起市长的某些情怀。毕竟，这位市长的男性敏感器官已经被她抚触过。虽然最后被推开了，但也算是有了肌肤之亲。但见那旷乃兴一点面子也不给，板着脸，公事公办的架势，她也只好换了一副表情神态。于是，便以讨好的、想拯救旷乃兴和他二叔于水火的口气，说了会展中心一案的来龙去脉。

她说台湾二叔先是找到的她，通过她给联络上的蒯广富，二叔给蒯广富的钱也是经由她转手的。整个过程她有参与，不为别的，仅仅是因为，他是旷市长的二叔，她无法不帮这个忙。蒯广富市长也是因为看着旷市长的面子，知道是旷市长派来的，才把工程批给了二叔。知道是旷市长的关系，蒯广富市长并没有收他们的钱，那笔款，已经退回给二叔他们公司了。

本来嘛，人家还想先告诉旷市长一声，但一想，才做这么一点小事，就来邀功，不是我王栀惠一贯的为人风格，别让你误会我是别有用心……

说到这里，王栀惠又故意抛了一个眼色。但见旷乃兴坐在办公桌后边，脸板得铁硬，眉头已经蹙得紧紧的，耷拉下眼皮，眼瞅着桌面，根本不朝她看，也似乎没有任何感恩的意思。于是她咽了一口吐沫，继续道：后来嘛，我一想，还是等到事成之后再说吧。到那时二叔自会把这个消息告诉给旷市长的。

旷乃兴这时才抬起眼皮：说完了？

王栀惠：完了。

旷乃兴：王栀惠同志，你现在说，也不晚。希望你能把今天跟我说的这番话，直接跟调查组去说。你也是机关里的老同志了，应该知道面对这种情况，自己应该怎么做。

说着，起身，说了声“抱歉，时间到了我要去开会”，随之做了一个送客的手势。

王栀惠无奈,只好起身告辞。

旷乃兴自己也往外走去。

那王栀惠事先偷偷携带了录音设备藏在自己手包里。可从头到尾,也只录下了这么一番话。她很丧气。她恨恨地回头瞅了瞅旷乃兴的背影,这个飘然而去的、凤眼豹腰、英俊挺拔的汉子,总是让她垂涎欲滴,欲罢而不能。一时间不由幽怨丛生,一丝憎恶、一丝仇恨也随之涌上心头。她想,这个人,自己算是看错了,看走了眼,简直刀枪不进,水火不惧,一点破绽都没有。假如他不是如此大忠大贤、大智大善,那就应该是大雄大奸、大丑大恶!

旷乃兴疾步走出房门,尽量做到大步流星,行不走样,不在王栀惠眼前露出一丝一毫慌乱。其实,他的内心已经涌起万般波澜!事情的细节已经越来越清楚了。毫无疑问,这一切都是事先做好的套,都是预先设好的局,铺天盖地的网,没有谁能逃得脱。说到底,还是一个"利"字,自己那个台湾二叔求利心切,利欲熏心,心甘情愿地上了他们这张网。如果这个竞标团伙里不是因为有了自家二叔和程小强,相信蒯广富也不至于胆敢狮子大开口胆大包天到这种程度,敢于两头通吃,两头拿钱。

他也知道了,这个女人王栀惠把一切都看在眼里,从一开始帮助牵线、促成和蒯广富的交易,她的心里就如明镜,比任何人都明白这件事情的玄机,她就是在拿这个二叔来报复他旷乃兴,来牵制他自己。如今,出了事,又拿这张牌来要挟、讹诈自己。

真是又狡猾又愚蠢的女人!

唉!女人哪!

古人说红颜祸水,没错。

但是,现在已经不是个简单的红颜祸水的问题了。现在的问题已经十分严峻。

手机又在兜里震个不停。掏出来一看,一会儿工夫,上面就有十来个未接电话，弟弟来过几次电话。还有父亲的号码、二叔的号码，陌生的用卡打来的境外的号码。无疑，都是亲人们来问二叔的事情。

开始了。他说。无情的暴风雨，这就来了。他在心底对自己说。他的头忽然又感到一阵剧烈的痛，急火攻心，血热妄行，一股股病毒猛烈冲击他那祖传的狭窄的左脑血管。旷乃兴停下脚步，站了一下，脑袋里嗡嗡的，一迈步血就在脑仁里迸荡。他从兜里摸出两片去痛片，扔嘴里，干嚼着咽下。待会儿市委那边还有个会，不知开到啥时候去，他得挺住，得挺过去。尤其，这个时候，他不能有一点失态，不能有一点走神失神，他必须全神贯注，沉稳镇定，必须坚守好自己的岗位，迎接最艰苦最严峻的考验。

见旷乃兴迟迟不出面，程之介只好又让王栀惠亲自去做那个二叔的工作。一见了面，二叔在王栀惠面前软得像筛糠，直求她给想办法。王栀惠给程之介回话说，那个二叔，恐怕靠不住。程之介说：你要给他打气，就说他侄子给撑着呢。别怕。什么也不说，就没问题。

同时跟着上蹿下跳的，除了王栀惠外，还有凇州市体育局局长康大光。康大光心里哆哆嗦嗦的，知道这下子完了！全完了！

那蒯广富不知道，原来康大光在他的豢养下胆大妄为，背地里打着他的旗号，吃了东家吃西家，在会展中心这个工程上，是他主动索要、收受了台湾恒元集团的贿金，回头又接受了二叔旷正茂和程小强的日田清源公司的贿款。前一笔款项他没有告诉给蒯广富，自己私下全部独吞，后一笔他将大头打到蒯广富账上，自己留下小头，也没忘了回馈给牵线联手人王栀惠一份利。正是在他的从中作祟、挑拨离间之下，主管城建的副市长蒯广富才被惹怒，认为台湾恒元集团万宏耀过于桀骜不驯、不守规矩，有了旷乃兴做后台做仗恃，就不把他这个副市长放在眼里。你不给我面子，我就不给你工程！于是他才拍板，将地块给了旷正茂和程小强的日田清源公司。

康大光原想，他干这个事情，神不知鬼不觉，前边有市长、常务副市长、管城建的副市长这么三家顶着，谁要胆敢搞他康大光，他就连市长、副市长家的家人亲戚一起搞，把他们的交易全供出来，大家一个也跑不了！那个台湾万氏集团这回没拿到项目也不敢怎么样，会展一期项目他们已经从凇州捞了不少，再说，那万宏耀也明知道这边二、三期工程上撬行的是副市长旷乃兴家的亲戚，他就是想斗也斗不过，这回，放他们点血，也就认倒霉吧！横是不敢叫他康大光把吃进去的再吐出来吧？

他怎想到，那个台湾恒元集团还真被惹怒，写状告信，一副豁出去的架势，蒯广富说揪就给揪出去；也没想到那个旷乃兴还真就六亲不认，死硬，认死理儿，就是不肯出面给说和，不搅和到这件事情当中去。

这下完了！他知道完了。他的如意算盘打错了。

康大光惶惶不可终日。

蒯广富关在小楼上，整日写交代材料。看到外边他们都没动静，至今没有来解救的意思，他有点生气了，心说老子得给你们点厉害尝尝。于是他说出与日田清源公司有过私下交易，他们主动行贿，为拿到东湟河会展中心二、三期那块地，给过他贿款，但是被他拒收。

台湾二叔和程小强那边已经得到通知被限制行动，一旦被传唤、拘捕，就将成定局，立刻大势已去。

时间不多了。听到台湾二叔被限制行动的消息，旷乃兴祁阳的父母家里乱成一锅粥。台北叔爷爷那边打来电话给爷爷，让老哥一定给帮忙解救他这个儿子。爷爷又让旷乃庆打电话给旷乃兴，让他帮助活动，找人，解救他二叔。亲戚们这个说完了那个说，都来电话骚扰他，劝说他。

旷乃兴无法跟家人们细说缘由和事件的严重性，只能在电话里对他们说：事情已经发生，能救二叔的，也只能是他自己。认真交代问题，争取宽大处理吧。

他又吃下两片去痛片，拖着个涨痛的脑袋下班回到家来。一开门，妻子倪燕茹迎了上来，说：你回来啦？看看谁来了。

旷乃兴一看，只见家里沙发上，赫然坐着自己的爷爷！八十多岁的老爷爷,怎么不远百里到淞州来?

一见他进屋,爷爷马上就要从沙发上站起来。

旷乃兴连忙过去,一把扶住爷爷:爷爷,您怎么来啦?

爷爷凑近了看着他,摸摸脸,摸摸手,说:孩儿啊,快叫爷爷看看,你没事吧?

旷乃兴懵懵懂懂说:没事啊,我挺好的啊。谁说我有事啦?

这时,二弟旷乃庆从旁边走了过来,叫了一声:哥,你回来啦?

旷乃兴一见,问:你领爷爷来的?来干啥?谁让你来的?

老二旷乃庆说:咦,不是你让来的吗?听说你病了,病得很重,就想见爷爷,我这才急三火四带爷爷往这儿赶。这不,也是才到嘛。

旷乃兴说:哦,你听谁说的?

老二说:是你那个秘书,小严打的电话。

旷乃兴一听,骂道:这个混账东西!

刚想往下说什么,又一想,他一个小孩伢子,敢撒这个谎,谅他也没那个胆儿。不用说,肯定是别人逼着他干的。这会儿,能逼他做这事的人,也就是市长程之介。

他怕爷爷担心,赶紧把话收回来,圆了一个谎说:啊,没事儿,就是感冒头疼,忽然想爷爷了。这不,才从医院看完病回来。那小秘书不懂事,也不经我点头就给你们打电话,害得爷爷大老远跑来一趟。

爷爷说:要紧不要啊?你看这把我急得啊,催着二小子路上赶紧跑。

旷乃兴说:没事没事,打完针吃完药,已经好多了。那什么,燕茹啊,快点做饭,招呼咱爷吃饭。

他知道爷爷这一来,肯定要提起二叔那件事。

果然,爷爷见他没事,放下心来,不等吃饭,急火火就提起台湾二叔的事。先从台湾叔爷爷那里讲起,说我这辈儿上啊,就剩这么一个亲戚,就是你这个叔爷爷,你叔爷爷一听说你二叔的事啊,可上老了火了,在台北那边,已经病倒了。你看到在爷爷的分上,也要帮助救救你二叔，要不然，爷爷不好跟台北亲戚们交代啊！你二叔一旦进了监狱，他还有媳妇孩子在大陆，还有一大摊子生意，这一下，就全完了。一家人，全完了。

说到这里，八十多岁的老爷爷，掩起脸恸哭起来。

旷乃兴赶紧劝，拿来毛巾让爷爷擦脸。爷爷把脸揩了揩，继续讲述过去年代里那个叔爷爷对他的恩情。他说当年啊，你叔爷爷是替我去充的丁、打的仗。前线上，几次都差点儿被枪子撂倒。也算你叔爷爷命大啊！有一次他们被追得逃跑过河，全连人都死了一多半，没被打死的也淹死了，你叔爷爷被一头老牛驮到对岸，上了岸，你叔爷爷就给老牛跪下了，咣咣磕响头，一边磕一边讲：牛啊！是你救了我一条命啊！以后我把你当祖宗，给你立牌位，供着你。打那以后啊，你叔爷爷就再也不吃牛肉，在家里把牛的画像当牌位供起来……唉！要没有你叔爷爷，爷爷我就该是那个上战场打仗的炮灰、替死鬼，说不定也早就没了命，哪还有后来的你爸、你，和你的兄弟们哪！说起来，都要感谢你那位叔爷爷啊！

说着说着，爷爷又用毛巾抹起眼睛。

倪燕茹在一旁赶紧招呼爷爷说：爷，咱上桌吃饭吧。吃了饭再说。

爷爷又接着说：如今哪，人的孩子有难，要咱帮一把忙，你说，咱能看着不管吗？

旷乃兴坐在一旁，抚摸着爷爷的手，哄着爷爷说：爷爷，我知道。您说的我都明白。爷爷，您老当年也做过政协委员，懂的国家大事比我多，情与法，义与理，您老都懂。小时候您和奶奶就一直教育我，要做个正直的人，要分清是非，做事要对得起社会，对得起良心。如今哪，这个台湾二叔的事情，不是一般的事，是触及到法律，涉及国家利益的事。他做出了违法的事情，爷爷，您说，我该怎么办？我能去给说和、帮助串供、欺骗法律欺骗国家吗？

爷爷长叹一声：唉——

叹完，又不禁老泪长流。

程之介一伙见招数使尽，旷乃兴仍金口难开，不禁对他恨之入骨！程之介于是想到，现在不是要牺牲蒯广富才能保全自己儿子，而是要先把旷乃兴送进去，装进去，把所有罪责都归到他的身上，这样一来，不仅蒯广富可以保住，自己儿子也可以保住。于是，他跟康大光、王栀惠合谋，制定了新的策略。他通过王栀惠，将旷乃兴不给开面说情的消息传递给蒯广富，让蒯广富把所有的恨都加到旷乃兴身上。然后跟蒯广富交代如何内外串通，联合一致，反咬一口，把所有矛头都指向常务副市长旷乃兴，以此来混淆视听，扰乱调查组视线，给自己找到缓冲脱身机会。

蒯广富于是向调查组交代，将会展中心案都归因于常务副市长旷乃兴的贪污腐败滥用职权。会展中心二、三期招标工程是在旷乃兴的直接授意和支使下执行的，蒯广富因为抵制不过，才将说好要给恒元集团的地块低价给了他家二叔的日田清源公司，光这一项就比原先招标价格低了几千万。

另外，蒯广富还揭发旷乃兴玩忽职守，在率领招商引资团赴上海和台湾过程中，超越权限范围，擅自指示蒯广富将200万元城建经费转借到上海冒明实业集团公司一家合作公司的房地产开发项目中，致使款项无法收回。旷乃兴还以公务往来需要送礼为名，曾向自己索要过青花缠枝莲纹瓶两个，价值人民币10万元。

在随后的淞州市每天常规电视新闻节目时间里，淞州市长程之介、常务副市长旷乃兴等，有两个多星期没有露过面。

淞州市老百姓风传，他们都被抓起来了。

淞州的班子烂了！

南湟河新奥体中心工程合作方听到这个消息，集体开始起急。他们担心领导层有变动，担心政策也要随之跟着变。业主合作方那叫几个亿的资产啊！现如今都矗在那已经盖完三分之二的钢筋水泥建筑里。变一下，就是几百万上千万的损失，谁能担当得起！他们责令工程进度暂缓，业主合作方的头目们，在省里边市里边出来进去，到处托人打听确凿消息。

整个淞州大地，一时人心惶惶。

22. 摊牌

还没有等到黎曙光回家去向妻子摊牌，妻子邵宝娟却意外地发威，打电话来令他回去，回省城祁阳家里去一趟。

其实，人家也没有发威，只是用平淡的口气，在周四的时候，意外打电话过来，问黎曙光能不能回去一趟。他感到突兀，感到奇怪，感到心里一虚，又一紧，紧跟着又一震：怎么，是她觉察到了什么了吗？难道妻子真是心有灵犀，百里之外，自己的心事也能被她窥破？自己来淞州这么久，她可是很少，几乎可以说是从来就没有主动往淞州这边打过电话。有事没事，都是他往回打。这回却是破天荒的，她主动把电话打过来！

他稳了稳神，故意也用一种急匆匆的忙碌语气，问：有事儿吗？

邵宝娟说：也没什么事……

听上去话筒里传来的那边语音倒比较平静，或者说比较正常（至少他没听出有什么不正常），要说有什么不正常，就是她主动来电话这种行为本身有点不正常，再有就是语气比较柔和，节奏也比较舒缓，不是往常那种急匆匆不耐烦或者吃枪药似的生硬。

说完没什么事后，邵宝娟顿了一下，像是在等黎曙光这边的反应。黎曙光也没敢有什么反应，若有事打来电话倒也罢了，没什么事打电话就更不对头。于是他只好紧张地等待，大气不敢出。见他这边一直没动静，邵宝娟那边才又接上来说：小波马上要升高中，成绩已经出来，学区片今年要电脑派位分学校，看看你回来能不能找找人，争取分到一个好学校。

听到这里，黎曙光心里才长出一口气，说：哦。好吧。我这边工地太忙，怎么也要等到周五才能回去。

邵宝娟说:那你尽量早一点。

黎曙光说:行。

匆匆收了电话。伸手一摸,戴着安全帽的脑门子上已经全是汗。

到了周五下午,邵宝娟又来了一次电话问黎曙光回来了没有。黎曙光答已经开车在路上。昨晚他没有睡好。到了晚上,孙佩佩又来缠绵。这阵子,他本来想留一段日子自己静一静,想一想,把提出离婚的事情前后左右都想明白,但孙佩佩哪容他清静,嬉闹,撒娇。他也是,俩人一见了面,那小胳膊一箍上来,他就缴械投降,面对一个小自己十几岁的小美人,一点抵抗力没有,有时候真觉得自己没出息。做完了事,他没让她留下过夜,怕身上沾染了她的味儿,今日回去妻子闻出什么气息。那个孙佩佩好像今天也有点诡秘,疯得够呛,要个不停,也把他累得不轻,好像要报复什么似的。听说他周末要回去,又胡搅蛮缠撒娇作痴道:你回去不许碰那个黄脸婆! 你要全留给我!

她这还是头一次这么说。以前她还有所避讳,不敢轻易说他老婆的坏话。哪怕稍有苗头,只要一提起他老婆,黎曙光就要蹙起眉头,脸色不好看。孙佩佩就明白这块禁地说不得,是他的自尊区域,人家老婆毕竟也是人做丈夫的脸面。这回,她好像胆儿忒大,不管不顾,坏话脱口而出。黎曙光竟也没反感,只是笑了笑,用手指刮了刮她鼻子。奇怪,他自己也对自己这个样子的心理变化感到奇怪。他把这一切归结为是情之所至吧! 他已经能够容忍孙佩佩的一切,而准备不再容忍邵宝娟的一切。

黎曙光把车开得飞快,避免自己在高速路上走神。他要全神贯注迎接即将到来的战斗。甚至,都想好了,可能待会儿还要原路赶回凇州。离婚的话一出口,恐怕从此再难登那个家门。想到这里,又有几分感伤。他忙甩甩头,把任何动摇信心的想法都甩掉。

家还是那个熟悉的家。似乎没有异样。不对! 稍微有点异样的是变得整洁了。家里地板光亮,被褥整齐,厨房里冒出袅袅香气。这些都似乎是不正常的。他的心里有点打鼓。但他没法确定是由于自己心虚导致的感觉失准,还是真是有什么地方不对头了。

见他回来,在厨房扎着围裙忙的邵宝娟说:回来啦?路上好走吗?没堵车吧?

他应了一声说:还行。

黎曙光边往墙上挂衣服,边说:你今天回来得早啊?小波没回来?

邵宝娟仍旧忙着,头也不回说:今天台里没事,节目做完了。小波在姥姥家跟他小舅出去玩了。你也赶紧,洗手吃饭。

听起来,语音似乎都很正常的样子。但是他见她勤快收拾、下厨房做饭,有点害怕。这是反常的举动。是不是听到什么风声了?她想干什么?

不管怎样,今天,一定要把离婚分手的决定说出口。

不能再拖下去了。

青春蹉跎,没剩下几年。日子一眼望穿,只要还继续跟她过在一起,就不会有什么变化。死水一潭,家不像个家,女人不像个女人。

无论如何,今天得把话说出口。

决心一定,黎曙光心里稳下神来。他按照固有的程序,先去洗过手,又打开电视机,接着来到厨房,问老婆用不用搭把手。邵宝娟手里炒菜铲子叮叮当当忙着,头也不回地说不用,马上就得。你先把碗筷摆上。黎曙光退身出来,先坐在沙发上有一搭没一搭瞄几眼电视,再进去帮着端了端菜。一看,四菜一汤,还真准备不少。

饭菜做得了,二人坐下来,围在餐桌边吃饭。两人堵在餐桌两头相对坐着,视线却基本上不往对方脸上瞅,都偏过头去往电视方向瞄。很久没有夫妻一起坐下吃顿饭了,好像很不适应。手里扒着饭,嘴里也不说话。沉闷了一会儿,黎曙光就没话找话地问:小波要上哪个中学?

邵宝娟说:二十中。市重点。爸妈已经托人给分了过去。

黎曙光"哦"了一声。又没话了。于是继续看电视。

妻子也不正眼看他。偶尔,趁他不注意,用眼角余光偷觑他一眼。不知怎的,眼前这个共同生活了十几年的男人,竟像是个不认识的男人,他的一切,他的气味竟是陌生的,有逼迫感的。

原先,她对他,熟视无睹,已经到达视而不见的地步。比方说,她在电脑前工作时,不喜欢有别人在场,不喜欢感觉到身后有人走来走去,那样会让她心神不定,无法专注工作。在单位时,她都基本是一个人钻进机房工作。为了躲人,营造一个人单独工作的环境,她宁可约了下半夜的机房空位去工作。而当她在家里工作,黎曙光在她身后时,她却是没感觉的,有跟没有一个样,他就像她的另一个自己,如此熟悉,安全,视若无物。

现在,这个背叛自己的男人,却像一个异物,一个庞然大物,横亘在眼前,横梗在自己嗓子眼里,让她吃饭难以下咽。看他那副脸上没有丝毫愧疚、若无其事的样子,她的气不打一处来。但她忍着,也假装没事人一样。

其实,他也吃不下,也假装胃口很好的样子大口往嘴里送着,食不甘味。他也在想着怎么说、说什么,也在想着合适的开口时机。

怎么也要把这顿饭吃完了吧! 他想。

沉默。一大段的沉默。

这沉默如千钧重担,压在他心里。也压在她心里。

大概见他吃得差不多了,她才说:嗳,想告诉你一件事儿。

黎曙光却避而不接话茬,转而忙给她碗里夹了一块鱼,说:你再多吃点。看你,你也没吃多少。

他也不知为什么会这样做,会在这时做出这么一个动作。其实,他已在内心准备好了,酝酿半天了,马上就要出口,说出他那个蓄谋已久的要求。但没想到是邵宝娟先开口,这样一来,就造成了他暂时的几许慌乱,他就只好做了一个动作,给对方夹鱼的动作来掩饰、缓冲一下。

同时,他也不知道她要说什么,说出来的话,会不会破坏他要提出来离婚的决心。

妻子也同样不接他的话茬,同样按照自己的思路说下去。

妻子尽量轻描淡写地说:我昨天,去了医院……

黎曙光一愣，抬头注视她：去医院干什么？

邵宝娟也回视着他，慢慢地，一字一句：是，去，取回，诊断结果。医生说，我是……乳腺癌。晚期。

邵宝娟在说这些话的时候，一字一句，语调不高，却用她那纯正的普通话，字字掷地有声，没有一个字表达不清楚，同时把眼睛牢牢盯着他，直视着他，逼视着他，注视着他表情任何一个微小的变化。

黎曙光愣了，没听懂，先是发傻，发愣，直瞪瞪地瞅着妻子，好像头一次正眼瞅妻子，就像瞅着一个不认识的人，就那么呆傻、痴愣地瞅着。然后，他说：不……不……能吧？

邵宝娟拿出一纸诊断，不知她从哪儿拿出来的，“啪——”地往他眼前一拍。其实根本没有“啪——”的一声往他眼前一拍，而是他耳中、是他眼里产生的幻觉。邵宝娟只把诊断轻轻往他眼前一撂：医生说，要准备动手术。全切。

黎曙光看着眼前的纸，也看不清楚是什么，一时间视力有点模糊，却分明就觉着这脚下的地，一点一点塌陷下去，塌下去，让他连人带椅子，都在不断地往下塌，往下陷，那么不可遏止地，往下陷下去。他的整个人，也就那么跟着掉下去，掉下去，在一瞬间，就掉得那么没影、没魂儿了。

宣判一个人的死刑，比宣告一个人已经死了还要可怕，还要不能承受。

哦……不……不能吧……

他说。他用虚弱得连自己也听不清的口气说。

他脸色苍白，神思恍惚，整个人魂飞千里之外。

邵宝娟此时丝毫不怜悯、丝毫不怜惜他，见他吓得那个熊样，不知怎的，心里竟有点快意！比自己刚刚听到这个结果时的感觉，简直要舒服多了！

就在昨天，邵宝娟去见了那个孙佩佩。

邵宝娟觉得稀奇。前一天刚接那个孙佩佩电话的时候,还觉得胸口堵得慌,气得慌,她明白,是后院起火了,家里出事了!不知黎曙光在凇州养了哪个小娼妇,竟然自己找上门来!这都是电视剧里才会发生的情节,如今演到自己家门口来了。什么意思?挑战?挑衅?偷了人家丈夫反倒还有理,自己找上家门口来了!真猖狂!太猖獗!不会是黎曙光指使的吧?至少,也是两个人合谋?

一切都想不清。一切都弄不明。一宿她都辗转难眠。第二天一大早出门,直奔约见地点,市府广场旁边的上岛咖啡店。这里是她上班时的必经之路,顺路见那个小婊子一眼后,她还得去单位干活,还要去办许多事情。

冬季里的天气,说变就变。昨天还是暖冬,吹的好像是不阴不阳的偏南风,热烘烘的,让那些感冒病毒活跃,也让人心里头烦躁得慌。今儿一大早,朔风呼啸,寒流满天,人像一下子掉进了冰窟窿里。地上的黄尘被风卷起老高,干枯的树枝子在风里打着呼哨,呜呜作响。邵宝娟没有开车,黎曙光留在家里的那辆旧捷达车已经作为栏目组的公共资产,让小搭档开去了。他们俩的住处在一条线上,每天上班小搭档来接她,出外采访时,也是由他开车拉上她和摄像机器。有个年轻小伙子就是好,一个人顶好几个人用。今天她告诉搭档自己要晚点去,不用接了。

她自己打车,到了咖啡馆。在门前她随意扫了一眼,见门前停车位上空空荡荡,只在靠边位置停了一辆红色小 Q。一进门,早上的咖啡馆里,顾客寥寥,浓浓的咖啡香气扑鼻而来,满眼的绿植也让人心情舒畅。从狂风呼啸冰冷的室外进了屋里,就好像一下子进了温暖天堂。三两个在这儿吃早餐的人,也是一边小口啜饮咖啡,一边埋头浏览当天的早报。一切都是那么的安静祥和。她眼光一扫,立即就发现了她,那个上门来讨伐的小娼妇,不用看,就是用鼻子闻也能一下子就把她辨别出来。这是女人天生的直觉,哪个雌性动物的身体沾染了自家老公的体味,女主人一鼻子就能嗅出来,想瞒也瞒不过去。

果然是年轻，漂亮。眼睛比嘴还大，小馒头脸，一头燕翅式披肩长发，很卡通，是当今流行的美女样式。

邵宝娟径直走将过去，来到她的座位跟前。

孙佩佩站起身来，略微有些局促、不安。邵宝娟一进来，她也立刻就感知到了。她在淞州卫视频道节目里特地去寻找过黎曙光这位妻子，看着还行，有点壮，脸很宽，嘴皮子很溜，说话飞快，是一副邻家大姐的样子。按说这个年龄段的人，一般就做幕后，不该出镜了。

今天见了真人，因为是活动着的人形，一阵风似的走过来，感觉到了她的过分高大，甚至……有点强悍！这个印象，来源于她的高、壮、胖，三点合在一起，给人以压迫感。邵宝娟本来个头就高，有一米七，加之身体又壮，穿上了高跟鞋，身披长呢子外套，手提公文包，衣襟敞开着，随着大步流星的步伐招摇，看着像个女超人。

孙佩佩站起来，迎接着邵宝娟说：你好……

说着，还犹疑不定地伸出手来，有点想跟她握手的意思。

邵宝娟“夸”的手势当空一扬，示意她免了，随后自己一屁股坐下，丰厚的臀部把椅子蹾得吱咯响。她也根本不看对方，坐下，从皮兜里掏出烟，抽出一根，打火机“啪”地点上，噘起嘴，冲空中长吐一口烟圈，道：我最多只能给你十分钟。说吧。

那口气、做派，是盛气凌人的。她现在底气又回来了，她又是那个北大女生，省城电视台最受欢迎民生节目的女主播、女制片。她要逞强。尤其是，在老公一个莫名其妙的情人面前，她更不能示弱。

孙佩佩这会儿近距离把她看清了。虽然知道电视化妆具有一定蒙蔽性，脸上刮大白、打腻子，抹上厚厚一层粉，魔鬼也能变美人。但是脸对脸见了邵宝娟，还是让她吃了一惊！黎曙光就娶这么一个老婆?！黄脸婆，邋遢相，一脑袋乱蓬蓬的头发，很随意地抓了一把拢成一条马尾辫翘在脑后，脸上胭脂不施，暗黄的肤色，脸颊上块块蝴蝶斑，眼角眉梢都一起往下耷拉，简直像个姑子！送到庙里去，不用剃度，立刻就能敲木鱼值夜宿诵长经。

瞧她这副德行！也不看看自己什么样，就敢这么铁嘴钢牙对我不客气！孙佩佩的逆反心理上来了，她也初生牛犊不怕虎，也咣当咣当地说:不用十分钟。我两分钟就说完。

邵宝娟又吐了一口烟圈，从空中向下，最后一缕险些直喷孙佩佩脸上。这是个有点狎昵、蔑视的动作，简直有点故意的了。她借着烟圈的升腾掩护，才看着对方的脸说:说吧。你干什么的？

孙佩佩觉得很受辱，但不能表示出来，她得把自己来的目的达到。于是只好使劲咽了口吐沫，看着对方耍大牌。直等到她把烟圈吐尽、差不多要够了，才答说:我是淞州电视台的奥运节目主持人。我爱上了你老公。请你把他让给我。

邵宝娟的脸上并没有表示出任何惊奇或意外，又长吸一口，然后吐了一口烟圈，道:你觉得这样合适吗？

没有什么不合适。没有爱情的婚姻是不道德的。他不爱你。爱我。

你可以认定？

当然！我们一直在一起同居。

孙佩佩故意夸大事实。

好。我考虑考虑答复你。

邵宝娟很爽快，没再多问。总共五句话。然后，起身，拎包，走人，把个孙佩佩甩在身后。

衣角撩起一阵风。

这是她的自尊。她的体面。

等到了外面，一见了风，她就扛不住了，摇摇欲坠。就像喝醉酒的人不能见风，一见风，准吐。

但她不能让孙佩佩看见她倒在这里。片刻的犹疑。她站住了，招手，叫上一辆出租车，抬腿，钻了进去。

司机问:去哪儿？

去哪儿？她一下回答不上来。稳了稳神，想了想，哦，自己是要去医院取化验结果的。于是答:去医大三院。

这一路,不长,却像走了一辈子。左胸口部位的刺痛,一阵接着一阵。

疼痛最初从左心尖瓣膜处开始的,逐渐扩大,到整个胸,蔓延放射,到颈,到背部。单位医务室的安神片之类已经不管用,所谓的“亚健康”的说法也相当于放屁,没有什么实质性意义。后来见她总也不好,总去开药,医务室大夫建议她去合同医院检查检查。她懒得去,嫌挂号看病人多,特麻烦。后来疼痛发作得频了,她才勉强挤出一点时间,顺道去看了看。医生一开始怀疑是心脏病、肋膜炎,后来怀疑是乳腺增生。一系列的检查都做了,也没出个结论。上星期医院让她做了一个乳腺肿物活检。今天要去取结果。之后还要赶到台里做片子。她没工夫在这里多待。除了工作岗位,她舍不得在任何一个地方多浪费时间。

到了医院门诊室,找到了给她瞧病的那个主治医生张大夫。张大夫上次给她瞧病时已经知道她是本地电视台的,碰巧还看过她的那档节目,表示很喜欢。两个人还很热情地聊了一会儿。这会儿,见她来了,医生让她坐下,寒暄几句,然后问家属有没有来?他这么一问,邵宝娟就心里有点紧,她说自己丈夫在外地,过不来。有什么事情,您就直接跟我说吧,我自己能处理得了。

那也好。你们电视台的人都是精英,有自主决断能力。医生说。病人也享有知情权。我们要告诉你,在你的左乳上发现了肿瘤。医生又说。

医生尽量语气平淡波澜不兴地说。

哦。要紧吗?

她还有点听不懂,有点似懂非懂。听完了还在问。

嗯。各项化验结果都表明,肿瘤是恶性的,并且,淋巴上也有蔓延。

她仍然很懵懂,很镇定。作为一个健康人,一个三十几岁的年轻人,平时身体好得像个小母牛,除了偶尔的感冒发烧,平生没得过几回病,没进过几次医院。家里的父母也尚属年轻,亲戚朋友周围人等都没得过大病。在她简单而年轻的生命里,“疾病”这个概念,尚未上升到她的议事日程。她的医学常识,几近于零。

她还在问:那么,医生,下一步,怎么治疗?

医生的语速,很缓慢,估摸着病人的心理接受程度,然后缓缓地说:最好的治疗方法,就是手术切除。

什么?!

她这回听懂了,听懂了便吓了一跳!险些就要跳起来。

医生给她指点看片子:你看,这里。还有这里。左乳,以及周围淋巴,全都有了。最好是全切。防止癌细胞扩散。

直到这时,直到一个“癌”字出口,她好像才有点听明白了,她好像才明白事情的恶劣性质。明白以后,她就几乎要崩溃了。

她犹疑又有点哆嗦地问:大夫,有……有没有其他办法?比方说,吃……吃药治疗?

大夫说:晚了。你应该早点来才是。现在,这是控制癌细胞转移的最有效方式,然后还要采取一段时间的放化疗。现在就可以预约手术。越早做越好。

邵宝娟无言。一天之内,两个噩耗。老公背叛,情人找上门来。乳腺癌症被确诊。不知有什么比这更天塌地陷的事情。

回去,跟家人商量一下,最好能尽快手术。大夫说。

大夫说的话,现在,句句都像针扎一样,刺穿她的心!

邵宝娟觉得自己的身体,刹那间有千钧重,滞两腿都托不起来,两条腿都不能把身体带动得起来。她瘫了,软了,走出诊室,在医院走廊椅子上坐了很长时间。

她走不动了,她就要死了。她没有家了。她就连自己都快要没了。

但她还是得走,还是得迈步出来,走出医院病室,走到人流熙熙攘攘的大街上。

她不知道该怎么办,真不知道怎么办好。一切都像在做梦,简直是在做梦,一场突如其来的噩梦。她就是在梦魇里,拖着沉重的身体,回到家来。回来,也不知道该干什么,一屁股坐在椅子上昏沉沉地发呆,没有思绪,没有眼泪,就那么傻傻地昏昏地待着。等坐够了,才挪着已经迈不动的双腿,到电脑跟前,上网。她要把有关的疾病资料统统看一遍。她要查一遍,要详细知道这病到底是怎么回事。

已经无可争议。是癌。是癌就意味着离死期不远。

她先查癌症的存活期,先要知道自己还能活多少天,几个月,多少年。

还好。她这个病,并不是立刻就能死。并不是今天病了明天就死。她还有时间。这样一个结论,好歹给了她一些宽慰。她继续往下搜索查看。从做切除手术,到术后恢复,到五年内癌细胞不转移复发,五年存活率是94%,也有说是80%,就按最好的94%算吧,那么她究竟是那幸运的94%,还是那不幸的6%?

管它百分之几,关键的,是她可能不会马上就死,还有一段时间。这就好。这样就好。这就可以让她想想,让她安排一下,下一步该怎么做。所有那些还没做完还打算做的事情下一步都要怎么安排怎么去做。

不要慌。她告诫自己。不要慌。遇到事情,不要慌。这是从小父母告诉给她的。要想想怎样解决。先做哪一步,后做哪一步。生活,就是遇到什么问题解决什么问题。面对生活,我们都要有个现实主义态度。

她要想想,自己下一步应该怎样处理,应该怎样去做。从小,父母灌输给她的教育就是自己的事情要自己做,不要指靠别人,不要依赖任何人。跌倒了就爬起来。要坚强。这样一种根深蒂固的观念,等她到了北大,成为北大女生之后,更强化了这一认识。

她还记得小时候,在她5岁的时候,只有那么一次,妈妈得了肝炎,住了几天医院,那时候她就觉得天快塌下来,守在病床前嘤嘤地哭。妈妈斥责她:哭什么哭?有病就治,有什么大不了的!人吃五谷杂粮,哪能不得点病?

父母教会她对疾病的认识。父母教会她对人生的认识。他们那一代人饱受磨难和折腾，反而抗击打能力要比她强。正是从父母那里，她学会铁面刚强，从不会撒娇怙宠，也不以弱示人，独立克服一切困难，不断地向前，向前！

……而前方，似乎永远没有终点。她也无法泅渡到彼岸。她就在当中搁浅了。就在当中一片最为波澜壮阔的水面，她本可以大有所为的水面，搁浅了。

她一边搜索，一边想啊想，往世今生，她都要想个明白。她首先想到的是工作，自己的节目刚入正轨，品牌刚刚打响，投资刚一点点收回，不能就这么中途撂下。谁来接？得找一个得力的人。手术和住院要花费一段时间，出来后自己还可以继续工作，至少可以在病房里把关。

先找到这段时间接手的人。以后的事情，以后再说。

再有就是孩子。孩子有自己父母带，不用担心。父母有自己弟弟照顾着，也可无虞。

黎曙光？更不用操心了。

奇怪。关键时刻，她最后一个才想到的是自己的丈夫黎曙光。

他像一个外人，一个陌生人。然而又分明是一个与自己有关的人。

而今，他又背叛自己，在外面跟别的女人有了牵扯，这事情本身就已经让她心碎，令她痛恨！她心里，这个男人就更像一个陌生人，一个阴谋家，一个敌人，一个阳奉阴违、该千刀万剐的杂种！他是什么反响，他今后怎样，根本无关紧要。说不定，他听到这个消息，还幸灾乐祸呢！幸灾乐祸自己可以顺利给他腾地儿，他好去娶那个小老婆。

混蛋！杂种！

哼！做梦！

不行！我不死！我偏不死！我绝不能就这么便宜了他！便宜了他跟他那个小骚货。

她这么一想，立即从反向得到了斗志。在黎曙光面前，邵宝娟反而大义凛然，反而面对疾病安之若素。她就是要成心跟他做对，成心拿自己的病当一张牌，打出手，难为死他，看看他该怎么办。

恨比爱更来劲！她本是一个好斗分子，必须找到竞争对象，争斗目标，浑身细胞才能被激活，才能有了镇压的勇气和挺拔的力量。

黎曙光的反应，却是她没想到的，是真害怕，真恐惧，真的为她心疼，真的吓得软成一摊泥。

软蛋！脓包！

她在心里骂着。你也就这么大点本事。

可别人一软，她就塌了！绷着的那个准备激战的架子立马就塌了。她开始同情起他来，不去同情自己，而是同情起他来。

这样一同情起他，就在心理上让自己处在一个相对比较优越的地位，感觉就有点扬眉吐气、趾高气扬说上句的意味。这样她的心里就比较好受了些，态度也就比较端正了些。好像她的这个病，替她先宰了这个忘恩负义的黎曙光一刀，让他痛，而让她自己快意。这样一来，也抵消了她自己的对于病、对于死亡的几许恐惧和忧虑。

她心软了。原先想把他在外养女人的事情当面质问、想把一切和盘托出的想法登时隐去，一丝恻隐，对他的或者对自己的，重又返回心头。

邵宝娟决定，将孙佩佩来找她的事情先隐下不提。

报复他的想法也暂时先放到脑后。眼下，两人还是有话好好说，商量下一步怎么办，先把心思转回到单一处理病情上。这是刻不容缓的。

他们夫妻俩又一同去了省里最好的肿瘤医院复查确诊，最后结果还是一样的，必须手术全切。

一切已经别无选择。黎曙光邵宝娟夫妻俩商定，先瞒着邵宝娟父母家人，黎曙光陪着妻子先去做手术。

黎曙光在电话里把这个事情向旷乃兴讲了。因为他必须请假，有一段时间不能回淞州去。电话那头，旷乃兴一听，大吃一惊，说：怎么搞的?!

黎曙光说:手术日期定下来了。工地那边,我得耽搁几天。有事就让他们打电话给我。

旷乃兴说:你放心吧。要不要倪燕茹过去帮着照顾照顾?

倪燕茹跟邵宝娟处得比较熟。在省城时两家就常走动。

黎曙光说:不用。邵宝娟那个脾气,犟得狠,有事愿意自己扛,谁也不愿惊动。连她自己娘家人也不让告诉。我自己去,就行了。

旷乃兴腮帮上的肌肉又使劲咬了咬,说:那也好。要不这样,我派办公厅的一个同志过去,让他帮助安排,需要什么,就直接跟他说。淞州在省城有办事机构,我在这里大小也还说了算,用些什么,也方便点。

黎曙光由衷地说:谢谢！那样……太麻烦你们了吧?

旷乃兴说:麻烦什么！你现在是属于我们这里的人,我们要对你负责。

蓦地,又想起什么似的,道:你……是不是事先征求一下她父母的意见?万一,这手术过程中……出现点什么问题……

黎曙光打断说:不用。她不让告诉她家人。她父母年纪大了,怕经受不起。先做完再说。

旷乃兴说:那好吧。凡事都想得周全点,没坏处。

旷乃兴是想好心提醒黎曙光,要未雨绸缪,弄清楚一些法律关系,事先该通知的通知,该告诉的告诉,别过后出了问题遭误解和埋怨。作为直系亲属,女方的父母在这方面也有着法定的权利。

他这可不是杞人忧天,他的这些人生经验,与政治和官场无关,都是他自身经过血与火的代价换来的。旷乃兴在跟前妻离婚后,在那个短暂的单身时段里,明白了许多以前不知道的道理,其实都是简单的道理,只不过以前没用上,没触及。一个离了婚的单身的孤家寡人,不仅像踢皮球一样从北京给踢回了家乡省城祁阳,而且监护权又重新回到了父母手中,仿佛回到起点,一旦有点风吹草动,受牵累的就是父母。一次他在省城学校研究生院里玩篮球被踩折了脚骨,修养在家时,三个月里吃喝拉撒睡全是由父母伺候,眼见着花白头发的父母亲天天给自己端汤送药,他一个大小伙子,真是自惭而于心不忍！偶然瞥一眼电视,那里面的节目更是触目惊心,拨乱了彼时彼刻他柔软脆弱的心怀。

电视里做的是一档情感类节目:一个卧床多年的植物人妻子,丈夫提出离婚,以失去夫妻生活为由。法院最后准予。这一案件引起众多争议。从道义角度讲,实在说不过去,夫妻本是同林鸟,不能灾难来时各自飞,应该同患难,尽义务;而从人情方面说,确实,一个三十来岁的男人,从此漫长的人生,拉扯一个孩子,伺候一个永不苏醒的病人,幸福快乐都将就此了结,也是令人心生恻隐。可是法院判离婚后,这样一来,女儿等于是给退回了父母家,监护权重回年迈的父母身上。镜头一转,回放到植物人妻子那边,人们看到了那对白发苍苍的父母,抹着老泪,重又颤巍巍伺候起人到中年卧病在床的闺女。那情景,看着让人心酸。

那一刻,旷乃兴就感觉到血缘关系的强大！法律不会允许哪个父母抛弃儿女,儿女也不会被允许弃绝父母。而婚姻呢？婚姻如此脆弱,靠法律和感情扭结成的一股绳,说断就断。说解除就解除。他看着,有点胆寒,也有点心寒。

从那以后,凡是危险动作,比如骑马、滑雪等容易导致身残或受伤的活动,旷乃兴都不去做;每次出门,坐飞机只坐国航,永远信任国航,因为它的安全系数是100%。他开始格外珍惜自己的身体,格外注重自己的性命,不为别的,只为一件事:怕万一出了点事,给自己的高堂父母添麻烦。怕今后自己没有机会赡养报答他们。

这种情形,一种单身状态下莫名其妙的不安全感,直到遇见倪燕茹、跟倪燕茹结婚生子,在她的温暖如一杯白开水的爱情感化滋润下,才逐渐打消掉。他才逐渐对爱情和婚姻有了宽阔通透的理解。

好的家庭和婚姻,永远如一杯白开水,一杯绿茶,缓缓地,排毒养颜,滋养人。而不是一坛酒、一杯咖啡,刺激人,糟践人。

这是他旷乃兴痛定思痛的经验。

唉！人哪！总是处在什么境遇,就会想到什么问题。按理说,这些都是多么微不足道的小事，不值一提，不足挂齿，比起那起为国为民捐躯奉献的大事，简直太鸡毛蒜皮。但是，和平年代，能够降临到我们普通人身上的大事实在是少之又少，却正是这些林林总总的“小事”，充盈或轰毁着我们的幸福，树立或诋毁着我们的自信，直接决定着我们一生的抉择以及未来的走向。和平时代，世界是由“小事”组成的。这些小事，比起家国的大事虽十分渺小，可降落到我们每个平凡个体身上，那就是惊天大事。

旷乃兴以过来人的经验，隐隐约约觉得黎曙光和邵宝娟的婚姻里出了问题。但未等他判明出的问题是什么，却骤然冒出来邵宝娟生病这个事情。他很想直接提醒黎曙光：人命关天，什么事情别擅自做主，人家父母也享有知情权决定权。尤其，后事难料，万一出点什么事，人家女方父母回过头来找他这个当丈夫的闹、讨说法，届时，就不好解释了。

但是，他没法向黎曙光说得这么明白。话不能挑明了说。人生真相往往都太残酷，得自己去体会。成长是一个过程，只能每个人自己去体会，去担负，别人说什么也没用，不了解，不能够感同身受。

邵宝娟手术那天，旷乃兴专程从凇州赶了过来，到省肿瘤医院来陪陪黎曙光。旷乃兴妻子倪燕茹也一块来了，看看能帮忙干点什么。两家人，经历过青春的友谊，一起互相看着成长，如今人到中年，这种友谊更加醇厚。黎曙光在北方这座省城里没有亲人，只有旷乃兴这个老同学算是最亲的人。他自己本单位建筑设计院的人用不上，他也不会去跟洪肖奇他们说，免得让他们幸灾乐祸虚情假意捡笑话。

见到旷乃兴两口子，黎曙光还想说几句客套话，被旷乃兴给拦住。邵宝娟全麻后给推进手术室。旷乃兴妻子倪燕茹与邵宝娟多年不见，再见面时哪想到是这个样子，不禁悄悄抹起了眼泪。两个男人则面色严峻，在手术室外面坐着，等着。黎曙光抱着头，面对墙壁，呆呆的，陷入失神空想状态。旷乃兴也不去打扰他，只是陪着他，一起沉默地坐着，等待着。沉默就是一种无言的安慰和力量。两个小时过去，手术仍在进行中。黎曙光坐着，一直没换姿势，偶尔，会把左手抵住前胸，似乎在抵住心尖瓣膜的某个疼痛处。倪燕茹递给他水他也不喝,问他要不要吃点早餐,他也摇头,整个人就是一副失神落魄呆傻面貌。旷乃兴的手机不断地在衣袋里震动。他掏出来看看,偶尔到一旁小声接听。

过了一会儿,旷乃兴回来,招手叫来一旁陪着的办公厅副主任,跟他简单吩咐了几句。副主任说旷市长您放心,这里一切都安排好了。旷乃兴又跟妻子倪燕茹说了几句,然后看了看黎曙光,拍了拍他的肩膀说:我那边有点事情,必须马上赶回去,这边让他俩陪你。黎曙光茫然地看着他,机械地点头。旷乃兴扭头,急匆匆走了。黎曙光又陷入以手抵住心尖瓣膜的状态。他的那里隐隐作痛,那个部位在撕裂一般地疼痛。

他真切感到了痛,跟妻子邵宝娟血肉相连、感同身受的痛。邵宝娟此刻做手术的部位,也正是左乳,左边心区的部位,包括周围大面积区域的淋巴,都要切除刮割干净。他替自己的妻子感觉到了痛,手术刀一次一次切割、刮掠时带来的空茫钝痛的感觉,一下一下刺遍了他的周身。头一次,他感觉到了他们是一个人,一个整体,生命整体,割掉她身体的某一部分,也像在割掉他身体的某一处器官,肌体会产生无比哀号伤心的痛!凄厉尖锐的痛!他以为经过十几年的婚姻,他们已经完全彼此漠视了、忽视了、彼此独立了,事实上,他们早已经血脉相连,相互渗透,彼此浸透到血液、到骨骼、到内脏,浸透到彼此的内分泌里,你中有我,我中有你,不可分割!这是岁月交融的结果,这也是看不见的爱的力量!正是这份沉甸甸的力量,致使他们身体完好如初时,他们不痛不痒,甚至日久疲劳会产生审美厌倦,一旦有人开始在他们身体某一部分上开始切割,他们会感受到痛,双份的痛!这痛,不可言传,感同身受,椎心泣血,铭心刻骨!

究竟,什么是抵达我们内心深处的生命长痛?!

23. 回到起点

奥运冠军崔国旦可火大发了!

他先是在电视台开口秀里做了N多次访谈节目，谈自己平时怎样刻苦训练，奥运竞技场上为国争光的先进事迹。说到动情处，主持人还要让他对着镜头当场脱鞋，亮出长期训练练得已经外翻变形的双脚大拇指让众人看。现场观众不由得看得眼含泪花。回去以后他们都用崔国旦的拼搏精神教育自家孩子：你看看人家，人那奥运冠军，都把自己练那样了，都不叫苦不叫累。你要想出人头地，不吃苦行吗？

电视节目巨大的覆盖面，让整个凇州大地人民，也让全省人民进一步认识、熟悉了奥运冠军崔国旦。

一台慰问消防队官兵的电视文艺晚会邀请了各路明星来临时客串，除了那些电影电视剧明星和一些比较脸熟的大腕主持人以外，其中体育界的明星只邀请了两个人，一个是在"春兰杯"围棋赛中赢棋的八段，另一个就是奥运冠军崔国旦。文娱明星们都能歌善舞，说学逗唱、拿大顶、盘杠子各显其才；搞体育出身的人就相对拘谨。那个围棋八段没有什么才艺，只好现场学了几声鸡叫，"咕咕咕""嘎嘎嘎"，学得还挺像，勉强算支应过关。令人没有想到的是，奥运冠军崔国旦，却在台上大展处子秀，展开歌喉，一曲周杰伦的《双截棍》唱得有鼻子有眼，有模有样，赢得现场观众长时间的热烈掌声，也一下就把在场其他所有明星给盖过了，整场晚会就显他。"太有才了！""没想到奥运冠军还多才多艺呢！"观众们都啧啧称赞。

那些广告经纪人、晚会策划人一看，都乐坏了！多么好的人才资源！既有经济效益又有社会效益！赶紧充分挖掘打造，立刻全方位地利用！顿时，各种商演、作秀、商品广告代言的联络人、经纪人找上门来，纷纷跟他洽谈，要整体包装上市。崔国旦根本没干过台上表演这些事，开始还畏畏缩缩地不肯出来，满腹狐疑地说：自己啥也不会，也就是偶尔跟着去卡拉OK时学了几句周杰伦的大舌头歌，真要上台演出，能行吗？

那个梳一脑袋披肩长发、长相不男不女的演出公司老板，见他有疑惑，便揣摩着他的心思给下药说：这么着吧，我们可以跟你签个合同，每次演出，你只出场一次，唱一首歌就成，给你的报酬是每首歌一万。如果加唱，还可以另算。

崔国旦一听就傻眼了！心说：我的娘啊！一首歌一万?！老天爷吃了豹子胆啦！当街抢钱是怎么着！崔国旦他哪里见过这么多钱！从小在训练队拿的是微薄的补贴，等长大了挣工资，也是那么一点点可怜的薪水。偶尔有比赛奖金，都是师傅替保存着，有多少，根本看不见。一辈子，他活到二十多岁，几乎就没正经挣过钱！如今，风水轮流转，也该他崔国旦有收成的时候啦！他哪里还有拒绝不干之理?！

他提笔正要签，演出公司老板说：慢着！你就这样上台可不行，我们还得把你包装包装。这样，我找个舞蹈教练，帮你梳理一下形体，教你一些劲舞动作，再唱《双截棍》的时候，要载歌载舞，要有一些身段，那样就跟周董更接近了！

崔国旦一听，唱个歌还要学跳舞？刚想拒绝，老板又说：如果演出效果好，那就水涨船高，我们也会在原有基础上适当提高你的酬劳。

崔国旦立刻没脾气。

跟舞蹈老师学舞，费了不少劲。

作为中长跑运动员，他的手、脚、大腿、关节都是力量型直线型的，如今要让他强劲生长训练了二十来年的肢体练习弯曲、盘扭，真是强人所难。舞蹈老师先还想从头梳理，帮助他练习劈腿下腰，一看，小子浑身骨头肌肉那个硬啊，想整柔软，根本没戏。于是改用最低标准要求，只要他来回倒脚节奏不乱，摆臂跟甩腿能做到不顺拐、都能跟音乐踩在一个点上，就算大功告成。

观众朋友们以后再从电视节目里看到类似叫作“手牵手”“心贴心”一类跑码头演出时，只见那奥运冠军崔国旦的表演赫然处在节目压轴的位置上！小伙儿梳上鸡冠头，头发用摩丝打得根根直立，身穿闪光镶亮片的锦纶衣裤，往那台上一站，POSE 造型一摆，立刻就是一个范儿！再一开嗓，一甩手，一踹腿，周杰伦的《双截棍》给唱得噼里啪啦的，那叫一个声情并茂！一曲终了，还下不了台，观众拍着巴掌留住不放。

只好返场，撅着屁股鞠躬，再来一首，满文军的慢歌《懂你》：

你静静地离去，
一步一步孤独的背影，
多想伴着你，
告诉你我心里多么的爱你……

“呜嗷——”这熟悉的旋律一响起，座下的小年轻歌迷就沸腾，他们忍不住跟着一起唱：

把爱全给了我把世界给了我
从此不知你心中苦与乐
多想靠近你
依偎在你温暖寂寞的怀里
多想告诉你
你的寂寞我的心痛在一起

得！这场晚会，齐了！众人都赚得盆满钵满。

谢幕时台下粉丝猛往台上拥，纷纷要跟新出炉的偶像拥抱贴脸照相。一个手捧鲜花的女歌迷临时改变崇拜方向，将原准备送给一个香港歌星的鲜花硬塞到崔国旦手里，还借机会在他的脸蛋子上“叭”地亲了一口，然后又死气白赖扳过他的头想找他的嘴唇。吓得崔国旦猛劲挣扎，这份窘啊！心里头既高兴又不乐意，心说我这初吻是要等到将来给我第一个女朋友的，这会儿让你不明不白给破了身算咋回事！舞台监督和保安等一干人上来强行把歌迷拉开。崔国旦这才算脱身。

下得台来，演出公司老板嘴丫子翘到天上去，乐呵呵跟他打趣：行啊国旦！没想到小子还真有女人缘！干脆，退役吧！回来跟我干！我包你成为歌坛最耀眼红星！

崔国旦抿着嘴角，羞涩地笑，内心充满了无比的膨胀和自豪。

这样人气足、价码低的好人才，刚刚出道，商业信誉高，那些经纪人广告商岂能放过！想想，中国的世界冠军总共才有几个？又何况是奥运会冠军！这冠军本身就是信用的证明。那些洗衣粉、洗发水、运动鞋、保健胶囊广告商全都找上门来，要请崔国旦做品牌代言人。他们开出的高价代言费，一说出来，就把崔国旦吓一跳！他暗中使劲掐掐自己胳膊和大腿上的肉，心说：天老爷啊！俺这不是做梦吧？

从此以后，你就看吧！省内省外，各个地方频道、卫视频道，只要一打开电视机，迎面扑入你的眼帘的，就是凇州奥运冠军崔国旦的那张四方脸，他的那两条不太长的瘦腿，他的那个有点咬舌子的声音，有时手捧一瓶洗发水、有时嘴含一粒保健胶囊，用含混不清的声音说：用了它，没头屑！吃了它，跑得快！

白花花的银子，流入到他的口袋，炫目的灯光鲜花掌声，牢牢把他围困照耀包裹在当央。中长跑运动员崔国旦忙得四脖子流汗，乐不思蜀，乐此不疲，什么比赛训练的事统统都忘到脑后去。叫他归队也不归，叫他训练也不去，整天楼堂馆所，酒吧堂会，欢乐的生活，已经叫他逐渐沉迷。

凇州老崔家一家人，他爹他姑他奶奶，眼见得他忙里忙外，看着高兴！一打开电视机，自己家亲儿亲孙的影像就在里边晃悠，哪还有比这更光宗耀祖、更祖坟冒青烟的事？崔老太太整天乐得老嘴都合不上，出门逢人就跟着念叨显摆，她参加那个街道奥运英语学习班，简直成了有关她孙子崔国旦的新闻发布会现场，诸如他孙子今天买了辆奔驰车啦、明天准备在市中心开一家饭店啦……总之就是两个字，有钱！她孙子挣着钱啦！

他那大姑崔英姿在瘸子老公面前更是牛气冲天颐指气使一切说了算。她把瘸子撵出家门，打离婚打得更来劲。她现在的身份是大侄子崔国旦的财务总管，这家里家外，也就她贼精六怪手里能捏得住财，崔国旦的一切财务进项、往来投资事宜都由她把关。

崔国旦的亲爹普拉尼在球迷兄弟面前趾高气扬提升了人气，一见面人都说：这是奥运冠军的父亲！普拉尼一听，那满脸都放油光。球迷酒吧，儿子也替他老爹拿出一部分钱来入股，普拉尼更是财大气粗，老板派头摆得十足。至于崔国旦他娘耿彩凤是个什么态度，老崔家人就不太知晓，也不稀罕去问。改嫁的儿媳，泼出去的粪，甭想再沾老崔家的喜气。

凇州南湟河老崔家这个从前的低保草根家庭，祖以孙贵，父以子贵，一时过上了滋润日子。他们认为这一切都理所当然，水到渠成。这些东西，财富、名气，都是对崔国旦长期以来单调枯燥艰苦的运动员生涯的一个补偿。凇州体育训练队那边，本来要邀请唱崔国旦回去一趟，给那些学弟学妹小学员们讲讲课，做做表率鼓舞一下士气，但是崔国旦忙啊！忙得里里外外脚不沾地全省到处跑，一直没有时间。就连他原先的师傅教练，他也没能腾出空来回去看望一下。人们要想见到他，必须打开电视才能得见。中长跑队那些从七八岁到十几岁的孩子们，眼巴巴地看着荧屏上这个文武双全、出了大名、挣了大钱的崔哥哥，羡慕得直流哈喇子。这活生生的榜样，比什么出人头地的教育和教练的鞭打都要管用。他们每天的训练更自觉、更刻苦、更不用别人催。

崔国旦爆得大名，被声色和金钱包围着，忘记了比赛和训练，体能下降，正业荒疏。狗仔队现在也盯上他，他的各种传闻如今总是登在报纸娱乐版的头条。他深夜在酒吧跟美女牵手接吻，他涉嫌偷税漏税、殴打保安、酗酒滋事……各种绯闻，接连而来。

运动队召唤他归队集训，他以祖母生病需要人照顾等种种借口不归，私下却在忙着接单拍广告、参加商演。队里向他提出警告。他置若罔闻。直到警告发出三次，他才勉强归队，还跟经纪人说好，自己去点个卯就来，继续履行合同拍下一个鸡精广告。在回队后的第一次选拔赛中就排在倒数第一。他仍不以为意，偷偷乘夜航跑回来出广告外景，第二天晚上才又匆匆返队。

一些小队员知道他是个大红人，都把他当楷模和偶像看待。见他飞来飞去风光无限的样子，一时竟产生羡慕，一些只得过省市级冠军的二线运动员，也都纷纷效仿，找机会在外边接活挣钱，队里一时浮躁空气抬头，队员不安心训练。

面对这种局面，运动队使出重锤，整肃纪律，规定运动员在训练和比赛期间，一律不许请假，不许参加商演。连续三次成绩排在最末位者淘汰。崔国旦不听，仍偷偷往返于京哈航线。下一次选拔赛中又排在倒数第一。同时报上又传出他在家乡酒醉驾车，被交通队拘留的消息，报上娱乐版就纷纷将消息予以登载，各地大小报纸还唯恐天下不乱似的，耸人听闻，毫不负责地这样报道：奥运冠军醉酒驾车，终生禁驾拘留俩月。其实不过是酒后驾车被扣罚。报上消息完全夸大事实，就为达到吸引眼球增加销售量。

队里很无奈，长此下去，军心涣散，纪律没有了，成绩也出不来。眼看备战08奥运任务迫在眉睫，总有这么一条臭鱼搅腥一锅汤，也不是个办法。绝不能再纵容下去。终于，队里做出决定，开除崔国旦的国家队员资格。

酒醒后的崔国旦蒙了！他以为，队里知道这件事后，还像以前一样，批评批评就完了，然后什么也不耽误，该干啥干啥。距离08奥运还有一段时间，他先过足吃喝玩乐的瘾，把钱挣够，届时再发愤也来得及。作为04雅典奥运冠军，他是08年参奥的种子队员，可以不参加前期的一系列基础选拔比赛。可是啊，他万万没有想到，队里会来这么一手，真大开杀戒，真敢把他开除喽！他以为教练和队领导都会宠着他，为他说话，对他这个冠军不会怎么样。哪想到，他们可真一点都不客气痛下杀手！他这时才知道害怕，才知道有一点点懊悔。

懊悔这时候还只有一点点，接下来的一系列连锁反应，却叫他始料不及，且痛不欲生！最先炒作这个消息的，是媒体。大报小报，可找到了吸引眼球的花边新闻，炒作热点，白纸黑字，黑边蓝字，都是通栏标题使劲给往娱乐版上忽悠。什么“纸醉金迷”“沉迷声色”啊，什么“恃才傲世”“目空无人”啊……什么词儿邪乎就往什么词儿上整。他们还替他采访队里有关方面负责人，问崔国旦还有没有可能再回去？负责人说：如果他对自己的错误没有认识，如果他对自己的荣誉不知道珍惜，那么谁也没办法帮他，谁也救不了他。但是具体是哪位负责人说的，报纸上根本就不讲明。

崔国旦恨，也怕，沉痛，懊悔……各种情愫都有了。他不知道，这就是从前那些表扬他称赞他，将他登上奥运领奖台、头戴橄榄枝的照片放大一整版登载的报纸，怎么说变就变，翻脸就不认人，把这件事情夸大其辞报道，一时间让全国人民都知道，丝毫不顾及他的感受？他一出了点事，媒体、电视台反过来，都拿他当反面典型，连篇累牍报道，花絮、花边绯闻真真假假，为了吸引眼球，什么都给他往身上套。真是翻手为云覆手雨。人咋都这么不要脸呢？

反过来说了，那又怪谁啊？还不是怪自己？

跟媒体一样反应迅捷的是那些广告商、演出经纪人。他们立刻跟他解除合同。问起缘由来，都说：我们需要的是公众人物的可信度，现在，这方面的信誉你没有了，我们不能再跟你合作。

没有了演出机会，没有广告做，那他还能干什么？除了跑步，他可啥也不会啊！

他想起了原先那个梳披肩发、长相男不男女不女的演出公司老板，那哥们儿曾说过他很有唱歌天才，还要把他包装成歌星推举上市。于是崔国旦就打电话过去，看看在他那里能不能找到一线生机。那个演艺公司老板一听是他，一点没客气，听他一问，当面就羞辱他说：就你那个公鸭嗓大舌头还想当歌星？省省吧！

你不是说我可以跟周杰伦有一拼？

拉倒吧！做啥美梦呢！你那个大舌头能跟人周董的大舌头相比？也不撒泡尿照照自己！我跟你说，你小子，就你那个舌头，真没有你那个大脚片子好使！我说你啊，还是留在运动队好好练练你的长跑吧！

崔国旦说了声“我操你妈”，然后扣了电话。

奥运冠军崔国旦无处可去，在冬季的风中迷茫。他算知道了墙倒众人推的滋味。

他现在只能失业回家。没有工作，没有一技之长。除了跑步，啥也不会，满脸挫败颓废的样子。从前那股趾高气扬小公鸡似的骄傲劲头，没有了。他现在再痛哭流涕，也晚了！

就连家，也不是那么好回了！老崔家人一听说他出了这事，也都人心惶惶，互相埋怨，他爹怪他姑，他姑怪他奶，都怪他们平时没提醒国旦，结果，出了这么大娄子。现在怎么办？国旦挣的那些钱现在都挂着呢，郊区那座上百万按揭买的“汤耗斯”，已经首付30万，剩下的钱怎么办？崔国旦现在没有收入，断了财路，那20年的房款谁来付？还有那座市中心的酒楼，说了别盘下来别盘下来，老崔家没人会经营，没有那份能耐，结果怎么样，不听啊！听说人家大连万达几个球星挣了钱都投资开饭馆，国旦就非要跟着学，这下好，看你们怎么收拾！还有那辆奔驰车，一百来万，有钱烧得慌啊开那么贵的车？这回，我看你们怎么养！国旦现在是个穷光蛋，光一年的保险费汽油费就够你们一受的！砸锅卖铁交去吧！

崔国旦他大姑他亲爹他亲奶奶相互埋怨数落的车轱辘话，整天不绝于耳，把个崔国旦烦得啊，听又听不进去，躲又躲不开。他突然发现，现在他已经无处可去，无家可归。当初他正当红能赚钱的时候，无论到了姑姑家、奶奶家、父亲家、母亲家，都能受到上等接待，屋给腾好，床给铺好，被窝给焐好，死气白赖留他多住几天。这会儿，到谁家都别扭，鼻子不是鼻子脸不是脸，奶奶数落个没完，姑姑穷唠叨，父亲闷哧闷哧直叹气，母亲家那个继父，更不是个玩意，都不拿正眼瞅他，就当没他这个人似的。没办法，他总得有个地方待吧！

最后崔国旦还是回到父亲普拉尼的家。不管怎么说，也是亲父子嘛。父亲普拉尼这个老单身汉，自打离婚后一直住在先前城南小胡同的一居室平房里，一直就干耗着等动迁，却老也不动，一等就等了十几年。如今儿子回来了，普拉尼只得又搭上一张行军床，爷俩将就着住。

崔国旦自打8岁进体校后就对家没了概念，一直在集体生活中长大的，猛然间，又折回来，过起了这个日子，真是万分的不习惯。两个大老爷们，整天窝憋在一个小屋里，你看我，我看你，都没事干，都没处去，互相看着干瞪眼，要多别扭有多别扭。

崔国旦就想不明白：自己没被开除的时候，见天价都在哪住在哪儿睡来着？想了一想，想起来了，自己那时风光无限，整天演出走穴酒楼饭店豪华房间伺候，从来就没时间在家待。到后来谱大那会儿，也雇佣了专门经纪人和助理，动辄跟演出公司提条件，出入要有豪华车，居住要有五星级，出场费要跟刘天王周天王看齐，否则就不去。

没有了。什么都没有了。随着他不再当运动员，不再留在国家队，这一切荣耀、金钱、富贵都随风而去。来无影去无踪，比什么都快，比什么都无情。

他算明白自己的身价到底是什么。他算明白自己的身价真正有几何。到这时，他才明白，自己只是一名运动员。脱了那身运动服，他简直就啥也不是。国家队队员，奥运冠军，是他鲜亮的羽毛。没有了那些，他就是一只没毛的公鸡，丑陋，寒碜，要啥啥没有，干啥啥玩儿完。他没有工作，没有职业，不能出屋。一出门，似乎就能见到满世界嘲讽的目光投向他，满大街的人都投给他幸灾乐祸的白眼仁，似乎在说：看啊！这小子！曾经还是世界冠军！

他不行了。他要崩溃了。他抱着脑袋蹲到床角，他的脑袋嗡嗡作响，他的眼前金星直冒。

崔国旦夹着简单的行李卷，独自一个人，又回到淞州，回到起点，回到淞州训练基地，回到他最初学艺、出发的地方来。他垂头丧气，小心翼翼踅进了训练队的大门。

这时已经是转年的二月，阴历正月初八。距离他在雅典奥运会上获得冠军正好过去了半年之久。风光了一整个秋季的奥运冠军崔国旦，真像那疯狂聒噪的蝉，如今又轮回转化成在冬天钻入地底的若虫形式，还不知将在漫漫冬季里要一直窝憋多久，也不知是否还有出头之日。现在他唯一要做的，就是想法生存，想法活着，然后再提东山再起之事。

要说呢，还是爱子莫若父。面对着儿子的狼狈下场，还是他的亲爹、那个球迷协会会长老普拉尼最先感觉着承受不住，他不忍看着儿子就此颓废下去，可自己想扶起他来却又没那个本事。没办法，他最后也不得不低头哈腰，觍着一张老脸四处为儿子说合、求情，请求各位主家好歹给孩子留条活路，赏孩子一碗饭吃。能找到的地方都找遍了。北京那方面他显然说合不上，他的能量也只限于在淞州方面活动。磕来拜去，最后还是弯弯绕绕，找到跟他的球迷协会有过一面之交的市府副秘书长，也是奥协办主任黄一发，通过黄主任跟市体育局联系上，体育局找到崔国旦中长跑训练队原来的师傅汪明鸿，求他能不能把国旦接收回去。市府副秘书长黄一发特地陪普拉尼来见教练汪明鸿，一见了儿子原先的师傅，普拉尼就臊眉搭眼儿，低三下四恳求说：汪师傅，您看，我那儿子当初也是您老人家一手调教出来的，如今不争气，扯出这么大个事，真给您老丢脸！俺们当家长的，心里也过意不去。但是您看怎么办哪？这会他儿没处去了，整个就是个小盲流、小混混在社会上晃。他还小着呢，任嘛不会，您说，把他甩到社会上，又受了这么大刺激，整不好，将来不是个祸害吗？我请求您老人家，接下他，回炉打造，把他再练成有用的坯子。

师傅汪明鸿大眼皮一抹搭，坐在那儿，没吭气。

普拉尼急了，险些要跪下来，说：汪师傅，我知道这孩子不懂事，对不起您，连拿冠军回来都没说想到要回去看望您老一眼，这孩子忘本、做事不讲究，有娘养活没娘教育的犊子玩意儿！这回，出了事，又来惊扰您老人家，我们这当爹当妈的，也跟着不是个东西！过来找您，我这脸上都臊得慌。求您大人不计小人过，我这就给您磕头了！

说着，真就屈着腿，“叽”一声，跪在汪明鸿面前，鼻涕眼泪地抹起来。

一旁的主任黄一发这时也帮着说:汪师傅,你就收下了吧。他还年轻,犯点错误,也可以原谅。不管怎么说,崔国旦从你手里出去的,你再教教他,兴许还有打造余地。

汪明鸿师傅这才撩起大眼皮,说了声:让他来吧。

普拉尼一听,咣当咣当屁股撅起磕起响头来,嘴里还念叨:您老就是他再生的爹娘!我们全家人都感谢您!这孩子就全交给您了!

听他说这话,师傅汪明鸿一下子就想到了十多年前,崔国旦8岁那年刚来队里的时候,也是他爹普拉尼给送来,也说的同样的话:汪师傅,您老就是他再生的爹娘!这孩子就全交给您了!要打要骂全由您!我们就指望着他在您老手里成才!

光阴倏忽,十几年过去,历史又绕了一个大圈,回头重来。

汪师傅感叹哪!

师傅伸手架了普拉尼一下,示意他起来。然后又补了一句:让他过完年就到队里报到。没用的东西啥也别带。

普拉尼就势起身,嘴里忙不迭应着:嗳嗳。

其实事先市里边也跟汪师傅这边协调过,普拉尼一求到市府副秘书长黄一发,黄一发就跟主管奥协办的常务副市长旷乃兴做了汇报。因为不管怎么说,崔国旦现在是举国关注的体育名人,处理他的问题,不是说办就办的,还须慎重。旷乃兴指示,作为一个奥运冠军,崔国旦的事小,但是影响大,搞不好,对整个淞州的迎接奥运气氛都有影响,要妥善处理。同时,年轻人犯错误,也要给他一个改正的机会。名利思想、个人主义、浮躁虚荣心谁都会有,就是看他采取一个什么态度去克服。什么时候他把这些都克服掉了,胸中有大局,心里有大气,什么时候他才真正成长、成才了。旷乃兴认为,崔国旦最好的去处,应该是重回体育队。他毕竟还年轻,有底子,练好了,说不定还能赶上一届奥运会。

黄一发就遵照旷市长的指示,把这意思跟崔国旦原先的师傅汪明鸿去说了,汪师傅不说行,也不说不行,板着一张喜怒不形于色的脸。

黄一发是当秘书出身的,对人的心思一揣摩一个准,他就明白了这里边还差一个环节,光是市府这边协调还不算,还得老崔家人亲自上门,当面服软道歉恳求人家教练。

训练基地院子里依旧如往日般寂静。这个时候,师弟师妹们早已经出门,奔跑在淞州乡郊的沃野上,开始了他们一天的训练课程。运动员们几乎没有节假日,用师傅的话说,老师的嘴,运动员的腿,一天不练武艺就颓废。春节期间,师傅和他的队员们也只休了五天,然后大家就归队,训练。

崔国旦在正月初八来报到的时候,基地已经进行正常训练两三天了。他自己本不想来啊,还在家里犹豫,别扭,抱着脑瓜子蹲在墙角不吭声,整个人就像个白痴、废人似的,被他爹普拉尼一通臭骂给骂了过来。他爹说我费了多大力气,差不多给人跪下(他没说他已经真跪了),市府秘书长也给说情,副市长也下指示,人家汪师傅才同意接收了你。你说你啊,这鳖犊子,忘恩负义,得了冠军拿了钱了,也没说先回去孝敬孝敬师傅,你说,你还是个人吗?

那崔国旦本来就郁闷、烦躁,忍不住跳脚蹦起来,扯着脖子跟他爹喊:我是没想起来,我是忘恩负义,可是你们当初都干啥啦?你们大家伙儿花我的钱,整天价合计买房子置地开酒店,那钱花得哗哗哗都像往外流水似的,一点锛儿都不打,你们谁想着我能有今天哪?出了事,就都怨我一个人,哼!我一天跑步、赚钱,累得要死要活,你们一家人,有谁替我想一想的?

儿子一横,他爹就软。他爹一想,儿子也随他,是个驴脾气,吃软不吃硬。那边桥已经搭好,赶紧劝他过去就什么都结了。于是赶紧找软和话劝儿子说:那什么,我这当爹的也有责任,没有帮你拿捏好。这回,咱费了挺大劲求人,才得了这一条道,人家市里对你还挺重视,特地嘱咐要重点安排。你哪,也珍惜这次机会,做出点样来,给那些开除你的人瞧瞧,看他们怎么瞎了眼,把我儿子这么好一个人才推到外边。

一说到这些,当儿子的软肋被捅着了。他不说话,闷闷的。

普拉尼趁热打铁,煽乎说:儿子啊,好好练!再重新拿一个冠军给他们瞧瞧!你师傅说了,你底子好,技术条件优秀,年龄上也才二十出头,再赢一届家门口的奥运会金牌,保不齐有希望!

崔国旦的眼睛一下子亮了,说:我师傅真是这么说的?

普拉尼说:那还有假!要不,人家能同意接收你嘛!

崔国旦的脸上,这才浮起一层亮光。

普拉尼说:你放心去吧。你那些车呀钱什么的,我和你大姑给保管着。啥也别带去,啥也别操心,去了,你就好好跑,再跑进奥运会,争口气,给老崔家做个样出来!

球迷协会会长普拉尼同志的思想工作做得不错。2005年农历正月初八,前奥运冠军崔国旦同志重返淞州体育训练队时,心态调整得已经基本到位。

推开门,当年那座由场院改成的训练基地跃入眼帘。那时候,这里只有坐北朝南四间土坯房,还有两间厢房,一间做厨房,一间装杂物,院里墙角搭起个简易茅房。每个正房南北两条大通炕,那就是他们居住的宿舍,到了晚上小运动员们依次而卧。场院里的猪圈、马厩当时都在,院墙也是一圈土坯围起的。当年,他们的训练条件困难,汪明鸿的农村老伴也从家里跟来,在这里给大家洗衣做饭,支持老伴的工作,同时她自己还养猪养鸡,在房后小菜园里种点细菜,给师傅和运动员们补充营养。他们那批小运动员,每个人都穿过她纳的鞋,每个人都吃过她亲手炒的木樨肉,那在当时就算最奢侈的菜。

这里就是他的起点,淞州中长跑队的训练基地,位于郊区清河县与城里交界的地方。出了门,就是大野地,夏天一片绿油油,冬天,田野满目萧瑟荒芜。这个地方,崔国旦再熟悉不过了。他从8岁入队开始,就在这里长大,一直到18岁,进了省队,然后选入国家队。漫长的十年,生长的季节,成长岁月里,是师傅和师母看着他们一天天长大,他们真就如同是小运动员们的再生父母,比亲生父母还熟悉每个人的脾气秉性、口味爱好。也可以说，他们所有的世界观价值观也是在这里种下根基的。在他们成人之后，回头再看，却未免单薄、未免粗浅。他们在这里练出了强劲的骨骼和肌肉，而作为附属的、就近入学所上的零零星星的文化课，却不足以培养出他们有智慧、善于明辨是非的头脑。所以老天爷要帮助他们找补、修正、克服，要让他们在单独放飞出去后经历涉世不深的挫折，经历动摇、叛逆、跌倒、摔跤，要让他们回炉打造、重新学习，要让他们的价值观得到重新确认，然后粗壮、坚固、挺拔，以支撑起往后漫长的人生。

基地的条件比起他走时稍许有点改善。院墙盖起了红砖，原来的土坯房，现在也翻盖起四间大砖瓦房。原先放杂物的厢房那边，还盖起了一排平房宿舍，通了土暖气，里面有了卫生间和热水洗浴设备。后来，凇州的经济形势好了，在城里盖起了体育局训练大楼，原本是可以腾出房间给中长跑队的。但是师傅不愿意去。师傅固执地认为，体育中长跑就是一个吃苦的项目，在温暖的大楼里跑不出世界冠军。而他们这里，有无边的广阔的郊野，有高低起伏各种条件的林间道路，那就是他们的天然的跑道。白天，他们在道路上奋勇奔驰，夜晚，田野阒寂，他们休息整肃，很快就进入睡眠。这里远离城市灯红酒绿热闹区，没有奢侈花心的娱乐活动，运动员们训练起来能够专心。

崔国旦背着行李卷进去时，训练基地静悄悄的，四下里没人。正值寒假期间，不像平时有些小队员上午还要到附近郊区学校上文化课，所以放假期间师傅上下午都安排了训练课。这会儿他领着队员们在外长跑。他四下踅摸一下，看见厨房那里冒出袅袅蒸汽，于是走了进去。崔国旦看见一个臃肿苍老的妇人，满头灰白的头发，正站在厨房灶台前往大锅里蒸馒头。旁边案板上是切好的几样菜，看样子是在预备午饭，随时准备下锅翻炒。几年不见，师母也老了，头发花白，脸上泛着红红的血丝。想当年，师母刚来队的时候，正是一个四十出头一个精壮的妇人，整天忙里忙外，手脚不得闲，跟着他们这些小队员们操碎了心。崔国旦嗫嚅着，低低地叫了一声：师母……

师母听见他叫，一转头，见是崔国旦来了，忙放下手里馒头，盖上锅盖，又在围裙上抹擦抹擦手，这才满脸笑容招呼道：孩儿呀，回来啦？

这一声“孩儿”，叫得崔国旦眼泪又差点掉下来！亲切的呼唤，不像是在叫一个迷途知返的浪子，倒像在叫一个回家过年的孩子。

他眼圈微红，嗫嚅着，又叫了声：师母……

师母欢欢喜喜答应着：哎……然后上下左右看着他，打量着，又上前牵过他的手说：长高了，瘦了！前儿我跟你师傅还在电视里看见你的镜头……

师母说的是电视体育频道的奥运节目的片头，崔国旦雅典夺冠的经典时刻已经被编了进去，无论什么时候打开电视，都能看见。

师母不提这个还好，一提这个，崔国旦满脸羞赧，忙说：师母，我……

师母打断他说：孩儿呀，什么也别说了，回来就好，回来就好啊！

说着，就张张罗罗要领他去看房间，看给他准备好的铺位。

你师傅知道你今儿个回来，特地让我给你准备的。师母忙忙叨叨地说。

崔国旦更不知该说什么了。他默默从旅行包里拿出给师傅带来的一条狍子皮褥子，还有给师母带了几瓶治疗高血压的进口药，递给师母。

师母接了，还埋怨道：这孩子，来就来呗，还买什么东西！挺贵的。

崔国旦说：师傅的老寒腿好点了没有？您的高血压也降下去了吧？

师母说：唉！好什么好啊！你师傅啊，劳碌命，一刻闲不住，天天那么在外边跑，数九隆冬也不停歇，还有个好？我呢，也整天跟着他，有操不完的心。唉！什么时候啊，把你们这一群大大小小都送出去，全都跑成冠军拿牌子了，你师傅啊才能停歇。

娘儿俩正说着话，听见外面踢踢踏踏一阵杂沓的脚步声，师母望一眼窗外，说：他们回来了。

崔国旦心情忐忑地随师母迎出屋来。只见十几个年龄参差不齐的队员,浑身冒着热气,拥挤嬉笑进了院子。师傅推着自行车,跟在他们身后。见了崔国旦,队员们集体愣住了,在那里跟他对峙了一下,不知该说什么好,也不知该怎么打招呼。他这一得冠军、一出名、一发财,又一被开除受处分的事情,在凇州闹得动静太大,见天价在娱乐版头条,几乎是上下天地老百姓没有谁不知道的。过节见面都拿他的事儿打牙祭唠闲嗑。尤其队里还有五六个队员是跟他一起训练过的,他被选上了国家队,他们都没跑进去,只偶尔在全国或省里获过一些名次,眼见这家伙牛皮烘烘走的,如今又灰不溜秋回来了!他们就瞪着他,大眼瞪小眼,在院里站着,彼此没话说。还有一些更小的队员,虽然没见过崔国旦,但是他一得冠,就被师傅当成楷模拿来教育训练他们这些小运动员,他们就天天看着电视在景仰。突然之间,如今一下子冒出了个活的,立在小运动员们眼前,还是一个被开除分子,小队员们也蒙了,不知该怎么办。

还是师母先打破僵局,先招呼道:那什么了,都回来啦?老头子,国旦回来啦!

崔国旦这才跟上一句,低着头,叫了声:师傅……

师傅没拿正眼看他,抹搭下大眼皮,只简单"嗯"了一声。然后说:吃饭吧。下午继续跑课。

师傅汪明鸿,其实跟弟子分开也才三年多。崔国旦2002年入选国家队,一路无敌,2004年就拿了雅典奥运会冠军。可谓是一鸣惊人!

哪想到,师徒俩再见面,却是以这种方式。那崔国旦在师傅面前抬不起头来。师傅也打心底觉出万般无奈。

趁着吃饭的工夫,崔国旦将师傅偷眼打量。总在一起的时候,也没觉得怎样。一旦分开再重见,就明显感觉师傅也老了。他那一张风雨沧桑的脸,一向沉郁,刻板,很少有笑意。现在,他的脸膛更黑,更红,眼角眉梢更耷拉,皱纹都像刀削斧劈似的,深深刻在每一处脸皮子上。如果不说他是教练,整个就是一个成天风吹日晒种大地的乡下老农。就是这么个老农,靠他独特的训练方法,培养出一拨又一拨中长跑冠军。

他的队伍，早已在江湖上有名，俗称体育“汪家军”。淞州人谁都知道，进了“汪家军”，就是登上了通往冠军宝座的第一步阶梯。

师傅汪明鸿，也在趁盛饭的当口偷偷将崔国旦打量着。这孩子变了，眼神变复杂了，里面装了太多的东西，他说不上来叫不上来的东西，可能就是让他栽倒的那些名利金钱享乐……那些玩意。以前，孩子有着鸡蛋清一样的眼睛，黑白分明，没有一丝杂质。满打满算，他也才22岁，正是当跑、出成绩的年龄。还能不能起来呢？不好说。就要看他的造化了！

师傅不禁在心里长叹一声。

艰苦单调的日子就这样重新开始了。

从吃苦到享乐易，从享乐到吃苦难。

谁不知道堕落舒服啊！愈堕落愈快乐。下坠的快感，如同疾速飞驶的过山车一样，外加上地心引力的帮助，只听那心脏一忽悠，大脑一缺血，就一个猛子扎下去！力比多荷尔蒙的快感、不顾死活只图一时享乐的快感，扑面而来！哆哆嗦嗦，痉挛抽搐，临门一射，地老天荒。

而往上起，却要一点一点，一寸一寸，一厘一厘，往起拔，往起挣。挣脱地球磁场吸引力的束缚，靠外力，靠牵引，靠巨大的人类理性的光芒和力量，一点点往起拔，一点一点往上起。多么难！多么艰难！

崔国旦每天风雪无阻，跟队员们一起跑课。他羞惭，他寒碜，好长时间之内都抬不起头来。现在，他在队里是年岁最大的，又是以这么个身份、这样的形态重回队里来，真不知该如何跟小队员们交流。像他这样一大把岁数、还是拿了大冠军的，又回炉重造，还是独一份。大家都不知是怎样一个姿态对待他好，他自己也不知该怎样好，只能等待，只能任日子一点点去磨，去磨合，也是去消磨，磨掉相互间交往的沟壑和生涩。师傅和师母还特地照顾他，给他收拾出来那个单间的小偏厦，让他一个人单独住。少了不必要的寒暄，他更是独来独往，每天低着头，不说话，匆匆来去。小队员们相互嬉闹、追笑，没有他的份。除了一天两遍的训练课，外加吃饭时跟大家会面聚在一起，其他时间，都自己待着，翻翻古龙金庸小说。好在，这样高强度、大运动量的训练，也让他们富余的时间没多少，富余的体力精力没多少，每天跑完十几公里二十几公里回来，无比困乏，倒头就想睡觉。

队员们每天跑课，师傅汪明鸿都是骑自行车在后头跟着。还是那辆 28 型“飞鸽”自行车，自打崔国旦认识师傅时起，就见他骑在上边，如今，多少年过去了，是不是也应该有二十来个年头了？他还骑着。那个年代的老自行车，质量好，结实，虽然前后车圈都有点生锈，车梁上也有了斑斑点点锈纹，链子盒挡板也磕得坑坑洼洼，但是车体坚硬，整体骨架硬实，加上师傅个大，往自行车上一压，人和车气势雄伟，高出当今大街上那些流行的 26 车一头，真有点瘦死骆驼比马大的意味。师傅人老，腿长，个头还没有往回缩，一米八二的身材，想要停下来的时候，从来不用骗腿下车，而是屁股搁在自行车鞍座上，双腿从脚蹬子上一离，就杵地上，两腿立成一个支架，把自行车夹在裤裆中央，看着，倒像夹着一个玩物。

他用腿夹着自行车，手就腾出来，用来修理他的学员们。看看哪个偷懒、疲沓、中途跑不动、蹲下来想喘口气，他就抡起皮带，照准后背“啪”一皮带抽过来，后背立刻起一道檩子。队员给抽得一激灵，立马起身，一趔趄一趔趄，打起精神，继续追赶大部队。

师傅手里的那根皮带，纯牛皮，铜扣，皱巴巴，硬撅撅，过去年代里生产的，结实，使到烂了也不会断的那种。师傅每打人时，都会说：这孩子的灵魂出窍了。打一打，能找回来。

中长跑队里的队员们，没有谁没挨过他皮带的打。

师傅有他老辈人心口相传的经验，认定人的身体里有“魂儿”。队员们跑步溜号、腿软、注意力不集中，就是散了魂儿。一旦魂散了，这人就颓废了，起不来了。

打一打，就是把魂儿招回来。

师傅跟过去年代所有的中国家长一样，坚信，孩子不打不成器。穷人家的孩子,谁没挨过打?父母的拳打脚踢,在家里也没少挨,家长把孩子送来时,都说:汪师傅,您就是孩子的再生父母,我们把孩子交给您,看哪地方不对,你就使劲打,替我们好好调教他。师傅不懂什么运动生理学,心理学更不懂,他只知道告诉小学员们:你们只有靠跑步拿冠军出人头地这一条路,不然,就得就下井挖煤、下田种地,一辈子待在这个小山沟里,像你们的父母先人一个样。

在淞州这种民风淳朴有着封建思想遗留的小地方,没有不打孩子的家长,也没有不打学员的教练。淞州原先只是中国北方的一个乡村小县城,淞州不是美国,不兴孩子管爹直呼其名那一套,也不兴孩子挨家长打就可以报警。自古他们就信奉“棍棒底下出孝子,鞭笞之中有贤才”。打孩子是天经地义的,是老天爷给的权利。

体育教练的鞭笞体罚也不是没有道理。体育运动跟别的事情不同,运动员除了自身身体条件良好之外,还需要刺激脑丘体大量分泌多巴胺,也就是所谓的运动兴奋剂,把肢体的各部分最大限度激活,这样才能取得好成绩。脑丘体的多巴胺如果开发出来,会有依赖性,会立即进入竞技状态。

肌体的激活,单靠意志力不行,尤其是未成年人,意志力没有那么强大。有时,人跑到极限,肌肉麻痹,关节疼痛,毒素排不出去。意志力和肌肉是分离的。这时,来一点外部的力量,抽一鞭子,能让肌肉猛醒。有快感。这时的肌肉,是感觉不到疼的。

如同人身上起的带状疱疹,缠腰龙,又痛又痒,必须要用梅花针,布满密密针尖的小锤子,在那些水疱上打,啪啪啪扎,直打到脓血淋漓,把里边毒素引出来,排出去,才能解毒,才能痊愈。只是要特别注意手法,别让肌肤表皮太受伤,以免引起炎症。

师傅的皮带,恰到好处,“啪”地一抡,正打在麻痹神经上,让人猛醒。师傅的鞭子是药,是梅花针,而不是让人屈辱、让孩子们伤自尊的器物。

师傅这里的训练,器械也不够,也可以说几乎就没有什么器械,他就是顺其自然，也没有什么科学的训练方法，就是采用原始古朴方法，勤能补拙，把那些肯吃苦、肺活量大、肌肉关节结实、跑起步来不费劲的孩子挑到队中来，靠每天的跑、跑、跑，高强度大运动量训练，一点点把他们练出来，把他们的体能和适应性练出来。

"汪家军"训练出来的那些夺冠运动员，当他们和那些非洲的、欧洲的运动员同台竞技时，就能看出差别来。那就是他们普遍都跑得不好看，大腿根部的韧带没拉开，迈腿的跨幅不够，看起来总是左腿别右腿的倒着小碎步，好像他们两步才能顶上人家一步，没有非洲运动员那种羚羊一样的矫健，也没有欧洲运动员大洋马一样大长腿、高跨步的英姿。尤其是在最后一千米临近终点冲刺时，这种差距更为明显，非洲黑人美得炫目的羚羊冲刺姿势，欧洲大洋马的昂首怒吼四蹄奔腾，都增加了竞技赛跑的观赏性。在这个时候，短距离冲刺阶段，他们往往占先，"汪家军"往往吃亏。这是他们的致命弱点。

但是，他们也有自己的优势，耐力好，突围的爆发力强。汪明鸿师傅就有针对性地作出战略部署，小碎步击垮大跨步。他的队员一开始一定要领先，跑到第一方阵，尽量在前半程就把后边的人甩开，甩得越远越好，这样才能保证冲刺不会被赶超。而且队员之间要互相进行掩护，一般比赛他们都能晋级两三名运动员去参加，他们会被教练分头部署战斗任务，一开始冲出来跑在第一那个领跑的比较累，比较耗体力，他作为奉献牺牲者而出现；跟在他身后的第二名，才是最后要夺冠者，领跑者要保证把他带过三分之二赛程；而第三名则负责殿后掩护，清除外围骚扰，同时也随时准备替补冲上前方。

汪教练的这种战略部署屡建奇功。就是在这么个泥土砌成的破败场院里，就是在这么一条黄尘漫漫的乡野小道上，一茬茬省里比赛冠军、全国比赛冠军破土而出！到了崔国旦这里，又赢得了最高荣誉，获得奥运会赛跑冠军！

这是他的荣耀和自豪！这是他们集体的荣耀和自豪！所以他们百折不挠，历经九死而不悔，坚定坚韧地跑，跑，跑下去！

其实，不是所有的事业都单纯是奉献、是痛苦、是绝望。每一种行业其实都是一块乐土，都有其自身的欢乐秘钥。打开它的捷径，就是我们每日单调枯燥的苦行。每一个决定自囚其中的人，必定是找到了期间隐秘的快乐，那幽深的心灵神秘驻所。如此，人们才能在平板枯燥的净修中，悄吟出如北方森林大地般葳蕤蓊郁的生命欢乐之歌。

崔国旦一上道，就明显觉得体力跟不上，精力也不行了。他的关节是艰涩的，肌肉也是万分沉滞的。他已经荒疏了太久，也荒废太久，原先储存在肌肉里的快乐运动记忆都忘了，血液里的快乐记忆都忘了。忘了临界的快感、跑过极限时的自由；忘了兴奋时的血脉贲张、心脏发动机高压泵“突突突突”往外泵血时的快乐涌动；忘了身轻如燕时的飞腾、脚掌心贴近地面、一脚掌一脚掌跟大地接吻时的亲昵……那是多么结实、丰厚的亲吻，脚掌心就像多情的舌头，一口一口，舔吻着大地的脸颊；而大地，则含羞地予以回应，一掌一掌，反馈给他以弹力，用柔情紧致的肌肤托举他的身体。

他就是用脚掌跟大地形成默契，形成深不可知的交情，形成独特而柔软的亲密。他十几年来一天一天，一步一步，相依为命，与大地建立起朝夕相处密不可分的亲情。他能感知大地血管的每一处律动，他能抚触到大地胸膛的每一声叹息。

这是人与大地的亲密。这是情人与情妇的亲密。这是儿子与母亲的亲密。

不可言传。无比快慰。

大地，则以橄榄枝的桂冠，回赠予这个大地之上最纯洁的处子……

现在，他们分离了。荒疏了。隔阂了。陌生了。

大地对他关闭心怀。

他的腿抬不起来，脚抬不起来，脚底板每一次触地，冬天冰冷梆硬的土地，都震得他生疼，夏天晒得融化的柏油路，都烫得他揪心。关节每弯曲一次，都咯吱咯吱乱响。他现在的每一步，都是苦刑，都是折磨。都像丹麦安徒生的海上美人鱼，每走一步，都在刀尖上，每走一步，都鲜血淋漓!

他知道,大地不接纳他,大地不感应他,大地不原谅他。他这么个浪子,曾经迷失,曾经背叛,曾经遗弃。大地伤透了心。如今,他想找回来的路,大地却紧闭心门,不给他开启。

他不知道,他要怎样赎罪和忏悔,才能求得大地的宽宥。

他无望,无助。茫茫前路,没有尽头。他实在跑不动了。心脏火辣辣的几乎要炸裂,就像吃了一万斤辣椒,呼吸像拉风箱,闷得掴不过来气儿,嗓子眼里也要着火。极限来临,意志力涣散,耐力已经撑不过这一点。他停下来,靠在路边,哈着腰,撅着屁股,扶着肾,大口大口喘着粗气。

没等他把呼吸调匀,“啪——”后背上挨了一鞭子。

那不是鞭子,是皮带,铜扣,牛皮,牛毛黄色,皱皱巴巴,正是打人顺手的好时段,抽起来格外爽劲、瓷实。

抬起身,回头望,见身后,师傅两脚杵地,裆中夹着自行车,手捏皮带,怒目金刚。

跑!师傅大喝一声。

我……我……跑不动了……

他猛喘着气,哈着腰,两手拄腿道。

“啪——”这回,是皮带当空,照准了、抡圆了下来,准确无误落在他的后脊梁上。他疼得“哎哟”一声,条件反射般直起腰来,还未等站稳,“啪——”又是一皮带落到身上。师傅二话没有,只大吼一个字:跑!

崔国旦屈辱的泪水当时就“唰唰唰”流下来。他也二话没说,扭开双腿,怀着愤恨,怀着绝望,怀着不甘,一步一步上道,歪歪斜斜跑步前行。他有多少年没挨打了?有许多年了。不只是进了省队国家队后就没有了挨打这一程序,就连原先,还在师傅手下的时候,他也不怎么挨打了。师傅打人有个原则,只在小的时候打,说他们掌管不住自己,要替他们收收身,大了,一般长到 15 岁以后,师傅就不打了,调教到那会儿,多半都知道了规矩,知道自己该怎么练怎么跑,不用人告诉,就会很自觉。

如今，自己22岁了，又遭了师傅一通打！这皮带打在身上，这愤怒留在心里。愤怒在脑中升腾，愤怒使他脚底生风。他跑啊跑，追赶上了前面的小队员，超过了一个又一个，用跑步减轻心底的疼痛，用跑步忘记背上的疼痛。他越跑越勇，越跑越轻，简直觉得自己就是一头鹿，简直觉得自己就是一只鹰，简直就是四蹄生风，简直就是翱翔展翅，在大地天空中奔驰遨游！

没有什么能阻挡得了他，没有什么能将他停下。

小学员们都看呆了，他们不知道大师兄今天怎么了，如此发威，如此神勇，简直比在奥运赛场上跑得还快！他们一齐欢腾奔跃，奋力追赶。

一天的训练课结束了。到了晚上，吃过晚饭，各自回屋休息。崔国旦依然话语不多，默默回到自己房间来。他刚想躺在床上歇一歇，背一着床，一阵火辣辣的疼。他忙又起来，刚想脱了衣服照镜子，门一响，“咯吱——”师傅从外面推门进来，提着一个药包，后面还跟着师母，手里端着一盆热水。崔国旦很窘，忙把师傅师母往里让。师母放下水盆后，师傅让她出去，然后关上门。崔国旦还发窘地站在原地，师傅折回身来，说你坐。崔国旦这才端端正正坐到师傅对面椅子上。师傅自己也坐在床沿，说：我今天来，是要给你赔个不是，师傅今天不应该打你。

听师傅这么一说，崔国旦反倒不知说什么好了，嗫嚅道：师傅……

师傅说：我带过这么多队员，还从没给谁赔过不是，你是头一份，可能也是最后一份。我也干不了多久了，等把你们这拨送出去，我也就申请退休，回老家种地去。

崔国旦还是没找到合适的话，只能又一次说：师傅……

师傅不容他说，继续自己的话茬：我知道我是不该打你啊，孩子大了，都有了自己主见，有了自尊心，就不该打。可我是替你急啊！你是我带过的队员里成绩最好的一个，又是正当跑之年，不能就这么撂下！你这么一撂下，这十几年二十来年的苦，就白吃了。当师傅的我看着心疼啊！你小时候是个多能吃苦听话的孩子，不让你跑都不行，不跑第一、跑第二都不行，非要争一口气，得冠军不可。你那股劲头，哪儿去了？

崔国旦已经被说得无地自容，带着羞惭的哭腔说：师傅，您别说了。我知道我错了，把大好前途都给踢蹬了。离开了国家队，当不成运动员，我就啥也不是。您能重新收留我，我都不知说什么好。我要是再不争气，那就简直对不住师傅、简直不叫个人了。

说完，真就“呜呜呜呜”像个孩子似的哭起来。

师傅赶紧过来，拿毛巾给他脸上擦泪，一边说：咱哪，也不用起啥高调，非说对不起谁啥的，咱就说你为了你父母，为你八十多岁的老奶奶，为你瘫痪在床的老姑、下岗没工作的大姑大姑父，你也得拼了命，你也得为你们老崔家争气啊！

崔国旦抹一把脸上泪说：师傅，我明白。

师傅又端过水盆里的水，让他俯卧在床上，脱掉衣服，露出后背，给他擦拭伤口。三道鲜红的檩子，历历在目，下手真不轻。师傅自己有些过意不去，温暖的大手蘸着热毛巾，轻轻在伤口周边擦拭着。一股热乎乎的暖流从肌肤一直传到心坎。崔国旦脑子里像放电影一样，想起来，从 8 岁到 18 岁，跟随师傅师母在一起生活，小时候，他每次生病打针吃药，都是师傅师母这般精细照料，给熬姜糖水，头上捂个白毛巾摁在被窝里发汗驱寒……

师傅打开药包，用酒精棉给他伤口消毒。冰凉的棉球一触到伤口，抽冷子的蜇着疼，崔国旦身子激灵一下。师傅小心放慢了手，问：疼吗？他回答：不疼。师傅又蘸了些云南白药给他敷上，见他又一激灵，问他，疼吗？他回答：不疼。师傅抽我心里好受些。

听了这话，师傅长叹一声：唉——

做完这一切，他起身穿戴拾掇好。师傅又从兜里掏出一根皮带：

还认识这根皮带吗？

认识。

这就是你小时候，打过你的那根皮带。你当了世界冠军后，我就把它珍藏了起来。谁承想，又用上了……

师傅黯然。哽咽。

师傅，我对不住您！

今儿我就把它送给你，做个纪念吧！

师傅……

崔国旦战战兢兢，勉强接过皮带，像接过一个什么刑具。眼前这条铜扣、牛皮、牛毛黄皮带，曾经陪了他从童年到少年成长的十多年光阴。就在今天，他还挨了它三下子。师傅把它送给他的用意他明白，就是有点觉得瘆得慌。

师傅继续说：唉！我老了！带不动了！也跟不上形势。有的运动员还去告状、打官司，说教练打学员，是法西斯主义。体委也下来指示，不让体罚学员。我也含糊了，不知以前那些培养你们的方法是对还是错。唉！我也管不了那么多了，把你们都送走，我就退休。好好跑吧！我等着看你在家门口再拿一次奥运牌子，我也就一生知足。到那时，我就是死也能瞑目啊！

崔国旦说：师傅，您别这么说！师傅，您还能干好多年。师傅，我一定努力跑，一定跑出好成绩来让您看看！

师傅说：嗯。这就对喽。

北方大地，瑞雪初霁，哈气成霜。一个单薄的身影，穿着运动服，不出天亮，就起床出门了。他跑过旷野，跑过平原，跑过浩瀚的大海，跑过巍峨的山峦。日月星辰在他身边轮回变幻，北方大地稀疏的晨空宁静而辽远。他步伐坚定，英姿飒爽，像鹿一样敏捷，像羚羊一样矫健。他敛气凝神，全部身心，只重复一个动作：跑，跑，跑。

跑吧！跑吧！

跑过那大地初霜的寒光闪闪；跑过那彩虹横亘的壮阔波澜；跑过那春花秋月的温暖柔辉；跑过那冰雪盈门的飘舞蜿蜒。

海天冰谷的深远辽阔，激荡起他胸中无比的庄严。

他在心里由衷呼唤：灵魂啊，快回到我的身体里来吧！

24. 相濡以沫

好几天在凇州见不到黎曙光人，孙佩佩这头急了。打了几次黎曙光电话，都说对方正在通话中。她又打到工地办公室去问，助理说黎总家里有事，回省城了。

孙佩佩心里一亮：回省城了？莫不是自己去找过邵宝娟后，有了效果？他们两口子要摊牌了？

怀着忐忑又急切的心情，她又开始使劲拨黎曙光电话。总是回答"您所拨叫的用户正在通话中，请稍候再拨"。连续拨十来遍、间隔也有了大概半个小时之后，她揣摩，对方并没有正在通话中，肯定是黎曙光不愿意接听她的电话，一见她的号码就给按断。

于是她气不打一处来，有了点歇斯底里的劲头，更加疯狂地一遍又一遍拨他电话。最后黎曙光手机索性关机。把个孙佩佩气得，呼哧呼哧直喘。她无计可施，只好等待，过了半个来小时，她特地走到路边小店，用街头公用电话拨打黎曙光电话。这回，那边接了，开口说了声"喂——"。孙佩佩强忍住气，嗲声嗲气使出撒娇杀手锏：喂——老公啊，你在哪儿吗？人家都想死你了！

可惜她这时的撒娇，撒得有点不是时候，非但引不起黎曙光半点爱怜，相反，惹得他有点烦。非常烦。

黎曙光那头只简单地说，回省城祁阳了，家里有点事。

那你什么时候回来？人家想你嘛！孙佩佩又一次把声音嗲成一团。

黎曙光说：大概要多待些时间。我爱人病了。手术住院。需要护理。

"爱人"？孙佩佩头一次听到黎曙光这么称呼邵宝娟，听起来有点不习惯，有点刺耳，仿佛故意说给她听似的，有点挑战性质。而且还"病了"。什么病？那天跟自己耍大牌的时候不是好好的吗？一手提烟，一手提公文包的样子,真正像个男人婆,一副牛气烘烘的死相!吓唬谁呀?当我怕她?哼!有话不敢跟我来直接说,可倒好,到老公面前装病!怎么,装病就能套住老公啊?想不让黎曙光跟我好?没门!

不行!不能让她得逞!

想到这儿,孙佩佩又开始对着话筒放鼻音,叽叽歪歪地说:嗯哼……老公呀!人家身体也不好嘛!你快回来,回来陪陪我嘛!

黎曙光此时正拿着手机出来在病房楼道里接听电话,听罢,他只能低声说:佩佩,别闹了,我这里真走不开。我爱人刚做完手术,正在输液,我得在这里陪护。

老公耶,你真的在医院里?她得的是什么病?

乳腺癌……

黎曙光本来没想说,但不知怎的,却还是说了。话一出口,却又后悔了。本来,这事,除了旷乃兴,他此刻谁都没告诉,却不小心,一吐口,就吐露给了孙佩佩。什么意思?是自己拿她没当外人?还是想求得孙佩佩的宽容?她的理解?想向她证实自己没有说谎、确实有事耽搁走不开?说不好,不知道是什么心理。总之,那一刻,话一说完,他就后悔。却又没了往回收的余地。

孙佩佩惊讶:啊?!什么?癌症?!

她一刹那有点晕,有点蒙,一万个没想到,不知说什么好。握着电话,在那里发愣。

黎曙光说:先这样吧。没什么事我先挂了。

孙佩佩从耳旁拿下听筒,瞅了瞅,有点不相信这是真的。这么巧!自己刚去省城找完她,她就得了病?还是这么要命的病?这该怎么办呢?自己这下该怎么办呢?

她一时没了主意。现在该怎么办呢?自己该怎么办呢?事情的突变,对自己来说,意味着什么呢?自己和黎曙光的关系,今后该怎么办呢?自己嫁给黎曙光还有希望吗?希望是大了呢还是小了呢?

孙佩佩完全从自己的利益和立场出发,来关注这件事,来注视整个事态的发展变化。一时之间,她也有点莫衷一是。

邵宝娟术后出院以后,黎曙光决定将妻子带到凇州休养。凇州工地离不开他。他又不想离开妻子,想尽心守护在身旁。想来想去,就只有这一条路了。他的心里明白,每一天都有可能是妻子的最后一天。每一次化疗都可能是最后一次。他要陪着她,陪着她走完从今往后的每一天,每一个日出,每一个日落,每一片晴空,每一片雨雪。

从来没有这种恐惧,即将失去她、随时随地都有可能失去她的恐惧,时时缠绕着他,吞噬着他,让他寝食难安。

人如果不是死到临头才幡然悔悟该多好!

如果能早一点幡然悔悟该多好!

离婚的事情,也不提了。

这个时候,任何一种有伤她身体的念头,都是一种罪恶。

妻子开头不愿意跟去,后来答应了。实际上,对她来说,这是一个无从选择的选择,没有办法的办法。术后的身体,必须有人照顾,请别人来照顾,不方便,她也不愿意,只有自己老公,才方便,才可以随意。只有这时候,当人生活不能自理的时候,才知道,实际上,人是很脆弱的,人生,是很脆弱的,充满了对他人的依赖,对亲人的依赖。也只有到了这个时候,才真正体会到什么叫作"亲人"。亲人就是那个你可以在他面前尽情、随意,可以支来唤去,可以让自己以最舒适面目姿态出现的人。

再有就是,现在所有的人都知道了她的病,她一下子成了弱者,成了被众人同情关怀的对象。被驱逐出健康人正常人行列,这让她很受不了,很不适应。想瞒也瞒不住的,要住院,要手术,要回单位办理医疗保险报销手续,一切都是实打实,摆在明面上。不出一会儿,就满世界都知道了。如果是得了别的病还好,这么个病,在女性的这么个器官上,很让人难以启齿,主要是很让她自己难以启齿。那么个要强的人,那么个从来都要自主独立、说上句的人,平时壮得像小牛犊、很少进医院的人，忽然间就成了这样，身体上有了残缺，性命上也是摇摇欲坠，说不定哪天就完了。这她感到不适应。完全的不适应。她且得有个慢慢适应的过程。

就连她的亲人、父母也不适应，难以接受。手术之前一直瞒着他们，怕他们一下子接受不了，想过后一点点渗透给他们，结果，当他们知道这个消息后，老两口还是接受不了，母亲号啕大哭，从家里一直哭到女儿的病床前。躺在病床上的邵宝娟不得不强装笑脸来劝慰母亲。亲人们比她这个病人本身还显脆弱。

这回，能够躲到凇州，她一想，也好，去凇州也好，去凇州，到一个陌生之地，谁也不认识，就可以避开身边的熟人，躲避那些同情可怜的、还有种种幸灾乐祸看热闹的目光。后一种目光是她想象出来的，完全是主观臆断。人在病着的时候，心情不好，偶尔见到正常人打量自己的目光，会觉得对方居高临下不怀好意，看着就烦得慌。当然，也还有另一种人，就喜欢夸大事实博得别人同情，喜欢以弱者身份出现。邵宝娟不是。她天生就是一个强者。她信奉强者的信条，谁可怜她她跟谁急。

旷乃兴指示凇州方面特地给她要了一个 120 车，把她从省城医院直接接到凇州黎曙光的住所。这是她第一次来到丈夫的住处，凇州市中心位置的公寓房里，很陌生，也略微有点别扭，主要是心里还藏有一个结，那个小女人曾经跟她老公俩在此同居的结，化不开，咽不下，一直到现在还哽着。她带着抱病之躯，里里外外搜查打量。两居室的房间，面积不小。进了卧室，赫然一张大床，其他的五斗橱床头柜衣柜什么的家具一应俱全，书房里也是标准配置，书柜电脑桌摆放齐全，旁边的文献图纸堆成小山。再查看客厅、餐厅、厨房、卫生间……冰箱、电视、浴缸，该用的东西全都拥有。邵宝娟拖着虚弱的病体，进了屋，一边四下打量一边想，难怪，黎曙光乐不思蜀，这里真是个完整的家啊！怪不得啊，那个小女人敢那么恣肆，这里就是一个标准“外室”，两人到一起，就能过日子啊！

邵宝娟都病成这样了，却还在用嗅觉已经不太机敏的鼻子使劲闻着，警惕地打量。生理上的癌症病灶摘除了，可丈夫背叛这个肿瘤病灶，却深深地埋在她的心里，不可祛除，难以化解。女人啊！这就是女人！她可以容忍丈夫对自己的忽视，却无法接受他在外面真的有人这个事实。

但是她不说，她没法说，她暂时也没有力气说。说了也没用。她知道后果，无非是吵一架、别扭，对方不承认，或者顶多是承认了然后认错、保证不再跟第三者来往而已。坏一点的结局，就是两人分手。然后生活再继续，一切从头开始。这些俗套，电视剧里早演过，无非那么几条。看着都简单、可笑。可是事情一旦搁在自己身上，怎么就如此郁闷、如此尖锐的疼痛、如此的排解不开呢？

黎曙光对她的想法一无所知，也根本无从察觉。在决定领邵宝娟来凇州休养之后，他还是比较谨慎，趁着邵宝娟的母亲跟他替班陪床的当口，偷偷迅速跑回凇州一趟，来亲自打扫房间，清理战场。本来凇州方面给他们这些驻扎奋战在工地上的高工配置了保洁员，每天由她们负责这些日常清理内务的琐事，黎曙光只要打个电话回去，让保洁员来一趟彻底清扫一遍就行了。但是，他还是隐隐地觉着不放心，怕那个孙佩佩在房间里遗留下来什么女性器物，会被邵宝娟发现。自进入偷情偷欢高潮阶段后，孙佩佩越来越肆无忌惮，每次来这里过夜都带来零零碎碎一大堆，情趣内衣化妆品包括小夜衣等等，过后，临走，也不知道收，全要靠黎曙光事后替她收拾好再藏掖起来。更有甚者，孙佩佩带来的东西越来越多，把自己日常用品、换洗的衣服也一件接一件地带过来，就明目张胆地搁在他的卫生间、挂在他的衣橱里。一大堆东西摊开来，完全是这个屋子的女主人的架势。

黎曙光收不胜收，就连哄带劝说过她，说还是要注意影响，毕竟两个人的关系属于不合法。哪想到那个孙佩佩小嘴一噘，说：怕什么！我就是想让世界都知道！我老公天下第一！我老公全世界第一棒！

这一口一个“老公”“老公”地叫着，登时把黎曙光叫软了，叫酥了，叫麻了。他立刻没脾气，继续任由她，宠着，惯着。这种满大街都在叫着的时髦语，是他从来没有应承过的称呼，没有从邵宝娟那里听到过。他们那个时代，还不兴这个，不兴这么叫。现在，孙佩佩给了他一个补偿，从心灵到肉体，多方位的补偿。赶上了时代风范，赶上了时髦这一课。孙佩佩让他跟这个时代，紧密地结合接榫到一起，粘连在一起，让他觉得意气风发，斗志昂扬，重返青春的战场。

渐渐地，他就放松了警惕，渐渐地，他跟孙佩佩就越来越水到渠成，水乳交融，你中有我，我中有你，须臾不可离，一日不见如三秋兮。

现在，事情急转直下，家里遇到这么大的事情，他必须暂时有个休歇，跟孙佩佩那头必须暂时疏远一下。他回到凇州，小心翼翼清扫每一处角落，小心翼翼掩埋每一夜偷欢的痕迹。他将孙佩佩留下的所有器物都收拾好，卷裹成一个大包，想了一想，无法召唤孙佩佩来拿，一见面，免不了又是一番纠缠，他暂时无心见她，也不想和她多说话。他便把这些东西，先临时放到自己办公室里去，放进柜子里，锁上锁。

一切安排停当，这才敢带着病妻，回到凇州小巢来。

已然知道底细的邵宝娟一进屋就闻到了一股异味，雌性动物居住过的气味。那是一种内分泌的气息，女人汗毛孔里散发出来的香气。尽管床单什么的都换过，卫生间各处也清理整洁，然而，那气息却抹除不掉，留在上边。她闻到了，却没有说，没有去揭破。现在她最需要的是去战胜疼痛，战胜恶心、呕吐、身体虚弱，战胜脱发、脱相，战胜化疗带来的一系列身体不适。她没有力量干别的。

黎曙光尽心尽力守在她身旁。他被即将、随时都可能失去她的恐惧给擒住，见到她那副痛苦相，心里想的是，能留一天是一天，能待一会儿是一会儿，每天都努力和妻子多待一些时辰。白天他要上班，必须去参加施工会议，到工地现场解决问题，不得不雇了保姆来陪护邵宝娟。晚上一下班，就赶紧往家里跑，回家来亲自给她烧饭、煮菜，跟她一起吃饭；在她可以活动的时候，陪妻子出门在周围进行简单的散步，遛弯儿；回来以后，他又守着药锅，给妻子煎第二天要吃的中药。

很快，原先弥漫的那种偷情的骚狐狸气味，就被这每天煎熬中药的气味所掩盖，所埋葬。

这种药味有巨大的分解、催化作用。在那些千奇百怪搭配一起的植物碎渣、脂末苦涩气息熏陶下，黎曙光也逐渐百欲皆无，感觉失灵，内分泌失调，控制器官失准，与妻子一样进入一种苍白仓皇的病人或“准病人”状态，一心一意，只求活下来，只求不再痛，只求阵阵袭来的感官的不适能够偃旗息鼓，只求能让他们找回做正常人、过平常日子的感觉。

一个健康人，是不能总跟病人在一起的，尤其是病入膏肓的人。那样的话，正常人会被夺“气”，会丧志，会跟病人一起进入心理的生理的、各项器官的衰弱状态。越是心连心骨连骨的亲人，彼此相互同化、弱化的状态越快。

谁能想得到呢！当他们不顾一切、披荆斩棘向前冲、风头正健、成为行业翘楚的时候，他们怎么能够想象到会有今天呢！如今，他们拼了力的，却仅仅是为了这么一点活下来的愿望。就这么一点活下来的愿望，却也极其奢侈！却也要花费他们百般的努力，调动起他们最大的意志力！

活下来，难道很难吗？

当然很难。对于邵宝娟现在的状况来说，的确很难。

生活，最容易形成惯性，尤其是日常生活。当每天的柴米油盐、煮药煎熬的日子形成一种规律、形成了一种作息习惯的时候，他们慢慢也就适应了，也就顺着这样的节律顺势而为地往下滑，往前行。两口子也不再像最初那样张皇、恐惧、无所适从，他们有了固定的起居作息时间表，有了固定的去处，固定的要处理的问题。旷乃兴找到当地的老中医肿瘤专家，每星期去一次医院抓药，每半个月去复查一次，隔一段时间再回省城医院化疗。其他时间，他们就都是在家里吃药，静养，调理。

他们很快就适应了这种节奏，也很快就彼此适应了。按理说，分开了这么长时间，再重新回到一起，日子怎么也要有些不习惯，磕磕绊绊，总要有一方妥协、去迁就对方。好在，现在需要妥协的，只有黎曙光，他必须完全按照病人的节律来调整自己的生活。而在邵宝娟一方，也基本没有什么反抗力，没有什么挑衅揪斗的能力，虚弱无助的病体，对丈夫充满了依赖，进而充满了依恋。

依赖和依恋是不一样的，依赖，可以纠缠于任何人，而依恋，就是生死亲人了。她现在才觉出了自己丈夫的好，他的强大，可以倚靠。他在这里的地位，举足轻重，被视若珍宝。他的家里出了问题，就仿佛整个工程整个工地都出了问题，凡是听说了这个消息的人都要来探望，如果不是邵宝娟让黎曙光坚持着婉拒的话，他们家将整天都会人来人往络绎不绝。市委书记霍秋林听说后也要前来探望，被黎曙光婉拒了。霍秋林就指示常务副市长旷乃兴，黎曙光同志在这样艰苦的条件下还坚持奋战在工程第一线，我们淞州感激他！市委市政府一定要给他们提供最好的条件、提供最大的便利，以保证黎曙光同志和他爱人的生活和治疗。

消息传到邵宝娟这儿，她深受感动，也有点没想到。丈夫在外人心目中的分量、丈夫在社会上的地位，远远超出了她的预期，在她的想象之外。原以为在淞州举目无亲，四顾苍茫，只像在荒岛上隐居和舔伤，没想到，在这里所受到的眷顾，竟比在祁阳还要多，还要好。在这里，他们都叫她“黎总爱人”，“我说，黎总爱人哪，你到了我们淞州，你就踏踏实实休息，养病，别的，什么都别去想。需要什么，就跟我们吱一声。”他们这样劝慰着她。至于她的真名、原名、本名，他们没工夫细问，也不需要去打听。

“黎总爱人”，这个称呼，已经有多少年没人叫了，转了一圈，又转回来。以前，跟黎曙光单位里的同事朋友打交道，出去吃饭、游玩，他们也都这么叫，但不叫“黎总爱人”，那时他还没当上总工程师，那时他的同事们还在叫她“黎曙光的爱人”。那时她最不爱听人称她作“黎曙光的爱人”，她有她自己的名字，“直接叫我邵宝娟吧”，她说，“或者，叫我小邵也行”，她说。她说这话的时候，也正将毕生所有的努力，所有的奋斗，都奔向一个目标，那就是要突出自己的名字——大名鼎鼎、大牌主持人邵宝娟！她一心想做的事情，就是青史留名。

现在，在这里，一个陌生之处，拖着抱病之身，她又成了黎曙光的爱人，而且只是黎曙光的爱人，那个伟大的新奥体中心主体育场中方总设计师黎曙光同志的爱人，一名家属。她的过去没人知道。她的辉煌没人知道。然而，不知怎的，此时此地，她听起来，这个称呼，却分外怡然，无比悦耳动听！

此时，当她把眼光再一次瞥向丈夫、投向丈夫时，才发现他的强大、有力，才发现了他的可以依赖，是家里挑大梁的男人。缺了他，自己就将活不下去。而黎曙光也是在她最无力、无助的时候，他强大了，成长了。以前邵宝娟一直没有给他显示力量的机会，从不示弱，很少撒娇。作为男人，他需要被妻子依赖这种感觉。他需要有强大感。结婚十几年里，他也没感觉到。如今，老天有眼，把这个机会一甩，以这般痛苦的情状，显示在他面前，显示在他们面前，叫他们在共同面对和驱赶死亡时阴阳协调，相濡以沫。

祁阳电视台的节目组那边，邵宝娟仍然牵挂着。省城祁阳的新闻频道的节目每天可以看得到。邵宝娟每天用电话沟通指挥节目组，尽量使一切运转正常。自从她病了以后，节目组就迅速做出了调整，好不容易闯出了牌子，不能就此解散。她让跟她搭档的那个小男生接替她继续主持节目，虽然主持人跟她的风格不太一样，但大方向没有变。大家都很尽力，收视率也没有掉下来，令她感到些许放心。

见到《幸福指数》节目仍然欢欢乐乐、快捷明朗地一天一天播出着，邵宝娟头一次感觉到，不是工作离不开她，而是她离不开工作。缺了谁地球都照样转。

这么想着，心里难免有一丝空落。但也就此放下心来，有了几丝释然。

随着伤口的渐渐愈合，邵宝娟从疼痛中舒缓，虚弱的病体一天天康复起来，渐渐恢复了正常人的感觉，一些没来得及体会的细枝末节开始一点点找上门来。那些自尊体面和女性美感又占了上风，邵宝娟开始不愿意再在丈夫面前露出胸前伤疤。左乳切除后长长地纠结在一起的巨大疤痕。每天睡觉总要捂上长衣长裤，能遮就遮，能掩就掩，不忍在丈夫面前暴露。每天换药和擦洗的事情，也尽力由自己来做。以前那么健康鲜活的身体，总是脱光了，一出溜就进被窝睡了。即便是后来怀孕、生孩子、发胖，也从未因为身体而在丈夫面前产生自卑，总是那么随意裸体相向，以自己感受到的最舒服、最不受拘束方式，明目张胆大摇大摆地走来走去，晃来晃去，那时她甚至根本就没有"身体"的概念和感觉。

当身体是个再正常不过的身体、器官是个再正常不过的器官时，人们对它是没有感觉的，它只是一种天然存在，以自己本来的面目出现。而一旦我们感知到自己的身体，一旦我们身体的某个器官以疼痛或者是其他扭曲的不正常方式提示给我们它自身的存在时，这时的身体本身就出现了问题。这时的器官也肯定是出了大问题！

邵宝娟的身体内部以肿瘤方式提示过已经发生癌变之后，现在，病灶切除，内里修复，而她身体的外观又开始提示起它自己的存在。术后她最初照镜子，面对伤痕，也深感恐惧，但那时，首要问题是克服疼痛、防止转移，无暇无力兼顾其他。现在，疼痛止住，她开始有心情担心丈夫的想法。她开始担心：这丑陋的伤痕，恐要遭老公厌弃。本来他已经外面有了女人，比自己年轻漂亮，如今自己又是这个样子，他心里究竟会怎样想？那个人，那个叫孙什么来着？那个凇州电视台的女人，曾经上门找过她的事情，她一直没有跟黎曙光透露。她也想过了，假如没有下文的话，她也就没必要说。她要竭力保全自己的家，要守住自己的丈夫。看丈夫伺候自己尽心竭力的样子，还是个好丈夫，对自己应该还有感情。她爱他，她需要他，她不能没有他。她从没有像现在这样，一时一刻都不想离开他。

我现在这个样子，这么难看，会不会吓着你啊？

晚上，吃过药，熄灯之后，夫妻俩双双静卧于床上，她还是忍不住要问。

丈夫就从身体另一侧轻轻揽她入怀，道：别说傻话了！怎么能吓着！你刚做完手术那会儿，我陪床、护理、换药，该看的，早都看过了，现在都已经看习惯。别瞎想。睡吧。好好把病养好吧。

你会不要我吗？

她还是问。她这么问话的时候不多。真不多。大概只有这么一次。第一次，可能也是最后一次。

黎曙光更紧地把她抱了抱，说：不会。

为什么？她又问。

黎曙光的心里一动：她问这话的时候，与孙佩佩多么相像！多么的非理性！多么的厮磨、纠缠、娇嗔、可爱、亲密，多像一个至亲至爱撒娇作痴的小女人！

他之所以一下子就想到孙佩佩，是因为孙佩佩刚刚把这种话问完，在他跟她最后一次做爱时才刚说完。这也是孙佩佩的惯用伎俩，口头禅，引逗他发骚、雄起，如同拍过来的一板砖，照准他的太阳穴，“啪”一下子就把他搞定。说这话的时候孙佩佩往往手足并用，缠绕箍紧他，活活像一条浑身溜滑又满是触角的八爪鱼。

而妻子邵宝娟，她从前有过这样的时刻吗？有过吗？没有？有？不记得了。或者年轻的时候，他们俩有过这样痴顽、这样缠绵、这样嬉戏的时刻？忘了。不记得了。好像五年、十年都没有过了，这种时刻。现在因为病，把她这一感觉召回，唤醒了。

为什么？邵宝娟又继续追问，平平板板地、不依不饶地问。

于是他想了一下，略微停顿了一下，说：嗯嗯……Because she is my wife.

Because she is my wife！这是他们两人的游戏，年轻时的游戏，新婚不久床笫之间经常性的问答游戏。她一问，他总是这样说。他不喜欢说“因为你是我老婆”，觉得那样太粗鲁太直白，太不含蓄。他喜欢躲在英文里，把这句话这么说。她问，你为什么要爱我？他就说 Because she is my wife. 因为她是我媳妇嘛！说这话时，他还挺得意的。每说一次，他们俩就笑，呵呵呵地乱笑，然后嬉闹成一团，然后就是爱如潮涌……

Because she is my wife！她听了，一时间，感觉到时光倒流，眼眶湿润。过去的好日子还没过完，一转眼，就不见了，抓都抓不住，捞都捞不回来。

他自己说完以后，也似乎感觉到什么，静下来，不动了。听她有吸鼻子的声，伸手摸了摸她的脸，潮乎乎的一片。是眼泪潮湿了他的手掌。他就微微欠起身来，俯下脸去，捧着她的脸，一一吻干她的泪痕。她也迎接着他，闭着眼，任由着他，双手扣过去，抚着他光滑的脊背，抚着这久违陌生的身体，抓住这失而复得的爱，这不离不弃、不嫌不舍的爱，一道重返伊甸乐园……

第七章　沧海碣石

25. 重新出山

淞州市政府门前一马平川的偌大广场上,呼啦啦坐满请愿静坐的群众,差不多有上万人。他们面对市委、市政府双子星座,背对广场上那块华表奥运倒计时牌,安静地打坐,既不喊,也不闹,只打出一个又一个巨大的标语牌:“我们拥护旷市长!”“强烈要求让旷市长回淞州来工作!”

从前这些老百姓们来静坐、请愿、上访上告,基本上都是为自己,为自己的利益没有得到保障,比方说下岗工人的工资发不出来、低保户的待遇没给发放到位、拆迁补偿不合理、球迷们互相看着不顺眼打架斗殴等等,不是要求得到自己的利益,就是无理取闹随便找件什么事情发泄一家伙,弄出点动静来给烦闷的日子听个响。他们还从没有过为了保全一个市长的名声而静坐请愿的。虽然旷市长现在具体是什么情况他们也不清楚,但一听到风传,说蒯广富腐败案把旷市长也牵连进去了,他们就急了,不服,着急上火。怎么可能呢!他们说,这不纯粹是瞪眼儿大白天说瞎话嘛!旷市长一个外来户,在本地的亲戚朋友他们都清楚,除了老婆就是一个还在念书的孩子,别的啥也没有,住着单位的公房,天天上班下班忙里忙外替淞州老百姓操持,他腐败他咋腐啊?都腐到哪儿去啦?

眼见着两个多礼拜没在电视上看见旷市长,看来传言是真哪!淞州老百姓们急了,一想到旷市长的种种好处,给他们带来的种种帮助和生活上的改善,他们就打心眼里感激,也分外地替他感到揪心、不服。于是他们奔走相告自发组织起来,众人聚集在市府广场前,要共同为他们所敬重的旷市长请愿、说情。

请愿静坐的人群分成两部分:一部分是由球迷协会会长普拉尼和副会长小土豆为首的人数众多的球迷组成;另一部分,是由红旗小区的居委会主任王大妈、崔英姿、崔老太太为首的原棚户区居民组成。他们从一大早开始就坐在这里,要求见市委书记,要求见省调查组人员,要求还旷市长一个清白。各地媒体的大小记者听说市府广场门前有热闹,又闻风赶来,想弄清真相。小记们逢人就问,见人就采访,要搞点独家新闻回去。那些来请愿的球迷和居民们也都奇怪,平常他们为自己闹点啥事上访上告时,都特别不愿意见记者啥的,都嫌被点名写出去照出去登在报上砢碜,都躲着那些录音录像话筒和镜头。这回可倒好,为旷市长请愿,都当成是一件由衷光荣的事儿,都争着抢着地上镜头、夺话筒,抢着要有话说。

一个铁岭 TV 记者把镜头对准了红旗小区居委会主任王大妈,大妈掠了掠头发,很有风度地侃侃而谈:我跟你们说,我这不光是代表自己,我是代表广大片区群众,发出我们的呼吁!旷市长那真是个好干部!自从他上任以来,就没少给咱老百姓办好事,服好务!没有他,我们那片区的一辈子住棚户区的穷老百姓,咋能住进这红旗小区、搬进新楼房?下辈子都别想!你们什么 TV 的记者啊这是,一定要发挥媒体的作用,帮助给宣扬宣扬,我党这么好的干部,怎么能让他受委屈呢!

旁边那个老崔家大丫头崔英姿也说:可不是咋的!嗳,我说,你们是那啥,什么 TV 的来着?不管什么 TV 吧,我都跟你们说,像这种聚众请愿啥的一大群子人整事,一般的事我都不跟着掺和,嫌丢人!像我这么有身份的人,哪能混到他们人群里面!可这次,我得来!我得代表我们全家,我家瘸子,也就是我老公,要来感谢旷市长!我要为旷市长说话,叫屈!原先吧,他刚来我市的时候,我们也对旷市长不"感冒",不知他是哪路上来的。可人一来,就满心为咱老百姓打算、操劳,干老了好事了!别的不说,你就说吧,俺家瘸子,也就是我老公,原先,他不是在煤矿给砸残废了吗?下岗待业,只能整天蹬黑三轮,拉点小活挣俩小钱过日子,哎呀妈你说天天看着那个闹心啊！俺两口子天天吵天天打架。这回可好,人旷市长给找了工作,黑三轮不蹬了,旷市长给统一组织成立了个“三轮车逛胡同游”,专门拉游客,看满族风情,那一个个小三轮车,那捯饬的,全都镀金描银、支起红敞篷、刷起金扶手,里外三新,老好看了！人那还给归属到市旅游局名下,这下好,俺家瘸子的医疗劳保都有保障。现在钱挣多了,气儿也顺了,俺两口子架也不打了。跟你们说吧,这日子,过得老好了！你说,俺们能不感谢旷市长吗?

另一个居民也插话来说:还有俺们家,那红旗小区创业大棚一支起来,俺家在里边租了个床子,卖蔬菜,每天都能挣个几十块钱！这可不都亏了人家旷市长!

TV 记者看到了一旁白发苍苍的崔老太太,就问:大妈,您老这么大岁数,也还来跟着静坐请愿啊?

崔老太太张开没牙的嘴说:是的呢,人旷市长帮俺家那么些忙,俺能不来吗?都到这时候了,俺也就不嫌家丑外扬,俺跟你们说啊,俺那孙子,崔国旦,知道不?奥运冠军！长跑跑在世界第一那个,后来,骄傲了,国家给退回来。你说,他一个全世界冠军,太邪乎了,一落难了能到哪儿去啊?到哪去也放不下他呀！也是多亏了人家旷市长啊,费劲巴拉给安排进运动队,跟他师傅重新训练。你就说,这是多大的面子和恩情！要不价,一个犯了那么大错误的运动明星,谁还敢要！俺一听说旷市长在市里受了委屈,听说还要处分他啥的,俺就一定要来,说什么也得为旷市长说上几句公道话。这样的市长,上哪儿找去?

旁边是一个市民也说:对！人旷市长对咱有恩,咱就得知恩图报。有难咱就得救,关键时刻也得帮他一把。

市府副秘书长黄一发和市纪委书记邹瑾允都出来接见群众,希望他们不要听信谣传,要理智行动。谁说要处分旷市长?旷市长现在没事,只是最近一段时间在省委党校学习。大家都回去吧,啊,都请回吧。

没用。没人听他们的。都滞留不走,劝也劝不动。为首的普拉尼说:不行。见不到旷市长我们就不走。

市府副秘书长黄一发跟这个普拉尼打过多个回合交道,彼此已经很熟了。这回,他在心里感叹,这个莽撞的汉子,一直以来就以捣蛋叛逆形象出现,简直就是市府工作的克星,一提他就让人脑袋大。这回,他办的这件事,还像是件人事啊!

老黄于是就叫了一声:老崔啊……

就这一声“老崔啊”,下边的话还没说,就叫得普拉尼心里热乎乎的,像是遇见了亲人。在凇州市面上,知道他叫“老崔”的人不多,他的绰号叫作普拉尼,人们以为他就姓普呢,通常都喊他叫老普。现在黄秘书长叫他“老崔”,足以说明彼此关系多么亲近!秘书长跟自己关系多么铁!普拉尼有点受感动。

黄一发说:老崔啊!同志们的心意市里边清楚了,你们这样,只能给市里工作造成被动。再说,旷市长只是到省委党校去短期学习,没出什么事情,你们不要听信谣言哪。

普拉尼说:我们不信!你让旷市长出来跟我们见一面,我们才能相信。

老黄说:老崔啊,你连我的话也不信啦?

普拉尼说:你的话我们信。可是我们不能盲目听信政府的话。

老黄耐心地说:老崔啊,话可不能这么说。我们都要相信政府。要是老百姓对政府都不信任,那不就完了吗?

普拉尼说:要我们相信也行。那得霍秋林书记出来跟我们见面,让她给我们一个承诺。

老黄说:霍书记也在省里开会,她让我代表转达她的话给大家,要大家安心工作,市里会处理好一切问题。

小土豆说:我们不信,我们要见省里调查组的人,让他们给说个清楚。

老黄说:我们不能打搅调查组的正常工作。

普拉尼说:那我们要跟旷市长通电话,我们要亲自听到他的声音,知道他没事,我们大家才能放心。大家说对不对啊?

众人就跟着应和说:对！对！

小土豆还说:要是不给我们一个明确答复,我们就继续到省里、到北京去请愿！还旷市长一个清白！

旁边众人也义愤填膺地说:对！就是要还旷市长一个清白！这个世道,好人少,清官更少！我们不能让旷市长这样的清官受委屈！我们不能看着他受诬陷！

黄一发见状,跟旁边的纪委书记邹瑾允商量了一下。邹瑾允于是拨电话,层层请示。电话打给调查组,打给霍秋林,又逐步请示上级,讲明了目前淞州市政府广场前的情况。聚集的群众已经越来越多,目前已经有两万人之众。老百姓一定要得到确实答复,否则他们就不走,而且还要上省城、进北京继续请愿。这对于目前调查组顺利展开工作,对于淞州的安定团结都是非常不利的。

考虑到各种综合因素,也是为了稳定群众情绪,上级批准了他们和旷乃兴通话的要求。

一会儿,黄一发的电话响了。他一看,是旷乃兴的号码,于是接通,说:喂,旷市长,你好！球迷协会会长普拉尼要跟你通电话。

说完把电话递给普拉尼。

普拉尼手捧话机,电话里传来旷乃兴的声音:喂,老普啊！你好啊！

普拉尼一听,是旷乃兴真人的声音,太意外了,真是没想到！他一时激动得不知说什么好,忙说:好,好,旷市长你好吗?

旷乃兴说:我很好啊！谢谢你的关心！也谢谢大家的关心！老普啊！我现在在省委党校学习,暂时走不开,过两天就回去。请代我转达对球迷朋友和广大淞州老百姓的问候！你带领他们,一定要继续努力,创造一个和谐稳定的环境。另外你们球迷协会也要赶紧排练,唱会歌,还有啦啦队,都要练好,到时候,体育场竣工比赛那一天,还要请你们去现场助威呢！

普拉尼热泪盈眶,直说:谢谢！谢谢旷市长！旷市长你放心,我一定把什么都办好！

合上电话，普拉尼抹了一把脸上的泪水，冲众人一挥手说：回吧！都回吧！旷市长挺好，他说他没事。

一个月以后，旷乃兴在凇州电视新闻节目里重新露面。

省纪委、监察厅对蒯广富生活腐化堕落和严重违纪问题进行了立案调查。经省委批准，决定给予蒯广富开除党籍处分及行政开除处分；对其涉嫌犯罪问题移送司法机关依法查处。

经查，光在东湟河会展中心这一个项目上，蒯广富就收受贿款折合人民币800万元。另外还查出他利用职务之便，借干部职务晋升和土地出让、城建拆迁、规划审批、工程承揽之机，索取或非法接受他人财务，共计折合人民币2000多万元。蒯广富犯贪污、受贿、巨额财产来源不明、诬陷、诬告等罪，被依法逮捕。

行贿者日田清源公司董事长旷正茂、总经理程小强也被检察机关逮捕。

康大光被依法逮捕。

王栀惠在机场海关被逮捕。

市委书记霍秋林在全市机关党员大会上，表示要认真贯彻落实省纪委、监察厅的要求，号召广大党员干部，加强党风廉政建设和反腐败工作，加强廉洁自律，全力做好奥运场馆建设工作。

下会以后，霍秋林找旷乃兴谈话。霍秋林握了握他的手说：一系列的事实都表明，乃兴同志，在这件事情上你是清白的。

旷乃兴也感慨地说：秋林书记，对于这件事情的失察，我也有责任。

霍秋林摆摆手：我们都要从中吸取教训。那个蒯广富还曾经帮助程之介重金买官，收过他们钱的两个骗子冒志疆和自称是中央某办公厅副主任的辟洪涂是四川无业游民，诈骗团伙，日前在新疆被抓，交代出凇州官员曾经给过他们钱。要警惕啊！同志！时刻都不能麻痹大意。反腐倡廉的钟声要时刻敲响。

两个月以后，市人大常委会第十三次会议通过决议，同意程之介同志提出辞职,不再担任市长职务。由旷乃兴同志代理市长。旷乃兴接手负责会展中心二、三期工程。

旷乃兴在会上讲话,表示服从人大常委会的决定。为百姓服务是我的第一天职。当官就是要为百姓办事,为老百姓谋利益,要真正做到“权为民所用、情为民所系、利为民所谋”。我一定如履薄冰,坚守好自己的岗位,尽全力把自己承担的事情做好,把凇州的事情做好。

凇州老百姓在电视里看到这个新闻,都喜不自禁,拍手称庆!

晚上,黄一发、邹瑾允他们拉旷乃兴一起吃饭喝酒,给旷乃兴庆贺。酒桌上,瑾允说:你知道这些日子以来,是谁在为你奋力奔走呼号?

谁?旷乃兴想了一下,以为瑾允要说的是原先提拔过他的那位省里老领导。他知道这些日子以来老领导没少为他的事操心,这边一出麻烦被人陷害,老领导那头听说后就给他打电话,表示愤慨,也表示坚信他的清白。当然,还有瑾允,这位耿直的兄弟一直坚定地站在旷乃兴这一边,也坚信他没有问题,是个廉洁的好干部。还有,凇州的广大老百姓,在他最艰难的时刻,正是他们给了他信心,给了他支持,给了他战胜困难的勇气。

想到这里,他眼眶湿润了。他握住瑾允的手说:知道。我都知道。谢谢!谢谢你!

瑾允说:咳!你谢我干什么,这是我应该做的,分内的事,咱不言谢。我指的,还不是你能想到的这些。还有一个重要的人,你肯定想不到。没有她的敦促和力保,你不会出来这么快。这种事情,本来就是无事生非,栽赃陷害,但是,想要整你、不用你,查你个一年半载也是习以为常。等你再出来的时候,什么都晚了,什么都耽误了。

旷乃兴说:谁?

瑾允说:是霍秋林霍书记。她可真是侠肝义胆,壮志凌云!霍书记当面敢跟上边来人拍桌子,叫道:凇州的工作不能因此停顿下去!不管怎么说,我也是个省委委员,动我的人,也应该事先打个招呼!我相信旷乃兴同志是个廉洁奉公的好干部!你们必须加快处理,有问题就拘,没问题,赶紧给我放人!

黄一发也在一旁说:那霍书记到底是高干家庭出身,又当过兵,有火辣脾气,敢说敢为,有问题,敢出面替下边人挡着。这样的上司,难得!

瑾允说:是啊!像这样的女人,真比男人强!不是她那么一次次强硬地去催促、去问,你的事情,不能了结得这么快。

旷乃兴听了,没说什么,只是端起酒杯,跟瑾允碰了一下,说:来!喝酒!

转天,他来到霍秋林办公室,想要向霍秋林致谢,刚一开口:霍书记,我谢谢您……

霍秋林一就摆手:别说了。我知道你要说什么。别谢我。用不着。把你手里那几项工程干得漂亮点,就都有了。淞州要稳,不能乱!

旷乃兴说:是。

重新出山以后,他立刻开始全面布局,重新开始淞州城市建设和奥运文化建设,给业主联合体各负责人召开会议,稳定情绪,加快新奥体中心主体育场的后期打造。同时,东湟河会展中心一期全部竣工交付使用,二、三期也如期动工,全国机床器械博览会如期在淞州举行。会展中心彩旗招展,锣鼓喧天,举行了庞大热闹的开幕仪式。一时间,全国机械制造商云集淞州,给当地带来了旺盛的人气和生龙活虎的贸易场面。

孙佩佩并没有善罢甘休。见黎曙光从省城家里回来,不但没带来与老婆闹离婚的消息,而且还把老婆带回到淞州来,给接过来住,她感到匪夷所思。

黎曙光他什么意思?她想,他说的他老婆有病,是真有病假有病?有病不在医院养着,到淞州来干什么?天天在我眼前晃?对了!一定是那黄脸婆在向我示威,想表示对黎曙光长期占有的意思。

说不定,那所谓的癌症,也是她使出的圈套!这个老女人,够狠的!

都敢下这狠招子,拿癌症这玩意儿来拴住老公。

她这一来,孙佩佩与黎曙光连个偷情的机会都没有了。

孙佩佩偷偷跟踪,想看看到底怎么回事。她躲在黎曙光住的小区附近看到了邵宝娟,还有黎曙光,黄昏时分,两个人在手拉手散步。刚一瞅到黎曙光拉着的那个人,真把她吓了一跳!心说:这是他那个老婆吗?就是那个前些日子自己去省城找她时,还牛皮烘烘冲自己耍大牌那个满脸雀斑的大高个女人?这不整个是一个老大妈嘛!他这老婆,他手里牵着的这个,整个人都已经完全脱相了,没模样了!没有头发,眉毛也没有,吓人!脑袋上扣了顶帽子,浑身浮肿,虚胖,步履蹒跚,高一脚低一脚,跟着黎曙光缓慢地遛着。原先那会儿,就是在省城她和自己较劲那会儿,尽管满脸铁锈色,像个姑子,但怎么说还有个姑娘样,还穿风衣,挺起胸脯,扎着马尾巴,一副趾高气扬的样子。现在可好,没头发,没眉毛,没腿脚,完全像个老大妈,病入膏肓,完全堕入中年妇女行列。

再看那黎曙光,本来就是南方人,很显面嫩,这会儿两人站在一起,看起来能相差十来岁,哪里还像是夫妻,简直就是大妈和她的小侄子!

孙佩佩心里百味杂陈。一时也总结不出是个什么具体滋味。

杂陈归杂陈,越是见不到,就越是想见。越是得不到的,就越是想得。既然已经这样了,那么,她和黎曙光在一起,不就更顺理成章、更符合人性了吗?

沉寂了几天之后,她终于忍不住,在工地上截住了黎曙光:你不是说回去跟她谈离婚去了吗?你还想娶我吗?这些日子就白让我管你叫老公了?

黎曙光感到很无奈,只能哄着她说:佩佩,现在情况变了。你要理解我!

孙佩佩斩钉截铁地说:不行!你得跟她说,必须得离。她都这样了,根本不能给你幸福生活,还待在一起干什么!非要把你也一起拖累到死啊是怎么的?

黎曙光愤怒了:你这个人！怎么这样没人性！她都病成这样了,我还怎么跟她说?

他本来想说“你这么不懂事”,一气愤,就说出了“没人性”。

孙佩佩火了:你才没人性！她病了,告诉你,我还怀孕了呢！

黎曙光上前一把揪住她:你说什么?

孙佩佩本来是顺口说的,撒个谎,想激一激他,见如此,话也收不回来,就势说:告诉你,我怀孕两个多月了！

黎曙光如五雷轰顶！天灵盖炸了一个响雷,蒙了。他半晌没说出话。

孙佩佩就势往前冲,来了个最后通牒:告诉你,我也不能等了！咱俩的事儿我妈也已经知道。我妈说了,再给你两天时间,不给个痛快话,就带我去你办公室闹！看到时候咱们谁怕谁！

佩佩你听我说……

我不听。你自己掂量着办。

说罢,孙佩佩扭身翩翩而去。

恼怒之中的孙佩佩仍觉不解气。

她想了一想,回去又直接打电话给邵宝娟:你到底什么时候给我答复?

等着吧。

等到什么时候?

等我死了吧。

你什么时候死?

那要看你有没有耐心。

告诉你,别拿死吓唬人！我已经怀了他的孩子,你趁早让位吧！得了这个病,身体丑陋,你老公对你更没兴趣！

邵宝娟极力克制:你还年轻,要积点口德。你们两个人之间的事情,与我无关,你去问问他想怎么处理。我可以明确告诉你,在我活着的时候,我是不会把丈夫出让给你的。

一场唇枪舌剑，消耗了邵宝娟的许多元气。

孙佩佩的话加重了她心中的郁结。这些刻毒的话语，正好跟她的化疗药物相抵消，一点效用也没有了。癌症的痛，没有心底的痛更痛彻骨髓。

她想了想，如果孙佩佩真是怀了孕的话，那会儿她去省城见自己的时候还没说，也不像，身体没有迹象。那么，看来，也就是这一两个月发生的，就是自己做完手术后这段日子黎曙光假装一心一意照顾自己期间。太卑鄙了！简直无耻！恶心！睡完了别的女人，然后假装没事人似的，再躺回到自己身边！

即便自己身有残缺，但卧榻之侧，岂容奸夫安睡？！

想到这里，她一阵头晕。急火攻心，又有阵阵痛意袭来。

晚上，她就以病痛为借口，要求跟黎曙光分室而居。

黎曙光也没多想，以为她还是不愿意在自己面前显示胸口疤痕，也就答应了。

但每天晚上，他都睡不实，睡一小会儿，就会蓦地醒来，醒来之后就要到隔壁房间看一眼，看看邵宝娟是否还在喘气儿。

他的心里真是害怕、恐惧。害怕死亡，恐惧亲人的离去。

也许是太累了，工作太累了，妻子的病让他太累了，还有孙佩佩的闹，也让他感到太累了，昨夜里，黎曙光梦见了死亡。真真切切，他跟死亡打了照面。

是在前半夜，刚入睡之际，浅睡眠状态，混乱地做了好多梦。好像又是考试答不上来题什么的，急得他直冒汗。

接着，他就看见了死神的颜色，藏青色。她们却是一群妖艳的舞女，眉深目阔，丰乳肥臀，像是波斯或者印度女人。几个女人层层叠压，像蛇蟒一样盘绕、蠕动，是一副沉迷、诱惑、渴望性交的姿态……只能望得见她们的背影，没有脸，一律都是黑色长发，穿着藏青色的紧身衣。她们的左边，就是离地几丈高的火葬场焚尸炉。她们一边蠕动着，扭曲盘绕，一边好像在商讨，该怎么进去，一个挨着一个还是一锅端……接着她们扭动着，伸出指甲尖长长的双手，来钩他，来抓他……

黎曙光感到胸闷，蓦地吓醒了！胸口巨大的憋闷，让他呼吸困难。心尖瓣膜疼痛。自从在医院等待邵宝娟做手术的那天起，他好像就落下了心尖瓣膜疼痛的毛病。去了工地医院简单看了看，医生询问了一下病史，问他家族有没有心血管方面的疾患。他说没有，不曾有过。医生推断说是过度劳累导致，并给了他速效救心丸，可以行气活血，祛瘀止痛，让他应急时可以含服几粒。

他伸手，拧亮台灯，到床边抽屉里摸出了速效救心丸，启开密封的小瓶，倒出几粒药丸来含在舌根下。这是他第一次吃这种救心的东西。这种含有川芎、冰片的棕色滴丸，启开之后，有种特殊香味。一种苦辣味和凉麻感在口腔里蔓延开来，心前区的疼痛似乎有所缓解。他一边静静等着药力发挥作用，一边想着这个梦意味着什么。无解。他想了想，找不出什么依据和来源。并没有相关资料或现实生活情节能提供给他做这个噩梦的来源和依据。也许是有。也许就是妻子的病，主要就是妻子的病，让他饱受死亡的折磨和恐吓。似乎马上将要死亡、距离死亡一天天近的不是她，而是他自己。他想，也许自己会先她而去。他仿佛没有一天不面临着与死亡会面，没有一天不处于就要失去亲人的恐惧当中。对于死亡，他感同身受。

这就是爱吗？这就是亲情、巨大的血肉相关的力量吗？它迫使人恐惧，使人无助。仿佛她一失去，就是他自身的失去，她一走，他自己的身体、感官、智力，都将随之而去，都将万劫不复！

恐惧让他再一次站起身来，走进妻子的卧室。见妻子正静静地熟睡，呼吸均匀，似乎一切都正常，什么都没有发生。他俯下身来，挤上她的床去，紧紧贴近她，贴近她伤残的胸口，脑袋拱在她疤痕凹陷的前胸，紧紧抱着她，像在获取依赖，像获取母亲胸怀的安全感。

万般滋味，不是经历过患难的夫妻，不是曾经怀有爱、怀有亲情的夫妻，无法体察。

现在，给他温暖的，只能是带给他恐吓的人——他的妻子。

他也知道,这一切都会过去。明天早晨,当太阳又一次升起的时候,他又是一名神气活现、仪表整洁、相貌堂堂而有威慑力的总设计师,指挥千军万马庞大的工地开始运转。

邵宝娟回省城肿瘤医院做完了第四个化疗疗程,坐在车里跟黎曙光往淞州赶。她虚弱地靠在车座上。黎曙光小心翼翼驾着车,随时观察着妻子的状态。

还恶心吗?他问。

还好。她说。

要不要停下来,下车歇歇?

不用。不想动。就这样舒服。

车子已经到家了。她仍然不想动,说:再领我绕几圈。

他又把车开出来。

她这会儿不想动,稍一挪动身体,就想吐。翻江倒海的,干呕,想吐。

已经是夏天了。

他一手握着她的手,另一只手匀速开着车。她颓然地坐在车子里,等着药力一点一点上升,等着阳气一滴一滴回到身体里来。她四肢无力,全身浮肿。头发早已经掉光了,脑袋上扣了顶夏天的遮阳帽子。

窗外是一片灿烂葱茏的景致,微风四拂,田野秀丽,到处是一片生命的蓬勃与沸腾。活着真好啊!她想。生命的时光真好啊!她想。倘若,假我以时日,我一定好好享受这每一寸景致,被忽略的景致。好好爱眼前的老公,体贴入微深怀内疚的老公。也许,自己从前能多给他一点爱,就不会有那个小妖精乘虚而入吧。

从淞州的郊野转了一大圈,邵宝娟感到身体舒服一点了,黎曙光这才开着车把媳妇驮回家。刚到家,办公室的小助手就打来电话告诉他,说有人找。是两个女人。他心里一惊,问是谁,听得话筒里小助手悄悄说:黎老师,是孙佩佩和她妈。她们说找你有事。

黎曙光的心忽悠往下一沉。他以为孙佩佩是说说算了呢,没想到还来真格的！合上电话,他安顿好邵宝娟休息,然后说工地上有事,就出去了。

办公室里,孙佩佩母女早已严阵以待。见到他来,也不寒暄,关起门来,孙佩佩母亲单刀直入,冲着黎曙光就开口发威:你就是黎曙光?你们的事,我都听佩佩回家跟我说了。你得对我女儿负责。我就这么一个女儿,单亲家庭,把她养这么大不容易,如今,却说睡就让你睡了,你也别嫌我说话难听,男子汉大丈夫,敢做就应该敢当。我们今天来,就是想让你给她一个说法。

你们想要什么?

我们什么都不想要。这孩子是真心爱你,一心一意想嫁给你。你必须得娶了她。

你们也知道,我现在的状况……

你什么状况我们不管。你要想吃着锅里的,看着碗里的,没门儿!想让我们过不好,你也别想得好！我们可以告到你们省城建筑院里去,让大家都看看他们的优秀建筑师是个什么货色!

黎曙光无奈,说:好吧。请再给我几天考虑时间。

再给你两天时间。过时不候。到时候,可别怪我们不客气!

说罢,母女俩气哼哼起身。扬长而去。

黎曙光走投无路,想了一想,还是把这事全盘跟旷乃兴说了。女人以这种自杀式人体炸弹方式胁迫吵闹,电视剧里看得多了,没想到今天摊到自己身上。现在想瞒也瞒不住,眼看东窗事发,还是赶紧未雨绸缪的好。别的,倒也无所谓了,无论那娘俩告到哪儿,他都豁出去了。关键是,这事,不能让邵宝娟知道,就她那个身体,唉!

黎曙光独自叹气。他就不明白,女人为什么就可以转瞬间就由爱生恨、由恨生仇,爱和仇之间连个过渡缓冲都没有？他知道旷乃兴现在也不容易,刚从那个诬告事件里解脱出来,一大摊子事情,担子重,压力大,正事还都忙不过来呢。但是没办法,在淞州,只有他和黄一发是自己的直接负责人。事到临头,也只有求旷乃兴给想办法。

旷乃兴一听:乱弹琴！节外生枝嘛！还跑到奥运技术指挥办公室去闹,反了她们了！这事交给我处理。凇州地面上的事情,没有什么是不能解决的。对了,邵宝娟知道不?

黎曙光:搞不清楚。没听她表示过什么。

旷乃兴:千万别让她知道。一知道,就没命了。病人这会儿最怕气。你呢,也把心放在肚子里。该干的工作要继续干,不要因此受影响。事情出也就出了,要有个正确认识,吃一堑长一智,吸取教训。

黎曙光:都是我不好,一失足成千古恨。

旷乃兴见他一副沮丧的样子,忙安慰说:你就别说千古恨了。赶紧撤下心来把眼前的工作做好。只要工作做好了,这点男欢女爱的事情也算不得什么大不了的事儿。孙佩佩母女那边的事情,就不用你操心了。踏实去工作吧。

目睹着黎曙光步履沉重地走出去,旷乃兴长长叹了一口气:唉！都有一劫啊!

然后又小声咕哝了一句:就是不应该都一起找上门来。

有道是,福无双至,祸不单行。老祖宗的道理,真没说错。

旷乃兴想了一下,本想指示黄一发去处理这事,又一想,不行,那种叫作什么80后的小丫头,看着像一切都无所谓,表面上大大咧咧,实际上也一肚子心眼,看人下菜碟,自己那点利益守得瓷实着呢！谁官大,谁官小,谁对自己有用,都拿眼看得一溜清楚。希腊雅典的一路上有自己这个副市长在场的时候,她就根本没把人老黄当回事,除了在自己面前还能拘谨点、显出点怕相之外,其他人,她都没放在眼里。瞅人老黄脾气好,动不动就拿人取笑,好在人老黄不跟她一般见识。

看来,今天这事,若自己不亲自出面,还真吓唬不住那母女俩。

旷乃兴于是让黄一发去安排,自己私下亲自找她们母女谈了一次。旷乃兴晓之以理,动之以情,对她们说,出了这样的事情,是大家都不愿意看到的。黎总工程师那边有责任,他要深刻反省检查自己,我们也要对他进行严肃批评。当然了,你们也知道,男欢女爱,两情相悦,也是人之常情,一个巴掌拍不响。孙佩佩同志作为一个成年人,也应该明白自己的行为后果,也要想想自己的做法有什么不当之处。

孙佩佩的母亲是个精明人。临见面之前,旷乃兴让黄一发查过她的底,知是凇州评剧团著名的旦角,被称为"小花淑兰",当年因为演《茶瓶记》的丫鬟一角而出名。如今虽然年纪大了,仍然眼波四顾,风韵犹存,一看就是昔日名角,一辈子也不会安生的主儿。

"小花淑兰"旦角母亲比80后生瓜蛋子女儿有经验,知道市长大人出面,如果再闹,就是给脸不要脸,不想在凇州这块地面上活了。于是便也顺水推舟,提出一些条件,包括佩佩要做流产的医疗补偿费、孙佩佩想当个栏目制片人什么的。

旷乃兴说可以。医药费的问题好解决,可以安排专人陪你们去医院。至于孙佩佩工作上的事,也可以跟电视台商量。

孙佩佩妈妈赶紧说:那就谢谢旷市长!医药费什么的是小事,就算了吧,我们也不是成心管他要那点钱,而是想要个说法,让他认个错服个软什么的。既然市长能这么照顾,让孙佩佩当上制片,别的,也就没啥可说的。医院也不用别人陪去了,我们自己能去。

事情就此解决。第二天,孙佩佩去另一个节目组报到。至于怀孕打胎的事情,根本就是子虚乌有。

26."膜"幻"地平线"

凇州新奥体中心体育场"东方地平线"工程接近尾声。整个体育场的钢结构已经全部组装完成,外层膜结构即将完工全景亮相。凇州电视台新闻中心将推出三个小时的大型直播节目——《"膜"幻"地平线"》,用镜头跟踪记录下体育场最后一块膜板吊装完毕的过程,以便世人跟随着摄像镜头,一睹这个伟大的二十一世纪工程全景亮相那一时刻。届时,主体育场外围将全被白色的"气泡"包裹。

为了将最后一块膜安装的全过程和全景亮相的"东方地平线"清晰

地展现给观众，凇州电视台在现场安装了六个机位，将全方位、多角度地进行拍摄。他们甚至还动用了直升机，两架摄像机在空中从飞机里俯拍，另外四架在地面上体育场四周围从上下左右远近不同角度推拉摇移。现场主持人也将首次进入“东方地平线”内部，独家揭秘它的神秘内部结构。

除了直升机低空拍摄略微有一点危险外，这基本上是一个没有悬念没有争议的安装过程和直播过程。对于黎曙光他们的技术团队和施工队伍来说，这是一个等待着欢庆结束的阶段。当然，对电视台和市里奥运办组织者来讲，事情也许不那么轻松，他们要保证各方面不出一点闪失。在近三个小时的直播时间里，节目将以“东方地平线”铺装最后一块膜为主线，以现场直播、演播室访谈、新闻短片等形式，展现“东方地平线”从设计到施工，把梦想逐步变成现实的过程，讲述工程技术人员发挥自己的聪明才智，破解一个又一个工程难题的故事。

市政府领导旷乃兴和黄一发他们亲临现场指挥协调，一个庞大的演播场地在露天里搭建起来，距离“东方地平线”正门口一千米远的位置，树起了红色的充气气球门廊，周围飘起彩旗，同时还牵起一束束彩带，缤纷的色彩，营造出一片喜庆气氛。场地中央搭建起临时主席台和观众席，穆勒尔、黎曙光以及他们技术团队的几个主要负责人被邀请来担任现场嘉宾，届时要接受现场采访，就“东方地平线”的一些技术问题做讲解，并回答到场观众的提问。

这次直播也引起省委、省政府高度重视，该节目将于第二天上午9时至12时通过省卫视频道向全国直播。

所有相关人员又都总动员起来，从直播节目的编导文案到选派哪个工人去表演安装最后一块膜，直到事先布置组织欢庆场面……难度看起来大过央视春晚。作为总设计师，黎曙光也要同编导人员们积极配合，不断出主意、想计策，一起选择要预留哪块膜板、从哪个角度拍摄、展示体育场的哪个部位最恰切，同时还要帮助他们反复修改文稿，做到以最通俗的语言讲解最艰深的建筑理念和技术，让世人对“东方地平线”有一个全面的、直观的了解。准备直播前的这些日子，他又是不得不披星戴月，早出晚归加班，参加没完没了的协调会、商议会，对邵宝娟的照顾有所疏忽。邵宝娟虽然没有责怪他什么，但他自己心里也感愧疚。半夜下班回到家里，一边服侍老婆吃药，一边对老婆检讨说：实在对不起，这两天太忙了，没顾得上你。再忍忍，等这场直播一忙完，工程基本上就算竣工，我也就可以松一口气。到时候，咱给自己放假，我领你出去逛逛。说，你想去哪儿玩？

邵宝娟倚在床上，有气无力地说：不想去哪儿。就想在家待着。

黎曙光说：也好。咱就在家待着，休息，彻底放松。

邵宝娟没说话，没有再接他的茬。自从孙佩佩给她打过骚扰电话后，她的心情就再难平静得下来。现在，黎曙光无论再跟她说什么，她都不肯信了。她本来是想走的，离开这个男人，回省城娘家待着去，一天也不想多看他，一天也不想在凇州这里多待。无奈，最近病体每况愈下，自我感觉非常不好，乳腺癌术后损伤肋间神经引起的疼痛、放化疗引起的疼痛，时时一起袭来，令她痛苦不堪。她怕一回了娘家，天天这熬药吃药的，脸上又整天是一副被病痛折磨得愁云惨淡的模样，会给年迈的父母亲添乱，让二老看着担心。老人们本来已经受了不小的惊吓，现在情绪好不容易缓过劲来，她也不好再去搅扰他们。在凇州这里，白天有保姆跟着，市政府各方面也照顾得不错，外加这里城市小，临时出门就医啥的也要比在省城方便些。她就寻思着，再忍几天，稍微把自己的情绪和身体调理调理，等黎曙光这边一忙完，就双双回祁阳，把黎曙光也一起带回去，回省城祁阳自己的小家待着，再也不回来，不让他跟那个孙佩佩有近距离接触的机会，隔得远远的。见不上面，时间一长，也许他二人的关系到时候就会自动停止吧！

她虽然是这么想着，可是身体却不争气，越忙越出事。这几天她又感觉身体不适。挺了两天，还是不行，癌细胞日益压迫刺激着血管、神经、淋巴管、软组织、内脏，好像一把老虎钳子，在她五脏六腑里一点一点绞、夹，吞噬咬啮，令她疼痛剧增，忍耐力已经达到最大限度。就在黎曙光要去参加直播的前一天，那种吞噬绞夹性的绞痛又一次袭来，她辗转于病榻，恨不能号啕痛哭，却也知道号啕也没用，只有靠意志力强忍着，死死揪着床单，与剧痛做着肉搏。直等到痛累了、痛得疲倦、痛到神经末梢都开始麻木之时，才能稍作一点喘歇，稍稍放松一点神情。一看，浑身已经大汗淋漓，脸上已是蜡黄一片，基本不现人色。保姆见状，吓坏了，赶紧打电话让黎曙光回来。黎曙光匆匆从会上下来赶回家，见状，也跟着揪心。邵宝娟脸色似蜡，满头虚汗，见他回来，用虚弱的声音对黎曙光说:送我上省城医院吧。

黎曙光一听，知道情况不妙，可能到了相当严重的地步。他了解邵宝娟的脾气，一般不轻易喊痛，但凡有不舒服，自己能忍就忍，按照那些疗程和程序该吃药吃药，该化疗化疗，即便有痛，也是自己扛着，很少在外人面前表现出来，更不会轻易在黎曙光工作忙的时候惊动他、拖他的后腿。这回，可能是够呛了，在他正忙到最后一关，正要到了关键的时候，她提出要回省城瞧病，黎曙光心里就一紧，心里顿时涌起一股不祥的预感。他赶紧往会上打了一个电话请假，接着开车带上她就直奔省城肿瘤医院。到了医院，医生一看情况，检查一下，立刻吩咐住院。接着就是一通打针输液地忙乎。把邵宝娟安排进病房后，医生叫住了病人家属，明确告诉他，病人的癌细胞已经发生骨转移和胸膜转移，家属要有思想准备。

黎曙光心情沉重地回到病床前，见打过杜冷丁的邵宝娟已经睡了。于是就坐下来，坐在床前的小板凳上陪护着，呆呆地盯着妻子。此时他的心里真如乱麻。不用医生说明，他也知道是要家属“准备”什么。他的心里止不住又一次哆嗦起来。望着那输液瓶里一滴一滴缓缓下落的药水，似乎觉得那正像妻子的生命，正在一滴一滴缓速地从这个世界上消失、消殒。他不禁悲从中来，痛苦地把头低将下去，将脸深深地埋在妻子的手掌心里。

不知过了多少时候，邵宝娟已经一觉醒来，睁眼一看，自己面对的又是医院白森森的病房天花板，再一扭脸，见黎曙光正陪坐在自己身边,脸搭在床沿上睡着了,弯腰伏着的姿势十分难受。窗帘已经拉上,屋里开着夜灯。也不知自己这一觉睡过去多久?也不知这会儿已经是几点了?

她扭脸想去看黎曙光腕上的表。她这一动,黎曙光醒了,揉了揉眼睛,艰难地直起颈椎:你醒了?要喝水吗?

她说不喝。然后她问:现在几点了?

他抬腕看了看表,说4点多,天快亮了。

她说:你不是要去做直播的吗?怎么还不走?

黎曙光说:没关系,待会儿我跟他们请假,让别人替我。我就不去了。

邵宝娟急了,说:那怎么行!电视节目直播最忌讳发生突变,一个环节有变,整个节目就全乱了,都得跟着调整。事先准备那些心血都得白费。

她可真是个合格的媒体从业人员,面对镜头,进入岗位,立刻就像战士上了战场,全神贯注,全力以赴,丝毫不得马虎,工作高于一切。这一点,他们俩是多么相像,他跟他的妻子,是多么相像啊!

他直想哭。但他强忍着。

你去吧。她说。别让大家都等你。别让人家临时乱阵脚。

没事儿,他说,穆勒尔来了,可以借助翻译现场解说。那个副总也能接替我,顶多是把技术解说部分减少一些。

说这话的时候其实他心里也很矛盾。是啊,面对这种情况,怎么办呢?他该怎么办呢?她好像一眼就看穿了他的心思,说:你还是去吧,我这里没事,已经不疼了,感觉挺好,不用你再陪。

他看了看她,面色是比刚送进来的时候好多了,是疼痛减缓的样子。看样子是杜冷丁发挥了作用,也许能支撑一阵子。

你真的好点了吗?他问。

她说:真的,这会儿好多了。你就放心走吧。要是我想上个厕所什么的,我可以自己下地,也可以叫护士来。

他看着她神情平静的样子，想了想，说：要不，这样，我等到天亮吧！等到6点钟，护士来换班时，我再走。6点钟开始做节目，到12点结束，然后我就立刻赶回来。

又想了一下，说：要不，待会儿等我走时，先叫你妈过来陪你一会儿？

邵宝娟说：不用，谁也不用来，你就放心去吧。大白天的，有点什么事儿，医生和护士都在，也好处理，没问题！别去叫我妈来，一大清早的别再吓着他们。真没事，啊，放心去吧。

黎曙光没说什么，拍了拍她的手背。

夫妻俩把一切商定，黎曙光这才撒下心来。服侍着邵宝娟起夜方便了一下。回来上床，拾掇好了，见她重新进入梦乡后，黎曙光这才又把脑袋侧歪在床上迷迷糊糊打了个盹。再醒来，就是邵宝娟轻轻推醒的。一看，正好是早上6点。一定是她怕睡过头，耽误了他赶路时间，所以一直替他悄悄盯着守时。

唉！老婆啊！

黎曙光无言，起身，拧了一把热毛巾给她擦手擦脸，又倒了一杯温水让她简单漱了漱口。之后去前台值班柜台叮嘱一下待会儿送早餐的事情。又给雇了一个临时护工。见一切拾掇得差不多了，自己也收拾收拾准备动身。边收拾，边跟邵宝娟交代说：我12点钟结束节目，1点半左右能赶回来。有事就让护士她们打电话给我。

邵宝娟说：没什么事儿。你去吧。撒下心，把节目做好。

黎曙光拿起手包，动身往外走。刚到门口，邵宝娟忽然在身后喊住他：曙光——

黎曙光一回头：哦？有事？

他转回身来，等待着邵宝娟说话。却见邵宝娟欲言又止的样子，只用定定的眼神看着他，上上下下，仔细打量，像用眼神把他整个爱抚一遍。黎曙光有点不习惯，给看得心里直发毛，又问了一句，说：有事吗？

邵宝娟这才收住眼神，说：曙光，你穿上白衬衫上镜好看。

黎曙光听了，放心地出了一口气，说：哦。待会儿回去我就换上。

他昨天穿了一件浅棕色T恤来的。经过一晚上的揉腾，已经皱皱巴巴。

拉开门欲走，又止住脚，回过头，说：哦，对了，待会儿你这里的电视也能看见直播，省卫视台。让护工帮你打开。我就在电视里一直陪着你。

说到这里，他还笑了一下，似乎有点羞赧。他很少这么当面说夫妻间的黏糊话。

邵宝娟点点头。

黎曙光这才走出病房门。

出了门，到了车上，一边打火，他还琢磨着，怎么觉着有哪个地方有点不对劲呢？是哪个地方？哦，可能是她刚才叫的那声“曙光”，叫得自己愣了一下子。他们俩，同学夫妻出身，从学校那会儿就一直连名带姓一块叫，“黎曙光”“邵宝娟”是彼此间习惯性称呼，这么多年也没改。猛孤丁听她叫一声“曙光”，还真有点不适应。

他不知道，这却是妻子在这个世界上对他的最后一次称呼，这也是妻子在这个世界上对他说的最后一句话：

曙光，你穿上白衬衫上镜好看。

淞州南湟河岸边的新奥体中心主体育场。在北方六月早晨八九点钟太阳的照射下，“东方地平线”像一个晶莹剔透的大冰糕，充满气的膜结构犹如一个个“气泡”，在晨风里微微拂动，荡漾。红红的彩带、气球，将体育场大门口演播现场空地装扮一新。现场观众、民工代表一排排在露天里整齐而坐，主席台上嘉宾各就各位。

为了扩大影响，增加民众参与的热情，电视台特地招募幸运观众，只要在收看直播过程中拨打热线电话，就有可能加入首批“东方地平线”观光团，获得一次近距离参观“东方地平线”的宝贵机会。幸运观众还将获得一个由“东方地平线”的“膜外衣”制成的纪念礼品。

"东方地平线"的中方总设计师黎曙光沐浴梳洗,穿着一件白衬衫,整洁,清爽,精神抖擞地和穆勒尔一起坐在主席台中心的位置上。没人知道他在医院熬了一整夜,没有人知道他临出来之前,已经在高速公路上飞快奔驰,然后进家匆匆洗浴,之后吃一块巧克力、喝掉两杯特浓咖啡以提神。现在,大幕拉开,演出开始。无论怎样疲乏困倦,他都要把这三个小时精神万状地挺过去。

凇州市代市长旷乃兴则坐在体育场主控中心,这会儿也是转播中心,密切监控着直播的一切场面。奥协办主任黄一发则在转播车里负责协调操控。

九点整,电视台的现场主持人出现,不再是孙佩佩,而是换成一个体育频道的女记者。她走到体育场预留出的最后一块膜的位置上,开始了讲解。镜头对准了她,之后是一旁的一个长相比较干净的工人,他熟练地开始操作,将膜拿起来,往体育场的壁上贴,并同时简单回答她的问话。

镜头转切,不断从各个角度展示"东方地平线"。随着一块一块气泡和外膜的亮相,黎曙光在主席台嘉宾位置上一一回答主持人的问题。

他说,在体育场的主体钢结构的外面,"东方地平线"的建筑外围采用世界上最为先进的环保节能 ETFE 也就是四氟乙烯膜材料,由 3000 多个气枕组成,气枕大小不一、形状各异,覆盖面积达到 10 万平米,堪称世界之最。

"气泡"外衣环保节能挡光隔热,坚韧,可以承受陨石或高空飞机碎片撒下来的重量。它可以自洁,尤其是阻燃。夏季高温不会晒爆,即使是烟花落到上面,那一层膜不是燃烧而是融化。

主持人又问:那么,一旦小鸟落在上头,它会不会给抓破?

黎曙光说:我们在外层贴上一种滑膜组织,以使鸟类不能站住,防止鸟爪抓伤。这是世界体育场设计上的壮举。独特的设计,要求工人们花几个月的工夫,站在脚手架上手工拧螺丝,他们要将 3000 多块膜板安装到位,接着是形状大小规格不一的阻燃面板,一块块被贴在体育场的外墙上，贴好之后，再用充气泵给面板充气，形成一个个“气泡”。最后经过计算机调试，每个气泡里的灯光闪亮，打出参加比赛俱乐部球衣的颜色和图案。

如果全部的灯光亮起，人们在几十公里外的高处也可以看到，一个巨大的闪闪发光的椭圆形球体将会在夜空下闪耀。

黎曙光刚从省肿瘤医院走，邵宝娟的病情就有了反复，杜冷丁的药劲过去，她浑身又开始撕扯般地疼痛。医生护士到场，看了看情况，也没有太好的办法。杜冷丁、吗啡一类镇痛药品不能频繁注射，否则会产生抗药性，后边的治疗就更不好办。她也只能挺着，靠自身残存的一点点免疫力，与病体内的癌细胞进行殊死搏斗。

疼了一阵，等细胞们互相打累了，互相厮杀摧残得累了，癌的子子孙孙和衍生物们停下来喘歇，她自己的身体难受劲儿挺过去后，她勉强打起精神来，让护士给打开了电视机，调到省卫视现场直播台。她看到了！那是她丈夫黎曙光，英姿飒爽，坐在六月的阳光下，意气风发地坐在主席台中心位置上，向观众讲解，回答主持人的提问。

他果真听她的话，换上了白衬衫！那洁净清爽的白衬衫！

邵宝娟使劲揉了揉眼睛，盯着电视屏幕看。她还是头一次，隔着这么一层玻璃、隔着这么一块荧屏来看自己丈夫。荧屏这玩意，她太熟悉，太常见，每天都见，神圣，高蹈，是真实又是梦幻的，她一直在里边奋斗，拼搏，隔着一层玻璃，把自己化成自己的另一个影子。现在，她从里边看到了自己丈夫的影子。跟现实中的真人似乎有点不一样。

没错，那的确是自己爱人，一起生活了十几年的爱人，他的样子，跟当年在大学校园里还很像！好像一点都没有变，还是那个青春朝气的小男生，那个站在队列里轻唱《邮递马车》的小男生。“嗬嗬！从那南边山坡上，远远传来了，邮递马车阵阵声响。马车将要带来快乐信息，马蹄声儿多么清脆嘹亮……”

青春岁月，葱茏无声。这么些年的日光流年，打在他身上，竟然一点痕迹都没有！一点变化都没有！多么好！多么自豪！她这个当老婆的看着自己丈夫面相年轻，她该有多么自豪！

不不，也变了，也有变化！如今他端坐在那里，在话语中心的位置上，说起他的建筑来，权威，神圣，睥睨天下，傲视群雄，不可侵犯，毋庸置疑！丈夫的这种神态，她还是第一次看到。丈夫的这种气势，她也还是第一次感受到。她感到惊奇，感到骄傲，一丝丝幸福感很快划过心田。

但是……但是，还没容她将这幸福感保留得太久，就见镜头一转，组接进预先录制的采访资料，是孙佩佩！那个小妖精，在跟黎曙光对谈。她那一脸的巧笑，配着黎曙光含蓄而热烈的目光：黎老师，您认为对于一座城市来说，建筑究竟是什么？

黎曙光：佩佩你这个问题提得好。我认为，建筑是一座城市的灵魂。一座城市不能没有自己的灵魂，它所有的文化含义、科技水平、艺术功能都附注在自己的建筑身上，尤其是一座地标性的建筑……

往下再说了什么，她就听不进去了，她只注意到他叫了她一声“佩佩”，他可真是得意忘形，昏了头脑，在电视录像节目里都会不小心脱口而叫出“佩佩”！真不要脸！真是羞耻！一个人，一个男人，跟一个女人得到了什么程度，才能不管不顾、不分场合地点，下意识地脱口而出、张口就叫出她的小名、她的昵称！

而那小妖精也不避讳，看着他的眼神都是直勾勾的，撒娇作嗲的，充满了狐媚气息。黎曙光回看她的目光则更是浓稠、火热、暧昧而炽烈。邵宝娟熟悉那种眼光，那正是他当年跟自己在大学校园谈恋爱时的目光，那是只有他在年轻追求自己的时候才闪动的发情求偶目光。

现在，他就把这种目光，落到小妖精身上，大庭广众之下，摄像机镜头面前，毫不避讳，也是根本没意识到的，就把心底隐私情事泄露出来。

她只觉得胸口发闷，嗓子眼发堵，疼痛蓦地袭来，大规模大面积毫无遮拦毫无阻挡地袭来。这一次不光是癌痛，而是万箭穿心般的心痛！是魂魄长痛！

回放镜头里,不断出现孙佩佩。

孙佩佩的巧笑,孙佩佩采访黎曙光的镜头。

黎曙光不小心凝望孙佩佩的发情潮水目光。

邵宝娟被疼痛击得又一次意识昏厥!

急救的铃声响起。医生护士们赶来,再次施行抢救。待会儿,主治医生摘下口罩,摆摆手,示意,不行了。赶紧通知家属,下病危通知。

护士通过她的病人登记表,打黎曙光电话,打不通,关机。又找到邵宝娟单位,通知她的父母弟弟赶紧过来见人。

老邵家全家人赶来,见到昏迷在床上的邵宝娟,悲痛不已。继续打黎曙光电话,仍旧不通。直播时段,黎曙光把手机关了。

家人并不知道黎曙光今天要上电视直播。他们极其愤怒,不知为什么会是这个样子,把邵宝娟一个人扔医院里抢救,身边连个亲人也没有。她那个丈夫、那个黎曙光干什么去了?他不是一直在凇州跟女儿在一起的吗?怎么,现在,连个人影也不见,竟然连个电话也打不通?

不管怎么说,还得要找。他是病人直系亲属,这个时候,得在场。

她弟弟就想起要打建筑设计院的电话。办公室的人说,他们也只能通过手机跟黎曙光那头联系。

没辙。邵宝娟弟弟又继续通过 114 查号台打到凇洲市政府办公室。值班人员也不太熟悉情况,不知黎曙光电话。邵宝娟的弟弟说了实情,说你们凇州奥运体育场的设计师黎曙光的妻子病危,让他速归,请转告。

一听到“病危”二字,值班人员不敢怠慢,赶紧将电话辗转打到直播现场奥协办主任黄一发那里。黄一发一听,赶紧叫通总控室的旷乃兴,向他汇报情况。旷乃兴一听,说,好。你告诉他们家属,我们立即通知黎曙光马上返回。

然后旷乃兴跟导播说,就说旷市长有事,把黎曙光从前方演播台上叫下来。

黎曙光从耳机里听到了指令。他奇怪,这个时候旷乃兴找他能有什么事？趁导播把镜头切向别处，他走下台来，来到主场监控室。刚到大门口，旷乃兴就已经在那里等着他，一见他，就说，快走。邵宝娟弟弟来电话，说人怕是不行了。赶快去，坐我的车，让司机送你。

黎曙光眼泪一下子就下来了，觉得腿软，要站不住。晃了几晃，说：不用了，我自己开车去。

旷乃兴说：别啰唆！你先走，等待会播完，我立即过去。

旷乃兴的司机小马带着黎曙光开车走在高速路上，风驰电掣！

黎曙光给邵宝娟弟弟拨了一个电话，说自己正往回赶，马上就到。

黎曙光含泪，跟司机说实情，我妻子不行了，我得赶回去见最后一面。

司机小马把车速拉到200。他一手扶方向盘，一手给自己单位司机班长打电话：喂——头儿，跟交通队交代一下，别录我车牌。

说完，脚底又猛给油。车子“嗖——”的一声，如离弦之箭一般，射出去。

黎曙光在心里说：快点！再快点！

小马一脸肃穆，紧把方向盘，把车子已经开得快飞起来。

黎曙光在心里说：等我！等我！我的妻，一定要等我！

他知道北方民间有个说法，临死的人，如果心里想着谁，就一定会等着见上最后一面，然后才会咽下那口气的。

他想她一定会等自己。

会的。

肿瘤医院的病床上，邵宝娟已经完全处于昏迷之中。

弟弟伏在她耳边告诉她：姐！姐你醒醒！你醒醒！姐夫已经在路上，马上就到。

邵宝娟在朦胧的潜意识里，知道自己不行了。大限来临时，人是有感觉的，总是有一股巨大的力量在拖拽着，往那边去，往那边拉，一点也不痛苦，也不害怕，不觉得那是死神的力量，而只是个睡眠小鬼，那个鬼东西，拉着扯着地把人往那边拽。邵宝娟偏不去，偏不要让他得逞，那个小鬼，该睡的时候不让她睡，不该睡的时候，偏偏总要往那边拉，拉着扯着，引逗着她昏昏欲睡。她就总想睡过去总想睡过去，怎么想扛、想醒，也支持不住。只要神经稍一松懈，就可以跟着他跑，就可以跟着他彻底到达那个睡眠忘我之乡。但是她又恍惚觉得自己不能睡，不应该睡，现在不是睡觉的时候。

听到了弟弟的喊声，她就用最后一丝力量挣扎着，搏斗，挣脱睡眠小鬼的手，费力地从那边回来，费力地睁开眼来。果然，她看见了床头围着的弟弟，看见了自己父母，还有小波，自己儿子也来了。她的眼神从他们身上一一扫过，像在寻找什么。怎么，这一群人里头，怎么没有自己的丈夫？对了，她好像想起来，他说过今天要去直播。他可能还在直播现场。

一想到直播，意识又恍惚地回到她脑海中来，哦，什么来着？体育场……气泡……贴膜，讲解……对，对了，还有那个小妖精……

一想到那个小妖精，她好像意识更加清醒了些。她抬起手，哆哆嗦嗦，做出要向枕边摸索的姿势。弟弟赶紧上来帮她，帮她从她的枕边，掏出一个数码录音笔来。她把它交给弟弟，用微弱的声音说：给……给你姐夫……

弟弟忙说：好，姐你放心。我交给他。

你……你要照顾好，咱爸……咱妈……

弟弟含泪点头。

她又转过头，对着儿子小波：妈跟你说，要……好……好学习，听你姥姥姥爷的话……

儿子也很乖地答应道：嗯。我知道了，妈，妈你要好起来。

邵宝娟吃力地摸了一把儿子的脸：好……好孩子……

然后她转过脸去，叫了一声：爸……妈……

她伸出手去，想拉母亲的手。

但在半空中，骤然停住，摔落下来。

邵宝娟停止呼吸。最后闭上了眼睛。

姐！姐！

弟弟喊。

妈！妈！儿子也扑上来喊。

我的儿呀！

母亲一头扑上来，抱着女儿的尸体，号啕大哭！

黎曙光的车还在省城的大道上疾驰着。

省城千家万户的电视机里，还在直播着现场实况。

“东方地平线”的伟大身影；

工人们日夜奋战的感人镜头；

叠印黎曙光清秀的脸庞；

闪回曾经的奥运记者孙佩佩的巧笑。

众人欢呼，体育场最后一块膜贴成功！

伟大的二十一世纪的地标工程，宣告建设完毕！

黎曙光跑进医院，踉跄着进了病房。

邵宝娟已经从头到脚蒙上白布。

黎曙光的腿一软，一下子跪倒在病床前。

他在心里说：她不肯等我！她不肯等我！她的心里没想着我！

眼泪随即就哗哗哗流淌下来。

他摇摇晃晃起身，掀开那层白布。他又一次看见了邵宝娟，自己的妻子，还是他走时的模样，还是他几个小时前临出门时那副样子，没有什么变化。只不过，这回，她神态安详，双眼紧闭，肤色蜡黄，跟个蜡做的假人一样。

他像是不相信她就此睡过去、就此不理他了似的，他把手轻轻触到她的脸上，触到她的皮肤上。僵硬。冰冷。没有了温度。没有了触觉。

他不信,又俯下身去,把自己的脸贴到她的脸上,把自己的额头抵住她冰冷的额头。

你那青春美丽光洁的额头。

你那笑靥如花鲜嫩如红苹果的脸颊。

醒来！求你醒转来啊——

邵宝娟却无知无觉,对他不理不睬。

他抱着她,紧紧地抱着她。生怕别人把她抢去,生怕别人把她带走似的。

旁边的人都上来拉。

她的弟弟,也上来,一把将他从姐姐身上扯开,然后使劲推搡,给推搡得远远的:滚！你给我滚！是你害死了我姐姐！说,你都跟那个电视台女人干了什么,把我姐姐害成这个样?

邵宝娟的母亲也一旁哭着说:你,你还有脸来啊你！都是你干的好事,活活气死了我女儿!

黎曙光泪眼迷离,使劲挣脱着邵宝娟弟弟的拖拽,没听清他们说的是什么。

他弟弟这时把录音笔往他身上一摔:听听,你听听,都是你自己干下的好事！你赔我姐姐命！我要你给我姐偿命!

说着,他眼睛血红,一把就薅住黎曙光的衣领子,把他拎起来,拎得脚不沾地,然后,右手紧跟着上来,要对他饱以老拳。

旷乃兴领着黄一发这时赶到,急忙上前把人拉开。

病房里一时哭声连天。

旷乃兴和黄一发代表单位和组织上,同时也以黎曙光朋友的身份,与邵家商议着一系列善后事宜。

黎曙光则被他们给架到隔壁护士休息室里,先回避一下,躲一躲情绪还处于激动之中的老邵家一家人。

黎曙光打开录音笔。里边传出孙佩佩打电话纠缠邵宝娟的通话录音。他的心脏一下子提起来！这么说她都知道！他和孙佩佩的事,邵宝娟都知道，她早就什么都知道。就那么一个人扛着，闷着，憋着，什么也不说。什么也不对他说。

听过孙佩佩电话里的无理取闹后，后面，还有邵宝娟自己的一段留言录音：

曙光，我……我要走了。

我知道早晚有这么一天，我会先你而去。我不想离开你，不……不想失去你。

趁着我现在头脑还清……醒，我……我想跟你说几句话。

我想，想跟你说，对……对不起！为了做节目，贷款，我就把咱家的房子在银行做了抵押。这件事情我事先没有跟你说。本想等着将来赎回以后再说。现……现在，我等不到那一天了。今……今后，可能得靠你去赎回。对不起！

你跟那个电视台主持人的事情，我早已知道，但我不知道怎么办才好。

爱……你，说不出口，也不习惯于说。初恋情书中写过千次，就是不习惯说。就像你习惯躲在英语里说，而不会直白地说爱我一样。

现在，如果让我面对面地对你说爱你，我可能仍然说不出来。

对你的爱，是我今生唯一的幸福和满足。

好好生活。好好把咱们的儿子抚养大。替我孝敬父母。

曙光……我，我太累了。直想睡觉，总也睁不开眼睛。我想睡一会儿。可还想跟你再说几句话。

曙光，我再给你背一遍，那……那首诗吧。你还记得吗？那是初见面那会儿，我们俩都喜欢的：

我们有多少柔情，温柔如……春……天的黎明，

我们……有多……多少刚……烈，刚烈如冬……冬日的长风……

黎曙光再也支撑不住。他“嗵”的一声跪下，伴着这诵读声，放声大哭！

27. 拥抱尘埃

距离奥运会开幕的日子越来越近了。

举世瞩目的奥运盛会正一天天向我们走来。

奥运倒计时500天刚刚过去，转眼，又迎来凇州奥运倒计时400天的日子。除了奥运工程场馆建设如期完工以外，凇州迎奥运的各项活动也按部就班开展起来。奥运广场文化建设、奥运火炬手选拔、火炬传递路线的公布、开通奥运票务网站、志愿者招募仪式、市政交通改善、城市美容美化、打造奥运绿色工程等都一一展开。一座名不见经传的北方偏远小城，如今却与时代脉动的主旋律紧紧结合在一起，城市充满了欣欣向荣的生机和活力。一个奥运龙头的启动，也带动了全省奥运经济的发展。

2007年7月5日，在迎接奥运倒计时400天的日子里，省体委与奥运协办城市凇州市体育局，联合在省城祁阳举办迎奥运万人长跑暨全省奥运长跑运动员选拔赛活动，吹响进军奥运的号角。凇州市长跑训练队“汪家军”的主帅汪明鸿率领弟子们前往参赛。2004雅典奥运冠军、落难英雄崔国旦也名列队伍当中。

前奥运冠军崔国旦从天堂跌往地面，他这一跌，跌破底线以后，再想重新崛起，那可就难喽！按照国家制定的奥运会运动员选拔办法，崔国旦要想参加2008年奥运会的马拉松比赛，就必须先参加资格赛，成绩合格，然后才能参加选拔赛。资格赛也要一级一级从省里开始，在全省的资格赛中取得一定的名次，方能被推荐参加2007年秋天全国马拉松冠军赛，比赛中成绩符合规定要求，达到男子2小时18分以内，才能获得参加将于2008年元月5日举行的奥运选拔赛——厦门国际马拉松赛的资格。被选拔出来了，那才能上正式的奥运比赛名单。

真可谓过五关斩六将！

新州省本就是个体育大省，人才济济，层出不穷。类似于凇州长跑训练队“汪家军”那样的队伍，全省各地有好几个，他们每年都源源不断向省体育队输送人才。只不过，汪明鸿老汪家的长跑队伍这几年竞技状态好，连出几个省内和全国以至世界冠军，一下子显得比较扎眼，众人就都记住他，在训练时的赶超对手也都锁定在他家的队员身上。

人才太多，本省之内就产生相当激烈的PK，想在省内脱颖而出很不容易。北方乡下的穷孩子们，能够出人头地的道路能有几条啊？他们就像拉美街头肮脏胡同里踢着皮球长大的球星，像美国纽约黑人贫困街区玩街头篮球的孩子，一往无前，抓住这个光辉的道路，勇敢无畏一条道走到底！汗水，低潮，失败……要经历多少艰辛、多少磨难，经历多少考验，才能走上那冠军红地毯、才能登上铺满橄榄枝和玫瑰花的冠军领奖台！

参加全省选拔赛的运动员人人都憋着劲，谁也不敢大意，哪个也不敢说有绝对获胜的把握。

崔国旦尽管扛着前世界冠军的头衔，但此时也没有什么优势可言。大家又都回到同一个起跑线上。这两年间发生了很多事情，给他带来了太大的影响。这次他要拼力一搏，显示实力，找回尊严，他要为荣誉而战。

他已经憋足了劲，做好了一切准备，要找回作为一名运动员在人世间安身立命的根，找回自己的灵魂。

发令枪一响过之后，他的灵魂就驱策着他的腿，出发了！冲出若干百姓人群的拥塞、围堵，一直冲到长跑队伍最前边的方阵里来。

随同他一马当先冲到队伍前边方阵里的，还有他的两个同门师兄师弟。很快，没出多远，他们就跑成一前一后，护卫着他，率领着他，跟随着他，形成“汪家军”所固有的团队阵容。这又是他们师傅汪明鸿的战略。以三人方阵形式互相掩护着，前进，向前！

从来，他就不是一个人。从来，他都是身处一个团队，师傅、师兄、师弟、师妹……彼此协同，激励，作战，奉献，牺牲，最后，才有了那个拿了冠军的他自己。但是，他春风得意的时候，把这一切都忘记了，把师傅他们对他的教育培养、师兄弟们的奉献砥砺、甚至还有师母做饭一顿一顿把他喂大的辛劳……统统忘记了。人都是这样，逆境时知道求人，顺境时便容易忘本。生活，于是便给了他一个教训，狠狠的教训！如今，这教训，他牢牢记着，刻骨铭心！

他不是一个人。他得记着。他永远代表着他们一群人。他承受着他们一整个团队人的恩。他也必须代表他们的团队，去跑，去拼，去完成使命。

他的师傅汪明鸿，在把他们几个参加比赛的运动员交付与检录处检录后，就帮不上什么忙了，师傅汪明鸿的使命就此完结。他的责任也已经尽到。剩下的路，就要靠他们自己跑。

师傅汪明鸿跟随其他各队的教练员和领队一道，乘车来到省体育场大院的教练员休息室里等待，通过电视实况直播观看队员们的比赛，同时也等待着他们最后跑回这里的终点。

2007 年 7 月 5 日，这只是一个普通的夏季的星期四。不普通的是，省城祁阳市府大路广场上，一大早就有好多武警和戴红箍的老大爹老大妈，在街道广场两旁阻挡行人，维持秩序。前边警车开道，旁边 120 救护车跟随，后边 110 巡逻车扫底。每隔几百米，就有免费饮水处，负责给长跑者供水。马拉松长跑队伍要经过的路线，一段一段实行道路临时限行措施，车辆被堵得看不到头。上万名全省各地老百姓都赶来参加了这次长跑迎奥运活动。

跑在队伍最前边、脱颖而出的领跑的几个方阵，当然是正儿八经要打比赛、要拿名次的职业运动员，后头，跟着的群众队伍，黑压压的百姓长跑表演人群，挤挤擦擦，一个挨着一个，一个贴着一个，拥成一团，蜂拥密集，速度相近，步伐相等，根本跑不开，谁也跑不出个高低来。万人队伍，所到之处，“嗡——”的一声，像蚁阵一般，狂扫街头。景象蔚为壮观！历来群众运动，情形都彼此相像，就像这蚁阵狂扫街头一般，

“嗡——”的一声,所向披靡。狂飙过后,四野清空。

一万名的群众,也算不上什么多。拿不拿名次,也无关紧要。迎奥运,重在参与。

淞州红旗小区老崔家,老崔家一家人以大丫头崔英姿和儿子普拉尼为首,又都围拢在崔老太太屋里,紧张地看着电视里的马拉松长跑选拔比赛直播。女婿孙二东也来了,自从有了固定的“三轮车逛胡同满族风情游”的工作之后,孙二东明显感觉自己在家里地位上升,全家人,只有自己一个人归属市旅游局,正经属于国营企事业单位职工,不简单啊！牛！老崔家人,立刻对自己另眼相看！孙二东最近以来的气儿比较顺,自我认知也猛长了一格,以后逢什么事都不跟她们家一般见识。尤其她们家的崔国旦倒了大霉,被开除国家队,这让瘸子孙二东乐得,嘿,差点没蹦高跳起来！他心说:嘿嘿,我让你们显摆,让你们看不起我,原来你们家也有今天呐!

老崔家一家人灰头土脸那一阶段,却正是他孙二东最舒心的时刻。当他把第一个月的国营工资奖金甩到媳妇崔英姿手里时,媳妇那叫个受宠若惊,看自己老公的眼神那都是有点巴结的！不知不觉中,媳妇就在他面前自动降低了一格。这种感觉,一个字,爽!

现在,他跟崔英姿的感情和好了,架也不打了,婚也不离了,对于崔家大事的参与关注程度也便多了一些。这不眼下他也自愿放弃一上午的拉活挣钱机会,陪老崔家人一起,来看他们家大孙子重返奥运的赛跑直播。这叫多大的情分哪！连自己媳妇崔英姿都没想到,感动得她一个劲儿给自己端茶倒水什么的。孙二东就摆摆手:得了,你别忙乎了。又不是外人,整这个景干啥！你去,看你自己的去。我这儿跟大柱唠唠嗑。

说着递给旁边的普拉尼也就是崔大柱一支烟。普拉尼一时也感觉受宠若惊,难得姐夫对自己这么客气。这在老崔家的家庭关系史上可不常见啊!

普拉尼连忙哈腰，掏出打火机，打着了火，递上去，给姐夫孙二东点上烟。

孙二东抽上一口，喷吐了一下烟圈，指点着电视荧屏上轻松奔跑的崔国旦说:看见没有？没事儿！不用担心！你看狗蛋抬腿那有多轻巧！跑得那有多轻！没事，别担心！管保能跑前几名！

当上了国营职工的孙二东同志说话很注意分寸，没把话说满，没说“管保能跑第一”，而是给自己留点余地，说管保能跑前几名。

这话普拉尼当然爱听。他恨不得别人能说他儿子会跑第一呢！但说实话，他心里确实没底。儿子究竟能不能跑上去，这事谁敢肯定啊？你看跟他前后左右跑着的，岁数都一般齐，跑的速度都不差上下，没看谁能把谁落下一大截的意思。普拉尼未免担心。他就是因为生怕儿子跑不好，跑不上去，所以今天都没敢跟球迷弟兄们一块看直播，而是躲到老娘家里来，偷偷跟家人一起看。哪怕是最后真跑不上去，落下寒碜，怎么说也都是自己个儿家里人，谁也不笑话谁。

普拉尼看着电视里他儿子奔跑的镜头，也沉重地吐了一口烟圈，然后忧心忡忡地对孙二东说:你看啊，姐夫，咱就说啊，这人间的事儿，可真就怪了去了！如今，咱狗蛋，就跑这一个小小的省里比赛，咱就瞅着揪心，生怕他跑不上去。可你说，那会儿，他从家跑到奥运上头去，跑到什么希腊、罗马，那该有多难？该有多远？几乎就有登天那么难！差不多跟上天那么远！结果咋样？咱孩儿都上去了，都跑到了，都拿了个全世界第一！现如今啊，你就说，这都把奥运挪家门口来了，就在咱跟前，可就眼瞅着他上不去，跑不出去！你就说，这世道，啊，这人呐，是怎么一回子事呢？

孙二东就吐了一口烟圈，语重心长说道:那是啊！你说得没错。你就想想，从天上摔下来掉地上是啥样，从你家小平房屋顶上摔下来又是啥样？那两样能比吗？从天上掉下来，再想回去，哪儿那么容易！连七仙女也做不到啊，就别提你们家狗蛋了。

旁边崔老太太说:七仙女？人七仙女本来就是天上生天上长的，俺家狗蛋，那可是一步一步跑上去的！

孙二东说：这不得了！既然没待住，掉下来了，那就再吃点苦，一步一步往回重新挠蹬，也不算是折腾他。

那边崔英姿也插话说：你瞅柱子你那个德行，还“小小的省里比赛”，哎哟我说，拿过一个世界冠军，还就哪都看不上眼儿了呢！还“小小的省里”？省里小你给我进省一个试试！不说让你当个省长厅长啥的吧，你就能当个全省的球迷协会会长我都服你！

孙二东白了她一眼：抬杠嘛不是！咱这小舅子，不白给！虽说没进省里当个球迷会长吧，可人选上了咱省的奥运火炬手啊！你想想，有几个球迷能当上火炬手的？就咱家崔大柱独一份！人家报上还说啦，是因为……那什么来的？对啦，报纸在这儿呢，你看看，这写着呢：“为了表彰普拉尼同志为淞州足球事业做出的贡献，所以请他作为全省上百万球迷的代表，去当奥运火炬手，跑淞州奥运火炬接力这一段，以让奥运文化精神薪火相传”。瞅瞅，薪火相传，上老了火了！

崔英姿乐得，“哧——”一声，捂嘴笑道：得了，别假装有文化了！还薪火相传呢，那薪火相传就是上火啊？人那是说，就像烧柴火似的，一捆一捆、一棒一棒总能续上，总能着下去。当上个火炬手，跑上个 200 米，有啥了不起的？

孙二东说：话可不能那么说！跑几百米那是短，是没有狗蛋的动不动跑几万米厉害，但是，这是荣誉啊！关键是人得让你跑，你得够资格能把这火炬手当上！

崔英姿说：可也是啊！唉！你就说吧，咱家的日子已经过得这么红火，连柱子都长出息去跑火炬接力，咱那狗蛋，要是不那么作，得了冠军后再继续好好练，好好玩活计，那怎么能落到今天这个地步、跟一群小孩伢子一起跑？他还不早就直接进奥运比赛名单里了？一晃，今年他都 25 了，再跑完这届啊，也就没几天跑头，该退役了。唉！

孙二东说：他怨谁呀？光怨他自己个儿吗？还不怨你们这些当爹的、当姑姑的财迷心窍，不好好教他做人，这下，行了吧，眼见着把孩子毁了,才想起来要着急。

崔英姿急了,脸上有点挂不住:我说瘸子你说的叫啥话? 会说话不? 不会说话就给我闭嘴! 以后我们老崔家的事儿你少跟着掺和!

她娘崔老太太这时从一旁开口了:都戗戗个啥? 戗戗个啥你们? 是听你们的还是看孩子比赛? 都给我住嘴! 打架去一边打去! 让我消消停停看我大孙子跑步!

老祖宗这一开口,这些颇有沧桑之感、怀有些苍生之叹的不肖儿女们,麻利地把嘴都闭上,一心一意观看比赛。

从凇州到省城祁阳的高速公路上,黎曙光独自驾车疾驰。他要急赴省城,上午 10 点钟赶到省城松陵公墓,参加旷乃兴爷爷的葬礼。

一波未平,一波又起。黎曙光失去亲人的伤痛还未平复,省城祁阳又传来旷乃兴爷爷病逝的消息。旷乃兴的台湾二叔在大陆锒铛入狱,老人家受了刺激,眼看自己无力帮助解忧,连自家的大孙子都受牵连险些丢官,这一切都让这位八十多岁的老人家经受不起。从凇州回去后不久他就病倒了。家里人尽全力服侍、抢救,仍没能保住老人家生命。在病榻上过完虚岁 88 岁生日以后,老人家溘然辞世。旷乃兴回省城料理后事。接到消息,黎曙光今天要去赶往省城松陵公墓告别室,参加旷乃兴爷爷的遗体告别仪式。

一个月之内,黎曙光是才出殡仪馆,又进公墓门。悲恸哀绝之情溢于言表。当他刚一听到旷乃兴在电话里用沙哑的声音告诉他这个消息之后,他的心里就是凛然一惊:老天爷啊! 还有什么苦难,你就都一起来了吧!

他知道旷乃兴跟他爷爷的感情非同一般,爷爷的去世肯定让他相当受打击。作为朋友,他也不知该如何安慰,只能说声:节哀顺变! 你多保重!

朋友的伤痛,积压在自己的伤痛之上,有千钧重负,似万江波涌! 妻子去世后这段时间里,黎曙光就像一块木头,失去了触觉,失去了思想，整天木呆呆的，发傻，发愣，人像是没了魂儿，灵魂像是被人抽走了。他什么也不能想，什么也不敢碰，一想，一碰，就全是妻子的影子，全是有关妻子生前的记忆。他不敢在屋里待，不敢长时间待在屋里，那里到处都是妻子遗留下的气味，到处都保留着妻子的印记。一待在那种氛围里，他就像是自己也跟着死过去了，却又分明知道自己必须要活转过来，他必须振作，他必须振奋！工地上还有一些收尾的活计没有做完，他必须坚持到底，以一个总设计师的形象和身份，坚持到底。他用各种办法给自己提神，给自己打气，帮自己从哀痛中苏醒。这一个月来，一有闲暇，他就开车出去，去山里，奔走在北方山林人迹罕至的地方，沿着潺潺流水所示的方向，伴着车载CD疯狂的进行曲、打击乐，把音量开到最大，让哐哐敲击的乐音给自己的心灵疗伤，让北方大地森林的浓郁葳蕤给自己的脑海拂愁。

如今，这是他第多少次走在这淞州通往省城的路上了？蓝天白云纯净，白杨树梢悠远，大地一望无际铺展开去，如片片绿毯。走在这块广袤的东北绿色大平原上，让人仿佛觉得，世界是平的，地球是平的。平展展，波澜不惊，死水一潭，活着有点没意思。活得有点不耐烦。而车厢里那急板、热烈、雄奇、豪放的《匈牙利狂想曲》，却把他从哀伤无妄中惊醒，把他的激情推上云端！李斯特让他的胸中气象万千！

活泼的生命。欢乐的大地。民族的光荣。祖国的历史。狂欢的“弗里斯”①。一个回旋。又一个回旋。接一个升c小调，转E大调。

欢乐的乐曲声中，他驱车驶过城市中心的街道、游轨、高架桥。音乐的声响越来越大。一群群参加迎奥运赛跑的人群洪流般正从桥下涌过，马拉松的队伍在公路上浩浩荡荡前行。

音乐再回旋。上升。狂欢的色彩越来越浓。音乐达到最高潮部分！整个车厢的棚顶、脚下的高架桥、身边欢乐的人群在一起共振！激

---

① “弗里斯”(Friss)，匈牙利民间舞蹈音乐“查尔达什舞曲”的形式，其特点是速度迅急，情绪激昂热烈。

荡！轰鸣！

黎曙光脚踩踏板，手握方向盘，在这密如豪雨、绮丽绚烂的华彩乐章里驱驰向前！向前！

松陵公墓第二告别室里，旷乃兴爷爷的遗体告别仪式隆重肃穆地举行。哀乐低回，花圈翠柏围绕，爷爷的遗体摆放在灵堂中央，等着孙男嫡女们前来最后一拜。

老旷家省内外所有得到消息的亲戚全来了，几乎就是当年台北亲戚访祁阳时在钢子家里聚会的全明星豪华阵容。所不同的是，这回他们全是面有忧戚，浑身缟素，怀着万般沉痛的心情前来告别他们的老祖宗。88岁的先人长逝，驾鹤西归，按理说应该是喜丧，属于寿终正寝。但是，老祖宗在那样一个忧郁心情下，抱病在身，最后才不得已撒手人寰，家人难免要暗地里把一份归罪之心、责怪之色，落到他的大孙儿旷乃兴身上。如果不是出了台湾二叔那么一档子事，如果不是旷乃兴他只顾自己，为了自己保官而对二叔见死不救的话，他老人家怎么能窝那么大的火、最后导致一命呜呼？按照他老人家的健壮体格，再活个一二十年也毫无问题。亲戚们止不住把怨怼的眼神，一次又一次撒向那个站在门口第一排他大伯和父亲身边、肃立迎接人们前来吊唁问候的旷乃兴身上。

旷乃兴目不斜视，假装对一切指责浑然不觉。他知道亲戚们这会儿都怎么想。但是，在长眠的爷爷遗体面前，他无力辩驳，更几乎是失去了思想。他只是机械地伸出手来，跟前来吊唁的人们一一握过，耳边听着一句句“节哀顺变”。他觉得这不是真的，一切全都不真实。前些日子，他还在淞州自己的小家迎接过爷爷，是程之介他们一伙把爷爷骗过去的，为了台湾二叔和蒯广富之间的事情，那伙人妄想从爷爷这里打开他旷乃兴的缺口。义与法、亲情和法理，旷乃兴当然知道应该怎样做，知道应该怎样去抉择。但不料，却因此把一份痛苦，加给他至爱的爷爷身上。这叫旷乃兴难过。也叫他对那一伙人的做法十分鄙视。他只能是极力安抚、说服爷爷,求得爷爷的谅解和宽恕。到后来,把爷爷送回父母家去之后,就听说爷爷身体不好,病倒了。他就心有愧疚,百般愁肠,却也无力化解。他只能一次又一次赶回省城探望,陪床,一次次服侍在爷爷身边,来尽自己的孝道。

现在,爷爷说走就走了,肯定是带着一份说不出口的沉痛忧伤。旷乃兴感到难过。爷爷健在的时候,他还不觉得怎么样,不觉得过分的依恋、倚仗,有什么离不开,一旦爷爷去了,他却陡然间觉得身后空了!空落落的。自己霎时间就成了无根之人,无祖之人,无依无靠,无祖无根。

家有老人和长辈的意义,就是他永远是你身后的倚靠,挡风板,是你返身回头时宽广的岸。无论你冲杀在何等前线,多么水深多么火热,多么在名利泥潭里打滚沾染一身腥浆,无论你是凤冠霞帔你还是丢盔卸甲,只要何时你感到疲惫,感到倦怠,想返身,想上岸,不玩了,想休息,只要你一回头,一转身,他都肯定在那里,肯定在那里用慈爱、温暖的眼光在看着你,念着你,疼着你,想着你。你的心啊!你那颗支离破碎、麻木不仁的心,登时就化了!就柔软、融化,被温情融化成了一摊水。

想想,你的媳妇能对你这样吗?不能。你的儿女能对你这样吗?不能。

只有老人啊!那爱我们疼我们、创造我们抚养我们成长的老人,才能做到这一点啊!我们至亲至爱的老人,他还没有等到我们一丁丁一点点的回报,就撒手远去了!

旷乃兴心里千疮百孔。

他觉得不光是身后空了,整个世界对他来说都空了。

灵堂门口突然一阵骚动。众人抬头一望,却见是台湾叔爷爷旷承宗,领着老伴和孙女旷念娇也赶来了!

大陆老旷家众人都有些吃惊!谁也没想到他们会来,谁也不敢说指望着他们能来。那个二叔的事情,怎么说呢,虽说不能怨他们祁阳老旷家,按理说跟他们家一点关系都没有,是他自己犯事、自己贪心、自己进的监狱，根本跟别人无关，一点怪不得别人。

但是，亲戚们的事情，哪能那么说得清？毕竟，那个二叔，是在旷乃兴管辖的地界出的事；毕竟，出了事以后，台湾叔爷爷曾经向大陆的他们家求过情，辗转向旷乃兴求过情，请求帮助解救二叔。但是，旷乃兴没有帮。一点都没有伸手帮。他这一不帮，二叔就直溜溜进去了。当然，他们家乃兴也给牵连得够呛，也是差点就丢了官、遭人陷害。按理说，事情应该两相扯平了吧？

但是，这话怎么说啊？这理儿得怎么讲？不管怎么说，怎么讲，这件事情，如今，都成了如鲠在喉，已经严重影响到台北大陆两个老旷家之间的来往交流。

谁也没想到，台北的叔爷爷还是赶来了！老人家，带着老伴，千里迢迢，万里迢迢，辗转乘机，风尘仆仆，还是赶来了，赶来祁阳给老哥哥送行！

两位也快 80 岁的老人了啊！

大陆的老旷家人都感到吃惊和感动。

他们台北老旷家，只有老人和小孩来了。儿女辈的人，那些大大小小势利眼，从歌星到星姐一个都没来。只有小孙女旷念娇，在北京音乐学院学二胡那个，自告奋勇在首都机场那边负责接待爷爷奶奶，然后又陪他们一路赶赴省城祁阳。

老人一进来，就颤巍巍直奔灵堂中央旷乃兴爷爷的遗体跟前，以手掴地，伏倒痛哭：我那老哥哥啊！你咋这么快就走了啊！咱哥俩的话还没说够呐……

老伴也跟着在一旁淅淅沥沥抹眼泪。

一旁的小孙女忙上前扶起老人。

老人被小孙女搀着，颤巍巍走到肃立一行的亲属跟前，跟那些直系亲人旷乃兴的大伯、旷乃兴父亲、旷乃兴以及他的二弟等一个个握手。当握到旷乃兴这里时，老人家驻足的时间长了一些，一双含泪的昏花老眼，直瞪瞪瞅着旷乃兴，拉着他的手，手掌摩挲着他的手背，千言万语，都无法说得出来。旷乃兴感受了老人掌心里宽厚的热度，一刹那间竟有了错觉，竟以为是自己爷爷的双手，在摩挲自己！他不禁满眼含泪，叫了声：叔爷爷……

叔爷爷更紧地握了握他手，说了句：孩儿呀……就泣不成声了。一旁的小孙女忙把爷爷扶下去。临走，小孙女旷念娇还回头，向她这个大陆的市长大哥瞥过来一个充满幽怨、同情却也似乎很无奈的眼神。那种眼神，早已经超出了她这个年龄的人对世界的理解能力。

遗体告别仪式结束，旷乃兴与父亲、弟弟、大伯四个家族男丁抬着爷爷的灵柩，走出灵堂。灵车从后门载上爷爷的遗体送往火化室。身后家属的哭声连成一片。

跟这恸哭之声同时响在省城祁阳上空的，是马路广场群众性马拉松比赛最后冲刺阶段的加油声，鼓劲声。淞州"汪家军"的团队一直保持在长跑第一方阵，前奥运冠军崔国旦毫无悬念地跑在队首第一个位置。现在，已经不是他自己要跑，而是灵魂在驱策着他的双腿在跑！没有什么能阻挡他，没有任何一个困难能成为他的前进阻力。没有谁再能遏制住他渴望飞翔的灵魂！

奔跑！冲刺！

他开始发力了！

上午 11 点半钟，旷乃兴一行人跟着灵车到了火化车间。他们将装有遗体的木棺从灵车上抬下来，在一个挂有"永念"牌子的炉门口停顿等待。在遗体进入火化炉之前，他们还要进行一个简短的遗体入炉仪式，跟亲人做最后的告别。旷乃兴的大伯和父亲在炉门口摆放的香炉上，敬了两炷香。旷乃兴和弟弟旷乃庆则拿出事先预备好的鲜花香囊，在爷爷的棺木上撒满花瓣。

爷爷，您走好。旷乃兴一边撒花瓣，一边在心里默念。

爷爷，您老人家安心去吧。

他在心里悲声呼唤。他知道，从此，在这个世界上，再也没有一双慈爱的大手，抚摸他的头；再也没有一种温暖的目光，在他的心底点起一盏灯。

待这一切做完，告别仪式结束，火化炉前的大门打开。接着，木棺被缓缓推入火化炉进行火化，两扇门随后也慢慢关上。工作人员按动操作电钮。

炉膛慢慢转动。他们先人的遗体要在里边经过一个多小时的高温油火的燃烧焚化，最后，才能化成一缕青烟和几捧骨灰，完成一具肉身在这个世界上的最后消殒。

亲属们都到外面等待。火葬场高高耸立的巨大烟囱里，正有一缕缕青烟冒出来。那该是爷爷的魂灵，此刻正从那里飞出吧？旷乃兴的腿一软，顺势跪将下来，跪倒在一片青烟下。他双手抚地，额头轻叩地面，心中默念诵祷：

爷爷啊！原谅孙儿不肖！

爷爷啊！求您老人家在天的灵魂保佑我，保佑您的子子孙孙吧！

念诵既已出口，心里一片澄明。凝神间，忽一阵风过，空中片片飞雪，雪花纷飞的碎屑直落他衣袖上来。他吃惊，悚然！蓦地抬眼，向空中打望。但见，七月高天，仍是万里晴空，广阔无垠的湛蓝之下，只一片颜色略为深灰的云烟，袅袅从粗壮的烟囱口中滑散。想那纷纷雪片，该是从里面带出的没有完全燃烧尽的遗体碎屑吧？

想到这里，不禁感叹！仰望长空，那一刻，他看见了！袅袅飘拂的云烟之中，果真他看见了自己的爷爷，灵魂在云烟里显形。还是那样慈爱的目光，还是那样略为忧郁的面容。

爷爷！爷爷啊！

旷乃兴怆然泪下。他将头更深更深地触地，匍匐长叩，领受圣灵。

那一夜，我磕长头拥抱尘埃，
不为朝佛，
只为贴着你的温暖；

那一瞬，我飞升成仙，

不为长生，

只为佑护你平安喜乐……

28. 带妆彩排

2007年8月8日。立秋。

距北京奥运会正式开幕正好还有一年时间。

淞州“东方地平线”体育场带妆彩排。

淞州市通过文化产业经纪公司请来西班牙巴塞罗那俱乐部来跟淞州足球队进行一场友谊赛，给新奥体中心体育场热场子，同时也全面检验体育场的功能。

消息一发布，淞州球迷们简直乐翻了！

巴萨，那是谁啊？西甲豪门！世界上最著名的俱乐部之一！有百年历史，获得冠军奖杯45个，并且是三支获得过欧洲三大杯冠军的“大满贯”球队之一。该队的大牌球星从五十年代的库巴拉，到七十年代的克鲁伊夫、八十年代的马拉多纳、九十年代的罗马里奥、罗纳尔多以及进入二十一世纪后现如今的罗纳尔迪尼奥、亨利、梅西，个个都是响当当的世界级球星。

跟这些大球星们近距离接触，那是淞州球迷以前连做梦都不敢想的事情。如今，却马上就要在家门口跟球星零距离面对面的互相瞅见，不仅能一饱眼福，而且，抽冷子，说不定还能弄个球星签名、跟偶像合个影啥的。

天呐！我的老天爷啊！这难道是真的吗？

能见着真人，活的！

球迷激动得直发抖。淞州大地紧跟着直颤悠。

淞州政府方面的意思，之所以花巨资请西甲豪门出演，一是要提升淞州地区本身以及“东方地平线”体育场的人气，惹起更高的关注度；二来也是特意要增加接待、指挥等方面的难度，预先面对一下最棘手的场面。等到奥运足球比赛真正开始时,也好积累下经验有了应对办法。

淞州上下从政府到奥协办方面高度紧张工作起来。他们像开始一场真正的奥运会比赛一样对待这次奥运测试赛,各个部门严把质量和秩序关,要保证每一环节都不能出问题。

在淞州百姓看来,政府这一举动太牛了!太了不起了!能请来西甲豪门到咱这不起眼的淞州小城来比赛,就算是表演赛吧,那得多大面子,多大能耐吧!咱就先别说花多少钱,问题是你花再多的钱人家也不一定能请得动、人也不一定就乐意去哇!可咱这淞州一请,人就来了!看来,这举办奥运就是有好处!成为奥运协办城市就是有好处!什么世界级球员、顶级明星,咱说请谁就请谁,说见谁就见谁。牛!那叫一个牛!

淞州的足球草民们不懂,而那些专搞文化产业搞体育经济的商界人士却懂。在这个日益资本化、已经全球化的世界上,没有做不到,只有想不到。对于一些商业性质的比赛表演秀来说,资本就是撬动一切事物的有力杠杆。现如今文化产业这么兴盛,无论什么项目,只要运营好,都有利可图,有钱可赚。巴萨的巨额出场费,可以通过他们在中国大陆上的广告收入以及门票收入等等冲抵。这是一个借鸡生蛋、互利共赢的好项目。

淞州球迷不管那么些。他们摩拳擦掌,奔走相告,把咱能请得起巴萨的牛皮烘烘的劲儿传布到大街小巷。他们千方百计打探巴萨球员到达淞州的时间,他们进驻哪家酒店?总共有哪几个大牌明星能来?小罗能不能来?亨利能不能来?梅西能不能来?

一群拿着小本子、端着照相机、捧着偶像照片找球星签名找球星合影留念的人,饭不吃、觉不睡,水不喝,活活在淞州东湟河会展中心五星级大酒店把入住的巴萨偶像们围困了一天一宿没敢出来。虽然在警察的铁桶防守之下他们连个巴萨球员的毛都没见着,但是,到了第二天晚傍晌,这群疯狂粉丝又不顾疲劳,带着一双双布满血丝的通红眼睛,又尾随在巴萨球员的大轿子车后边,直奔淞州南湟河新奥体中心,想抢在他们到达体育场门口下车的时候能见上一眼偶像风姿。

可是，他们的主意打错了！想要跟身价上千万的球星贴身逼抢拍出一张照片来，谈何容易！那“东方地平线”体育场早已戒备森严，保安防范措施到位，球员们的车通过运动员通道直达进去，把其他人等隔离在外，任何人都休想借机尾随。

要知道，淞州的奥运保安措施，那是所有奥运准备活动中最厉害最关键的一个环节，要是连起码的运动员的安全都没有保障，那还比个什么赛、还奥林一个什么匹克？

淞州奥运安保协调小组的四级指挥体系全面启动，总共7个层面、13个专项工作和具体岗位的安保措施全部到位。预防处置各类突发事件的警察巡逻车沿线巡逻，时刻严阵以待。别说粉丝，就连一只老鼠也休想不拿票就蒙混进体育场去。

粉丝球迷们见载着巴萨球员的大轿子车没追上，并不气馁。不让见？不让见球星咱就玩别的去。反正把这球星招来也就是陪咱玩的。他们就一转身，一扭头，立刻加入到体育场门前的欢乐大合唱里，跟先期到达这里的人群一起，吆喝，起哄，手舞足蹈，东蹿西蹿。

今晚的“东方地平线”，注定是个狂欢的海洋！

从下午五点钟开始，各条通往体育场的道路就戒严，除了标志有“奥运交通车”的公交专线车和出租车以外，别的车子一律不让左拐弯，不许从体育场门前通过。骑自行车和走道的行人则不受限制。

晚五点半钟，体育场门前就已经人山人海，人群摩肩接踵，警察也缕缕行行，小喇叭呜哩哇啦叫，彩带儿满天飞飘，吆喝声叫卖声到处嚷，所有的球迷用具：小喇叭、V字形欢呼胜利的大手、望远镜、矿泉水、小旗儿、荧光棒、脑袋上缠的小布条……要什么有什么。球迷们嚼着汉堡包，啃着羊肉串，喝着矿泉水，挤挤擦擦，闹着，叫着。忽然一阵震耳欲聋的鼓乐声传来，抬头一看，见是普拉尼和小土豆率领的球迷游行造势队伍，为首的普拉尼打着鼓，小土豆敲着锣，身后跟着大批球迷骨干招摇过市，他们手里拿着罗纳尔迪尼奥画像，脸上画着五星红旗，边走边扯着脖子喊:“中国队,加油!”“巴萨,加油!”

一旁的摊主们就奋力截住行人,死气白赖往他们怀里推销货品。推销最多的,就是球星罗纳尔迪尼奥招贴画:小罗龇着他那标志性的龅牙,哧哧哧傻笑,小罗站着的,小罗跑着的,小罗梳马尾巴辫的,小罗脑袋上缠黑发带的、小罗盘球拿大顶的……一看就是仓促印出来,套色套得花花绿绿,稀奇古怪。同时卖的还有小罗戒指,小罗球衣,小罗裤衩,小罗球鞋等等,就差卖人了!一旦成了世界巨星,小罗身上的每一个痦子,都会成为卖点。

罗纳尔迪尼奥的影像放得越大,给人的印象越突出,那就是一个“丑”字!同时,还要加上另外两个字:可爱!

又丑又乖、又难看又可爱——这就是小罗,新科状元、世界足球先生罗纳尔迪尼奥小同志的特点,也是他的魅力和吸引人之所在。

这位小罗的前任、2002年的世界足球先生大罗,就是那个中国人民熟悉的、同是出自巴西队、同样在巴萨效过力的罗纳尔多。那个罗大耳朵,招风耳,兔牙,阿福头,身材肥胖,进球如麻,把所有足球桂冠集于一身。后来听说大罗爱球及逑,阅女无数,搞得体能下降,精力主要用于忙减肥和保养前列腺。趁着这个空挡,“80后”出生的新生代龅牙小罗于是顺风飞扬,闪亮登场!

请看小罗的业绩:

2003年7月,巴萨以2500万欧元转会费购入罗纳尔迪尼奥并签下5年合同。

转年11月,小罗就领巴萨在诺坎普2比1战胜意甲豪门AC米兰。

3周后,罗纳尔迪尼奥又率领巴萨3比0完胜西甲死敌皇马。

2004年,世界足球先生的桂冠毫无疑义地戴在罗纳尔迪尼奥头顶。

2005年12月,小罗蝉联世界足球先生。

同年,小罗还包揽了法国足球“金球奖”、世界职业球员联盟“世界最佳球员”等个人大奖。

一往无前的小罗,龇牙咧嘴欢笑的小罗,眼花缭乱盘带过人的小罗,具有欺骗性的带球突破以及能以各种方式劲射的小罗,他的无论何种姿势:奔跑、倒钩、垫射、吊射……都完美至臻,如梦入幻,赏心悦目,让人心醉不已!

尤其是他在2002年世界杯足球赛西队跟英格兰队四分之一决赛中,一粒35米外惊世骇俗的吊射破门,看呆了全世界多少观众! 那一幕永存凇州广大球迷的心底!

如今,来了! 罗纳尔迪尼奥!

活动的、立体的、龇牙咧嘴的小罗,来了!

同时来的,还有亨利、埃托奥、多斯桑托斯、伊涅斯塔等大牌明星。

2007年8月8日夜。这注定是一个狂欢夜。

凇州“东方地平线”体育场内九万名球迷观众齐坐,准备一享足球盛宴!

体育场的照明设备全部打开,两万多盏荧光灯同时闪亮,把体育场的夜空照耀得一片辉煌。那些充了气的泡泡也全部点亮起来! 一个巨大闪光的球体出现在凇州大地上。两只俱乐部的队服颜色和队标,交相变幻出现在体育场外边的膜板上。

这样浓烈的气氛,这样亮闪闪的灯光,只要一走近,稍微一靠近,球迷的热情就会被点燃! 满腔的激情就会被照亮!

这是诸神的狂欢,也是市民的狂欢。

12条奥运专线的400多辆公交车,从城市的不同方向带领观众直达赛场。

6000名警力同时出动确保比赛安全。观众要经过严格安检才能进入场内,易燃易爆品、包括像矿泉水瓶等有可能砸向球员头顶的危险品都被严格禁止携带入内。

1000名志愿者全部上岗,为观众、球员、媒体等提供全方位的服务。他们统一着装并配有职责标签。无论遇到什么困难他们都会尽全力帮助解决。

淞州市代市长、本次测试赛总指挥旷乃兴到达自己的岗位坐镇指挥。

淞州市奥协办主任、本次测试赛副总指挥黄一发到位。

淞州市新奥体中心“东方地平线”中方总设计师黎曙光到位。

比赛各部门负责人、体育场各分部工程师集体到位。

全体人员各就各位，各司其职，真刀真枪，开始了各部门职能的运行检查。

北京奥组委负责人、喜爱足球的副省长在市委书记霍秋林的陪同下也来现场观看比赛。各兄弟城市喜爱足球的领导人也应邀前来，坐在贵宾席上观看比赛。

“东方地平线”德方总设计师穆勒尔也专程前来观赏足球赛。

晚上七点半钟，主裁判一声哨响，比赛正式开始。

因为这只是一场足球秀友谊比赛，巴萨并没有让小罗、亨利、埃托奥三位巨星联袂登场。他们只要按合同保证每位球星都出来走个场子，踢够规定的出场时间就行了。小罗没有先上，亨利被安排在上半场首发阵容。即便是这样，淞州人民的热情仍然澎湃，欢呼声呐喊声没有歇气的时候。反正观看这种大型现场真人表演就是一种宣泄活动，他们踢他们的，咱们喊咱们的，两不相扰。现场九万人形成的巨大的喊声、锣鼓声、欢呼声，聚集在一起，真是有点响遏行云、气壮山河的意思呐！

通过主控室监视器观看比赛的淞州代理市长旷乃兴深深感慨。他是头一次参加有九万人聚集的比赛，当周围看台上都坐满人后，无论谁，一进来，第一眼，都会被震慑住，被那气势震慑住，被那巨大的“人场”“气场”震慑住。就连场上观众自己，也会被当场震慑住，感到自己的渺小，渺小如沙砾，如蝼蚁。不要说九万个活人，就是把九万只蚂蚁聚集到一起，也会吓倒 100 头大象组成的象群；九万枚落叶堆叠到一起，一把火也能烧掉一整座森林。九万个现场观众齐声呐喊，其声音共振的力量完全可以把屋顶掀到天上去！

看来体育场去掉盖子是很有必要的啊！旷乃兴有点坏坏地想，然后趁人没看见，还像顽童一样“哧哧”笑了一下。

只有到了现场，才能明白，在大规模的群众运动中，人数的确很重要，所谓“庄严”，所谓“雄奇”，所谓“宏大”，所谓“狂风扫落叶”，首先必须靠数目堆叠。数目一到，气场自现。众多的人数自能够把人惊慑住，能够把人惊颤倒。“大”就是美的！“大”就是有力量的！全世界的体育场越建越大，越设计越大，也不是没有它的道理。人类发展进步到这个阶段，除了上帝之外，几乎什么也不信、几乎什么也不怕，只有靠大规模集体造势、在一个公共集会场所中自己惊颤住自己，才能勉强找到一点刺激，勉强找到一点威慑力。这也是现代建筑设计里，那些摩天大楼越来越高、落地大厦越盖越大的原因之一吧？

正这么漫无边际想着，上半场比赛进行到第9分钟，淞州队一不留神，就被巴萨19岁的墨西哥小将多斯桑托斯攻入一球。其实他们留神也没用，看不住，防不了。这本来就是实力悬殊的比赛，双方经纪公司已经事先商量好，巴萨进俩球、然后也让淞州进一个就得了，皆大欢喜，好玩好散，千万别动真格的！巴萨若真发力，那还不得把淞州队球门捅得跟筛子似的！到时候人可就下不去场，淞州队没法活了。

双方队员都明知道是这么个过程，所以就你打你的，我打我的，争抢并不积极，尤其巴萨，那些星星们都尽力避免身体上冲撞。要说小将嘛，毕竟是小将，墨西哥小将才9分钟就着急进球，真是爱出风头！看在他才19岁的分上，原谅他吧！淞州队员心里有底，丢球也不太以为意，仍旧按足球秀的路子蹚着球跑着。

淞州的球迷却有点不乐意了。虽然，他们也知道这是表演，是友谊赛，但是对方进球太快、己方还磨磨蹭蹭也不跟上去铲，他们的火“腾——”地就起来了！不管到啥时候，啥全球都化了什么的，咱广大中国老百姓那民族主义情绪、集体荣誉感都根深蒂固常存心中！人民见不得场上这群败家玩意拿球不当个球踢，都0：1了，还拐了拐了的慢悠悠跑呢！人民群众的愤怒情绪，终于脱口而出、喷薄而出，终于异口同声、众口一词、大喊狂喊猛喊一声：傻×——

然后那九万人的人浪此起彼伏，多声部回应，义愤填膺，手舞足蹈，一浪高过一浪，一波接着一波，骂声在巨大的环形的体育场看台上荡漾开去：

傻×——傻×——傻×——×——

就跟有组织、有指挥、有伴奏的大合唱那么齐。声部明确，吐字清晰。

估计在场的球迷都没什么感觉，喊得十分自然，十分顺口，在场的普通观众也没有感觉，也加入众声喧哗里跟着起哄。而在场的贵宾席上的副省长、市委书记以及兄弟省市来看球的嘉宾们，听到这声京骂后，可能会心里有点想法。尤其是淞州市委霍秋林书记，脸上有点挂不住了。但她作为东道主，又是一名女同志，听到这么难听的话，也不好当面表示出什么，权当什么也没听见，同时也希望身边其他人也都没听见，全都没听懂。

那怎么可能呢？怎么可能没听懂、怎么可能没听见呢？全中国所有看过球的、喜欢球的男人，纯爷们儿，在球场上，谁没听过这句话、谁没用过这句话？

坐在总监室里的掌握情况的代市长旷乃兴生气了！他是真生气了！中国足球的职业联赛都打了十几年，球迷都把著名的北京京骂也都给喊了十几年，怎么，到现在还没有换新的？

他让身边工作人员将麦克风接通指挥监控二中心黄一发，劈头盖脸就喝道：怎么回事？不是让你们研究过吗？赛场精神文明问题、现场球迷口号，都要想到，事先设计好。怎么还出现这种情况？

那边，黄一发委屈道：旷市长，不是没研究。协调会、研讨会开过几次了，就是拿不出个方案来，找不到合适口号。

旷乃兴说：怎么，找一个合适的口号就那么难嘛？

黄一发说：旷市长，你不知道，我们把市委精神文明办、还有球迷协会会长普拉尼、小土豆全请来了，另外还请来了大学中文系老师，都没想出个合适的词儿。大学老师教普拉尼他们喊“加油”“快射”，不顺口，喊不出动静，普拉尼和小土豆说，还是北京话的“傻×” 和四川话的“凶器”(雄起)最赶劲！都是舌尖元音单韵母“i”的音，发第四声，有力！

旷乃兴说：听你话里话外的意思，你是不是也挺赞成他们喊京骂啊？

黄一发赶紧说：哪里啊旷市长！我连个球都看不懂，哪里还懂个什么京骂不京骂的！再则说，这京骂发明出来北京人民也有责任，也不光是我们的问题。

旷乃兴打住道：我没让你追究责任！我让你做的是整改！

黄一发说：那是！是！这不嘛，这回我们去找文联，让他们的诗人们给帮着出主意，找几个合辙压韵的词儿出来。听说他们已经从什么……什么《白香词谱笺》上查出了几个，过几天跟球迷协会对一对口型。实在不行，旷市长，我看这事就得再等等，咱再看看北京那方面的动静，等他们那边拿主意定吧！谁让普通话规定是以他们北京语音为标准音了呢！

旷乃兴说：行了，别说了。我告诉你啊，这事，你赶紧，回去改！限你们一个月之内拿出口号来，改定、排练好！我就不信，祖国语言这么丰富发达，找一个合适的朗朗上口的球迷欢呼词还真就那么难！

黄一发说：是！旷市长！等比赛结束一回去我就办！

关掉跟旷乃兴通话的话筒，老黄又自己咕哝道：不是找一个欢呼词儿难，而是找到一个解气骂人又顺口的话不易。

他旁边的几个工作人员就跟着嘿嘿嘿乱笑。

上半场凇州队有 5 次射门机会都未能敲开巴萨球门，1 比 0 的比分保持至半场结束。下半场，当那个龇着龅牙、带着招牌性微笑的罗纳尔迪尼奥一出场，整个体育场立刻又重新沸腾起来！欢呼声，高分贝的女球迷喊叫声不绝于耳！人们把最热情的欢呼声，毫不吝惜地送给巨星小罗，这个长得大猩猩似的、又丑又乖的可爱小罗。在一个电视媒体充分发达的时代，当然也是在一个中国人民富裕起来、有钱买得起球赛转播权的时代,各种 TV 轻轻松松就把世界各种星星——世界顶尖极的明星们——球星影星歌星,纷纷送到老百姓的家门口,呈现在老百姓的热炕头,让他们一扭开电视机就能迎面扑来看得到,让广大凇州人民百姓熟悉出生在遥远巴西东南部阿雷格里港棚户区的小罗,就像熟悉邻居二大妈家那二小子似的,格外透着那份亲哟!

感谢这个时代吧! 感谢这个电视媒体发达的时代,感谢这个中国人民富裕起来的时代。寰球真正同此凉热!

"东方地平线"总设计师黎曙光在他的第三监控室里看到了场上小罗的表演。穿着红蓝条队服的小罗几乎还是他在 2002 年世界杯赛上的那副样子,梳着一条马尾辫,龇着牙,咧着嘴,总爱笑。或许他不是在笑,只是因为上下嘴唇包不住两颗里挑外撅的大门牙,因而总是呈现出一副傻笑的样子。他的头上戴了一个松紧发带,又宽又厚,整个缠绕脑壳一周,看上去有点像个箍,加之他的皮肤又黑,这就使他的脸,呈现出一副老太太相,不经意间,看着就像一个中国北方农村跳大神的老巫婆。其实他不戴那个箍,一头卷曲蓬松的马尾,挺好看的,跑起来,马尾在脑后一甩一甩,很帅气! 怎么就没有个着装顾问提醒他一下呢?

看着小罗场上跑动的轻灵的身影,弹簧似的腰,那一脸自信欢乐的神态,黎曙光就想起,2002 年世界杯上,小罗那举世惊艳的 35 米外一记任意球吊射破门,还有他那射门成功后双手疯狂捶打自己前胸的大猩猩似的庆祝动作,那些场景,作为小罗个人在世界杯赛上的首演,牢牢印在全世界球迷心中。尤其他那个大猩猩般双拳疯狂捶胸的庆祝动作,非常令人发噱,只捶过那么一次,以后就再没见过。可见没经过事先设计,完全是情之所至。而以后的进球欢庆动作,就是标志性的拇指和小指伸直,其他三指握紧,就像中国划拳手势里的"六"的手型。

2002 年世界杯是小罗的第一次世界杯之旅,但就在第一世界杯之旅中,小罗以他出色的脚下盘活技术、精妙的传球技巧以及诡异飘忽的进球征服了世界。记得当时黎曙光他们全家:他,邵宝娟,还有儿子小波看球时,全家人还就每人所喜欢的球星议论过。儿子小波说他最喜欢欧文，黎曙光说他喜欢土耳其的伊尔罕，就是那个扎马尾辫、脚底工夫好、长相非常俊秀的土耳其前锋。真的，很难看见有那么俊美的踢球男人，非常有魅力。听了他们爷俩的议论，邵宝娟在一旁很是不屑，说你们这哪里是喜欢球星，你们喜欢的是你们自己！你们都在球星身上看到了你们自己。

儿子小波一听：耶！老妈你眼睛太毒了！我老爸就有点像伊尔罕，女里女气的；而我哪，当然就是那个英俊少年欧文啦！

邵宝娟说：去去去，一边去！这臭孩子，哪有这么夸自己的。

黎曙光听得笑，问：我们俩全被你打击掉了，那么你喜欢哪个球星？

邵宝娟不假思索地说：我喜欢那个巴西的罗纳尔迪尼奥。

小波大叫：不会吧？老妈！你有没有搞错?！你喜欢那个像大猩猩似的家伙？他那个进球庆祝动作也太搞笑了！

邵宝娟说：我就是喜欢他！你看他长相有多么原始！

"原始"?!

听到这个词儿，黎曙光先是一愣，接着就忍不住哈哈大笑！

他还头一次听说有人拿"原始"这个词儿来形容一个人，而不是说一个猴子。

而且，还是用作褒义词。

到底是中文系出来的。连形容词用的都别出心裁。

同时，老婆的话也进一步提醒了他，人类审美具有多样性、复杂性和歧义性；还有，男女在评价一个对象时有着根本的不同。审美这个东西，你没法把它统一到一个步调上来。

……我怎么又想起邵宝娟？又想起妻子？

黎曙光在监控室里甩了甩头，把眼睛盯向屏幕，努力拉回自己的思绪。

自从妻子走后，每逢遇事，他总是要本能地想起邵宝娟，想起她曾怎么说、怎么做的，跟她在一起的时候是怎么怎么样。原先，在她活着的时候，自己怎么一点都想不起？在她还活在人世的时候，自己与她一起生活的点点滴滴，怎么丝毫都没装进自己的脑袋里、融入自己的记忆库里？

人哪！只有失去，方才珍惜。

小罗场上的表演谈不上什么精彩可言。看来是有过教练或者经纪人的事先叮嘱，小罗也尽量避免与淞州队员有身体接触，接球后都是一脚出球传出去了事，以免遭受对方围攻。下半场比赛进行到第21分钟时，小罗利用一次前场任意球的机会，直接洞穿了淞州球队大门，将娴熟的脚法略微施展了一下，将比分改写为2比0。临近终场，巴萨后防线故意卖了个破绽，淞州队前锋王大脑袋借机中路突破，在距离守门员两米的地方起脚劲射，皮球应声入网，比分被改成1比2。

主裁判一声哨响，比赛结束。最终，巴塞罗那队以2比1战胜淞州足球队，取得这场比赛的胜利。

全场欢呼，普天同庆！老百姓和管理层都比较满意，众人皆大欢喜。管理层举办测试赛的目的达到，老百姓狂欢得心满意足。这正是众人所要达到的结果。怎的，难道不是淞州1：2落后于巴萨，还能反过来让巴萨1：2输给淞州不成？嗤——扯淡！那简直是滑天下之大稽！简直等于是糊弄猴子呢！还不让全世界都笑掉大牙！打假球可没有打成那么弱智的！

欢庆程序最后达到高潮。淞州仿照世界杯颁奖的模式，从天空洒下银光闪闪的彩条彩带，如片片飞舞的晶莹的雪花，把体育场装点得一片梦幻玲珑！

双方还评出了场上表现最佳球员，举行隆重颁奖仪式，十几个漂亮的足球宝贝上前献花，球员互相交换球衣。

在观众中的一片欢呼声中，体育场四周焰火纷飞，礼炮齐鸣！

一团团绚烂的焰火在空中炸开，又如璀璨的菊花一样当空怒放！

赤橙黄绿青蓝紫，火树银花不夜天！

淞州的今夜注定是个狂欢之夜，也是个不眠之夜！

淞州的这一页，也注定是个可以载入历史史册的辉煌灿烂的一页！

2007 年 8 月 8 日夜。阴历 6 月 26。下弦月。

旷乃兴拉着黎曙光，乘兴再登碣石山。

欢庆的美酒正在血液里沸腾，他们健步如飞，越过天柱凌云、水岩春晓、东峰耸翠、霞晖窣堵等诸般美景，也越过上次来过的望海长廊，几人直奔主峰仙台顶。

天空像块巨大的黑丝绒幕布，闪亮的群星就是一盏盏明亮的顶灯。长风吹走夏季的溽热和烦躁，竦峙的山岛落叶间秋意浓浓。

还记得上次我领你来吗？

旷乃兴在前头一边登山，一边问。他敞开夹克衣襟，走得热气腾腾，浑身直冒汗。他们方才可都喝了不少。但是心里痛快。欢庆的酒，千杯不醉。

当然记得。黎曙光说。他也同样感到血液在身体里奔流，天空在颤抖仿佛大地在燃烧。要不是司机小马在旁边随时扶他一把，他更会飘飘欲仙，一路在与峭崖树丛的不断碰撞弹跃中迂回匍匐前进。

我怎么能不记得，四……四年前的一个严冬，寒夜。月黑风高夜，杀人放火天。我是第……第一次来淞州。就是从那时起你把我带上贼船的。

嗳我说，怎么能叫“贼船”呢？我这条船，你上得还值吧？

说着，旷乃兴扭头，伸手拉了黎曙光一把。

黎曙光借劲跃上一个台阶：怎么不……不值？赔了夫人又折兵。

话一出口，他自己也哑然，登时就醒了。酒后吐真言。不错。微醺中顺口吐露出来的，却是一个沉重的事实。

旷乃兴一听，不说话了，用力拍了拍他后背。

二人继续往山上爬。司机小马还有奥协办主任老黄在后边跟着。

这是秋夜的山林，绿树摇曳，风景迷人。草木在夜色里散发出干燥起来的香气，让人五脏六腑都清爽，洁净。在这样一个天然大氧舱里吸上一阵子后，会让人感到神清目明。黎曙光很快就酒醒了，旷乃兴的脚步也越发轻盈。

到了山顶，电视转播塔的两个小伙子出来迎接。已经爬得气喘吁吁的司机和老黄被让进屋去休息。两人又来让旷市长和黎总也进屋歇歇，他们摆摆手谢绝，让其他人先进去，他们俩人要在仙台顶峰看看。两个小伙子一看让不动，就说，后半夜山上风凉，旷市长，黎总，你们小心感冒着凉。说着，拿出两件值夜用的风衣让他们披上。

两人身体里正沸腾着心火，根本感觉不到凉意。小伙子就把衣服给他们搭在身边石头上，进屋去了。他二人消停下来，举目四眺。山峦被更浓重的夜色包裹，山林一片静寂。下弦月挂在辽远的天边，在风的缝隙里显露着一层羞涩的微光。远望东南，渤海湾深处大海隐隐的涛声翻卷，顺势北望，燕山山脊蜿蜒起伏的长城雄姿朦胧如现。转身回望，蓦地，莽莽苍苍沉寂如睡的北方大地上，一枚巨大的、火红色圆形球体，赫然在视野里闪亮！发着灿烂之光！

是“东方地平线”！

他们的来处！

那“东方地平线”通体闪亮，如一枚巨大的火球，熊熊燃烧，赫然耸立，在遥远的大地深处，把一片辽阔沉睡的平野点燃！

他们的心，都“忽悠”一下子，止不住震颤！

这就是他们竭尽心力，要架设、追寻的坐标？

这就是他们披肝沥胆，要实现、达到的理想?!

你古老沉睡千年的中国大地！

你辉煌璀璨的东方地平线！

一团火焰，就是要把沉寂的大地点亮！把天空点燃！把这山川万物、沧海碣石点亮！把这亘古不变、世道人心点燃！

他们都不说话了。只静静地观望，胸中似有万千波澜。

山风激荡。大海肃然。潮汐起伏，跟林声连成一片。

良久，旷乃兴开口：有两首诗，给我留下的印象至深，都是描写大海。一首是一千八百多年前，曹操的《观沧海》，另一首是一百多年前，梁启超的《二十世纪太平洋歌》。

黎曙光道：是的。我知道。1899 年 12 月 31 日，世纪更替钟声敲响之际，梁任公戊戌变法失败流亡，漂泊在由日本到美国去的太平洋船上所做，《二十世纪太平洋歌》，1300 字长文。

旷乃兴：海云极目何茫茫，涛声彻耳逾激昂。鼍腥龙血玄以黄，天黑水黑长夜长。满船沉睡我徬徨，浊酒一斗神飞扬。渔阳三叠魂憯伤，欲语不语怀故乡。

黎曙光：吾欲我同胞兮御风以翔，吾欲我同胞兮破浪以飏。

旷乃兴：斗酒倾尽荡气回中肠，曼声浩歌歌我二十世纪太平洋！

黎曙光：梁启超，时年 26 岁，比我们现在的年龄还要小十多岁。我在大学里第一次读到他的《二十世纪太平洋歌》时，真是热血沸腾！恨不得立刻也像梁公一样断发胡服走扶桑。

旷乃兴：我更记得 27 岁时的梁启超，流落海外时写下了《少年中国说》。他说："造成今日之老大中国者，则中国老朽之冤业也；制出将来之少年中国者，则中国少年之责任也。"他就是不满意封建王朝总以"老大帝国"自居的德行，想要摘掉这个"老大帝国"帽子，并充分肯定少年富于进取的前瞻意义。

黎曙光："美哉我少年中国，与天不老，壮哉我少年中国，与国无疆！"说得多好！多么震撼人心！他开辟了中国现代化的启蒙之路。

旷乃兴：是啊！一面"少年中国"的旗帜下，聚起了那么多彪炳历史的风流人物：李大钊、毛泽东、蔡和森、恽代英、赵世炎、邓中夏、高君宇、张闻天……这些人，均出于"少年中国学会"。

黎曙光：那真是一代匡时济世之才啊！英气勃发、豪情满怀，坚持民主与科学，顽强改革与图新，经过半个多世纪的奋斗和探索，找到实现少年中国梦想之路，建设起让世人惊叹的新国家。

旷乃兴：真乃时势造英雄也！少年终归会成长。国家也会起变化。一个多世纪过去，你看这大海，再也不是百多年前梁启超所身处的那个太平洋上风雨如晦的大海;这国家,也早已经不再是满目疮痍受人欺侮的封建落后国家。一个民主、强盛、自由、富裕的新国家已经展现在世人面前!

黎曙光:是啊!国家富裕强盛,人民民主自由,少年中国的理想实现。而我们,也都跟着老了。你看,一转眼,我的头发都白了。

旷乃兴:唉!我的头发也白了。时间过得快啊!还是古人说得好,莫等闲,白了少年头,空悲切。嗳,对了,院士导师推荐你去部里就任的事情,你考虑得怎么样了?

黎曙光:我还没有想好。说实话,我对你们这些当官的,一向不抱有什么好感,也无非是些白衣秀士、乡愿之类,要不就是女流之辈……

旷乃兴笑,说:噢?一网打尽啊!那你说,我又是什么?

黎曙光瞅瞅他,说:你啊,还轮不上,小孩伢子,不在视野里,暂时还没法定论。

停顿了一会儿,旷乃兴转过脸去,看着远处,语气凝重:你的心思,我能理解。书生自有崚嶒骨,最重交情最厌官哪!可是,你也要想一想,如果都像你一样,清高、独善其身、追求一种艺术的人生,那么,现实的人生怎么办?谁来掌管?让小布什来管?还是让普京来管?他们管得了吗?谁能管好咱中国的事儿?中国人的事情,还得中国人自己来办。你不担当,我不担当,那么由谁来担当?总得有人出来担当吧!

黎曙光瞅着远方,也沉吟道:是啊!跟前人比,我总觉得我们这一代人是虚掷年华,知识浅薄,不知天高地厚,枉在人世许多年。有时还书生气十足,连最简单的人生道理也弄不懂。回头想起来,还是那些真正从事中国社会改革实践的领导者改革者,更富有经验,更了解中国社会,更能把中国的事情办好。我们这一代单纯从校园书本中走出来的人,需要学习的东西太多,太多啊!

旷乃兴道:有这个觉悟,就好。其实也大可不必妄自菲薄,人终归要成长。就像这个国家,一个多世纪过去,少年成长为意气风发的青年,这是不可阻挡的历史脚步。少年中国成长为青春中国,也是历史发展之必然。

说到这里，停顿了一下，又问：你知道，一个奥运会，咱们要向世人展示的，是什么吗？

黎曙光沉吟了一下，瞅着远处，道：就是……眼前这座“东方地平线”吧！

对！

旷乃兴迎着山风，目光炯炯：你说得很对！就是这个，“东方地平线”，青春中国的壮丽风貌！青春中国，是从少年中国延续而来的、一代又一代仁人志士薪火相传的理想。青春中国，就是饱满的姿态，是强劲的实力，是博大的心胸，是坚强的个性！就像这座“东方地平线”，不虚饰，不夸张，不骄，不馁，实实在在，扎根大地，面向世界，朝向未来。

黎曙光感慨。顿了一下，说：一百年以后，一千年以后，当我们都不在了，而这山川大地，江河却会永存！诗会永存，艺术永存，建筑永存，“东方地平线”也会永存！

旷乃兴：凡是物质的形态都会转化、消亡。而人类精神会永存。灵魂永存。我们在淞州这块土地上曾经做过的事业，也会永存，载入历史史册。

他二人静默，凝望，专注谛听秋水长天。

一弯下弦月，渐渐隐没天际。繁星也悄悄退隐到夜空舞台后边，谢幕不见。东方渐渐泛出浅浅的鱼肚白。

他们都屏气凝神，等待着一个神圣时刻的到来。

黎明时分，一层薄薄的雾水笼罩在山与海之间。田野平畴，大地依稀。草木松石都轻笼在雾霭里，昨晚一派辉煌的建筑也暂时隐身不见。渐渐地，薄雾缓缓散去，一条白练似的玉带呈现远方，那就是海，所有大地上的河流都九九归一奔流而去的大海！而从山到海之间，这片宽阔平整的土地，看起来很窄，竟然窄得只像一道门槛，纵身一跃，似乎就可以将它跨过，而直入波涛云水间。那条朦胧的白练先是赭褐色，然后，是绛紫，接着，变成朱红，然后有了一点橘红，接着就泛出几许明黄。待把这一切背景颜色调好安排好了之后,主角才隆重出场。就见那海与天的交接处,有一个弧线的橘黄脑袋露头,就像一枚蛋黄,只露出一个小边,接着是迅速而有力地往上顶,往上探,一个金黄的,鲜亮的,毛茸茸的,新生幼儿,一点一点,像有点羞涩又不由分说地,从海水里破壳而起,脱颖而出!

先还是有些黏稠,有些粘连,有些依依不舍那条海水与地衣的脐带,蓦地,它猛然一跳,一跃而腾到空中,把自己悬浮在水面!周围的一切都被它照耀,海面金光闪烁,山峦镶嵌金顶。

那是太阳!一轮光明、伟大的太阳!

太阳脱离了地平线,霞光四射。红日喷薄。它就像一个巨大的起搏器,磊落、倜傥,强有力地置放,击穿天与地的心灵,所行之处,万物通脱,光明漫舞。它缓缓上升到空中,经过无数跋涉,构成青春,强有力的正午,一种庄严的力量,与那个伟大的建筑物遥相呼应,印证着人类想象力的纯洁。它泽被,福荫,庇护,在人类之上,成为永恒的主宰。

红日初升,其道大光;河出伏流,一泻汪洋。潜龙腾渊,鳞爪飞扬;乳虎啸谷,百兽震惶;鹰隼试翼,风尘吸张。

那是梁启超的少年中国,是一百多年前仁人志士们令人心潮澎湃、血脉贲张的伟大梦想。那些烂熟于他们心中的灿烂华章,到了公元二十一世纪第七个年头的碣石山上,又从他们的心里喷薄而出,化成了眼前东方地平线上无比瑰丽的真实场景。

他们沉醉。他们充满自豪。为自己亲手参与这青春中国的打造,参与这青春中国的变革实践,而深感荣幸和自豪!

青春中国,鲜活健壮。青春中国,永寿永康!

尾声　大隐隐于家

都结束了。都结束了。

黎曙光回到省城祁阳的家。

都结束了。

你那纯美的年华。

你那青春靓丽的色彩。那缤纷。那绚烂。

都归于沉寂。

都镌刻于“东方地平线”！

东方地平线。

这是一个人的盛世年华。一个人的奥林匹克。一个人的梦想实现。

不不，这是一千个人，一万个人的。是几代人的，梦想实现！

如今，他的名字跟这座伟大的建筑一起，被那么多人所歌颂，所赞誉，所褒贬。他知道，这种争议，还会持续一段不短的时间，就像历史上任何一座伟大的、具有前瞻性的作品问世时所遭遇的情况一样。

但是，这些，对他都无所谓了。都过去了。

再过一年，明年的这个时候，这个巨大的钢筋混凝土的建筑里，必定是一场豪华盛宴，欢乐的盛宴，全世界千百万青年人的巨大的欢乐的飨宴！

奥林匹克盛会，从一个感性的身体层面来说，是全世界青年人的游戏，是检验人类青年时代膂力的盛会；从理性的认识层面上来说，它却承载了太多，太多！

他自己个人的成长记录，幸福、欢乐和生命创痛，都镌刻进它的一钢一梁、一土一石里。它的上边，也凿刻进众多的时代、历史的生动气韵。

如今,都结束了。

推开门,走进屋去。

这个空荡荡的屋子。

满怀忧伤、满怀悲戚的屋子。

到处都是逝去妻子的气息,到处都是他们曾经共同生活的痕迹。

他拿起桌上的照片。自己跟邵宝娟在大学时候照的照片。阳春三月,远足踏青西山八大处,芳草萋萋,杨柳依依。他们相依相偎,青春的笑靥那么动人!

妻!

黎曙光低低叫了一声。他张口叫了一声。他头一次这么叫。发出低低的声音来这么叫。他们俩从来都是连名带姓地互相叫,习惯了,从同学到夫妻,呼唤惯了,甚至手机存储号码里,也是连名带姓地存着,从来没写过“妻”或“夫”这个字样。

现在,在妻子离去之后,他才这么叫。这么叫着的时候,就有了别样的心痛。

妻!我不知道,离开你,我竟是那么痛,那么痛!这痛让我不能够原谅自己。让我的心底有一个巨大的窟窿。

为什么我夜半醒来,脸上总是淌满想念你的泪水?

为什么只有触摸到死,才能感受到生?

什么叫十年生死两茫茫?

什么叫不思量,自难忘?

千里孤坟,无处话凄凉。

如今,这个家、这座房子已经不属于他。这座房子连同他们的儿子一起,都留给了岳父岳母。他将净身出户,这回,是真正的净身出户,远走他乡。

邵宝娟去世后,祁阳电视台了解到她生前将自家房屋抵押贷款的情况，对她的事业心进行了表彰并帮助偿还了部分贷款。淞州市政府方面，考虑到黎曙光为淞州市奥运建设所做出的巨大贡献，也因此给了黎曙光十万元奖励，以帮助他解决家庭困难。省建筑研究院方面，也帮助他补偿了一些，提前支付了他应得的设计奖金。所有这些钱加起来，正好够提前偿还贷款，赎回了家里的房屋。他把这一切都如数交给了邵宝娟的父母，作为一种补偿，同时也表达心中的愧疚。他也知道，失去女儿的悲痛，白发人送黑发人的悲痛，是任何财物任何道歉都抚平不了都安慰不了的。但是他也实在做不了太多的什么。他自己的伤痛也尚不知将如何平复。

见到家中一切旧物，往事滚滚，如潮翻涌。

这十几年的北方生活！这十几年的婚姻生活！

铭心刻骨。椎心泣血！

长恨此身非我有，何时忘却营营？

卫生间梳妆台上妻子的那些简陋的化妆品还在。衣柜里她那些质地粗陋的衣服仍然堆叠。床单枕畔有她生病之前遗落下的头发，长长青丝如墨……

妻！

他又低低叫了一声，泪水盈湿眼眶。

里里外外，粗略检视一番，却不免又悲从中来。

他停到儿子的琴前，拂去上面的积尘，打开钢琴盖子。混沌僵硬的手指，从黑白闪光的琴键上轻轻一掠。叮叮咚咚，琴像应和般的，一串乐音流泻。他端坐琴前，凝神片刻，抬手，十指搭在琴键上，轻轻一触，天庭里的乐音，一点一点回到指尖上来……是《安魂曲》，《爱之梦》，还是《哥德堡变奏曲》？低回的慢板。稀疏的星光，甜糯的柔情。二十四桥明月夜，暮霭沈沈楚天阔。千里万里，浩渺烟波。寒水涟涟，黄沙漫漫。沧海碣石，层云出岫，金鼓边关。

心似已灰之木，身如不系之舟。汝问平生功业，扬州新州凇州。

乐境沉缓，滞重，似船搁浅于千山万谷之间。惊涛拍舷，猝不及防的惊悸和震颤。在一个盛世清明的时代，个人的小小的忧伤就是剧痛，椎心泣血，刻骨铭心。一方面觉得不值，一方面又无法摆脱。要不然能怎么样？自己还能怎么样？身无半亩，心忧天下。书生自有崚嶒骨，临渊履薄念苍生。古来圣贤皆寂寞，唯有隐者留其名。"饮者"还是"隐者"？又有什么区别吗？"隐"就是"饮"，"饮"就是"隐"。滑稽，可笑。哈哈哈！

躁动的激情。急切的速度。旋律于双手间穿梭。手指激愤地跳跃。电闪雷鸣。骤雨倾盆。忧愤满腔，上下求索。巍巍高矗势凌天，俯瞰沧浪气万千。隐还是饮？饮还是隐？归去来，还是归去去？

说什么大隐隐于朝，都是谵妄语，尸位素餐，不履职，占着茅坑不拉屎；说什么大隐隐于野，皆为孟浪词，表演作秀，以退为进，以隐求取仕；说什么大隐隐于市，一派轻狂言，引车卖浆，草根纨绔，于世无补于人无益。

唯有大隐隐于家，心缟灰，身朽木，思接千载，神骛八极，宁静以致远，淡泊以明志。

……然则，人生一世，草木一秋。人生何为？人生何谓？

都说那人生如鼠，苟且胆怯，不在仓就在厕；都说那人生如猪，醉死梦生，不在家就在屠；都说那人生如戏，粉墨登场，不在隐就在出；都说那人生如歌，波澜壮阔，不在庙堂就在江湖！

到如今，我既已无家，无妻，无儿，无财，隐无可隐，归无可归，那就注定只有去，那就命定只有出！

去吧！

出吧！

弃我去者，昨日之日不可留；

乱我心者，今日之日多烦忧。

长风万里送秋雁，对此可以酣高楼！

……八月狂想曲的乐音激荡，豪放，落拓，山呼海啸，炽情狂飙。C小调转为E大调，色彩豁然开朗。音乐驶进一片雄阔的水面上，乐境深远，宽广。一个“弗里斯”接另一个“弗里斯”。一个快板接上另一个快板。急切。炽烈。澎湃。火热。

田园将芜兮，胡不归？

田园将芜兮，胡不去？

俱怀逸兴壮思飞，欲上青天揽明月！

2007年8月。

一个清爽美丽的早晨。

省城祁阳东山的福陵墓地上。微风拂面，山野间开满大片绚烂的山花。

两个男人再一次相见了。

他们来祭奠各自的亲人。

旷乃兴回来给爷爷烧七。

黎曙光来妻子的坟前告别。

旷乃兴刚从凇州归。

黎曙光将从祁阳走。

旷乃兴将回省城任职。

黎曙光动身去北京高就。

回来了？

回来了。

就走？

就走。

两个男人打过简单的招呼，然后，一同从墓地里走出，缓步徐行，漫步登上陵园边的小山。

从远处看，秋风渐起。山花烂漫。巨树在清风中摇曳。茵茵绿草地，一块块浅灰色的墓碑整齐排列，静谧而安详。

两个男人，并肩而立山冈。

他们玉树临风，面目俊朗。

内心白发苍苍。

太阳从山冈上升起。远处雾霭散去。平原一派灿烂。

太阳像穿越时空隧道的镜头，旋转，旋转。照耀着他们的青春，梦想。

太阳逐渐升得更高，把他们灿烂的未来照亮。

……你听，你听！从哪里传来青春悠扬动人的歌声？

似乎还带有欢笑？带有奔跑？带着春天青草萌发的清新味道？

那是一群穿着洁白衬衫的小青年，沿着山坡跑来，他们追逐笑闹，欢快愉悦地歌唱：在那盛开柠檬花的乡间道路上，邮递马车奔驰来牧场，马车将把愉快的消息，带到我们的心坎上。啊，那广阔的牧场，是正午好时光……

不不，不是《邮递马车》！而是那，是那，是那甜美的《傲骨柔情》：

我们有多少柔情，
温柔如春天的黎明；
我们更有多少刚烈，
刚烈如冬日的长风。
叹息和犹豫不属于我们，
只要开始，就是一次壮丽的行程；
卑屈和胆怯不属于我们，
既然活着，
就有一副硬骨铮铮。
当然还有爱，
爱属于我们，

但爱得热烈，爱得深沉。

我们青年时代的诗人啊！你在哪里？

那曾经指引过我们青春、理想、抱负、情怀的诗人啊！你如今在哪里？

2004 年 12 月初稿

2007 年 12 月书毕

泪垂西山脚下